Вирджиния Вулф

НОЧЬ И ДЕНЬ

Роман

Перевод с английского
Нины Усовой

МОСКВА «ТЕКСТ» 2013

УДК 821.111
ББК 84(4Вел)
В88

*Издано при финансовой поддержке Федерального
агентства по печати и массовым коммуникациям
в рамках Федеральной целевой программы
«Культура России (2012–2018 годы)»*

ISBN 978-5-7516-1185-9

СЕРИЯ
КЛАССИКА

Virginia Woolf

NIGHT AND DAY

Ванессе Белл,
но не смогла найти слов,
достойных стоять рядом с твоим именем

ГЛАВА I

Был воскресный октябрьский вечер, и, как водится у барышень ее круга, Кэтрин Хилбери разливала чай. Но лишь пятая часть ее мыслей, похоже, была занята этим делом, остальная же часть, без труда преодолев временной барьер, вклинившийся между утром понедельника и нынешним довольно тоскливым моментом, уже предвкушала все то, что так легко и непринужденно можно будет делать при свете нового дня. Даже помалкивая, она все же оставалась хозяйкой ситуации, до ужаса знакомой и привычной, и намеревалась пустить ее на самотек, наверное, в шестисотый раз, не прилагая к тому ни одного из своих невостребованных талантов. Даже беглого взгляда на миссис Хилбери было достаточно, чтобы понять: эта дама столь щедро наделена качествами, которые делают чаепитие пожилых почтенных людей приятным и запоминающимся, что едва ли прибегла бы к помощи дочери, если б кто-то другой взял на себя скучную и утомительную обязанность распоряжаться чашками и бутербродами.

Поскольку собравшиеся сидели за чайным столом минут двадцать, не более, в лицах еще заметно было оживление, и общий гул голосов ласкал хозяйке слух. У Кэтрин даже мелькнула мысль: вот если бы сейчас вдруг отворилась дверь и вошел посторонний человек, он бы точно решил, что здесь царит веселье.

«В какой на удивление милый и гостеприимный дом я попал!» — наверняка подумал бы он. Кэтрин невольно улыбнулась этой мысли и сказала что-то незначащее, лишь бы добавить этому дому приятности, поскольку сама она никаких восторгов не испытывала. В этот самый момент, словно в ответ на ее мысли, дверь распахнулась, и в гостиную вошел молодой человек. И Кэтрин, удивившись совпадению, мысленно спросила, отвечая на его рукопожатие: «Вы полагаете, мы здесь веселимся до упаду?..»

— Мистер Денем, — подсказала она матери, заметив, что та запамятовала его имя.

От внимания гостя это тоже не укрылось, что лишь усилило неловкость, какая обычно сопровождает появление незнакомца в тесной компании оживленно беседующих людей. И мистеру Денему почудилось вдруг, будто за ним тотчас захлопнулись, отгородив его от улицы, тысячи пухлых, плотно обитых дверей. Едва заметная дымка, как легчайший призрак тумана, разливалась во всем обширном и довольно пустом пространстве гостиной, посеребренная там, где на чайном столике были составлены свечи, и вновь розовеющая в свете камина. Перед его мысленным взором еще проносились омнибусы и кебы, все тело еще гудело после быстрой ходьбы по людным, запруженным пешеходами и транспортом улицам, и эта комната казалась далекой и застывшей, как на картине, а лица людей — размытыми, каждое в прозрачном ореоле, благодаря проникавшим в гостиную щупальцам густого синего смога. Мистер Денем вошел как раз в тот момент, когда мистер Фортескью, именитый романист, добрался до середины весьма пространной сентенции. Он смолк, дожидаясь, когда вновь прибывший займет место за столом, и миссис Хилбери искусно соединила прерванную нить беседы, обернувшись к гостю и заметив:

— Ну а что бы вы делали, если б вышли замуж за инженера и переехали жить в Манчестер, мистер Денем?

— Ну, она могла бы, например, изучать персидский, — заметил сухопарый пожилой джентльмен.

— Но если в Манчестере нет ни отставного учителя, ни ученого, которые знают персидский?

— Одна наша родственница после замужества перебралась в Манчестер, — пояснила Кэтрин.

Мистер Денем пробормотал что-то невразумительное — на самом деле большего от него и не требовалось, — и литератор продолжил с того момента, где недавно остановился. Втайне мистер Денем уже жестоко корил себя за то, что променял уличную свободу на эту утонченную светскую гостиную, где, помимо всего прочего, он не мог показать себя с лучшей стороны. Он огляделся по сторонам и отметил, что, за исключением Кэтрин, всем собравшимся далеко за сорок, хорошо хоть мистер Фортескью знаменитость и завтра можно будет, по крайней мере, утешать себя мыслью о таком знакомстве.

— А вы бывали в Манчестере? — спросил он у Кэтрин.

— Ни разу, — ответила она.

— Тогда что вы имеете против него?

Кэтрин помешивала чай и, как показалась Денему, была озабочена лишь тем, кому еще из гостей наполнить чашку, хотя на самом деле ее мысли были заняты задачей потруднее: каким образом сделать так, чтобы этот странный молодой человек не вносил явную дисгармонию в нынешнее собрание? Она заметила, что он буквально вцепился в чашку — тонкий фарфор того и гляди хрупнет. Явно волнуется, да это и понятно: худой, с раскрасневшимся лицом, с растрепанными волосами, — любой с такой внешностью чувствовал бы себя неуютно на званом вечере. Более того, ему, вероятно, претит подобное времяпрепровождение и он заглянул сюда лишь из любопытства или потому, что папа его пригласил, — так или иначе, ему нелегко будет влиться в общую компанию.

— Просто, мне кажется, в Манчестере ей не с кем будет поговорить, — сказала она первое, что пришло в голову.

Мистер Фортескью, который уже минуты две наблюдал за ней — писателям ведь свойственно наблюдать и все подмечать, — после ее слов улыбнулся и сделал их предметом своих дальнейших рассуждений.

— Несмотря на некоторую склонность к преувеличениям, Кэтрин определенно уловила суть, — промолвил он и, откинувшись на спинку стула, вперив задумчивый взор в потолок и соединив перед собой пальцы рук, принялся описывать — сперва ужасы манчестерских улиц, затем бесприютность городских окраин, потом ветхий домишко, в котором доведется жить добровольной изгнаннице, потом живописал преподавателей и бедных студентов, рьяных поклонников нашей новой драматургии, которые будут захаживать в гости, и как она станет там мало-помалу чахнуть, по временам наезжать в Лондон, а Кэтрин — выгуливать ее, бедняжечку, по столичным улицам, словно голодную болонку по шумным мясным рядам.

— Ах, мистер Фортескью, — воскликнула миссис Хилбери, едва он закончил, — а я как раз написала, что от души ей завидую! Я вот представила себе: такие большие тенистые сады и милые старые дамы в митенках, которые не читают ничего, кроме «Спектейтора»*, и живут при свечах. Неужели их больше нет? Я от души пожелала ей найти все те бла-

<hr>

*«Спектейтор» («Наблюдатель») — английский еженедельный журнал консервативного направления. Издается в Лондоне с 1828 г. (*Здесь и далее примеч. переводчика.*)

га, к которым мы привыкли в Лондоне, но без этих ужасных улиц, которые на меня тоску наводят.

— Но там есть университет, — заявил пожилой джентльмен, который ранее уверял, что в Манчестере имеются знатоки фарси.

— Вересковые пустоши там точно есть, я недавно читала об этом в одной книге, — заметила Кэтрин.

— Меня поражает и огорчает невежество моего семейства, — вздохнул мистер Хилбери.

Это был пожилой человек с миндалевидными карими глазами, необычайно живыми для столь почтенных лет и смягчавшими тяжеловесность остальных черт лица. Во время разговора он обычно поигрывал зеленым камушком, висевшим у него на цепочке часов, демонстрируя таким образом длинные скульптурные пальцы, и имел привычку быстро поводить головой туда-сюда, не меняя положения своего большого и довольно грузного тела, словно надеялся обнаружить что-нибудь занятное и достойное внимания, но с наименьшей затратой усилий. Можно было предположить, что для него давно минуло время сильных желаний и неутоленных амбиций — или он удовлетворил их по мере возможностей и теперь применяет всю свою немалую проницательность не для какой бы то ни было пользы делу, а лишь для наблюдений и философских раздумий.

Кэтрин, подумалось Денему, пока мистер Фортескью сооружал очередную обтекаемую конструкцию из слов, похожа на каждого из родителей, но черты сходства в ней довольно странно смешались. У нее были резкие, порывистые жесты, как у матери, в разговоре она часто пыталась вставить что-то свое, но, едва разомкнув губы, удерживалась и тотчас сжимала их; в глубине темных блестящих миндалевидных глаз — как у отца — таилась грусть, но, поскольку в столь молодом возрасте грусть не могла быть благоприобретенной, это меланхоличное выражение скорее свидетельствовало о сдержанности и склонности к созерцанию. И цвет волос, и овал лица — все это позволяло назвать ее интересной девушкой, если не красавицей. Присущие ее натуре качества, такие, как решительность и самообладание, сформировали яркий характер, но из этого вовсе не следовало, что молодой человек, к тому же едва знакомый, будет чувствовать себя рядом с ней легко и непринужденно. Она была высокой, в платье какого-то спокойного тона с отделкой из старинного желтоватого кружева, на которое бросал алые блики один-единственный драгоценный камень. Денем догадался, что именно Кэтрин, хоть большей частью помалкивала, здесь настоящая хозяйка, она моментально реагировала на малейший намек о помощи со стороны матери, но все же для него было очевидно, что ее участие в происходящем лишь внешнее. Ему вдруг пришло в голову, что ее роль за чайным столом, среди всех этих пожилых людей, не так проста, как кажется, и он решил пересмотреть свое первое суждение о ней как об особе, явно к нему нерасположенной.

Разговор тем временем перешел от Манчестера, который уже обсудили достаточно, на другой предмет.

— Что-то я забыла, как это называется — Трафальгарское сражение или Непобедимая армада*, Кэтрин? — обратилась к дочери миссис Хилбери.

— Трафальгарское, мама.

— Ну разумеется, Трафальгарское! Как же я так… Еще чашечку чаю, с тонким ломтиком лимона, ну а потом, дорогой мистер Фортескью, не могли бы вы объяснить, почему мужчины с благородным римским

---

* Трафальгарское сражение — историческая битва времен наполеоновских войн — произошло в 1805 г. Непобедимая армада — военный флот Испании — была разгромлена англичанами в 1588 г.

профилем всегда вызывают доверие, даже если встречаешь их в омнибусе...

Тут в разговор вступил мистер Хилбери — в чем в чем, а уж в этом Денем разбирался — и со знанием дела заговорил о профессии стряпчего и о тех изменениях, которые эта профессия претерпела на его памяти. Денем приободрился, ведь именно благодаря статье на юридическую тему, которую мистер Хилбери опубликовал в своем «Обозрении», они и познакомились. Но когда минутой позже объявили о прибытии миссис Саттон-Бейли, хозяин дома занялся новой гостьей, а мистер Денем, лишенный возможности сказать что-либо умное, остался сидеть рядом с Кэтрин, которая тоже помалкивала. Поскольку они были примерно одного возраста, обоим до тридцати, они не могли прибегать к избитым, но удобным фразам, которые позволяют плавно вывести разговор в тихое русло. Замешательство усугублялось еще и тем, что Кэтрин нарочно решила не помогать упрямцу, в поведении которого она усмотрела нечто враждебное ее окружению, и воздержалась от обычных дамских любезностей. Так они и молчали, Денем едва сдерживался, чтобы не сказать какую-нибудь резкость, которая, может быть, пробудит ее к жизни. Но миссис Хилбери чутко улавливала любую заминку в разговорах — как паузу в инструментальной партитуре — и, чуть подавшись к ним над столом, заметила, в этакой трогательно-отстраненной манере, которая всегда придавала ее фразам сходство с бабочками, перепархивающими с одного солнечного пятна на другое:

— А знаете, мистер Денем, вы так напоминаете мне милейшего мистера Рёскина...* Как по-твоему,

---

* Джон Рёскин (1819–1900) — английский писатель, искусствовед, литературный критик. Оказал большое влияние на развитие искусствознания и эстетики второй половины XIX — начала XX в.

Кэтрин, это из-за галстука, или из-за прически, или из-за того, что он сидит в такой же позе? Признайтесь, мистер Денем, вы поклонник Рёскина? Недавно мне сказали: «Ах нет, мы не читаем Рёскина, миссис Хилбери». А вот вы что читаете, интересно знать? Ведь невозможно все время летать на аэропланах и погружаться в земные недра.

Произнеся все это, она весьма благожелательно посмотрела на Денема, который не смог выдавить из себя ничего путного, затем перевела взгляд на Кэтрин — та улыбалась, но тоже не ответила, после чего миссис Хилбери, похоже, осенила прекрасная идея и она воскликнула:

— Думаю, мистер Денем захочет посмотреть нашу коллекцию, Кэтрин! Уверена, он не таков, как тот ужасный молодой человек, мистер Понтинг, который заявил мне, что, по его мнению, жить следует исключительно настоящим. В конце концов, что есть настоящее? Половина его — в прошлом… Причем лучшая половина, я бы сказала, — добавила она, обернувшись к мистеру Фортескью.

Денем встал, собираясь откланяться, — он решил, что повидал здесь все, на что стоило посмотреть, однако Кэтрин в ту же самую минуту тоже поднялась с места и предложила:

— Может, вы хотите взглянуть на картины?

И повела его через всю гостиную в комнату поменьше, которая к ней примыкала.

Эта небольшая комната походила на часовню в соборе или нишу в пещерном гроте — глухой уличный шум в отдалении звучал словно тихий шорох прибоя, а овальные зеркала с серебряным исподом напоминали глубокие озера, подрагивающие при свете звезд. Но сравнение с храмом все же уместней, ибо эта комнатушка была буквально забита реликвиями.

По мере того как Кэтрин касалась разных предметов, то здесь, то там загорались огни, выхватывая из темноты сначала красные с золотом переплеты, затем блеснувшую под стеклом длинную юбку в синюю и белую полоску, письменный стол красного дерева со всеми необходимыми принадлежностями и, наконец, картину над столом, которая подсвечивалась особо. Кэтрин зажгла эти последние лампы, после чего отступила назад, словно говоря: «Вот!» Увидев, что с портрета на него смотрит сам великий поэт Ричард Алардайс, Денем был так потрясен, что, будь на нем шляпа, тотчас сдернул бы ее из почтения. Взгляд этих глаз, окруженных теплыми розовато-желтыми мазками, был на редкость проницательным и излучал почти неземную доброту, изливающуюся на зрителя и — шире — на весь поднебесный мир. Краски до того потускнели, что, кроме этих прекрасных глаз, темнеющих на тусклом фоне, почти ничего нельзя было разобрать.

Кэтрин помолчала, словно давая ему возможность проникнуться величием момента, затем сказала:

— Это письменный стол. Поэт пользовался вот этим пером. — Она подняла перо и вновь положила.

Стол был в старых чернильных пятнах, перо разлохматилось от долгой службы. Здесь же лежали очки в золоченой оправе — всегда должны быть под рукой, — а под столом приютилась пара больших разношенных домашних туфель, одну из которых Кэтрин и подняла, прибавив:

— Думаю, дедушка был раза в два выше и крупнее наших современников. Это, — продолжила она, словно повторяя хорошо затверженный текст, — оригинальная рукопись «Оды зиме». Ранние стихи правились гораздо меньше поздних. Хотите взглянуть?

15

Пока мистер Денем рассматривал рукопись, Кэтрин устремила взгляд на портрет и, наверное, в тысячный раз погрузилась в блаженные мечты, где была своей среди этих людей-исполинов, по крайней мере, принадлежала к их обществу, отметая разом ничтожность настоящего момента. Величавая голова-призрак на холсте, уж верно, не ведала всех этих воскресных банальностей, и теперь было абсолютно не важно, о чем говорить с этим молодым человеком, ведь они — всего-навсего пигмеи.

— Это экземпляр первого издания стихов, — говорила она, не замечая, что мистер Денем все еще рассматривает рукопись, — в нем есть несколько стихотворений, которые больше не переиздавались, а также варианты правки. — Подождав с минуту, она продолжила, словно все ее паузы были размечены заранее: — Вот эта дама в голубом — моя прабабушка, портрет кисти Миллингтона*. Это трость моего дядюшки — сэра Ричарда Уорбертона, он, как известно, вместе с Хейвлоком** участвовал в снятии осады Лакхнау. А это… дайте-ка посмотрю… о, да это вещь Алардайсов тысяча шестьсот девяноста седьмого года — основателя фамильного состояния и его супруги. Кто-то на днях передал нам эту вазу, поскольку на ней их герб и инициалы. Мы решили, что им, должно быть, подарили ее на серебряную свадьбу.

Кэтрин умолкла на мгновение, удивляясь, отчего это мистер Денем ничего не говорит. И ощущение, что

---

* Джеймс Хит Миллингтон (ум. 1873) — английский художник, получивший известность как автор жанровых картин, портретов и миниатюр.

** Генри Хейвлок (1795–1857) — британский генерал-майор, участвовал в колониальных войнах в Индии. Осада Лакхнау — длительная осада, которой подверглись британцы в здании резиденции в ходе восстания сипаев в 1857 г.

он за что-то ее недолюбливает, которое на время забылось, пока ее мысли были заняты семейными реликвиями, с такой силой вновь дало о себе знать, что она прервала свой перечень и посмотрела на него. Ее мать, желая для солидности как-то увязать нового знакомого с великими классиками, сравнила его с мистером Рёскином; это сравнение теперь и вспомнилось Кэтрин, заставив ее более критично, чем следовало, оценивать этого молодого человека, ибо данный молодой человек, заглянувший на чай во фраке, действительно имел мало общего с ликом, вобравшим в себя всю квинтэссенцию чувств и неизменно взирающим из-под стекла, — лично знать мистера Рёскина ей не довелось. У мистера Денема было странное лицо — такое скорее подходит человеку действия, а не философу и эстету; широкий лоб, длинный и крупный нос, щеки с едва заметным румянцем гладко выбриты, губы одновременно упрямые и чувственные. Его глаза, в которых сейчас были заметны лишь обычные для мужчин беспристрастность и властность, могли бы при благоприятных обстоятельствах выражать более нежные чувства, ибо они оказались большие, светло-карие, сквозили в них — неожиданно — и нерешительность, и задумчивость; но Кэтрин глянула на него лишь затем, чтобы проверить, не станет ли это лицо чуть ближе к славным героям прошлого, если его украсить пышными баками. Его впалые, хотя не болезненно запавшие щеки указывали на неуживчивость и раздражительность. Голос его, она заметила, чуть дрогнул, когда он отложил рукопись и сказал:

— Должно быть, вы очень гордитесь своим семейством, мисс Хилбери.

— Да, конечно, — ответила Кэтрин. — А по-вашему, это дурно?

— Дурно? Почему это должно быть дурно? Хотя, наверное, скучно — показывать свои вещи гостям.

— Вовсе нет, если гостям это нравится.

— Не трудно ли жить, равняясь на предков? — не отступал он.

— Смею заверить вас, я не пишу стихов, — парировала Кэтрин.

— И я не смог бы. Не вынес бы мысли, что собственный дед меня в этом превзошел. И в конце концов, — продолжал Денем, обводя комнату насмешливым, как показалось Кэтрин, взглядом, — не только дед. Во всем вас уже опередили. Полагаю, вы принадлежите к одному из самых именитых семейств Англии. Уорбертоны, Мэннинги — и вы еще имеете какое-то отношение к Отуэй, как я понимаю? Я в каком-то журнале об этом читал, — добавил он.

— Отуэй — моя двоюродная родня, — ответила Кэтрин.

— Ну вот! — Денем произнес это так, словно получил подтверждение своим словам.

— И что же? — возразила Кэтрин. — По-моему, вы ничего не доказали.

Денем улыбнулся — странно, загадочно. Его приятно позабавило то, что ему удалось если не произвести впечатление на эту заносчивую, высокомерную девицу, то хотя бы смутить ее; правда, он предпочел бы первое.

Какое-то время он сидел молча, с драгоценным томиком стихов в руке, но так и не открыл его, а Кэтрин смотрела на него, и взгляд ее, по мере того как обида проходила, становился все более грустным и задумчивым. Она думала о разном, забыв о своих обязанностях.

— Итак, — сказал Денем, внезапно открыв томик, словно высказал уже все, что хотел или мог, ради приличия, сказать. И принялся листать страницы так усердно, точно собирался вынести приговор не только поэзии, но книге в целом: печати, бумаге, переплету, а затем, убедившись в хорошем или плохом ее качестве, положил на стол и стал рассматривать малаккскую* трость с золотым набалдашником, некогда принадлежавшую доблестному воину.

— А вы разве не гордитесь своим семейством? — с вызовом спросила Кэтрин.

— Нет, — ответил Денем. — Моя семья ничего не сделала такого, чем можно было гордиться, если не считать своевременную оплату счетов предметом, достойным гордости.

— Как это скучно… — произнесла Кэтрин.

— Вы бы сочли нас невыносимо скучными, — согласился Денем.

— Пожалуй, скучным я могла бы вас назвать, но смешным — нет, — добавила Кэтрин, как будто Денем и впрямь ее попрекнул этим.

— Ну да, потому что смешного у нас ничего нет. Респектабельные представители среднего сословия, живущие в Хайгейте**.

— Мы не живем в Хайгейте, но мы тоже среднее сословие, я полагаю.

Денем, едва удержавшись от улыбки, поставил трость на место и вынул меч из узорных ножен.

— Он принадлежал Клайву***, так мы обычно говорим, — сказала Кэтрин, машинально возвращаясь к обязанностям хозяйки дома.

---

* Малаккская трость (меч-трость) — коричневая трость из ротанговой пальмы, произрастающей в Малайзии, была модным аксессуаром в XVIII и XIX в., особенно в Викторианскую эпоху. Внутри полой трости помещался прикрепленный к набалдашнику клинок — шпага или меч, который при необходимости легко вынимался.

** Хайгейт — северный пригород Лондона, расположенный на холме. В отличие от фешенебельного Челси, где жили выдающиеся литераторы, не считался престижным районом.

*** Роберт Клайв (1725–1774) — английский государственный деятель, основатель и правитель индийской части Британской империи.

— Это неправда? — спросил Денем.

— Скорее, семейное предание, традиция. Я не уверена, что это можно доказать.

— Вот видите, а у нас в семье нет традиций, — сказал Денем.

— Как это скучно, — вновь заметила Кэтрин.

— Обычный средний класс, — отвечал Денем.

— Вы оплачиваете свои счета и говорите правду. Не вижу, почему вы должны нас презирать.

Мистер Денем бережно убрал в ножны меч, который, по уверениям семейства Хилбери, принадлежал доблестному военачальнику.

— Я всего лишь хотел сказать, что не желал бы оказаться на вашем месте, — ответил он, словно более всего заботился о точности формулировок.

— Никому не хочется быть не на своем месте.

— Мне хочется. Я бы с радостью поменялся местами с кучей людей.

— Так отчего же с нами не хотите? — спросила Кэтрин.

Денем смотрел, как она сидит в дедовом кресле, тихонько вертя в пальцах ротанговую трость двоюродного дядюшки, на фоне блестящих бело-голубых полос и бордовых переплетов с золотым тиснением. Ее живость и спокойствие, как у экзотической птички, легко балансирующей на веточке перед новым полетом, так и подбивали его раскрыть ей глаза на ограниченность ее удела. Как быстро, как легко она о нем забудет!

— Вы же ничего не получаете из первых рук, — начал он почти грубо. — Другие все уже сделали за вас. Вам не понять, как приятно покупать вещь, на которую пришлось долго копить, впервые прочесть новую книгу или сделать какое-нибудь собственное открытие…

— Продолжайте, — сказала Кэтрин, потому что Денем остановился: перечисляя все это, он вдруг усомнился, есть ли в его словах хоть доля истины.

— Конечно, я не знаю, как вы проводите время, чем занимаетесь, — продолжил он, чуть менее уверенно, — но полагаю, показываете гостям дом. Вы ведь пишете биографию вашего деда, не так ли? А подобные собрания, — он кивком указал на гостиную, откуда время от времени доносился сдержанный смех, — наверняка отнимают уйму времени.

Она выжидательно посмотрела на него, словно оба сейчас занимались тем, что наряжали некую куклу, в точности похожую на нее, и он колеблется, выбирая, где повязать очередной поясок или бантик.

— Вы почти правы, — сказала она, — но я всего лишь помогаю маме. Сама я ничего не пишу.

— Так чем же вы занимаетесь? — спросил он.

— Что вы имеете в виду? Я ведь не хожу в присутствие с десяти до шести.

— Я не это имел в виду.

Самообладание вернулось к Денему; теперь он говорил спокойно, и Кэтрин не терпелось выслушать его объяснения, но в то же время ей хотелось уязвить его, отвадить легкой иронией или насмешкой, как она всегда поступала с периодически появляющимися отцовскими молодыми гостями.

— В наше время вообще никто ничего стоящего не делает, — заметила она. — Вот видите, — она постучала пальцем по томику дедовых стихов, — мы даже напечатать книгу не можем, как раньше печатали, а что до поэтов, художников и писателей — их вовсе нет. В конце концов, я не одна так живу.

— Да, великих среди нас нет, — ответил Денем. — И хорошо, что нет. Терпеть не могу великих. То, что в девятнадцатом веке так превозносили величие, на мой взгляд, говорит о никчемности того поколения.

Кэтрин набрала в грудь побольше воздуха, собираясь с пылкостью возразить, но вдруг в соседней комнате хлопнула дверь — она прислушалась, и оба

21

заметили, что мерный гул голосов за чайным столом умолк, а свет как будто притушили. Мгновение спустя в дверях появилась миссис Хилбери. Она застыла, глядя на них с выжидательной улыбкой, словно для нее здесь разыгрывают сцену из жизни юношества. Это была дама весьма примечательной внешности, и, хотя ей было уже за шестьдесят, благодаря окружавшему ее ореолу славы и ясности взора казалось, ей удалось промчаться над поверхностью лет, не понеся при этом ни малейшего ущерба. В чертах ее сухого лица было что-то орлиное, но малейший намек на резкость рассеивался при виде огромных голубых глаз, одновременно и проницательных и невинных, — она смотрела на мир так, словно ждала от него, что он будет вести себя благородно, более того, была уверена, что он это сумеет, стоит только постараться. Редкие морщинки на лбу и возле губ позволяли предположить, что в ее жизни все же бывали минуты затруднений или сомнений, однако они никоим образом не умалили этой веры, и она до сих пор с радостью предоставляла каждому сколько угодно попыток, а системе в целом даровала презумпцию невиновности. Она была очень похожа на своего отца и так же, как и он, была натурой живой и непосредственной, открытой всему новому.

— Ну и как вам понравился наш маленький музей, мистер Денем? — спросила она.

Мистер Денем встал, отложил книгу, но не нашелся с ответом, что позабавило Кэтрин.

Миссис Хилбери взяла в руки отложенный им томик.

— Есть книги, которые *живут*, — раздумчиво произнесла она. — В детстве они наши лучшие друзья, а потом вместе с нами взрослеют. Вы любите поэзию, мистер Денем? Хотя нет, что за глупости я говорю! Знаете, на самом деле милейший мистер Фортескью меня порядком утомил. Он так красноречив и остроумен, глубокомыслен и убедителен, что уже через полчаса мне захотелось потушить все лампы. Но почем знать, вдруг в темноте он еще более разговорчив... Как ты думаешь, Кэтрин, не устроить ли нам вечеринку в полной темноте? Для особых зануд оставим несколько освещенных комнат...

На этих словах мистер Денем протянул ей руку, чтобы откланяться.

— Но нам еще столько всего нужно вам показать! — воскликнула миссис Хилбери, словно не замечая этого жеста. — Книги, картины, рукописи и даже то самое кресло, в котором сидела Мария Стюарт, когда услышала об убийстве Дарнли*. Я пойду прилягу ненадолго, а Кэтрин пора переодеться, хотя и это платье симпатичное, и, если вы не прочь побыть немного в одиночестве, ужин подадут в восемь. Полагаю, за это время вы могли бы сочинить стихотворение. Знаете, я так люблю, когда в камине горит огонь! Не правда ли, здесь очаровательно?

Она чуть отступила в сторону, демонстрируя им опустевшую гостиную в неровном свете камина, в котором метались и дрожали яркие языки пламени.

— Милые мои вещи! — воскликнула она. — Уважаемые кресла и столики! Вы словно старые друзья — верные, молчаливые друзья. И кстати, Кэтрин, только что вспомнила: сегодня у нас будут мистер Эннинг, и кое-кто с Тайт-стрит, и с Кадоган-сквер... Не забудь, надо заново отдать багетчикам картину твоего двоюродного дедушки. Тетушка Миллисент первая обратила на это внимание, когда была у нас в последний раз, и я бы на ее месте тоже расстроилась, увидев своего отца под треснутым стеклом.

---

* В 1567 г. в Эдинбурге при таинственных обстоятельствах был убит лорд Дарнли, супруг королевы Шотландии Марии Стюарт. Отчасти вину в этом злодеянии общественное мнение возлагало на королеву.

В такой ситуации попрощаться и уйти было так же трудно, как продраться сквозь лабиринт искрящейся и сверкающей паутины, ибо в каждую следующую секунду миссис Хилбери вспоминала что-нибудь новое о низостях багетчиков и радостях стихотворчества, так что в какой-то момент молодому человеку показалось, что под этим гипнотическим воркованием он вот-вот поддастся ее уговорам — притворным, поскольку сильно сомневался, что его присутствие для нее что-либо значит. Однако Кэтрин пришла ему на выручку и дала возможность откланяться, за что он был ей весьма признателен, как и любому ровеснику, проявившему чуткость и понимание.

ГЛАВА II

Уходя, молодой человек хлопнул дверью чуть громче прочих сегодняшних гостей и быстро зашагал по улице, рассекая тросточкой воздух. Он был рад, что вырвался наконец из той гостиной, рад подышать сырым уличным смогом и побыть среди простоватых людей, которым всего-то и нужно от жизни что часть тротуара, не более. Он подумал, что, окажись сейчас здесь мистер, или миссис, или мисс Хилбери, он бы уж каким-нибудь образом дал им почувствовать свое превосходство: его мучили воспоминания о неловких корявых фразах, которые даже девушке с затаенной иронией в печальном взгляде не могли показать его с лучшей стороны. Он попытался вспомнить, в каких именно словах выразилась его короткая филиппика, подсознательно заменяя их другими, куда более яркими и убедительными, так что обида от провала несколько поутихла. Периодически его мучил стыд, поскольку он по натуре не был склонен видеть свое поведение в розовом свете, но теперь, когда его ноги мерно вышагивали по тротуару, а вокруг за неплотно задернутыми шторами угадывались кухни, столовые, гостиные, как в синематографе демонстрируя сцены из другой жизни, его переживания утратили остроту.

Его отношение к прошлым событиям претерпевало странные изменения. Он пошел медленнее, чуть склонив голову, и свет уличных фонарей время от времени выхватывал из темноты его теперь на удивление спокойное, безмятежное лицо. Он так глубоко погрузился в раздумья, что долго смотрел непонимающим взглядом на табличку с названием улицы; когда стал переходить дорогу, пару раз неуверенно постучал тростью по бордюру, как это делают слепые, а дойдя до подземки, сощурился от яркого света, взглянул на часы, решил, что может еще побродить в темноте, и пошел дальше.

Но мысль была все та же, с какой он начал. Он все еще думал о званом вечере, с которого недавно ушел, но, вместо того чтобы вспомнить, хотя бы приблизительно, как выглядели и что говорили хозяева и гости, его разум пытался уйти от реальности. Изгиб улицы, залитая огнями комната, что-то монументальное в шеренге фонарей — кто знает, какое случайное сочетание света или тени вдруг изменило направление его мыслей, и он пробормотал зачем-то вслух:

— Подходит… Да, Кэтрин Хилбери подойдет. Беру Кэтрин Хилбери.

Едва сказав это, он замедлил шаг и замер, глядя в пустоту. Желание оправдаться, прежде неотступное, перестало его мучить, и — словно ослабла железная хватка — выпущенные на свободу чувства и мысли, уже ничем не скованные, рванулись вперед и как-то совершенно естественно обратились к фигуре Кэтрин Хилбери. Удивительно, как много она вдруг дала ему пищи для размышлений, при том что в ее присутствии он был настроен крайне критически. Ее очарование, которое прежде он пытался отрицать, даже испытав его на себе в полной мере, ее красота, характер, отстраненность, которой он старался не замечать, теперь всецело овладели его чувствами, и, когда запас воспоминаний истощился, на помощь естественным образом пришло воображение. Он сознавал, что делает, поскольку, размышляя о мисс Хилбери, применил своего рода метод, как будто этот ее воссоздаваемый заново образ мог для чего-то ему пригодиться. Он немного увеличил ее рост, цвет волос сделал темнее, но внешность ее мало нуждалась в «улучшениях». Дальше всего он осмелился зайти, рисуя ее ум, который виделся ему возвышенным и непогрешимым и при этом столь независимым, что только лишь для Ральфа Денема на миг прервал свой высокий полет — и раз уж он появился на горизонте, Кэтрин, хотя поначалу и неохотно, в конце концов снизошла до него, спустилась с недосягаемых высот, пожаловав добрым словом. Все эти приятности, однако, следовало хорошенько обдумать на досуге, разобрать их во всех подробностях, но главное: Кэтрин Хилбери подойдет — на несколько недель или даже месяцев. Взяв ее, он получил то, чего ему так не хватало, что могло бы заполнить в его мыслях давно пустовавшее место. Он удовлетворенно вздохнул. И, наконец сообразив, что находится где-то в районе Найтсбриджа, вскоре уже мчался в подземке по направлению к Хайгейту.

Мысль о том, что теперь он обладает чем-то необычайно ценным, хоть и была утешительной, все же не ограждала от привычных размышлений, навеваемых видом загородных улиц, мокрых кустов в палисадниках и нелепых надписей, намалеванных белой краской на калитках. Идти предстояло в гору, и его мрачные раздумья обратились к дому, который с каждым шагом становился все ближе, — там пять-семь братьев и сестер, мать-вдова да, может, еще дядя или тетка сейчас собрались за унылой трапезой под желтой слепящей лампой. Неужели придется выполнить угрозу? Помнится, пару недель назад он, увидев подобное сборище, пригрозил, что, если в воскресенье опять заявятся гости, он будет ужинать один у себя в комнате… Но единственный взгляд в сторону мисс Хилбери еще раз убедил его в том, что именно сегодня следует проявить непреклонность, а посему, войдя в дом и убедившись, что дядя Джозеф тут как тут (о его присутствии красноречиво поведали шляпа-котелок и большущий зонт), он отдал распоряжение горничной и пошел к себе наверх.

Преодолевая один за другим лестничные марши, он заметил, что бывало с ним крайне редко, и ветхий ковер, сходящий на нет, и выцветшие обои в пятнах сырости или в прямоугольных обводах — там, где раньше висели картины, и что по углам бумага отошла и топорщится, и что с потолка отвалился кусок штукатурки… Вид самой комнаты не добавлял радости в этот злополучный час. Продавленный диван чуть позже вечером послужит ему кроватью, один из столиков скрывал в себе умывальник, одежда и обувь валялись вперемешку с книгами, на корешках которых был оттиснут золоченый герб колледжа; украшением служили развешенные на стене фотографии мостов, соборов и групповые снимки плохо одетых молодых людей, сидящих в несколько рядов на каменных ступенях. Обшарпанная мебель, выцветшие занавески и никаких признаков роскоши или хотя бы хорошего вкуса, если не считать дешевых томиков классики на книжной полке. Единственным предметом, проливавшим свет на характер владельца комнаты, была жердочка поперек окна, размещенная там ради свежего воздуха и солнечных лучей, на которой скакал туда-сюда ручной и, по-видимому, дряхлый грач. Птица, в ответ на нежное поглаживание шейки, устроилась на плече Денема. Он зажег газовый камин и в мрачном расположении духа стал дожидаться ужина.

Через несколько минут маленькая девочка просунула в дверь голову:

— Ральф, мама спрашивает, ты не спустишься? Дядя Джозеф…

— Пусть принесут ужин сюда, — отрезал Ральф, после чего она поспешила исчезнуть, оставив дверь приоткрытой.

Денем подождал еще несколько минут, в течение которых он и грач смотрели на огонь, тихо выругался, кинулся вниз, перехватил горничную и сам отрезал себе кусок хлеба и холодного мяса. Пока он добывал пропитание, дверь столовой распахнулась, «Ральф!» — послышался голос, но Ральф даже не обернулся, он уже мчался к себе наверх с тарелкой. Поставил ее на стул и стал торопливо и с жадностью есть, что отчасти объяснялось гневом, отчасти голодом. Значит, мать не намерена с ним считаться, его не уважают в собственной семье, за ним посылают и обращаются как с ребенком! Он стал вспоминать, с нарастающим как ком чувством обиды, что почти каждое его действие, с тех пор как он вошел в комнату, было с боем вырвано из цепкой системы семейных правил. По справедливости, он должен был сейчас сидеть в гостиной и описывать свои вечерние приключения или слушать о вечерних приключениях других; саму комнату, свет газового камина, кресло — все приходилось отвоевывать, несчастную птицу — половина перьев повыдергана, лапу чуть не оторвал кот — удалось спасти, несмотря на все возражения, но больше всего раздражало домашних его стремление к уединению. Ужинать в одиночестве или уходить к себе после ужина — это уже отступничество, за это право приходилось бороться всеми подручными средствами, действуя где хитростью, где напором. Что ему менее противно — обман или слезы? Но по крайней мере, думать ему не запретят и не вырвут у него признания, где он был и кого видел. Это только его касается, и это действительно шаг в правильном направлении, — так постепенно, раскурив трубку и покрошив грачу остатки еды, Ральф сменил гнев на милость и стал обдумывать планы на будущее.

Сегодня он сделал шаг в верном направлении, потому что давно собирался завести дружбу с людьми вне семейного круга, точно так же он запланировал изучать этой осенью немецкий и писать обзоры книг по юриспруденции в журнале мистера Хилбери «Критическое обозрение». Он всегда все планировал заранее, с детства. От бедности и еще оттого, что был старшим сыном в многодетной семье, он привык смотреть на осень, зиму, лето и весну как на этапы некоего длительного мероприятия. Хотя ему не было еще тридцати, эта привычка планировать все заранее наложила свой след: над бровями его уже заметны были морщины, вот как сейчас например. Однако вместо того чтобы посидеть и поразмышлять, он поднялся, взял картонку с надписью крупными буквами НЕ ВХОДИТЬ и повесил ее на ручку двери. Сделав это, он заточил карандаш, зажег настольную лампу и раскрыл книгу. Но все не мог сесть за работу. Он погладил грача, раздвинул занавески и глянул в окно на город, раскинувшийся вдали в туманном сиянии. Он посмотрел сквозь дымку в сторону Челси, задумался о чем-то и вскоре вернулся к столу. Но даже косноязычие ученого трактата о гражданских правонарушениях не спасало от посторонних мыслей. Глядя на эти страницы, он видел за ними просторную гостиную, женские силуэты, слышал приглушенные голоса, чувствовал даже запах кедровых поленьев, полыхающих в камине. Он мысленно расслабился, и из подсознания стали всплывать сцены, запечатлевшиеся в тот момент помимо его воли. Он вспомнил слово в слово закрученную фразу мистера Фортескью, вплоть до интонации, и зачем-то стал повторять все, что тот говорил про Манчестер. Затем подумал о доме Хилбери: а есть ли там еще такие же залы, как эта гостиная, и затем, без всякой связи: какая красивая у них должна быть ванная, и какая спокойная и неспешная жизнь у этих ухоженных людей, которые наверняка все еще сидят в той самой комнате, только одеты иначе, и мистер Эннинг уже пришел, и тетушка, которая переживает из-за треснутого стекла на отцовском портрете. Мисс Хилбери переоделась («Хотя и это платье симпатичное!» — услышал он слова ее матери) и беседует с мистером Эннингом (тому лет сорок с лишним, и вдобавок он лысый) о литературе. Мирная, приятная картина, и такое умиротворение разлилось по всему его телу, что книга сама собой выскользнула у него из пальцев, и он совсем забыл о том, что время, отведенное для работы, утекает с каждой минутой.

Скрипнула ступенька — он очнулся. Спохватившись, сделал серьезное лицо и уставился на пятьдесят шестую страницу ученого тома. У двери шаги замедлились — он догадался, что посетитель, кто бы он ни был, сейчас читает надпись на картонке и обдумывает, стоит ли с ней считаться. Конечно, из тактических соображений ему следовало сидеть тихо, в гордом одиночестве, ибо никакое правило в семье не приживется, если самым суровым образом не наказывать за малейшее его нарушение по крайней мере в первые полгода, если не больше. Но Ральфу почему-то именно сейчас хотелось, чтобы его уединение нарушили, и он даже огорчился, услышав скрип половицы в некотором отдалении, как будто посетитель решил-таки уйти. Он вскочил, распахнул дверь, даже с излишней резкостью, и встал на пороге. Посетитель, уже спустившийся на полпролета, замер.

— Ральф? — прозвучало вопросительно.

— Джоан?

— Я шла наверх, но заметила табличку.

— Ладно, заходи, — пробурчал он, хотя в душе был рад ее приходу.

Джоан вошла в комнату и встала — прямая как струнка, опершись рукой на каминную полку, — давая тем самым понять, что заглянула по делу и тотчас уйдет, когда выполнит поручение.

Она была старше Ральфа на три или четыре года. У нее было округлое, но несколько изможденное лицо, выражавшее одновременно озабоченность и добродушие, — черта, особенно свойственная старшим сестрам в больших семьях. Как и у Ральфа, у нее были приятные карие глаза, разве что выражение отличалось: в то время как он имел обыкновение прямо и пристально смотреть на объект, она, похоже, предпочитала рассматривать все с разных углов зрения. И из-за этого казалась еще старше. Секунду-другую Джоан смотрела на грача. Затем сказала, прямо, без предисловий:

— Речь о Чарльзе и о предложении дяди Джона… У нас с мамой был разговор. Она не сможет платить за него после этого семестра. Иначе ей придется просить займ у банка, вот так.

— Этого нельзя допустить, — возразил Ральф.

— И я так считаю. Я так ей и сказала, но она меня не слушает.

Ральф, как будто заранее знал, что разговор затянется надолго, придвинул сестре стул и тоже сел.

— Я тебе не помешала? — спросила она.

Ральф покачал головой, и некоторое время они сидели в молчании. Лица у обоих стали серьезными.

— Она не понимает, что иногда стоит рискнуть, — заметил он наконец.

— Думаю, мама и рискнула бы, знай она наверняка, что Чарльзу от этого будет польза.

— Но у него ведь есть голова на плечах? — возразил Ральф.

Сварливые нотки в его голосе дали сестре понять: за этими словами стоит что-то личное. Что бы это могло быть? — недоуменно подумала она, но сразу пошла на попятный.

— В чем-то он жутко отстает, по сравнению с тобой в его возрасте. И дома с ним непросто. Из Молли прямо веревки вьет.

Ральф хмыкнул, давая понять, что это для него не довод. Джоан стало ясно: брат сейчас просто не в настроении и будет возражать на все, что бы ни говорила мать. Ральф назвал мать «она» — вот лучшее тому доказательство. Джоан вздохнула, но даже этот непроизвольный вздох Ральф воспринял враждебно и выпалил:

— Как ты не понимаешь, это жестоко — приковывать семнадцатилетнего мальчишку к конторке!

— Никто не собирается приковывать его к конторке, — возразила Джоан.

Ее тоже эта ситуация не радовала. Полдня она долго и мучительно подробно обсуждала с матерью проблему с обучением и платой за него и теперь пришла к брату, ожидая, пусть необоснованно, поддержки хотя бы потому, что вечером он где-то успел побывать — где именно, она не знала и не собиралась расспрашивать.

Ральф любил сестру и, заметив, что она всерьез расстроена, подумал: как это нечестно — перекладывать все заботы на ее хрупкие плечи!

— На самом деле, — сказал он со вздохом, — мне следовало принять предложение дяди Джона. Я бы теперь зарабатывал до шести сотен в год.

— Вот уж не думаю, — поспешно ответила Джоан, жалея о том, что завела этот разговор. — По-моему, вопрос стоит так: можем мы еще как-то урезать расходы?

— Снять дом поменьше?

— Скорее, поменьше держать прислуги.

Оба предложения звучали неубедительно, и, представив, к чему приведут подобные ограничения в и без того экономном хозяйстве, Ральф решительно заявил:

— Исключено.

Исключено, потому что иначе ей придется брать на себя еще больше работы по дому. Нет, все тяготы лягут на его плечи, ибо он решил, что его семейство имеет право на достойный образ жизни, как у других, — как у Хилбери, например. В душе он верил, и довольно истово, что его семья в чем-то выдающаяся, хотя свидетельств тому не было.

— Если мама не готова рискнуть…

— Не хочешь же ты, чтобы она снова все распродавала…

— Она может рассматривать это как вложение на будущее, но, если она откажется, придется что-то придумать, только и всего.

В словах брата был скрытый намек, и Джоан сразу поняла, о чем он. За годы службы, а это более шести-семи лет, Ральфу удалось скопить, вероятно, три-четыре сотни фунтов. Учитывая, что такая сумма появилась ценой жестких ограничений, Джоан всегда удивлялась той легкости, с какой он пускал ее в биржевую игру, покупая и вновь перепродавая акции, так что она то прирастала, то уменьшалась, и всегда оставался риск в одночасье потерять все до последнего пенни. И хотя Джоан в этом ничего не смыслила, она невольно еще больше любила своего брата за это странное сочетание спартанской выдержки и того, что ей казалось романтическим, ребяческим легкомыслием. Ральф интересовал ее больше, чем кто-либо другой на свете, и она часто прерывала подобные экономические дискуссии, несмотря на всю их важность, чтобы понять ту или иную новую черту его характера.

— Мне кажется, с твоей стороны довольно глупо рисковать своими деньгами ради бедняги Чарльза, — заметила она. — Я его, конечно, люблю, но все же он звезд с неба не хватает… И потом, почему именно ты должен идти на жертвы?

— Джоан, дорогая, — Ральф даже вскочил от волнения, — разве не очевидно, что всем нам приходится чем-то жертвовать? Что толку это отрицать? Какой смысл с этим бороться? Так было, и так будет всегда. У нас нет денег и никогда не будет. И наш удел — тянуть лямку изо дня в день, пока не упадем замертво, впрочем, таков удел многих, если подумать.

Джоан посмотрела на него, хотела что-то сказать, но удержалась. Потом очень осторожно произнесла:

— Ты счастлив, Ральф?

— Нет. А ты? Хотя, может, я так же счастлив, как и большинство из нас. Один Бог знает, счастлив я или нет. И что такое счастье?..

Произнеся эту сакраментальную фразу, он все же едва заметно улыбнулся сестре. Она, как обычно, задумалась, прежде чем ответить.

— Счастье, — повторила Джоан, будто пробуя это слово на вкус, и умолкла. Какое-то время молчала, словно рассматривала это «счастье» со всех сторон. — Хильда сегодня заходила, — вдруг произнесла она, точно речи ни о каком счастье и вовсе не было. — Принесла показать Бобби — такой славный мальчуган...

Ральф с удивлением заметил, что ей хочется уйти от опасно-доверительного разговора, обратившись к общесемейным темам. И все же, подумал он, она единственная из родни, с кем можно поговорить о счастье, хотя вообще-то он вполне мог бы поговорить о счастье и с мисс Хилбери при первом знакомстве. Он окинул Джоан придирчивым взором: она выглядела такой провинциальной в своем глухом зеленом платье с выцветшим кружевом, такой терпеливой и покорной, как будто заранее смирилась со всеми ударами судьбы. И ему это не понравилось. Ему захотелось рассказать ей о семействе Хилбери и как-то принизить их, потому что в небольшой битве, которая нередко случается между двумя быстро сменяющимися жизненными впечатлениями, жизнь Хилбери в его воображении начала одерживать верх над жизнью Денемов, и ему хотелось убедиться, что в каком-то смысле Джоан намного превосходит мисс Хилбери. Он чувствовал, что его сестра куда оригинальнее и энергичнее мисс Хилбери, но Кэтрин произвела на него впечатление человека большой жизненной силы и железного самообладания, и в данный момент бедняжке Джоан никакого преимущества не сулил тот факт, что она внучка лавочника и сама трудится не покладая рук. Беспросветность и убожество такой жизни угнетало его, несмотря на твердую уверенность, что семья у них по-своему выдающаяся.

— Поговоришь с мамой? — спросила Джоан. — Потому что, видишь ли, нужно как-то все уладить. Чарльз должен написать дяде Джону, если он согласен.

Ральф нетерпеливо вздохнул:

— По-моему, это не важно. Так или иначе, он обречен на прозябание.

Щеки Джоан вспыхнули.

— Вздор, — сказала она. — Зарабатывать на жизнь не стыдно. Я, например, горжусь тем, что сама себя обеспечиваю.

Ральфу было приятно это услышать, но он перебил ее, из какого-то чувства противоречия:

— Может, потому, что ты разучилась радоваться? У тебя не хватает времени на что-нибудь достойное...

— Например?

— Ну, прогулки, музыка, книги, знакомство с интересными людьми. Ты ничего не делаешь такого, что действительно стоит делать. Как и я, впрочем.

— Мне кажется, ты мог бы при желании сделать эту комнату поприличней, — заметила она.

— Какая разница, в какой комнате жить, если лучшие годы проводишь в конторе, занимаясь бумагомаранием?

— На днях ты говорил, что юриспруденция — интересное занятие.

— Да, для тех, кто может себе позволить ею заниматься.

— Ой, надо же, Герберт только сейчас отправился спать, — перебила его Джоан, когда на лестничной площадке с грохотом захлопнулась дверь. — А потом утром его не разбудишь.

Ральф устремил взор в потолок и поджал губы. Ну почему, думал он, Джоан хоть на минутку не отвлечется от повседневных хлопот? Казалось, она все сильнее в них увязает, и вырваться во внешний мир ей удается все реже, вылазки эти все короче, а ведь ей всего лишь тридцать три года.

— Ты в последнее время ходишь к кому-нибудь в гости? — вдруг спросил он.

— Времени не хватает. А почему ты спрашиваешь?

— Полезно бывает познакомиться с новыми людьми, только и всего.

— Бедный Ральф! — вдруг сказала Джоан с улыбкой. — Ты думаешь, твоя сестра становится старой занудой, да?

— Ничего подобного, — поспешил он заверить ее, покраснев при этом. — И все же разве это жизнь, Джоан?! Если ты не занята в конторе, ты хлопочешь обо всех нас. И, боюсь, я к тебе не всегда справедлив.

Джоан поднялась и постояла с минуту, потирая озябшие руки — очевидно обдумывая, что на это ответить и стоит ли вообще отвечать. Брата с сестрой объединяло сейчас редкое чувство близости. Нет, им обоим теперь слова были не нужны. Джоан, проходя, потрепала брата по голове, пробормотала «спокойной ночи» и вышла из комнаты. Несколько минут после ее ухода Ральф сидел недвижно, подперев щеку рукой, взгляд его становился все более сосредоточенным, на лбу вновь обозначились морщины — приятная нега от чувства взаимной дружеской симпатии постепенно проходила, и он остался наедине со своими мыслями.

Через некоторое время он открыл книгу и погрузился в чтение, изредка поглядывая на часы, словно дал себе задание закончить к определенному сроку. Где-то в отдалении то и дело звучали голоса, хлопали двери спален — в этом доме ни один уголок не пустовал. Когда пробило полночь, Ральф закрыл трактат и, прихватив свечу, спустился вниз убедиться, что все лампы потушены, а двери заперты. Все вокруг было старым и обветшалым, казалось, обитатели дома за долгие годы общипали, как траву, былое роскошное убранство, сведя его до грани пристойности, и теперь в ночи, лишенные жизни, зияющие пустоты и застарелые шрамы особенно бросались в глаза. Кэтрин Хилбери, подумал он, даже смотреть бы на это не стала.

ГЛАВА III

Денем упрекнул Кэтрин Хилбери в принадлежности к одному из самых выдающихся семейств Англии, и если бы кто-нибудь взял на себя труд ознакомиться с исследованием мистера Голтона*, то убедился бы, что это утверждение недалеко от истины. Алардайсы, Хилбери, Миллингтоны и Отуэй, похоже, собственным примером доказали, что интеллект — нечто такое, что можно запросто передавать от одного члена некой группы к другому практически до бесконечности, в полной уверенности, что девять из десяти представителей этого привилегированного сообщества бережно примут бесценный дар и понесут его дальше. Долгое время ее предки были известными судьями и адмиралами, юристами и государственными служащими, и в какой-то момент эта благодатная почва взрастила наконец редчайший цветок, который мог бы составить гордость любого семейства: выдающегося литератора, одного из величайших поэтов Англии — Ричарда Алардайса. Породив его, они еще раз подтвердили преимущества своей крови, продолжая плодить известных деятелей. Вместе с сэром

---

* Английский антрополог и психолог Фрэнсис Голтон в своей книге «Наследственность таланта» (1869) утверждал, что «врожденные способности» людей передаются по наследству. В качестве примера он приводил, в частности, семьи Дарвина и Баха.

Джоном Франклином* они плавали к Северному полюсу, с Хейвлоком освобождали Лакхнау, и если не указывали, подобно маякам, путь всему поколению, то были надежными яркими свечками, освещающими обычные закоулки жизни. Какую профессию ни возьми, в каждой на видном месте был какой-нибудь Уорбертон или Алардайс, Миллингтон или Хилбери.

Разумеется, следует добавить, что в английском обществе так уж сложилось: если ты носишь громкое имя, то не требуется особых заслуг, чтобы занять место, на котором проще отличиться, чем остаться в тени. И если это справедливо по отношению к сыновьям известных фамилий, в данном случае даже дочери, и даже в девятнадцатом столетии, становились влиятельными персонами — меценатками, или просветительницами (если оставались старыми девами), или супругами выдающихся деятелей (если выходили замуж). Справедливости ради следует отметить, что нет правил без исключений, и среди Алардайсов было несколько прискорбных случаев, наглядно показавших, что отпрыски таких семейств легче скатываются в порок, чем дети обычных родителей, если это послужит кому-то утешением. Однако в первые годы двадцатого века Алардайсы и их родственники в целом держались неплохо. Их можно было найти в списках лучших профессионалов, часто с учеными приставками к фамилии; они сидели в роскошных кабинетах с собственными секретарями; они писали объемистые фолианты в темных обложках, издаваемые двумя известнейшими университетами; и, если один из них умирал, можно было не сомневаться, что другой напишет его биографию.

---

* Джон Франклин (1786–1847) — английский мореплаватель, исследователь Арктики. В 1845 г. возглавил очередную арктическую экспедицию, закончившуюся гибелью всех ее участников.

Ныне источником этого величия, естественно, считался известный поэт, а, следовательно, его ближайшие потомки были обременены славой более, чем родственники из боковых ветвей. Благодаря своему особому положению единственной наследницы великого поэта миссис Хилбери оказалась духовной главой семьи. Ее дочь Кэтрин также обладала более высоким рангом в сравнении с ее двоюродными братьями и сестрами и прочей родней, тем более что и она была единственным ребенком в семье. Алардайсы женились и вступали в перекрестные браки, представители их многочисленного потомства регулярно ходили в гости друг к другу на обеды и семейные торжества, которые стали сродни таинствам и соблюдались не менее строго, чем дни церковных праздников и поста.

В прежние времена миссис Хилбери знала всех поэтов, всех писателей, всех красавиц и знаменитостей своей эпохи. И поскольку некоторые из них уже покинули бренный мир, а другие доживали свой век, замкнувшись в ореоле славы, миссис Хилбери регулярно собирала у себя родственников, чтобы вместе погоревать о былом величии ушедшего столетия, когда все науки и искусства Англии были представлены двумя-тремя звучными именами. «И где же те, кто придет им на смену?» — вопрошала она, и то, что настоящее не могло предъявить ей поэта, писателя или художника, сопоставимого с ними по масштабам, часто становилось темой ее рассуждений, особенно на закате, в минуты меланхолии, и эти ее ламентации невозможно было остановить, даже если кто и захотел бы. Однако миссис Хилбери была далека от того, чтобы осуждать за это младшее поколение. Она радушно принимала молодежь в своем доме, делилась с ними воспоминаниями, дарила монетки, угощала мороженым, давала добрые советы и сочиняла о них романтические истории, которые не имели ничего общего с действительностью.

Осознание уникальности ее происхождения просачивалось в сознание Кэтрин из самых разных источников с тех пор, как она начала постигать мир. Над камином в детской висела фотография надгробия ее деда в Уголке поэтов*. Во время одного из тех доверительных разговоров со взрослыми, которые оказывают столь сильное воздействие на неокрепший разум, ей сказали, что дедушку похоронили там потому, что он был «хорошим, великим человеком». Позднее, в очередную годовщину, мать повезла ее в двуколке сквозь туман и дала огромный букет ярких, сладко пахнущих цветов, чтобы положить на его могилу. И яркий свет свечей, и хор, и гул органа в церкви — все это было, как ей казалось, в его честь. Вновь и вновь ее приводили вниз, в гостиную, чтобы получить благословение от очередного почтенного старца, страшного, горбатого и с клюкой, который, как отложилось в ее детской памяти, сидел поодаль от остальных, причем, в отличие от обычных гостей, в кресле ее отца, который тоже был здесь — непохожий на себя, слегка взволнованный и чрезвычайно учтивый. Жуткие старцы брали ее на руки, заглядывали в глаза и просили быть умницей и послушной девочкой или находили в ее лице некое сходство с Ричардом — когда тот был маленьким. Тогда мать кидалась ее обнимать, после чего ее отсылали обратно в детскую, довольную и счастливую, с ощущением чего-то важного и загадочного, словно перед ней лишь приподняли завесу тайны, которая не сразу, но потом, со временем, откроется ей полностью.

---

* Часть Вестминстерского аббатства, где похоронены известные поэты и писатели, в частности Дж. Чосер, А. Теннисон, Ч. Диккенс и др.

Были еще и частые гости — тетушки, дядюшки и двоюродные братья и сестры «из Индии», которых следовало уважать хотя бы за то, что они родня, и другие представители обширного клана, которых она должна «помнить всю свою жизнь», как внушали ей родители. Из-за этого, а также из-за постоянных разговоров о великих людях и их деяниях в сознании Кэтрин с детства присутствовали такие личности, как Шекспир, Мильтон, Шелли и прочие, которых она знала лишь по именам, но почему-то в ее представлении они стояли ближе к Хилбери, чем к остальным людям. Они служили ей недосягаемым образцом и мерилом собственных хороших и дурных поступков. Ее происхождение от одного из этих небожителей не было для нее неожиданностью, но стало источником радости — по крайней мере, до тех пор, пока с годами ее завидная доля не перестала быть чем-то само собой разумеющимся и не начали проявляться некоторые отрицательные ее стороны. Возможно, это немного тягостно: унаследовать не земли, но некий образчик интеллектуальной и умственной добродетели; возможно, сама непогрешимость предка начинает смущать тех, кто посмеет сравнить себя с ним. Так после пышного цветения растение не способно ни на что, кроме простого листа и побега. Из-за этого ли или из-за чего-то иного у Кэтрин случались минуты уныния. Славное прошлое, когда мужчины и женщины могли достичь небывалых высот, ложилось тяжким гнетом на настоящее, умаляя его настолько, что, казалось, невозможно жить, когда знаешь, что все великие деяния уже позади.

Она много размышляла над этим, даже чаще, чем следовало, отчасти из-за матери, которая только и жила прошлым, отчасти из-за того, что большую часть времени ей приходилось общаться с великими гениями, поскольку в ее обязанности входило помогать матери писать биографию знаменитого поэта. Когда Кэтрин было лет семнадцать или восемнадцать — то есть примерно лет десять назад, — миссис Хилбери торжественно объявила, что теперь с помощью дочери биография вскоре будет опубликована. Упоминания об этом просочились в литературную прессу, и некоторое время Кэтрин работала с чувством великой гордости и достаточно продуктивно.

Однако позже она стала замечать, что дело не сдвигается с мертвой точки. И сознавать это становилось тем более мучительно, что всякий, хоть каким-то боком причастный к литературной среде, понимал, что у них есть все необходимые материалы для одной из величайших биографий всех времен. Шкафы и ящики ломились от бесценных реликвий. Все подробности личной жизни лежали в аккуратных стопках исписанных мелким почерком рукописей. К тому же в памяти миссис Хилбери яркие образы того времени были по-прежнему живы. Она умела придать давним словам недостающие штрихи и краски, так что они, можно сказать, обретали плоть и кровь. Она охотно поверяла свои мысли бумаге, и каждое утро исписывать страницу было для нее так же естественно, как для птички щебетать, — и, однако, несмотря на все ее усердие и благие порывы, несмотря на горячее желание закончить работу, книга так и осталась незавершенной. Бумаги накапливались без всякой дальнейшей цели, и в минуты уныния Кэтрин сомневалась, получится ли у них хоть что-то, что можно показать публике. В чем же было дело? Не в материалах, увы! И не в амбициях, но в чем-то более важном: в ее собственном неумении и, самое главное, в темпераменте ее матери. Кэтрин припоминала, что ни разу не видела ее пишущей более десяти минут подряд. Обычно идеи посещали ее на ходу. Ей нравилось расхаживать по комнате с тряпкой, которой она протирала и без того чистые корешки книг, — как обычно, рассуждая и фантазируя. Внезапно ей приходила в голову удачная фраза или яркий образ, и она бросала тряпку и несколько минут исступленно писала; но затем вдохновение улетучивалось, и вновь появлялась тряпка, и вновь натирались до блеска старые переплеты. Эти приступы вдохновения не были регулярными, но подобно блуждающим огонькам вспыхивали над гигантской массой материала — то тут, то там. Все, что могла сделать Кэтрин, — это содержать записи матери в порядке; но как рассортировать их так, чтобы шестнадцатый год жизни Ричарда Алардайса следовал за пятнадцатым, было для нее загадкой. К тому же эти главы были настолько хороши, так изящно сформулированы, так вдохновенно жизненны, что, казалось, умершие бродят по комнате как живые. Непрерывное чтение этих отрывков вызывало что-то вроде головокружения, и Кэтрин не раз спрашивала себя: а можно ли вообще хоть что-нибудь с этим сделать? К тому же ее мать не могла определиться с тем, что следует оставить, а что опустить. Например, она не могла решить, надо ли говорить публике правду о том, что поэт ушел от жены. Она набрасывала абзацы для каждого из вариантов, но затем каждый из них настолько ей нравился, что она ни от одного не могла отказаться.

Тем не менее книгу нужно было написать. Это был их долг перед обществом. И по крайней мере, для Кэтрин это означало еще одно: если они не сумеют закончить книгу, то лишатся права и на свое исключительное положение. С каждым годом их привилегия становилась все более незаслуженной. Кроме того, следовало раз и навсегда доказать, что дед ее действительно великий человек.

К тому времени, как ей исполнилось двадцать семь, подобные мысли часто посещали ее. Они давали о себе знать, когда она садилась по утрам напротив матери за стол, заваленный связками старых писем, карандашами, ножницами, бутылочками клея, гуттаперчевыми лентами, большими конвертами и другими вещами, необходимыми при сочинении книг. Незадолго до прихода Ральфа Денема Кэтрин попробовала ограничить хаотичное творчество матери четкими правилами. Каждое утро ровно в десять они должны были сесть каждая за свой стол, таким образом получая в полное распоряжение незамутненные другими заботами утренние часы. Затем им предстояло погрузиться в бумаги, не отвлекаясь даже на разговоры — кроме десяти минут в конце каждого часа, которые отводились для отдыха. Если соблюдать эти правила в течение года, как она посчитала на бумажке, то книга наверняка будет закончена, — и она положила свои расчеты перед матерью с таким чувством, словно большая часть дела уже сделана.

Миссис Хилбери внимательно изучила бумажку. Затем захлопала в ладоши и радостно воскликнула:

— Отличная работа, Кэтрин! Сразу видно практический ум! Я буду держать это перед глазами и каждый день делать пометку в блокноте, а в самый последний день… дай подумать, как нам отметить это событие? Если это будет не зимой, можно поехать в Италию. Говорят, Швейцария очень красива в снегу, но там холодно. Но, как ты говоришь, главное — закончить книгу. Так, дай подумать…

Когда они просмотрели ее рукописи, которые Кэтрин разложила по порядку, обнаружилось, что и без нововведений все не так уж плохо. Для начала они нашли великое множество внушительных абзацев, достойных того, чтобы поместить их в начало биографии. Правда, многие не были завершены и напоминали триумфальные арки без одной колонны, но, как заметила миссис Хилбери, их можно закончить за десять минут, надо только подумать над ними как следует.

Было там и описание старинного дома Алардайсов — или, точнее, весны в Саффолке: изумительное по стилю, но совершенно не относящееся к делу. Несмотря на это, Кэтрин сумела связать воедино ряд имен и дат, так что поэт теперь был искусно введен в этот мир и достиг девятого года жизни без каких-либо новых происшествий. Затем миссис Хилбери пожелала из сентиментальных побуждений добавить воспоминания одной говорливой пожилой дамы, чье детство прошло в той же деревне, но Кэтрин решила, что они будут лишними. Возможно, здесь было бы разумно вставить очерк о современной поэзии — вклад мистера Хилбери (а следовательно, суховатый, заумный и не слишком вяжущийся с остальным материалом), однако миссис Хилбери заявила, что это слишком уныло и навевает воспоминания о школьных лекциях и потому никак не вяжется с образом ее отца. Очерк отложили в сторону. Затем начался период молодости поэта. Множество его сердечных дел должны были предстать перед судом публики — или остаться в тайне. И вновь у миссис Хилбери были две точки зрения, и толстая пачка рукописей была вновь убрана в шкаф до лучших времен.

Несколько лет жизни поэта оказались полностью опущены, поскольку этот период был чем-то неприятен миссис Хилбери, вместо них в книгу попали ее собственные детские воспоминания. К этому времени книга казалась Кэтрин безумной пляской светлячков — ни формы, ни содержания; бессвязный набор отрывков без какой-либо попытки соединить их в единое повествование. Вот двадцать страниц рассуждений о любимых шляпах ее деда; вот его эссе о современном фарфоре; вот подробный отчет о поездке на природу в один из летних дней, когда они опоздали на поезд; и все это вперемешку с обрывочными воспоминаниями о разных знаменитостях, в которых правду трудно отличить от вымысла. Более того, тут оказались тысячи писем и множество воспоминаний старых друзей — листки уже успели пожелтеть в своих конвертах, — их тоже предстояло куда-то вставить, чтобы не обидеть авторов. После смерти поэта о нем написали столько книг, что необходимо было еще исправить множество вкравшихся туда несоответствий — а это тоже требовало скрупулезных изысканий и долгой переписки. Порой Кэтрин с ужасом смотрела на свои бумаги, думая, что если она не вырвется из плена прошлого, то не выживет; а иногда — что прошлое уже полностью подменило собой настоящее, которое с высоты утренних бесед с мертвыми душами представлялось всего лишь слабым эпигонским сочинением.

Но хуже всего было то, что у Кэтрин не оказалось способностей к литературе. Ей не нравился текст. Ей было даже слегка неприятны самокопание и бесконечные попытки понять собственные чувства и максимально точно и изящно выразить их словами — то, без чего ее мать, похоже, не мыслила своей жизни. Самой же ей, наоборот, нравилось молчать. Она избегала самовыражения даже в разговоре, а уж тем более на письме. Это совершенно не годилось в семье, где все было направлено на словотворчество, в противовес действиям, а потому ей с детства поручали домашние хлопоты. О ней говорили, что она самая практичная на свете — и это действительно было так. Ее вкладом в семейные дела были оплата счетов и устроение обедов; она отдавала распоряжения слугам, следила за тем, чтобы часы в доме шли как положено, а бесчисленные вазы были всегда полны свежих цветов, — и, разумеется, миссис Хилбери отмечала, что в этих занятиях тоже есть поэзия, только наизнанку. С самого раннего детства Кэтрин привыкла выступать и в другой роли: ей приходилось давать советы, помогать и вообще служить опорой собственной матери. Будь мир совершенно иным, миссис Хилбери прекрасно позаботилась бы о себе сама. Она была отлично приспособлена для жизни на какой-нибудь другой планете, но ее природный дар вести дела не имел никакого отношения к здешней реальности. Ее часы всегда были для нее источником сюрпризов, и в шестьдесят пять лет она по-прежнему не имела ни малейшего понятия о том, по каким правилам и законам живут все остальные люди. Она не училась на ошибках, и ей постоянно доставалось за ее невежество. Но невежество это сочеталось с прекрасным природным чутьем, которое позволяло ей прозревать суть вещей; миссис Хилбери нельзя было назвать невеждой — наоборот, обычно она выглядела самым мудрым человеком среди присутствующих. Однако в целом она считала правильным во всем полагаться на помощь дочери.

Итак, Кэтрин была представителем той удивительной профессии, у которой до сих пор нет ни признания, ни даже точного названия, хотя труд таких, как она, пожалуй, не менее тяжел и не менее полезен, чем труд крестьянина или рабочего. Она жила дома, и делала это отлично. Каждый, кто приходил в Чейни-Уок*, понимал, что оказался в уютном, чистом и красивом доме — в доме, где жизнь прекрасно налажена и, будучи составлена из самых разнородных элементов, все же представляет собой одно уникальное гармоничное целое. Пожалуй, главным триумфом искусства Кэтрин было то, что в доме господствовал дух миссис Хилбери. И сама Кэтрин, и мистер Хилбери были только прекрасным фоном, оттеняющим удивительные способности ее матери.

Это было молчаливое существование, такое естественное и одновременно навязанное извне, и един-

---

* Чейни-Уок — небольшая фешенебельная улица в лондонском районе Челси, с домами в стиле Георгианской эпохи.

ственное замечание, которое обычно делали по этому поводу знакомые ее матери, сводилось к тому, что молчаливость Кэтрин вовсе не признак глупости или безразличия. Но о характере такого поведения, если оно вообще может иметь характер, никто не задумывался. Все знали, что она помогает матери в создании великой книги. Знали, что она управляет всем домом. Она была весьма красива. Все это было приятно сознавать. Но если бы некие волшебные часы могли подсчитать все те минуты, которые она проводила за совершенно другим занятием, отличным от того, что делала напоказ, результат удивил бы не только окружающих, но и саму Кэтрин. Сидя над выцветшими страницами, она представляла, как гоняется за мустангами по американской прерии, или среди бушующих волн стоит на капитанском мостике корабля, огибающего скалистый мыс, или другие картины — более мирные, но не имеющие ничего общего с ее нынешним окружением, и, надо ли говорить, в этих мечтах она демонстрировала удивительные способности в своем новом призвании. Покончив с притворством — то есть с пером и бумагой, составлением фраз и написанием биографии, — она обращалась к более насущным занятиям. Как ни странно, Кэтрин скорее призналась бы в своих безумных фантазиях о прериях и тайфунах, чем в том, что наверху, оставшись в своей комнате одна, она встает на рассвете и засиживается допоздна, чтобы с наслаждением предаться… занятиям математикой. Ничто на свете не заставило бы ее сознаться в этом. Во время этих занятий она становилась скрытной и осторожной, как ночной зверек. Едва заслышав шаги на лестнице, она прятала бумаги между страниц большого греческого словаря, специально для этих целей похищенного из отцовской комнаты. И только ночью чувствовала себя в безопасности настолько, чтобы полностью сосредоточиться.

Возможно, она скрывала свою любовь к точной науке из-за ее «неженской» сущности. Но более вероятная причина заключалась в том, что в ее представлении математика была полной противоположностью литературе. Она не призналась бы даже себе, что предпочитает точную, звездную безликость цифр смущению, волнению и зыбкости самой изящной прозы. Было что-то неподобающее в этом отказе от семейных ценностей, что-то такое, из-за чего она чувствовала себя неправой. Именно поэтому и скрывала она свои пристрастия, и страстно лелеяла их. Вновь и вновь размышляла она над математической задачей, вместо того чтобы думать о своем дедушке. Очнувшись от этого наваждения, она видела, что ее мать также предается мечтаниям, не менее иллюзорным, чем ее собственные, потому что думает о людях, которые давно уже перешли в мир иной. Но, заметив в лице матери нечто похожее на собственное состояние, Кэтрин каждый раз возвращалась к реальности с чувством некоторой досады. Мать была последним человеком, которому она хотела бы подражать, — отчасти потому, что восхищалась ею. Здравый смысл яростно восставал против этого, и миссис Хилбери, бросив на дочь странный взгляд, одновременно нежный и недобрый, сравнивала ее со «старым злобным» дядюшкой Питером, судьей, который, по слухам, любил вслух зачитывать смертные приговоры, сидя в ванне. «Слава Богу, Кэтрин, что во мне нет ни капли *его* крови!»

ГЛАВА IV

Примерно в девять вечера, как всегда в каждую вторую среду, мисс Мэри Датчет в очередной раз пообещала себе никогда больше не сдавать свои комнаты, ни для каких целей. Поскольку они были довольно просторны и удобно располагались на заполненной офисами улице недалеко от Стрэнда*, все, кто хотел собраться — повеселиться, или пообсуждать искусство, или реформировать государство, — конечно же полагали, что для этой цели лучше всего попросить у Мэри уступить им на время ее квартиру. Обычно она встречала подобную просьбу хмуро, с напускным недовольством, которое, впрочем, длилось недолго, и полушутливо-полусерьезно пожимала плечами — так большая собака, которую детишки-надоеды теребят за уши, для острастки встряхивается. Она предоставит им помещение, но только при условии, что сама за всем приглядит. Эти проходившие раз в две недели собрания, для свободного обсуждения всего на свете, требовали больших усилий по перестановке и передвижению мебели и выстраиванию ее вдоль стен, хрупкие и ценные вещи убирались в безопасные места. Мисс Датчет могла при необходимости взвалить себе на спину кухонный стол, поскольку, хоть и была

---

* Стрэнд — одна из главных улиц в центральной части Лондона, соединяет Уэст-Энд с Сити. На ней расположены театры, фешенебельные магазины и гостиницы.

хорошо сложена и со вкусом одевалась, внешне производила впечатление человека чрезвычайно сильного и решительного.

Было ей около двадцати пяти лет, но она выглядела старше, поскольку сама зарабатывала — или намеревалась зарабатывать — себе на жизнь, отказавшись от роли беззаботного наблюдателя в пользу рядового в армии трудяг. Ее жесты были четкими и осмысленными, мышцы вокруг глаз и губ напряжены, словно ей удалось дисциплинировать чувства и они терпеливо ждут, готовые выполнять любой приказ. Между бровями залегли две едва заметные морщинки — не от тревоги, но от многомыслия, и было совершенно очевидно, что все женские инстинкты — привлекать, утешать, очаровывать — были перечеркнуты другими, вовсе не присущими ее полу. Что до остального, она была кареглазой, с чуть угловатыми движениями, это наводило на мысль о сельском детстве и о предках — почтенных тружениках, которые наверняка были людьми веры и чести, а не скептиками или фанатиками.

Под вечер трудного дня не так-то просто прибрать комнату, стянуть матрацы с кровати и уложить их на пол, наполнить кувшин холодным кофе, протереть длинный стол и расставить тарелки, чашки и блюдца с пирамидками маленьких розовых печеньиц между ними, но, когда все было сделано, на сердце у Мэри стало легко и весело, как будто она скинула с плеч тяжелый груз рабочих часов и облачилась, и телом и душой, в некое одеяние из тончайшего яркого шелка. Она присела на колени у камина и оглядела комнату. Мягкий свет пламени, струящийся из-за желто-голубой бумажной ширмы, заливал все ровным сиянием, и комната с парой диванов, напоминавших своей бесформенностью травянистые холмы, выглядела на удивление большой и тихой. Мэри даже показалось, что она видит вдали холмы Сассекса и пухлый зеленый вал — лагерь древних воинов. Скоро в окошко заглянет луна, и можно будет при желании представить серебряную дорожку на морской ряби.

— И в этих стенах, — произнесла она вслух, чуть иронично, но все же с явной гордостью, — мы говорим об искусстве.

Она придвинула поближе корзинку с разноцветными клубками шерсти и пару чулок, которые требовалось починить, и принялась штопать. Но ее мысли из-за усталости путались; воскрешая в памяти мирные картины покоя и одиночества, она представляла, что откладывает рукоделье и идет по холму, — слышно только, как овцы щиплют траву, и деревца в лунном свете отбрасывают шевелящиеся тени. Но при этом она не отрывалась от действительности — и так приятно было думать, что можно наслаждаться и одиночеством, и обществом самых разных людей, которые как раз сейчас, каждый своим маршрутом, направляются через весь Лондон сюда, где со штопкой сидит она.

Пока иголка мелькала над мягкой шерстью, она вспоминала о разных этапах своей жизни, которые делали ее теперешнее положение кульминацией происходивших одно за другим чудес. Она вспомнила об отце — приходском священнике, и о смерти матери, и том, как мечтала получить образование, и о жизни в колледже, которая не так давно слилась с волшебным лабиринтом Лондона, — этот город до сих пор представлялся ей, хотя фантазией она никогда не блистала, в виде широкого столба электрического света, заливающего сиянием мириады мужчин и женщин, толпящихся вокруг. И вот она — в центре всего этого, в том самом месте, которое первым делом представляет себе каждый житель далеких канадских лесов и индийских равнин, стоит только произнести слово «Англия». Девять сочных ударов, по которым она теперь узнавала время, были весточкой от знаменитых башенных часов самого Вестминстера. Едва отзвучал последний удар колокола, послышался уверенный стук в дверь, и она пошла открывать. Когда она вернулась в комнату, с ней был Ральф Денем, они беседовали, и глаза ее сияли от удовольствия.

— Вы одна? — спросил он, словно для него это была приятная неожиданность.

— Иногда я бываю одна, — сказала она.

— Но сегодня вы ждете гостей, — добавил он, оглядевшись. — Выглядит как комната на сцене. Кто сегодня докладчик?

— Уильям Родни, о роли метафоры у поэтов-елизаветинцев. По-моему, добротная работа, с множеством цитат из классиков.

Ральф подошел к камину погреть руки, а Мэри вновь принялась за рукоделие.

— Полагаю, вы единственная женщина в Лондоне, которая сама чинит чулки, — заметил он.

— На самом деле я одна из многих тысяч, — отвечала она. — Хотя должна признаться, пока вас не было, я гордилась собой. А теперь, когда вы здесь, вовсе не считаю себя какой-то особенной. Как жестоко с вашей стороны! Но боюсь, особенный — это вы. Вы столько всего сделали, в сравнении со мной!

— Если этим мерить, вам точно нечем гордиться, — мрачно сказал Ральф.

— Тогда мне придется согласиться с Эмерсоном*, что главное — кто ты, а не что делаешь, — продолжала она.

— Эмерсон? — оживился Ральф. — Уж не хотите ли вы сказать, что читали Эмерсона?

— Ладно, может, и не Эмерсон, но почему я не могу читать Эмерсона? — спросила она с вызовом.

---

* Ральф Уолдо Эмерсон (1803–1882) — американский писатель и философ.

— Ну, не знаю. Просто сочетание странное — книги и… чулки. Очень странный союз.

Однако ей удалось произвести на него впечатление. Мэри засмеялась, довольная, и стежки в эту минуту ложились рядком как по волшебству — легкие, изящные. Она вытянула руку с чулком и с одобрением посмотрела на свою работу.

— Вы всегда так говорите, — сказала она. — Уверяю вас, этот «союз», как вы изволили выразиться, обычное дело в домах священнослужителей. Единственная странность во мне — то, что я люблю и то и другое: и Эмерсона, и чулки.

Опять послышался стук в дверь, и Ральф воскликнул:

— Да ну их всех! Хоть бы они вовсе не приходили!

— Это к мистеру Тернеру с нижнего этажа, — сказала Мэри, мысленно поблагодарив мистера Тернера за ложную тревогу, вырвавшую у Ральфа это восклицание.

— Будет много народу? — спросил Ральф после недолгой паузы.

— Придут Моррисы, Крэшоу, Дик Осборн и Септимус с компанией. Кэтрин Хилбери, между прочим, обещала прийти, так мне Уильям Родни сказал.

— Кэтрин Хилбери? — воскликнул Ральф.

— Вы с ней знакомы? — удивилась Мэри.

— Я был у них на званом вечере.

Мэри попросила его рассказать об этом визите подробнее, и Ральф описал все как сумел, что-то добавив, что-то приукрасив. Мэри слушала его с большим интересом.

— И, даже несмотря на то что вы рассказали, я восхищаюсь ею, — заметила она. — Я видела ее всего два раза, но мне показалось, она из тех, кого можно смело назвать личностью.

— Я ничего плохого не имел в виду. Мне лишь показалось, что она мне не симпатизирует.

— Говорят, она собирается замуж за этого чудака Родни.

— За Родни? Ну, тогда она действительно не от мира сего, как я и говорил.

— А вот теперь моя дверь, все верно! — воскликнула Мэри, спокойно откладывая рукоделье.

Стук не прекращался, гулкие удары в дверь сопровождались смехом и топотом. Мгновение спустя молодежь ввалилась в комнату — юноши и девушки входили, с любопытством оглядывались по сторонам, а увидев Денема, восклицали с глуповатой улыбкой: «О, и вы здесь!»

Вскоре в комнату набилось человек двадцать–тридцать, большинство расположились на полу, на матрасах, подобрав колени. Все они были молоды, некоторые, похоже, бросали вызов обществу своей прической, или одеждой, или выражением лица — чересчур мрачным и задиристым по сравнению с обычными лицами, которых не замечаешь в омнибусе и в подземке. Разговор шел сначала по группам, и несколько сумбурно, все говорили вполголоса, как будто не вполне доверяли другим гостям.

Кэтрин Хилбери явилась довольно поздно и нашла свободное место на полу, у стены. Она быстро обвела взглядом комнату, узнала полдюжины гостей, кивком поздоровалась с каждым, однако Ральфа не заметила — или не узнала. Но в какой-то миг всю эту разномастную публику объединил голос мистера Родни, который неожиданно прошествовал к столу и зачастил, от волнения, почему-то на высоких тонах:

— Говоря об употреблении елизаветинцами метафоры в поэзии…

Все повернули головы так, чтобы лучше видеть докладчика, на лицах — все та же подобающая случаю серьезность. Но даже тем, кто был на виду, а им полагалось особо следить за своей мимикой, не удалось скрыть едва заметной гримасы, которая, если ее не сдержать, вскоре могла перейти в фырканье и смех. Действительно, при первом взгляде на мистера Родни трудно было удержаться от улыбки. Лицо его стало морковно-красным, то ли от ноябрьской погоды, то ли от волнения, и каждый жест, начиная от заламывания рук до того, как он поводил головой вправо-влево, словно некий призрак манил его то к двери, то к окну, говорил о том, что он ужасно неловко чувствует себя под пристальным взглядом стольких глаз. Одет он был безупречно, жемчужина в центре галстука придавала ему аристократический шик. Глаза навыкате и запинающаяся манера речи (очевидно, следствие мощного потока мыслей, грозивших выплеснуться одновременно, отчего докладчик еще больше нервничал) — все это вызывало не жалость, как в случае с более значительным персонажем, а лишь смех, правда, абсолютно беззлобный. Мистер Родни, очевидно, знал все недостатки собственной внешности, так что и румянец, и непроизвольные подергивания тела были явным доказательством того, что и ему тоже неловко, и было что-то трогательное в его смехотворной уязвимости, хотя большинство видевших его, наверное, согласились бы с Денемом: «Разве можно замуж за такое?» Его статья была написана очень аккуратно, но, несмотря на все предосторожности, мистер Родни ухитрился перелистнуть две страницы вместо одной, выбрал не ту цитату из двух приведенных рядом, более того, неожиданно обнаружил, что с трудом разбирает собственный почерк. Отыскав разборчивый пассаж, он почти грозно потрясал им перед аудиторией и принимался отыскивать следующий. После мучительных поисков он делал очередное открытие и точно так же спешил его предъявить, пока этими повторяющимися попытками не привел слушателей в состояние оживления, редкого для подобных собраний. То ли ему удалось увлечь их своей страстью к поэзии, то ли им польстило, что человек так старается ради них, трудно сказать. В конце концов, не закончив фразы, мистер Родни опустился на стул, и, после секундного замешательства, слушатели уже могли не сдерживать смеха под дружные и бурные аплодисменты.

Осознав, что происходит, мистер Родни не стал дожидаться вопросов — расталкивая сидящих, он кинулся туда, где в углу примостилась Кэтрин, восклицая:

— Ох, Кэтрин, я просто болван! Это было ужасно! ужасно! ужасно!

— Тш-ш! Тебе еще отвечать на вопросы, — прошептала она, стараясь его успокоить.

Как ни странно, когда докладчик уже не маячил перед глазами, речь его представлялась куда более разумной. Так или иначе, юноша с бледным лицом и печальным взором вскочил и начал четко и складно излагать свои мысли по поводу доклада. Уильям Родни слушал его, от удивления приоткрыв рот, — лицо его все еще подергивалось от волнения.

— Идиот! — прошептал он. — Из всего, что я говорил, он не понял ни слова!

— Ну так объясни ему, — шепнула Кэтрин в ответ.

— Вот еще! Они опять будут смеяться. Напрасно я поверил тебе, что эти люди ценят литературу.

Многое можно сказать за и против статьи мистера Родни. Она была полна утверждений, что такие-то и такие-то пассажи, вольные переложения с английского, французского, итальянского, — это истинные перлы литературы. Более того, он злоупотреблял метафорами, которые в научной статье казались неубедительными либо неуместными, тем более что он зачитывал их не полностью. Литература — душистый весенний венок, говорил он, в котором алые ягоды тиса и лиловые бусы паслена мешаются с нежными анемонами, и каким-то образом все это вместе венчает чье-то мраморное чело. Он очень невнятно прочел несколько прекрасных цитат. Но, даже несмотря на эту странную манеру и косноязычие, он сумел донести до аудитории определенное чувство, ощущение, позволившее большинству слушателей представить некую картинку или идею, которую теперь всем не терпелось описать своими словами. Предполагалось, что здесь присутствуют в основном люди творческие, литераторы и художники, и видно было, что когда они слушают сперва мистера Пёрвиса, потом мистера Гринхалша, то воспринимают все сказанное этими джентльменами применительно к себе. Один за другим они вставали и, словно плотник, обтесывающий бревно негодным топором, пытались придать его концепции искусства более гладкий вид и садились с ощущением, что непонятно почему, но удары пришлись мимо цели. Закончив выступление, они обычно поворачивались к соседу и продолжали вносить поправки уже в собственное выступление. Вскоре и группы сидевших на матрасах, и сидевшие на стульях уже свободно общались между собой, и Мэри Датчет, которая принялась было снова штопать чулки, наклонилась к Ральфу и сказала:

— Вот это я называю «идеальная статья».

Оба непроизвольно посмотрели туда, где сидел докладчик. Тот полулежал, привалившись к стене, закрыв глаза и уронив голову на грудь. Кэтрин перелистывала страницы рукописи, словно искала какой-то нужный абзац и никак не могла найти.

— Пойдемте скажем ему, что нам очень понравилось, — предложила Мэри.

Ральф и сам бы это предложил, но из гордости не хотел навязываться, поскольку полагал, что заинтересован в Кэтрин больше, чем она в нем.

— Очень дельный доклад, — начала Мэри без тени стеснения, усаживаясь на пол напротив Родни с Кэтрин. — Не одолжите мне рукопись — почитать на досуге?

Родни, при их приближении неохотно разлепивший веки, некоторое время смотрел на нее в немом изумлении.

— Вы так говорите, чтобы скрасить постыдный факт моего провала? — спросил он.

Кэтрин улыбнулась.

— Он хочет сказать, ему все равно, что мы о нем думаем, — пояснила она. — И что мы ничего не смыслим в искусстве.

— Я просил ее пожалеть меня, а она дразнится! — вскричал Родни.

— Я не жалеть вас пришла, мистер Родни, — спокойно сказала Мэри. — Когда доклад провальный, все помалкивают, а сейчас — вы только послушайте!

Наполнявшие комнату звуки — мешанина из бормотания, внезапных пауз и восклицаний — напоминали птичий гам или, скорее, ворчание звериной стаи, исступленное и бессвязное.

— Вы хотите сказать, это все из-за моей статьи? — спросил Родни, прислушиваясь, и лицо его просияло.

— Ну конечно. Она заставляет задуматься, — сказала Мэри и оглянулась на Денема, словно рассчитывая на его помощь.

Денем согласно кивнул.

— В течение десяти минут после доклада становится ясно, имел он успех или нет, — сказал он. — На вашем месте, Родни, я бы радовался.

После этих слов мистер Родни, похоже, окончательно успокоился и стал мысленно перебирать пассажи доклада, которые действительно могли бы «заставить задуматься».

— Вы согласны, Денем, с тем, что я говорил про роль образности у Шекспира? Боюсь, я не очень точно выразил свою мысль.

Не вставая, он сделал несколько движений, похожих на лягушачьи подпрыгивания, и в результате перекочевал поближе к Денему.

Тот отвечал кратко, поскольку мысленно адресовался к другой персоне. Он хотел спросить Кэтрин: «Вы не забыли заменить стекло на картине к приходу тетушки?» — но, помимо того что принужден был выслушивать Родни, он вовсе не был уверен, что это замечание, с намеком на близкое знакомство, Кэтрин не сочтет дерзостью. Она прислушивалась к разговору в соседнем кружке. Родни тем временем распространялся о драматургах-елизаветинцах.

Странное он производил впечатление, по крайней мере с первого взгляда, а когда принимался оживленно спорить, казался даже смешным; но в другое время, в минуты покоя, его лицо, узкое, с крупным носом и очень чувственными губами, напоминало профиль римлянина в лавровом венке, высеченный на медальоне из полупрозрачного красноватого камня. Чувствовались в нем и благородство, и сильный характер. Будучи служащим правительственного учреждения, он был одним из тех мучеников пера, для кого литература — одновременно источник и неземного наслаждения, и невыносимого горя. Им недостаточно просто любить ее — нет, они должны непременно сами поучаствовать в ее создании, но, как правило, у них мало способностей к сочинительству. Они вечно недовольны тем, что выходит из-под их пера. Более того, сила их чувств такова, что они редко встречают у других понимание и, поскольку утонченное восприятие сделало их весьма обидчивыми, постоянно страдают от невнимания как к собственной персоне, так и к объектам своего поклонения. Но Родни никогда не мог устоять перед искушением проверить симпатии любого, кто был к нему благожелательно настроен, а похвала Денема задела в нем тайную, но очень чувствительную струнку тщеславия.

— Помните эпизод прямо перед смертью Герцогини?* — продолжал он, еще ближе придвигаясь к Денему и складывая локоть и колено в почти невозможную треугольную комбинацию. В это время Кэтрин, которую эти его маневры лишили возможности общаться с остальными, встала и уселась на подоконник. К ней тотчас же присоединилась и Мэри Датчет, таким образом девушки могли следить за тем, что происходит в комнате. Денем, глядя на них, сделал жест, как будто вырывает пучки травы прямо из ковра, показывая, как он раздосадован. Но, поскольку происходящее укладывалось в его концепцию, что все человеческие желания тщетны, предпочел сосредоточиться на литературе, мудро решив извлечь посильную пользу хотя бы из того, что имеет.

Кэтрин была приятно оживлена открывшимися перед ней новыми возможностями. С некоторыми из присутствующих она была шапочно знакома, и в любой момент кто-нибудь из них мог встать с пола, подойти и заговорить с ней; с другой стороны, она могла сама выбрать собеседника или же вклиниться в рассуждения Родни, за которыми следила вполуха. Было немного неловко оттого, что Мэри сидит так близко, но в то же время обе они женщины, а значит, не обязаны поддерживать беседу. Однако Мэри, видевшей в Кэтрин «личность», так хотелось поговорить с ней, что через несколько минут она не удержалась.

— Как стадо овец, правда? — заметила она, имея в виду шум, который создавали все эти лежащие и сидящие людские тела.

---

* Речь идет о драме «Герцогиня Мальфи» Джона Уэбстера (1578–1634), мастера так называемой кровавой трагедии.

Кэтрин с улыбкой обернулась к ней:

— Интересно, из-за чего все так расшумелись? — спросила она.

— Из-за елизаветинцев, полагаю.

— Нет, не думаю, что это имеет отношение к елизаветинцам. Вот! Слышите? Они упоминают какой-то «билль о страховании»*.

— Удивительно, почему мужчины всегда говорят о политике? — задумчиво произнесла Мэри. — Хотя, будь у нас право голоса, наверное, мы бы тоже о ней говорили.

— Непременно. А вы занимаетесь тем, что помогаете нам получить это право, не так ли?

— Да, — ответила Мэри серьезно.— С десяти до шести каждый Божий день только этим и занимаюсь.

Кэтрин посмотрела на Ральфа Денема, который теперь вместе с Родни продирался сквозь метафизику метафоры, и вспомнила их воскресный разговор. Ей показалось, что этот молодой человек имеет какое-то отношение к Мэри.

— Наверно, вы из тех, кто считает, что мы все должны иметь профессию, — начала она издалека, словно нащупывая путь среди фантомов неведомого мира.

— Вовсе нет, — отмахнулась Мэри.

— Ну а я бы хотела, — продолжала Кэтрин и тихо вздохнула. — Тогда в любой момент можно сказать, что ты что-то делаешь, иначе среди такого сборища чувствуешь себя не в своей тарелке.

— Почему именно среди сборища? — спросила Мэри, посерьезнев, и подвинулась чуть ближе к Кэтрин.

— Разве вы не видите, как много у них тем для разговоров! Им интересно все. А я хотела бы их сра-

---

* Имеется в виду Акт о национальном страховании, принятый английским парламентом в 1911 г. Считается одной из основ системы социального обеспечения в Великобритании.

зить… То есть, — поправилась она, — я хотела бы показать, на что способна, а это трудно, если не имеешь профессии.

Мэри улыбнулась, подумав, что вообще-то сразить человека наповал для мисс Хилбери не составит большого труда. Они были едва знакомы, и то, что Кэтрин так доверительно рассказывает о себе, казалось знаменательным. Обе притихли, словно обдумывая, стоит ли продолжать. Прощупывали почву.

— Я мечтаю попирать их распростертые тела! — с вызовом заявила Кэтрин минуту спустя и прыснула, как будто ее рассмешил ход мысли, приведшей к такому заключению.

— Вовсе не обязательно попирать тела лишь потому, что работаешь в конторе, — заметила Мэри.

— Ну да, — ответила Кэтрин.

Разговор пресекся, и Мэри заметила, что Кэтрин с унылым видом смотрит куда-то вдаль, поджав губы, — желание поговорить о себе или завязать дружбу, вероятно, прошло. Мэри поразила эта ее особенность быстро отгораживаться и замыкаться в себе. Такая черта свидетельствовала об одиночестве и эгоцентризме. Кэтрин по-прежнему молчала, и Мэри забеспокоилась.

— Да, они как овцы, — повторила она шутливым тоном.

— И притом очень умные, — добавила Кэтрин. — По крайней мере, думаю, все они читают Уэбстера.

— Уж не считаете ли вы это признаком большого ума? Я вот читала Уэбстера, и Бена Джонсона* читала, но не думаю, что поумнела — во всяком случае, не сильно.

— По-моему, вы очень умная, — заметила Кэтрин.

— Почему? Потому что заправляю делами в конторе?

_____

* Бен (Бенджамин) Джонсон (1573–1637) — английский поэт и драматург.

— Я не об этом. Я представила, как вы живете одна в этой комнате и устраиваете вечера…

Мэри на секунду задумалась.

— На самом деле, мне кажется, нужно быть сильной, чтобы пойти наперекор семье. Я вот сумела. Я не хотела жить дома и сказала об этом отцу. Он не одобрил, конечно… Но в конце концов, у меня есть сестра, а у вас нет, так ведь?

— Да, у меня нет сестер.

— Вы пишете биографию своего деда? — не отступала Мэри.

Кэтрин этот вопрос, похоже, не понравился, и она ответила кратко, как отрезала:

— Да, я помогаю маме.

По тону, каким были произнесены эти слова, Мэри поняла, что ее поставили на место, словно никакого чувства взаимной симпатии между ними и не возникало. Кэтрин, казалось, умеет странным образом приближать и отталкивать, вызывая диаметрально противоположные чувства, с ней не расслабишься. Подумав немного, Мэри нашла этому одно объяснение: эгоизм.

«Эгоистка», — сказала она мысленно и решила, что прибережет это слово для Ральфа до того дня, когда — а это наверняка случится — речь у них снова зайдет о мисс Хилбери.

— Боже мой, какой беспорядок тут будет завтра утром! — воскликнула Кэтрин. — Надеюсь, вам не придется спать в этой комнате, мисс Датчет?

Мэри рассмеялась.

— Почему вы смеетесь? — спросила Кэтрин.

— Не скажу.

— Дайте угадаю. Вы смеялись, оттого что подумали, будто я просто решила сменить тему?

— Нет.

— Потому что подумали… — Она умолкла.

— Если желаете знать, меня рассмешило то, как вы произнесли «мисс Датчет».

— Ну тогда Мэри. Мэри, Мэри, Мэри.

С этими словами Кэтрин отодвинула занавеску, возможно, чтобы не видно было, как просияло ее лицо от этой внезапно обретенной близости.

— Мэри Датчет, — сказала Мэри. — Боюсь, не так звучно, как Кэтрин Хилбери.

Обе повернулись и стали смотреть в окно, сначала на серебряную луну, недвижно застывшую среди серебристо-синих бегущих облаков, потом вниз на лондонские крыши, утыканные трубами дымоходов, затем — на пустынную, залитую лунным светом мостовую, на которой был четко виден каждый булыжник. Потом Мэри заметила, как Кэтрин снова задумчиво смотрит на луну, словно сравнивает ее с другими светилами, виденными раньше в другие ночи. Кто-то в комнате у них за спиной сказал в шутку: «астрономы», испортив все удовольствие, и обе отвернулись от окна.

Ральф ждал этого момента и спросил:

— Кстати, мисс Хилбери, вы не забыли остеклить портрет? — По всему было видно, что он долго обдумывал этот вопрос.

«Вот идиот!» — Мэри чуть не произнесла это вслух, почувствовав, что Ральф сморозил глупость. Так после трех уроков латинской грамматики хочется поправить школьного товарища, который еще не выучил аблятив слова «mensa»*.

— Портрет? Какой портрет? — переспросила Кэтрин. — Ах, тот, дома, — вы имеете в виду воскресный вечер. Это когда у нас был мистер Фортескью? Да, теперь припоминаю.

Какое-то время все трое стояли в неловком молчании, затем Мэри пошла посмотреть, как наливают

---

*Стол (*лат.*).

кофе из кувшина: даже будучи образованной девушкой, она не могла не заботиться о целости фамильного фарфора.

Ральф никак не мог придумать, что еще сказать. Но несмотря на внешнюю растерянность, в глубине души всеми силами желал лишь одного: заставить мисс Хилбери повиноваться. Он хотел, чтобы она оставалась здесь до тех пор, пока он не завоюет ее внимание, хотя как это сделать, оставалось пока неясно. Подобные вещи нередко ощущаются и без слов, и Кэтрин поняла, что этот молодой человек чего-то ждет от нее. Она попыталась восстановить в памяти свое первое впечатление от знакомства с ним: вспомнила, как показывала ему семейные реликвии. И с каким настроем он уходил от них в тот воскресный вечер. Похоже, он осуждал ее. И совершенно естественно было предположить, что, вероятно, у него остался неприятный осадок и он до сих пор находится под впечатлением от того разговора. Так она размышляла, даже не порываясь уйти, — стояла, глядя на стену и едва удерживаясь, чтобы не рассмеяться.

— Полагаю, вы знаете названия звезд? — спросил Денем так, словно это предполагаемое знание было ее серьезным проступком.

Она постаралась ответить спокойно:

— Я сумею отыскать Полярную звезду, если заблужусь.

— Вряд ли это часто с вами происходит.

— Конечно. Со мной никогда ничего интересного не происходит.

— Похоже, у вас вошло в привычку всему перечить, мисс Хилбери, — не выдержал он. — Полагаю, это одно из свойств вашего класса. Вы никогда не говорите серьезно с теми, кто ниже вас.

То ли из-за того, что сегодня они встретились на нейтральной территории, то ли из-за того, что на

Денеме был не строгий фрак, а поношенное серое пальто, придававшее ему легкомысленный вид, только Кэтрин почему-то не хотелось быть с ним высокомерной.

— В каком смысле ниже? — спросила она и внимательно посмотрела на него, словно ей и впрямь было интересно, что он ответит.

Его это порадовало. Впервые он почувствовал себя на равных с женщиной, уважение которой пытался заслужить, хотя не мог бы объяснить, почему ее мнение о нем так много для него значит. Вероятно, он просто ждал от нее слова или жеста, о котором можно будет дома поразмышлять, вспоминая. Но он избрал неверную тактику.

— Я не совсем понимаю, что вы имеете в виду, — произнесла Кэтрин. Тут ей пришлось прерваться и ответить молодому человеку, который спросил, не желает ли она купить у них билет в оперу со скидкой.

И действительно, всеобщее оживление уже не позволяло продолжать доверительную беседу: гости вели себя шумно и непринужденно, и даже те, кто был едва знаком, теперь запросто обращались друг к другу на «ты». Обычно подобный дух товарищества в Англии возникает лишь после того, как люди посидят вместе три часа кряду, а то и больше, и первое же дуновение холодного ветра с улицы возвращает их в прежнее состояние оцепенения. На плечи уже накидывались плащи, на волосы поспешно прикалывались шляпки, и Денем весь похолодел, увидев, как нелепейший Родни помогает Кэтрин собраться. На таких сборищах не принято прощаться, достаточно кивнуть недавнему собеседнику перед уходом; и все же Денема огорчила поспешность, с которой Кэтрин рассталась с ним, — даже не докончив фразы. Она ушла вместе с Родни.

ГЛАВА V

Вообще-то Денем не собирался следовать за Кэтрин, но, увидев, что она уходит, он схватил шляпу и тоже кинулся на лестницу — вряд ли он так спешил бы, если б ее силуэт не маячил у него перед глазами. По пути он нагнал своего приятеля Гарри Сэндиса, им оказалось по пути, и они пошли вместе, чуть позади Кэтрин с Родни.

Ночь выдалась тихой и ясной — в такие ночи, когда уличное движение затихает, вдруг замечаешь луну, будто наверху раздвинулся занавес, и небо показывается во всей красе, чистое и широкое, как за городом. Ветерок обдавал приятной прохладой, и после долгого сидения в тесноте в четырех стенах, за бесконечными разговорами, было приятно прогуляться немного перед тем, как остановить омнибус или вновь окунуться в слепящий свет подземки. Сэндис, барристер* с философской жилкой, достал трубку, раскурил ее, пробормотал что-то вроде «хм» или «ха» и погрузился в молчание. Денем заметил, что двое впереди держатся несколько особняком и, судя по тому, как часто они оборачиваются друг к другу, о чем-то оживленно беседуют. Расступившись, чтобы пропустить встречного пешехода, они снова почти сразу же сблизились.

---

* Высшее звание адвоката в Англии.

У него и в мыслях не было следить за ними, и все же он старался не терять из виду желтый шарф, которым Кэтрин повязала голову, и стильное пальто, выделявшее Родни из толпы. У Стрэнда он подумал было, что они разойдутся в разные стороны, но вместо этого они перешли на другую сторону и углубились в один из узеньких переулков, ведущих мимо старых судебных зданий к реке. И если в толпе на оживленной улице Родни выступал всего лишь в роли провожатого, то теперь, когда прохожие стали редки и шаги этой пары четко отдавались в тишине, Денем невольно представлял себе уже другие разговоры. Резкие тени словно делали их выше, отчего эти две фигуры приобрели некую таинственность и значимость, и Денем уже не злился на Кэтрин, но воспринимал ее присутствие изумленно и покорно, словно из реальности она перенеслась в грезы. И он не возражал против грез — но Сэндис вдруг разговорился. Этот молодой человек вел замкнутый образ жизни, со своими друзьями познакомился в колледже и всегда обращался к ним так, будто они все еще студенты, спорящие до хрипоты в его тесной каморке, хотя иногда много месяцев и даже лет отделяли его нынешнюю реплику от предыдущей. Странный способ общения, но очень успокоительный для говорящего, поскольку позволяет полностью игнорировать реальный ход событий и между двумя сказанными вслух словами открываются вдруг глубочайшие бездны.

В данную конкретную минуту он произнес, после того как они остановились на краю Стрэнда:

— Я слышал, Беннет забросил свою теорию истины.

Денем ответил ему что-то подходящее случаю, и тот принялся объяснять, каким образом их общий знакомый пришел к такому решению и какие поправки это вносит в концепцию, которую оба они разделяли.

Тем временем Кэтрин и Родни ушли далеко вперед, и Денем — сам того не сознавая — старался не упускать их из виду и при этом пытался вникнуть в то, о чем говорит Сэндис.

Беседуя таким образом, они прошли мимо судебных зданий, и тут Сэндис ткнул тросточкой в камень полуразрушенной арки и постучал по нему пару раз, иллюстрируя некую мутную мысль о сложной природе восприятия действительности.

Во время этой их вынужденной остановки Кэтрин с Родни свернули за угол и скрылись с глаз. Денем запнулся на полуслове, а когда продолжил фразу, у него возникло щемящее чувство, как будто у него вдруг отняли что-то.

Не подозревая, что за ними наблюдают, Кэтрин и Родни вышли на набережную*.

Перейдя улицу, Родни хлопнул ладонью по каменному парапету и воскликнул:

— Клянусь, больше ни слова об этом! Но прошу тебя, не спеши. Смотри, какая лунная дорожка на воде…

Кэтрин остановилась, глянула на реку, принюхалась.

— Кажется, пахнет морем, ветер с той стороны.

Какое-то время они стояли молча, под ними река лениво ворочалась в своем каменном ложе, а серебристые и красные огоньки на ее поверхности то разбегались, разведенные неумолимым течением, то вновь сходились. Где-то вдали жалобно загудел пароход, словно хотел сказать, как тоскливо ему держать свой одинокий путь в густом тумане.

— Ага! — воскликнул Родни, снова хлопнув по парапету. — Почему никто не скажет, как все это пре-

---

* Просто набережной лондонцы называют набережную Виктории между Вестминстерским мостом и мостом Блэкфрайерз.

красно?! Почему я навеки обречен чувствовать то, что не могу выразить словами? А если и попытаюсь, что толку… Поверь мне, Кэтрин, — зачастил он, — я никогда больше не заговорю об этом. Но в присутствии такой красоты — смотри, как сияет луна! — начинаешь понимать… начинаешь… Может, ты выйдешь за меня — я ведь наполовину поэт, ты же знаешь, и не умею притворяться, что не испытываю тех чувств, которые испытываю. Если бы я был настоящий писатель — о, тогда другое дело. Я бы не стал тогда беспокоить тебя своей просьбой — выйти за меня замуж.

Всю эту довольно бессвязную речь он произносил, поглядывая то на луну, то снова на черную воду.

— Но если я правильно тебя поняла, мне ты советовал бы выйти замуж в любом случае? — спросила Кэтрин, пристально глядя на луну.

— Разумеется. Не только тебе, всем женщинам. Если подумать, без этого ты никто, ты живешь лишь наполовину, используешь лишь половину своих возможностей, надеюсь, ты и сама это чувствуешь. Именно поэтому…

Тут он умолк, и они медленно пошли вдоль набережной. Луна светила им в лицо.

— О, как печальна и бледна навстречу звездам шла она!* — продекламировал Родни.

— Я сегодня услышала о себе много неприятного, — сказала Кэтрин, не обращая внимания на его слова. — Кажется, мистер Денем решил, что вправе читать мне нотации, хотя я с ним почти не знакома. Кстати, Уильям, ты-то хорошо его знаешь, скажи, что он собой представляет?

---

* Знаток поэзии, Родни, вероятно, намеренно перефразирует и ритмически искажает первую строчку из 31-го сонета цикла «Астрофил и Стелла» Филипа Сидни (1554–1586). Образ месяца, товарища по несчастью, Родни заменяет неким женским образом, ассоциирующимся с Кэтрин.

Уильям делано вздохнул:

— Он доведет тебя до белого каления своими поучениями.

— Да, но что он за человек?

— А мы засыплем тебя сонетами, жестокосердная реалистка! — улыбнулся он. — Денем? Хороший парень, по-моему. Дельный. Но я бы не советовал тебе выходить за него. Он над тобой посмеется, ведь… а что он тебе сказал?

— С мистером Денемом дело обстоит так. Он приходит на чай. Я всеми силами стараюсь ему помочь, чтобы он не чувствовал себя неловко. А он сидит и насмехается. Тогда я показываю ему рукописи. И тут он вспыхивает и заявляет, что я не имею права говорить, что принадлежу к среднему сословию. На этой пафосной ноте мы расстаемся, а когда снова я его встречаю, нынче вечером, он подходит ко мне и говорит: «Пошли вы к черту!» Мою маму подобное поведение огорчает. Я хочу понять, к чему это все?

Она умолкла и, замедлив шаг, проводила взглядом освещенный изнутри поезд, проезжавший по Хангерфордскому мосту.

— Ну, наверное, что он считает тебя холодной и черствой.

Кэтрин рассмеялась, такой ответ ее позабавил.

— Мне пора, сяду в кеб и укроюсь в родных стенах! — воскликнула она.

— А твоя мама не будет беспокоиться, что нас видели вместе? Но ведь нас никто не узнал, правда? — спросил он с некоторой озабоченностью.

Кэтрин поглядела на него и, убедившись, что он вполне искренен, лишь усмехнулась.

— Смейся сколько угодно, но я скажу тебе: если кто-то из твоих знакомых увидит нас вдвоем в такой поздний час, пойдут разговоры, а мне бы этого не хотелось. Но почему ты смеешься?

— Не знаю. Наверное, потому, что ты такой чудной. Наполовину поэт, наполовину старая дева.

— Ну да, в твоих глазах я смешон. Но я все же воспитан на некоторых традициях и пытаюсь следовать им.

— Глупости это все, Уильям. Даже если ты принадлежишь к старейшей фамилии в Девоншире, это не повод отказываться от прогулки со мной по набережной.

— Я старше тебя на десять лет, Кэтрин, и знаю жизнь лучше, чем ты.

— Вот и отлично. Тогда оставь меня и ступай домой.

Родни оглянулся и заметил, что в некотором удалении от них едет таксомотор, очевидно поджидая пассажиров.

Кэтрин тоже его увидела и воскликнула:

— Только не подзывай его, Уильям! Я пойду пешком.

— Нет уж, Кэтрин, ничего такого ты не сделаешь. Сейчас почти двенадцать, и мы далеко забрели.

Кэтрин засмеялась и пошла еще быстрее, так что и Родни, и водителю пришлось ее догонять.

— Знаешь, Уильям, — сказала она, — если люди увидят, как я одна бегу по набережной, точно пойдут разговоры. Лучше пожелай спокойной ночи, если боишься пересудов.

Но Уильям не слушал и уже махал рукой, подзывая таксомотор, и при этом удерживал Кэтрин, чтобы она не убежала.

— А теперь этот человек, чего доброго, подумает, что мы деремся! — пробормотал он.

Кэтрин перестала вырываться, заметив укоризненно:

— В тебе от старой девы больше, чем от поэта.

Уильям резко захлопнул дверь машины, назвал шоферу адрес, отошел в сторону и приподнял шляпу, прощаясь с невидимой дамой.

Пару раз он с опаской оглянулся, словно подозревал, что Кэтрин остановит машину и выйдет; но таксомотор быстро и верно уносил ее прочь и вскоре исчез в темноте. Уильям был очень сердит — Кэтрин ухитрилась-таки вывести его из себя.

— Самая неуправляемая и безрассудная девица из всех, кого я встречал, — бормотал он, возвращаясь по набережной. — И как я только позволил ей выставить себя идиотом! Нет уж, я скорее женюсь на дочери квартирной хозяйки, чем на Кэтрин Хилбери! Она не даст ни минуты покоя — и никогда не поймет меня, нет, никогда!

Адресованные, по-видимому, Небесам, ибо на набережной, кроме него, не было ни души, его горькие жалобы звучали достаточно убедительно. Родни замедлил шаг и какое-то время шел молча, пока не увидел человека, идущего ему навстречу. Его походка — или одежда — смутно напомнили ему кого-то из его знакомых, и наконец Уильям узнал его. Это был Денем. Попрощавшись с Сэндисом возле его дома, он теперь шел к станции подземки на Черинг-Кросс, погруженный в мысли, которые навеял разговор с Сэндисом. Он уже успел забыть о собрании у Мэри Датчет, о Родни, метафорах и елизаветинской драме и мог бы поклясться, что забыл и Кэтрин Хилбери, хотя это вопрос спорный. Его разум вознесся к альпийским вершинам духа, где были лишь чистые, девственные снега. Дойдя до уличного фонаря и поравнявшись с Родни, он мрачно покосился на него.

— Эй! — крикнул Родни.

Если бы не это, Денем прошел бы мимо, даже не поприветствовав знакомого. Но внезапный оклик прервал его размышления, он остановился и, прежде чем сообразил, что делает, уже развернулся и шагал в ногу с Родни: тот пригласил его к себе — пропустить по рюмочке. Пить с Родни Денему вовсе не хотелось, тем не менее он последовал за ним. Родни был тронут, видя такую сговорчивость. Ему очень хотелось побеседовать с этим молчуном, который явно обладал теми похвальными мужскими качествами, которых в Кэтрин, увы, совсем не было.

— Вам повезло, Денем, — заговорил он с жаром, — что вы не имеете дела с девицами. Я вам по своему опыту скажу: только вы им доверитесь, как тут же пожалеете об этом. Я вовсе не жалуюсь, — поспешил добавить он, — просто иногда задумываешься об этом. Мисс Датчет, по-моему, одно из счастливых исключений. Вам нравится мисс Датчет?

Чувствовалось, что Родни очень переживает, и Денем живо представил ситуацию, какой она была час назад. Тогда Родни провожал Кэтрин. И зачем только он вспомнил об этом, ведь вместе с воспоминанием вернулось и ощущение беспокойства. Надо взять себя в руки. Разум подсказывал, что следует сейчас же попрощаться с Родни, которому не терпелось излить душу, — пока он еще удерживает в уме спасительную нить высокой философии. Он посмотрел вдаль и, увидев ярдах в ста фонарный столб, дал себе слово: когда они дойдут до этого столба, он распрощается с Родни.

— Да, Мэри мне нравится. Разве она может кому-то не нравиться? — осторожно ответил он, поглядывая на приближающийся столб.

— Ах, Денем, мы с вами такие разные. Вы умеете сдерживаться: я могу об этом судить, потому что видел сегодня, как вы говорили с Кэтрин Хилбери. А я инстинктивно доверяю человеку, с которым разговариваю. Поэтому, наверно, меня так легко завлечь.

Денем понимающе кивнул, однако на самом деле Родни со своими откровениями был ему безразличен, главное — заставить его еще хоть раз упомянуть о Кэтрин, прежде чем они дойдут до фонарного столба.

— И кто же вас завлек на этот раз? — спросил он. — Кэтрин Хилбери?

Родни остановился и снова стал постукивать пальцами по гладкому парапету — как будто отбивал ритм какой-то музыкальной пьесы, слышной только ему одному.

— Кэтрин Хилбери, — повторил он со странной усмешкой. — Нет, Денем, у меня не осталось иллюзий насчет этой девушки. И кажется, я сегодня ясно дал ей это понять. Но я не хочу, чтобы у вас создавалось ложное впечатление, — с чувством продолжил он, оборачиваясь и беря Денема под руку, как будто боялся, что тот убежит. Поэтому Денем успешно миновал пограничный столб, мысленно принеся ему извинения, ибо как мог он уйти, если Родни буквально привязал его к себе? — Только не думайте, что я сержусь на нее, — напротив. Она ни в чем не виновата, бедняжка. Вы знаете ее образ жизни, это что-то вопиющее, ни о ком не думает, только о себе — а я считаю, никакую женщину это не красит, — людей в грош не ставит, всеми помыкает, и не только дома, избалованное существо, хочет, чтобы все валялись у ее ног, и даже не понимает, как больно ранит... — то есть я хочу сказать, грубо ведет себя с людьми, у которых нет всех ее преимуществ. И все же надо отдать ей должное, она не глупа, — добавил он, словно Денем тоже ее осуждал. — У нее есть эстетический вкус. И чувства. Когда говоришь с ней, она тебя понимает. Но она женщина, и этим все сказано, — сказал он с горькой усмешкой и отпустил наконец руку своего спутника.

— И вы все это ей сегодня высказали? — спросил Денем.

— Боже мой, конечно, нет. Даже представить не могу, как можно сказать Кэтрин правду о ней самой. Она не станет слушать. Она привыкла, чтобы ею восхищались.

«Теперь понятно, что она отказала ему, можно спокойно идти домой, так что же я медлю?» — подумал Денем, продолжая шагать рядом с Родни. Тот, помолчав немного, стал насвистывать мотив из моцартовской оперы. После таких случайных откровений у собеседника невольно возникает двойственное чувство: брезгливости и одновременно симпатии. И Денему стало интересно, что за человек этот Родни, но в этот самый момент Родни переключился на него самого.

— Полагаю, вы тоже служите, как и я? — поинтересовался он.

— Да, стряпчим.

— Иногда кажется: а не бросить ли все к чертям? Почему вы не уедете за океан, Денем? Наверное, для вас это выход.

— У меня семья.

— Я и сам подумываю об отъезде. Но потом понимаю, что не смогу без этого. — Он махнул рукой в сторону лондонского Сити, который был похож на ажурный силуэт, вырезанный из голубовато-серого картона и наклеенный на темно-синее небо. — Здесь есть два-три человека, к которым я привязан, немного хорошей музыки время от времени и несколько картин — достаточно, чтобы пока задержаться. К тому же я не смогу жить среди дикарей! Вы любите книги? Музыку? Живопись? А первоизданиями интересуетесь? У меня есть несколько симпатичных, я их дешево купил, обычно букинисты дико заламывают цены.

Тем временем они подошли к дворику, окруженному многоэтажными зданиями восемнадцатого века, в одном из которых Родни снимал квартиру. Поднялись по очень крутым ступенькам, сквозь незавешенные окна на лестницу проникал лунный свет, освещая перила с витыми балясинами, стопки тарелок на подоконниках и кувшины, наполненные молоком. Квартира Родни была маленькая, но окна выходили во внутренний, мощенный плиткой двор, где росло одно-единственное дерево, а за ним высились красные кирпичные фасады соседних домов, что не удивило бы доктора Джонсона*, если бы тот поднялся из могилы прогуляться при луне. Родни зажег лампу, задернул занавески, предложил гостю стул и, бросив на стол рукопись трактата о метафоре у елизаветинцев, воскликнул:

— Пустая трата времени! Но слава Богу, все позади, и об этом можно не думать.

После чего весьма ловко разжег в камине огонь, достал стаканы, виски, пирог и чашки с блюдцами. Накинул выцветший бледно-лиловый халат, надел алые шлепанцы и подошел к Денему, с бокалом в одной руке и книгой в глянцевом переплете — в другой.

— Баскервиллский Конгрив**, — сказал Родни, протягивая ее гостю. — Не могу читать его в дешевом издании.

Теперь, когда Родни оказался в окружении книг и прочих дорогих ему вещей и всячески заботился о

---

* Сэмюэл Джонсон (1709–1784), известный также как доктор Джонсон — английский критик, лексикограф и поэт эпохи Просвещения, автор сатирической поэмы «Лондон».

** Уильям Конгрив (1670–1729) — английский драматург. Имеется в виду роскошное собрание сочинений Конгрива, изданное Джоном Баскервиллом (1706–1775) — английским типографом, создателем изящных шрифтов, используемых и в наши дни.

госте, двигаясь с проворством и грацией персидского кота, Денем понемногу сменил гнев на милость. Общаться с Родни оказалось проще и приятнее, чем с большинством тех, кого он давно знал. Судя по обстановке, этот человек многим интересовался, многим дорожил и ревниво оберегал все это от грубого суждения непосвященных. На стуле высилась стопка фотографий скульптур и картин, которые он имел обыкновение поочередно вывешивать для обозрения на день-другой. Книги на полках упорядоченностью напоминали строй солдат, их корешки сияли, как крылья жуков-бронзовок, однако, если вынуть из ряда одну из них, за ней можно было увидеть другую, более потрепанную, — приходилось экономить место. Над камином — овальное венецианское зеркало, в его крапчатых глубинах туманно отражались бледно-желтые и розоватые тюльпаны — ваза с цветами стояла на каминной полке среди писем, курительных трубок и сигарет. Целый угол комнаты занимало небольшое пианино с раскрытой партитурой «Дон Жуана».

— А знаете, Родни, — произнес Денем, раскуривая трубку и оглядывая комнату, — здесь очень красиво и уютно.

Родни, которому явно польстила похвала гостя, улыбнулся было, но затем сделал строгое лицо и буркнул:

— Терпимо.

— Но хочу сказать, хорошо, что вы сами на все это зарабатываете.

— Если вы хотите сказать, что в редкие часы досуга я мог бы и побездельничать, я вам отвечу: вы правы. Но я был бы в десять раз счастливее, если б целые дни проводил так, как мне нравится.

— Сомневаюсь, — ответил Денем.

Они сидели молча, и дым от их трубок дружески сливался у них над головами, образуя голубоватую дымку.

— Я могу каждый день по три часа кряду читать Шекспира, — заметил Родни. — А еще есть музыка и картины, кроме того, люди, общество которых тебе приятно.

— Через год вам это до смерти наскучит.

— О, уверяю вас, мне бы наскучило, если б я ничего не делал. Но я намерен писать пьесы.

Денем лишь хмыкнул на это.

— Да, пьесы, — повторил Родни. — Я уже сочинил одну, вторую как раз дописываю, в выходные надеюсь закончить. И неплохо получается — местами даже очень ничего.

Денем подумал: видимо, надо попросить автора показать ему пьесу, ведь именно этого от него ждут. Он украдкой посмотрел на Родни — тот нервно постукивал кочергой по углям и, как показалось Денему, сгорал от нетерпения поговорить о своем произведении. Ему хотелось похвастаться. Казалось, счастье его сейчас зависит от Денема, и тот смилостивился.

— Ну, то есть… а вы не покажете мне эту пьесу? — спросил он, и Родни сразу весь расцвел, но ничего не сказал, поднял кочергу, посмотрел на нее, пошевелил губами.

— Вам действительно интересно? — спросил он наконец уже совсем другим голосом. И, не дожидаясь ответа, продолжил, чуть ли не сердито: — Мало кто интересуется поэзией. Думаю, вам будет скучно.

— Может быть, — заметил Денем.

— Ладно, я дам вам ее почитать, — объявил Родни и отложил кочергу.

Пока он ходил за пьесой, Денем взял с ближайшей книжной полки первый попавшийся томик. Оказалось, это маленькое, но очень изящное издание сэра Томаса Брауна*, в котором содержалась «Гидриотафия, или Погребение в урнах», «Квинкункс» и «Сад Кира». Открыв книгу на пассаже, который помнил почти наизусть, Денем начал читать и увлекся.

Родни вернулся с рукописью и сел на прежнее место: он держал ее на коленях и время от времени выжидательно поглядывал на Денема. Вытянув длинные худые ноги к огню, откинувшись на спинку кресла, он всем своим видом выражал полную безмятежность. В конце концов Денем захлопнул томик, отошел от камина, вполголоса повторяя какой-то пассаж, по-видимому из Томаса Брауна, и наконец решил, что пора откланяться. Надел шляпу, подошел к Родни — тот даже не пошевелился.

— Я загляну к вам как-нибудь еще, — сказал Денем, на что Родни протянул ему пьесу и ответил лишь:
— Как пожелаете.

Денем взял рукопись и вышел. Два дня спустя, к большому своему удивлению, он обнаружил на тарелке сверток — это оказался тот самый том сэра Томаса Брауна, который он так увлеченно листал в квартире Родни. Только по лености он не отправил благодарственного письма, но время от времени вспоминал о Родни, без всякой связи с Кэтрин, и даже собирался как-нибудь зайти к нему выкурить трубочку. Родни нравилось раздавать друзьям особо приглянувшиеся вещи. Поэтому его ценное книжное собрание все время убывало.

---

* Томас Браун (1605–1682) — английский врач, писатель, богослов, автор литературных «опытов» на оккультно-религиозные и естественно-научные темы. В названиях его произведений Вирджиния Вулф допустила неточность: «Сад Кира» и «Квинкункс» — это один трактат с несколькими подзаголовками.

ГЛАВА VI

Бывают ли в обычный будничный день такие часы, которые с удовольствием предвкушаешь и впоследствии не без удовольствия на них оглядываешься? И если на единичном примере позволено будет сделать обобщение, то можно сказать, что минуты с девяти двадцати пяти и до половины десятого были окрашены для мисс Датчет особым очарованием. Это были минуты ничем не омраченной радости и полного довольства собой и своим нынешним положением. Ее квартира располагалась довольно высоко, и даже в ноябрьские дни сюда проникали скудные рассветные лучи, выхватывая из полумрака занавеску, кресло, ковер и окрашивая эти три предмета такими яркими, сочными оттенками зеленого, синего и пурпурного, что любо-дорого было смотреть и по всему телу разливалась приятная нега.

Лишь в редкие дни Мэри не удосуживалась взглянуть на всю эту красоту, занятая шнуровкой ботинок, но стоило ей проследить за желтой полосой, протянувшейся от занавески к обеденному столу, как из груди ее вырывался вздох благодарности — до чего же повезло, думала она, что жизнь дарит мне моменты такого чистого блаженства. Она никого при этом не обделяет и в то же время получает столько удовольствия от самых простых вещей, например завтракает одна в комнате, окрашенной в красивые цвета и не обшитой темными панелями от пола до потолка, — и все это настолько устраивало ее, что поначалу даже хотелось перед кем-то оправдаться или отыскать в этом какой-нибудь изъян. Она жила в Лондоне уже полгода, однако ни одного изъяна не находила, а все из-за того, неизменно заключала она, когда последний бантик на ботинках был завязан, что у нее есть работа. Каждый день, стоя с папкой в руке у двери своей квартиры и напоследок для порядка оглядывая комнату, она говорила себе: как же хорошо, что можно ненадолго оставить жилье, ведь сидеть здесь днями напролет и предаваться безделью было бы невыносимо.

Выйдя на улицу, она обычно воображала себя одной из работниц, в ранний час поспешавших чередой по широким столичным тротуарам, они шли быстро, чуть пригнув голову, словно боялись отстать друг от друга, и Мэри представляла, как их деловитые шаги неумолимо вытаптывают на панели ровную тропку. Но ей нравилось делать вид, что она ничем не отличается от остальных, и, если из-за непогоды ей приходилось спускаться в метро или садиться в омнибус, она готова была терпеть сырость и неудобства вместе с клерками, машинистками и торговцами, чувствуя, что у всех у них одно общее дело — заводить мировые часы, чтобы они исправно тикали еще двадцать четыре часа.

С такими мыслями тем утром, о котором идет речь, она пересекла площадь Линкольнз-Инн-Филдс*, прошла по Кингсуэй и Саутгемптон-роу, пока не вышла на Расселл-сквер**, где находилась ее контора. По

---

* Линкольнз-Инн-Филдс — самая большая площадь в Лондоне.

** Расселл-сквер — квадратная площадь со сквером в лондонском районе Блумсбери. Рядом находится Британский музей.

пути она то и дело останавливалась полюбоваться на витрины то книжного, то цветочного магазина — продавцы в этот ранний час только начинали раскладывать товар, и пустые полки под стеклом казались непривычно голыми, неприбранными. Мэри сочувствовала торговцам и даже искренне желала им заманить побольше дневных покупателей, поскольку в этот час была всецело на стороне продавцов и банковских служащих, а всех, кто дрыхнет в постели и сорит деньгами, считала личными врагами, не заслуживающими ни малейшего снисхождения. Наконец она перешла улицу возле Холборна, и мысли естественно переключились на ее собственную работу — она даже забыла, что работа ее, строго говоря, любительская, жалованья ей никто не платит, и едва ли справедливо будет сказать, что без нее часы мира встанут, поскольку пока что мир не изъявлял особого желания принимать блага, которыми пыталось осыпать его общество суфражисток, к которому Мэри принадлежала.

Шагая по Саутгемптон-роу, она думала о почтовой и писчей бумаге — удастся ли ее экономнее расходовать (разумеется, не задевая чувств миссис Сил), поскольку была уверена, что великие реформаторы, если уж на то пошло, всегда начинали с мелочей и добивались победных реформ при всеобщей поддержке, — а ведь Мэри Датчет, хоть в данный момент и не отдавала себе в том отчета, мнила себя великим реформатором и уже мысленно приговорила общество суфражисток к переменам самого радикального свойства. Правда, пару раз за последние минуты, до того как свернуть на Расселл-сквер, она замедляла шаг, с досадой поймав себя на привычном настрое, который находил на нее почему-то каждое утро именно в этом месте, как будто каштаново-красный кирпич зданий на Расселл-сквер сам по себе навевал мысли об экономии и одновременно напоминал о необходимости собраться перед встречей с мистером Клактоном, миссис Сил или с кем бы то ни было, кого она встретит в конторе. Не будучи набожной, она привыкла больше доверять голосу совести и время от времени со всей серьезностью анализировала свое положение, причем больше всего огорчалась, если обнаруживала в себе какую-нибудь из вредных привычек, исподтишка подтачивающих драгоценную суть. Ведь что хорошего в конце-то концов в том, что ты женщина, если ты не можешь сохранять свежесть и непредвзятость взгляда и засоряешь жизнь всяческими предубеждениями и отсылками к прошлому опыту? Так она всегда подбадривала себя, сворачивая за угол, и, как часто случалось, подходила к двери, уже беспечно насвистывая мотив какой-нибудь сомерсетширской баллады.

Контора суфражисток находилась на верхнем этаже одного из массивных зданий на Расселл-сквер, в котором когда-то проживал именитый городской купец со своим семейством, теперь же по частям дом сдавался внаем разным организациям, разместившим соответствующие литеры на дверях матового стекла и посадивших в комнаты секретарш, деловито стучавших по клавишам день-деньской. Старый дом с широкой каменной лестницей с десяти до шести гулким эхом отзывался на стрекот пишущих машинок и топот посыльных. Перестук множества пишущих машинок, распространяющих разнообразные взгляды на сохранение диких племен или питательную ценность овсяных хлопьев, заставлял Мэри ускорить шаги, и последний лестничный марш она всегда преодолевала почти вприпрыжку, в какое бы время ни заходила, будто ей не терпелось заставить и свою машинку посоревноваться с остальными.

Она села разбирать письма и вскоре забыла о своих намерениях, и, по мере того как содержание этих писем, сама обстановка конторы и звуки деятельности в соседней комнате настраивали ее на новый лад, лицо ее становилось все серьезней, а между бровями залегли две морщинки. К одиннадцати ее сосредоточенность достигла такого апогея, что любая мысль, уводящая в ином направлении, была обречена на забвение в течение одной-двух секунд. Сейчас перед ней стояла задача устроить несколько благотворительных концертов, выручка от которых пошла бы в копилку общества, очень нуждающегося в дотациях. Впервые ей предстояло выступить в роли организатора чего-то масштабного, и ей очень хотелось добиться заметного успеха. Она собиралась использовать громоздкую организационную машину, чтобы вытянуть одного, другого, третьего интересного человека из жизненной неразберихи и дать им возможность поработать так, чтобы это заметили в кабинете министров, а как только это случится, можно снова прибегнуть к старым доводам, при том что подача будет совершенно новой и оригинальной. Таков был конечный план, и, думая о нем, она настолько воодушевилась и разволновалась, что пришлось лишний раз напомнить себе, что впереди еще много препятствий, которые нужно преодолеть.

Открылась дверь — это мистер Клактон заглянул поискать какую-то листовку, зарытую под пирамидой бумаг. Мистер Клактон был худощавый рыжеволосый мужчина лет тридцати пяти, выговор кокни выдавал в нем выходца из лондонских низов, он производил впечатление человека скрытного, как будто природа была не слишком щедра к нему и данное обстоятельство, вполне естественно, мешало ему проявлять щедрость по отношению к другим людям. Наконец он нашел листовку, сделав попутно несколько шутливых замечаний по поводу того, что бумаги следует содержать в порядке, но в этот момент стук машинки за стеной внезапно оборвался, и в комнату ворвалась миссис Сил, размахивая письмом, требовавшим истолкования. На этот раз это было отвлечение посерьезнее, поскольку миссис Сил никогда точно не знала, чего хочет, и одновременно выпаливала до полдюжины просьб, не умея толком разъяснить ни одной. Седая, с короткой стрижкой, в платье из хлопчатого бархата цвета сливы, с постоянно пылающим от филантропического энтузиазма лицом, она постоянно куда-то спешила и всегда пребывала в некотором смятении. На шее у нее на толстой золотой цепочке болтались два крестика, которые вечно запутывались, что в глазах Мэри лишь подтверждало двойственность и хаотичность ее натуры. И лишь ее неиссякаемый энтузиазм да еще то, что она боготворила мисс Маркем, одну из основательниц общества, давало ей право на занимаемую должность при явном отсутствии надлежащих деловых качеств.

Так и тянулось это утро, стопка бумаг все росла, и в конце концов Мэри почувствовала себя центральным звеном тончайшей сети из нервных волокон, раскинутой над всей Англией, так что в один из ближайших дней, стоит ей коснуться сердца всей этой системы, все это вместе забьется в унисон, взовьется в едином порыве и начнет извергать революционный фейерверк — примерно такой метафорой можно выразить ее чувства по отношению к собственной работе после трех часов непрерывного умственного напряжения.

Вскоре после часу пополудни мистер Клактон и миссис Сил отвлеклись от своих трудов, и старая шутка о ланче, как обычно, повторилась почти слово в слово. Мистер Клаксон оказывал поддержку какому-то вегетарианскому ресторану, миссис Сил принесла с собой сандвичи, которые имела привычку поедать, сидя под платанами на Расселл-сквер, ну а Мэри обычно отправлялась в аляповатое заведение, затянутое красным плюшем и расположенное неподалеку, где, к вящему неудовольствию вегетарианцев, можно было заказать стейк толщиной в два дюйма или кусок жареной утки, плавающий в оловянной тарелке.

— От одних только голых ветвей на фоне неба человеку польза, — изрекла миссис Сил, глянув в окошко на площадь.

— Но еда на них не растет, — заметила Мэри.

— Честно говоря, я просто не понимаю, как вам это удается, мисс Датчет, — заметил мистер Клактон. — Я вот точно знаю, что проспал бы полдня, если б объелся в обед.

Мэри не обиделась и лишь спросила шутливо, указывая на книгу в желтой обложке, которую мистер Клактон держал под мышкой:

— Какая у нас последняя литературная новинка?

Мистер Клактон обычно читал за обедом новое произведение какого-нибудь французского автора или совершал короткий рейд в картинную галерею — социальный работник в нем уживался со страстным ценителем искусства, причем последним качеством, как нетрудно было понять, он втайне гордился.

Они расстались, и Мэри пошла прочь — догадываются ли эти двое, что на самом деле ей не терпится от них избавиться, думала она, хотя нет, едва ли у них хватит на это проницательности. Купила газету, устроилась с ней за столиком и принялась за еду, время от времени поглядывая поверх страниц на странных людей, покупающих пирожные или поверяющих друг другу свои секреты, пока наконец не вошла женщина, с которой она была немного знакома, и Мэри окликнула ее: «Элеонора, посиди со мной!» Обе одновременно доели свой ланч и простились на разделительной полоске посреди улицы с приятным чувством, что каждая из них вновь вступает в свой собственный великий и вечно движущийся поток жизни.

Но вместо того чтобы вернуться обратно в контору, Мэри в этот день направилась прямиком в Британский музей и долго бродила по галерее с каменными изваяниями, наконец нашла пустую скамеечку прямо перед элгиновскими мраморами*. Она смотрела на них, и, как всегда, ее захлестнула волна экзальтации, так что собственная ее жизнь сразу стала казаться возвышенной и прекрасной — впрочем, такое ощущение создавалось отчасти благодаря тишине и прохладе пустынного зала, а не только из-за красоты самих скульптур. По крайней мере, можно предположить, что ее переживания были не чисто эстетического свойства, поскольку, посмотрев на Улисса минуту-другую, она вдруг стала думать о Ральфе Денеме. И так хорошо и спокойно ей было среди этих молчаливых фигур, что она едва сдержалась, когда с губ уже готово было сорваться: «Я люблю тебя». Перед лицом этой потрясающей и вечной красоты она вдруг с тревогой осознала, чего втайне желает, и невольно гордилась чувством, которое за повседневными делами никак не выдавало своей мощи.

Поборов желание произнести свое признание вслух, она встала и пошла бродить бесцельно меж статуй, пока не оказалась в другой галерее, с резными обелисками и крылатыми ассирийскими быками, и тут ее чувства получили новое направление. Она стала представлять себе, как отправляется вместе с Ральфом в страну, где покоятся в песках эти чудища. «Потому что, — мысленно произнесла она, пристально глядя на информационную табличку под стеклом, — самое прекрасное в тебе — то, что ты готов к приключениям, ты вовсе не зануда, в отличие от большинства умных мужчин».

И в ее воображении живо нарисовалась восхитительная картина: она едет по пустыне верхом на верблюде, а Ральф командует целым племенем местных

---

* По традиции так называется выставленная в Британском музее коллекция античных скульптур Парфенона, вывезенных из Афин в 1803 г. графом Элгином.

дикарей. «Вот в чем твое призвание, — думала она, переходя к следующей статуе. — Ты умеешь подчинять себе людей». И где-то в глубине души у нее затеплился огонек, а глаза так и сияли. И все же, уходя из музея, она себе самой не посмела бы признаться, что влюблена, — вероятно, сама эта мимолетная идея еще не оформилась в подобную фразу. Более того, она была недовольна собой оттого, что дала слабину, пробив брешь в обороне, что небезопасно, если подобный порыв повторится. Ибо, пока она шла по улице в контору, стали одна за другой всплывать, одолевая ее, все прежние привычные доводы против влюбленности в кого-либо. Она вовсе не хочет замуж. Ей казалось, что неразумно даже пытаться поставить любовь в один ряд с открытой и честной дружбой, вот как у них с Ральфом, которая длится уже два года и основывается на интересе к темам, не касающимся никого из них лично, таким, как строительство приютов для обездоленных или налогообложение земельной собственности.

Но ее послеполуденное настроение ничего общего не имело с утренним. Мэри то замечала вдруг, что следит за полетом птицы, то принималась рисовать на черновике раскидистые ветви платанов. Заходили посетители — поговорить по делу с мистером Клактоном, и тогда из его комнаты доносился соблазнительный запах сигарет. Миссис Сил заглядывала с газетными вырезками, которые казались ей либо «совершено замечательными», либо «ужасными, нет слов». Она обычно наклеивала их в тетрадь или посылала знакомым, прежде сделав синим карандашом на полях жирную отметину, призванную отражать как крайнюю степень негодования, так и силу неприкрытого восторга.

Около четырех часов в тот же самый день Кэтрин Хилбери шла по улице Кингсуэй. Пора было подумать о чае. Уже зажигались фонари, и, остановившись на минутку под одним из них, она попыталась вспомнить, нет ли поблизости какой-нибудь гостиной, где при свете камина она могла бы скоротать время за беседой соответственно своему теперешнему настроению. А это настроение, из-за уличного мельтешения и таинственной вечерней дымки, мало подходило к обстановке, которая ждет ее дома. Вероятно, в конце концов сохранить это странное ощущение значительности происходящего позволила бы и обычная кондитерская. Но ей хотелось поговорить. Вспомнив, что Мэри Датчет настоятельно приглашала ее к себе, она перешла на другую сторону улицы, свернула на Расселл-сквер и стала вглядываться в номера домов как человек, отважившийся на грандиозную авантюру, — с чувством, абсолютно несоразмерным поступку. И вот она уже в слабо освещенном холле, где нет даже швейцара, и открывает первую двустворчатую дверь. Но мальчик-посыльный ничего не слышал о мисс Датчет. Может, она из СРФР? Кэтрин с растерянной улыбкой покачала головой. Кто-то из-за двери крикнул: «Да нет же! Это СГС, верхний этаж».

Кэтрин миновала множество стеклянных дверей с аббревиатурами и начала уже сомневаться в том, что поступила правильно, решившись сюда зайти. На самом верхнем этаже она остановилась на минутку, чтобы отдышаться и собраться с мыслями. Услышала стрекот пишущей машинки и деловитые голоса людей — все они показались ей незнакомыми. Она коснулась кнопки звонка, и дверь почти тотчас же распахнулась — ей открыла сама Мэри. Лицо ее, как только она увидела Кэтрин, полностью переменилось.

— Это вы! — воскликнула она. — А мы думали, печатник. — Все еще держа дверь нараспашку, она оглянулась и крикнула: — Нет, мистер Клактон, это не от Пеннингтона! Надо позвонить им еще раз — две тройки, две восьмерки, Центральная. Вот так сюрприз! Входите же, — добавила она. — Вы как раз вовремя, сейчас чай будем пить.

Глаза Мэри радостно блестели. Послеполуденную скуку как рукой сняло, ей было даже приятно, что Кэтрин застала их в разгар бурной деятельности, вызванной тем, что печатник не прислал на вычитку нужные гранки.

Голая электрическая лампочка над столом с кипами бумаг поначалу чуть не ослепила Кэтрин. После мечтательной прогулки по полутемным улицам жизнь в этой маленькой комнате казалась насыщенной и яркой. Она направилась было к окну, ничем не завешенному, но Мэри уже взяла ее в оборот.

— Как хорошо, что вы нас нашли! — сказала она, и Кэтрин, стоя посреди комнаты, вдруг почувствовала здесь себя совершенно лишней и сама удивилась: и зачем только она пришла?

Даже Мэри отметила, как странно и неуместно выглядит ее гостья в этой конторе. Сам вид ее фигуры в длиннополом плаще, ниспадающем глубокими складками, и легкая настороженность во взгляде — все это вызвало у Мэри смутную тревогу, словно перед ней был пришелец из иного мира, а следовательно, потенциальный нарушитель спокойствия, смутьян. Ей вдруг захотелось, чтобы Кэтрин оценила всю важность происходящего в конторе, оставалось только надеяться, что ни миссис Сил, ни мистер Клактон не появятся прежде, чем ей удастся произвести на гостью желаемое впечатление. Но ее ждало разочарование. Миссис Сил ворвалась в комнату с чайником и брякнула его на плитку, затем с излишней поспешностью зажгла газ, пламя занялось, пыхнуло и погасло.

— Вот всегда так, всегда, — бормотала он.— Одна только Кит Маркем знает, как с этим обращаться.

94

Мэри пришлось помочь ей, и они вдвоем стали накрывать на стол, извиняясь за разномастную посуду и скромное угощение.

— Если бы знать, что мисс Хилбери к нам заглянет, мы бы купили пирог, — сказала Мэри, после чего миссис Сил впервые удостоила Кэтрин взгляда, причем подозрительного: что еще за персона, которой вынь да положь пирог?

Тут открылась дверь — вошел мистер Клактон, на ходу просматривая напечатанное на машинке письмо.

— Солфорд* присоединяется, — объявил он.

— Браво, Солфорд! — вскричала миссис Сил, вместо аплодисментов грохнув о стол чайником.

— Да, центры в провинциях, похоже, стали объединяться, — заметил мистер Клактон, и только теперь Мэри представила его мисс Хилбери, а он спросил, довольно церемонно, интересуется ли та «нашей работой».

— А гранок все нет? — произнесла миссис Сил. Она сидела за столом горбясь, устало подперев голову руками.

Мэри тем временем начала разливать чай.

— Плохо, очень плохо. Такими темпами мы пропустим сельскую рассылку. Кстати, мистер Клактон, не думаете ли вы, что нам стоит распространить в провинции последнюю речь Партриджа? Как?! Вы еще не читали? Да это лучшее, что произвела палата за нынешнюю сессию. Даже премьер-министр…

Но Мэри прервала ее.

— Ни слова о делах за чаем, Салли, — сказала она строго. — Мы берем с нее пенни каждый раз, когда она забывается. А на собранные деньги покупаем сливовый пирог, — пояснила она для Кэтрин, словно приглашая гостью влиться в их компанию.

_____

* Город в Великобритании, в графстве Большой Манчестер.

Она уже оставила мысль о том, чтобы произвести на нее впечатление.

— Простите-простите, — стала извиняться миссис Сил. — Увлеченность — моя беда, — сказала она, обернувшись к Кэтрин. — Но, как истинная дочь своего отца, я не могу поступать иначе. Как и многие, я участвовала в разных обществах. Бездомные, беспризорные, спасатели, церковная работа, Си-о-эс*, местное отделение, — я уже не говорю об обычных гражданских обязанностях, которые ложатся на плечи домовладелицы. Но я от всех от них отказалась ради того, чтобы работать здесь, и ни на секундочку об этом не пожалела, — добавила она. — Здесь решается главное, я это чувствую: пока женщины не получат голоса…

— Теперь с тебя шестипенсовик, Салли, не меньше, — сказала Мэри, постучав ладонью по столу. — И хватит про женщин и их голоса, мы уже устали про это слушать.

Миссис Сил, словно не веря своим ушам, хмыкнула пару раз, качая головой и поглядывая попеременно то на Кэтрин, то на Мэри. После чего произнесла доверительно, обращаясь к Кэтрин и кивком указав на Мэри:

— Она приносит пользы делу больше любого из нас. Отдает этому свои лучшие годы, свою юность — ибо, увы! — в годы моей юности домашние обстоятельства были таковы… — Миссис Сил вздохнула и умолкла.

Мистер Клактон поспешил напомнить старую шутку о ланче и стал рассказывать, что миссис Сил питается печеньем из кулька, сидя под деревьями в

---

* The Charity Organization Societies (Общества благотворительной организации) — основанные в 1869 г. английские филантропические общества для помощи «достойным» беднякам.

любую погоду, как будто, подумалось Кэтрин, миссис Сил — собачка, обученная нехитрым трюкам.

— Да, я взяла с собой кулечек, — подтвердила миссис Сил, точно провинившийся ребенок, которого отчитывают взрослые. — Это очень подкрепляет силы, и даже один вид голых ветвей на фоне неба приносит столько пользы! Но я больше не буду ходить на площадь, — продолжала она, наморщив лоб. — Если задуматься, ведь это несправедливо! Почему я одна могу наслаждаться такой красивой площадью, а в это время бедным женщинам, которые нуждаются в отдыхе, не на что даже присесть! — Она строго посмотрела на Кэтрин и тряхнула кудряшками. — Просто ужасно, каким тираном остается человек, несмотря на все старания. Пытается жить достойно, но не может. И конечно, как подумаешь об этом — и сразу ясно, что *все* площади должны быть открыты для всех*. Есть ли общество, которое за это борется, мистер Клактон? Если нет — надо создать, я так считаю.

— Весьма достойная цель, — произнес мистер Клактон профессиональным тоном. — И в то же время не стоит множить организации, миссис Сил. Так много драгоценных усилий тратится понапрасну, не говоря уже о фунтах, шиллингах и пенсах. И вообще, сколько филантропических организаций наберется в одном только лондонском Сити? Как думаете, мисс Хилбери? — добавил он, растянув губы в подобие улыбки, как будто хотел показать, что его вопрос имеет некий игривый подтекст.

Кэтрин тоже улыбнулась. То, что она непохожа на остальных, сидящих за этим столом, дошло наконец до мистера Клактона, который от природы был

---

* В Лондоне до сих пор есть много частных площадей с зелеными насаждениями, они огорожены чугунной оградой, и попасть туда могут лишь жильцы окрестных домов, имеющие ключ от калитки.

не очень наблюдателен, и он призадумался, что же это за птица. Однако та же чужеродность гостьи навела миссис Сил на другую мысль: а что, если обратить ее в свою веру? Мэри тоже смотрела на нее так, словно просила как-то все сгладить. Потому что Кэтрин явно была не настроена ничего упрощать и сглаживать. Она очень мало говорила, и в ее молчании, задумчивом и даже мрачном, Мэри почудилось осуждение.

— Да, в этих стенах много такого, о чем я не имела ни малейшего представления, — сказала она. — На первом этаже вы защищаете дикие народы, на следующем отправляете женщин в эмиграцию и учите людей есть орехи…

— Почему вы говорите, будто мы всем этим занимаемся? — довольно резко перебила ее Мэри. — Мы не отвечаем за всех чудаков, которые по чистой случайности сидят в одном с нами здании.

Мистер Клактон откашлялся и посмотрел поочередно на каждую из двух юных леди. Его поразили и внешность и манеры мисс Хилбери, казалось, ей место не здесь, а среди роскошной изысканной публики, которую он порой видел в мечтах. А вот Мэри почти ровня ему, хотя и любит покомандовать.

Он собрал со стола крошки печенья и кинул их в рот.

— Так, значит, вы не принадлежите к нашему обществу? — сказала миссис Сил.

— Нет, к сожалению, — ответила Кэтрин так просто и чистосердечно, что миссис Сил с удивлением воззрилась на нее, как будто не могла определить, к какому разряду известных ей человеческих существ ее отнести.

— Но я уверена… — начала она.

— Миссис Сил большая энтузиастка в таких делах, — сказал мистер Клактон, чуть ли не извиняясь. — Иногда приходится даже напоминать ей, что и другие тоже имеют право на свою точку зрения, даже если она отличается от нашей... В «Панче»* на этой неделе была занятная картинка — про суфражистку и батрака. Вы видели последний «Панч», мисс Датчет?

Мэри засмеялась:

— Нет.

Тогда мистер Клактон стал рассказывать им, в чем смысл шутки, успех которой по большей части зависел от выражения, которое художник придал лицам персонажей.

Миссис Сил все это время помалкивала. Но стоило ему закончить, как она разразилась тирадой:

— Но я уверена, если б вы хоть чуть-чуть думали о благе женщин, то наверняка пожелали бы им обрести право голоса.

— Я не говорила, что я против того, чтобы у них было право голоса, — возразила Кэтрин.

— Тогда почему же вы еще не в наших рядах? — торжественно вопросила миссис Сил.

Кэтрин лишь методично помешивала ложечкой чай, глядя на крошечный водоворот в чашке, и молчала. Тем временем мистер Клактон обдумывал вопрос, который после минутного колебания и задал Кэтрин:

— Извините за любопытство, вы, случайно, не родственница поэта Алардайса? Кажется, его дочь замужем за мистером Хилбери.

— Да, я внучка поэта, — помолчав, со вздохом ответила Кэтрин.

После чего наступила минутная пауза.

— Внучка поэта! — тихо повторила миссис Сил, кивая головой, словно это многое объясняло.

У мистера Клактона заблестели глаза.

---

* «Панч» — еженедельный сатирико-юмористический журнал консервативной направленности, не поддерживавший идею эмансипации женщин.

— Ах, в самом деле, как интересно! — сказал он. — Я весьма обязан вашему деду, мисс Хилбери. Одно время я много его стихов знал наизусть. К сожалению, мы в последнее время стали отвыкать от поэзии. Но вы, наверное, его не помните?

Резкий стук в дверь заглушил ответ Кэтрин. Миссис Сил встрепенулась и, воскликнув: «Наконец-то гранки!» — бросилась открывать.

— А, это всего лишь мистер Денем! — сказала она минутой позже, даже не пытаясь скрыть огорчения.

Ральф, как предположила Кэтрин, был здесь частым гостем, поскольку единственным человеком, кого он счел нужным поприветствовать, была она сама, а Мэри поспешила объяснить странный факт ее присутствия здесь следующим образом:

— Кэтрин зашла посмотреть на нашу конторскую работу.

Ральф сказал, чувствуя нарастающую неловкость:

— Надеюсь, Мэри не стала вас уверять, что разбирается в конторской работе?

— А разве она не разбирается? — ответила Кэтрин, окидывая взглядом всех по очереди.

При этих словах миссис Сил начала проявлять признаки беспокойства, а когда Ральф достал из кармана какое-то письмо и пальцем указал на одну фразу в нем, она упредила его, воскликнув смущенно:

— Знаю, знаю, что вы хотите сказать, мистер Денем! Но это было в тот день, когда здесь была Кит Маркем, а она такая заполошная — в ней столько энергии, и всегда придумает что-то новое, что нам следует делать… и я уже тогда понимала, что перепутала даты. Мэри тут совершенно ни при чем, уверяю вас.

— Дорогая Салли, не извиняйтесь, — улыбнулась Мэри. — Мужчины такие педантичные — они не могут отличить важные дела от второстепенных.

— Итак, Денем, защищайте мужскую честь! — сказал мистер Клактон в обычной своей шутливой манере, хотя на самом деле, как и многие представители сильного пола, сознающие свою посредственность, он очень обижался, если дама указывала ему на его ошибку, и приводил в ответ лишь один аргумент, которым очень гордился: мол, я всего лишь мужчина.

Однако ему не терпелось поговорить с мисс Хилбери о литературе, и он не поддержал спора.

— Не кажется ли вам странным, мисс Хилбери, — сказал он, — что у французов, с целой россыпью известных имен, нет поэта, которого можно было бы поставить рядом с вашим дедом? Допустим, есть Андре Шенье, Гюго, Альфред де Мюссе — все это замечательные литераторы, но в то же время у Алардайса такая яркость образов, такая свежесть...

Тут зазвонил телефон, и он удалился, прежде попросив извинения с улыбкой и поклоном, словно желая сказать: как ни восхитительна поэзия, это все же не работа.

Миссис Сил в это самое время поднялась со своего места, но так и осталась у стола, завершая тираду, направленную против партийного правительства:

— ...Потому что, если бы я рассказала вам все, что мне известно о закулисных интригах и что творят эти толстосумы, вы бы мне не поверили, мистер Денем, честное слово, не поверили. Вот почему мне кажется, что единственная работа для дочери моего отца — ибо он был одним из первопроходцев, мистер Денем, и на его могильном камне я попросила начертать строки из псалма о сеятеле и зернах*... Ах, если бы он был сейчас с нами и увидел то, что нам предстоит увидеть! — И, полагая, что грядущая слава отчасти за-

---

* Вероятно, имеется в виду не широко известная евангельская притча о сеятеле, а слова из ветхозаветных псалмов: «Сеявшие со слезами будут пожинать с радостию» (Пс. 125:5).

висит от производительности ее пишущей машинки, она тряхнула головой и поспешила уединиться в своей каморке, из которой тотчас послышался беспорядочный, но вдохновенный перестук клавиш.

Предлагая новую тему для обсуждения, Мэри сразу дала понять, что, несмотря на комичность своих коллег, смеяться над собой она не позволит.

— Мне кажется, стандарты морали и нравственности в последнее время пали так низко, как никогда, — заметила она, наливая вторую чашку чая. — Особенно среди женщин, не получивших должного образования. Они не придают значения мелочам, а с них-то и начинаются серьезные беды, вот вчера, например, мне чудом удалось сохранить самообладание, — продолжала она, с легкой улыбкой глядя на Ральфа, как будто он был в курсе того, что с ней случилось вчера. — Меня ужасно огорчает, когда мне говорят неправду. А вас? — Последние слова были уже обращены к Кэтрин.

— Если задуматься, все мы говорим неправду, — заметила Кэтрин, оглядываясь по сторонам и пытаясь вспомнить, где она оставила принесенные с собой зонтик и сверток, потому что в манере, с какой Мэри и Ральф обращались друг к другу, было что-то такое, отчего ей хотелось убраться от них подальше.

А Мэри, по крайней мере вначале, напротив, хотелось задержать Кэтрин подольше и таким образом доказать самой себе, что она вовсе не влюблена в Ральфа.

Ральф, сделав глоток чая и ставя чашку на стол, принял решение: если мисс Хилбери начнет собираться, он уйдет вместе с ней.

— Я, например, что-то не замечала за собой никакого вранья и, думаю, что и Ральф тоже, правда, Ральф? — не унималась Мэри.

Кэтрин засмеялась — нарочито весело, как показалось Мэри. Ведь над чем смеяться-то? Ясное дело, над ними. Кэтрин встала, обвела взглядом полки, бумажные прессы, шкафы и всю машинерию конторы, словно без них ее злорадство было бы неполным. Мэри заметила это и теперь смотрела на нее с неприязнью, как на птичку с обманчиво красивым оперением, которая уселась на самой макушке дерева и без зазрения совести клюет самые спелые вишни. Да, невозможно даже представить себе двух женщин, столь непохожих друг на друга, подумал Ральф. А уже через минуту он тоже встал и, кивнув Мэри, пока Кэтрин прощалась, придержал перед ней дверь и вышел следом.

Мэри осталась сидеть за столом и даже не сделала попытки удержать их. Секунду-другую после их ухода она с ненавистью смотрела на закрытую дверь, однако в ее взгляде к суровости примешивалось и некоторое замешательство, но вскоре она отставила чашку и отправилась мыть чайную посуду.

Этот порыв Ральфа был все же результатом очень недолгих размышлений, так что собственно порывом его вряд ли можно назвать. Просто ему вдруг пришла в голову мысль, что если сейчас он упустит возможность поговорить с Кэтрин, то потом, когда он останется один в своей комнате, ему вновь явится разгневанный образ и начнет обвинять его в постыдной нерешительности. Так не лучше ли рискнуть сейчас и даже потерпеть фиаско, чем весь вечер потом придумывать извинения и сочинять невероятные сцены с участием своего бескомпромиссного «я». Ибо с тех пор как он побывал у Хилбери, «дух» Кэтрин не отпускал его — он являлся в минуты одиночества и отвечал на все его вопросы, был рядом с ним и увенчивал его лаврами во всех воображаемых победах, которые он одерживал чуть не каждый вечер, пока шел по тускло освещенным улицам из конторы домой. Идти рядом с Кэтрин во плоти — означало дать призраку новую пищу (а как вам скажут все, кому знакомы подобные мечты, время от времени это бывает просто необходимо) или отшлифовать ее светлый образ до такой степени, что он потеряет всякое жизнеподобие, но и это для мечтателя не худший выход. Все это время физический образ Кэтрин вовсе не присутствовал в его мечтах, поэтому при личной встрече он очень удивился, обнаружив, что реальная Кэтрин не имеет ничего общего с его мечтами о ней.

Когда они вышли на улицу и Кэтрин заметила, что Денем не отстает от нее, она поначалу сочла это излишней назойливостью. Она тоже была не лишена воображения, но именно сегодня эта туманная область ее сознания требовала полного уединения. Если бы ей позволено было идти намеченным маршрутом, она вскоре миновала бы Тотнем-Корт-роуд, а там села в кеб и вскоре была бы уже дома. Увиденное в конторе было похоже на странный сон. Миссис Сил, Мэри Датчет и мистер Клактон казались ей обитателями заколдованного замка, опутанного паутиной, а канцелярские принадлежности — страшными орудиями некроманта, — до того нереальными и оторванными от обычной жизни были эти персонажи в доме, полном бесчисленных машинисток, бормочущих заклинания, замешивающих зелье и раскидывающих свои липкие сети над бурным потоком жизни, что проносится по улицам внизу.

И оттого, что в ее фантазиях было много преувеличений, она не хотела делиться ими с Ральфом. Она полагала, что для него мисс Датчет, сочиняющая листовки для кабинета министров в окружении пишущих машинок, является олицетворением всего самого интересного и подлинного, а потому резко отсекла их обоих от этой людной улицы с бусами фонарей, светящимися окнами, толпами мужчин и женщин — и, увлекшись такими мыслями, чуть не забыла о своем спутнике.

Она шла очень быстро, лица прохожих мелькали перед глазами, так что у нее и у Ральфа слегка закружилась голова, и этот вихрь словно еще дальше отбрасывал их друг от друга. Но она не забывала о приличиях и почти машинально продолжала беседовать со своим провожатым.

— Мэри Датчет прекрасно справляется с работой… Это очень ответственно, я полагаю?

— Да, от остальных вообще мало толку… Удалось ей обратить вас в свою веру?

— Конечно, нет. То есть я и без того обращена.

— Но она не уговаривала вас работать на них?

— Конечно, нет, да это и бесполезно.

Так они прошествовали по Тотнем-Корт-роуд, то расступаясь, то снова сходясь вместе, — Ральфу казалось, он говорит с вершиной тополя в бурю.

— Может, сядем на тот омнибус? — предложил он.

Кэтрин согласилась, они забрались наверх и оказались одни на верхней площадке.

— Вам в какую сторону? — спросила Кэтрин, еще не вполне очнувшись от уличной круговерти.

— Мне в Темпл*, — ответил Ральф, брякнув наобум первое, что пришло в голову.

Он чувствовал, что она стала какой-то другой, когда они уселись и омнибус тронулся с места. Он представлял, как она смотрит на бегущую им навстречу улицу честными и грустными глазами, один взгляд которых, казалось, создает между ними непреодолимую дистанцию. Но вот ветер, бьющий в лицо, приподнял на секунду ее шляпку, она достала булавку и ее пришпилила — простой жест, который почему-то сделал ее еще более трогательной

---

* Так называются два из четырех зданий лондонских «Судебных иннов» (корпорации барристеров), построенных на месте, где в XII–XIV вв. жили рыцари-тамплиеры.

и уязвимой. Ах, если б эту шляпку и вовсе сдуло и она, растрепанная, с благодарностью приняла бы ее у него из рук!

— Как в Венеции, — заметила она, указывая куда-то рукой. — Я хочу сказать, автомобили так быстро проносятся и сияют огнями.

— Я не был в Венеции, — ответил он. — Оставлю это и некоторые другие дела на потом, поближе к старости.

— Другие — это какие?

— Венецию, Индию — и Данте в придачу.

Она засмеялась:

— Уже думаете о старости! А если б вам предложили сейчас посмотреть на Венецию, вы бы отказались?

Вместо ответа он задумался, стоит ли откровенничать с ней, и, даже еще не решив окончательно, уже рассказывал о себе:

— С детства я привык разбивать свою жизнь на этапы, чтобы было интереснее. Видите ли, я всегда боялся упустить что-нибудь стоящее...

— И я тоже! — воскликнула Кэтрин. — Но в конце концов, — добавила она, — почему обязательно что-то упускать?

— Почему? Да хотя бы потому, что я беден, — продолжал Ральф. — Вот вы, полагаю, можете поехать в Венецию или в Индию и Данте можете почитать в любой день, стоит только захотеть.

Она не ответила, но положила руку без перчатки перед собой на поручень и задумалась о разных вещах, в том числе и о том, что этот странный молодой человек произносит «Данте» именно так, как однажды при ней уже произносили это имя, затем — что его взгляд на жизнь тоже ей хорошо знаком. А вдруг он не так прост, как кажется, и общение с ним может оказаться очень даже интересным? Почему же она сочла его недостойным внимания? Она поспешила освежить в памяти их первую встречу — вспомнила разговор в комнате, набитой реликвиями, и тут же перечеркнула половину своих тогдашних впечатлений, как перечеркивают плохо написанную фразу, когда найдена другая, правильная.

— То, что ты можешь себе позволить какие-то вещи, вовсе не означает, что ты можешь их получить, — произнесла она взволнованно и смущенно. — Ну как могу я, к примеру, поехать в Индию? Кроме того… — быстро и с жаром продолжала она, но вдруг умолкла.

Появление кондуктора прервало их беседу. Когда тот удалился, Ральф ждал, что Кэтрин договорит, но она больше ничего не сказала.

— У меня есть новость для вашего отца, — вспомнил он. — Может быть, вы передадите ему? Или лучше мне самому зайти…

— Заходите, конечно, — ответила Кэтрин.

— Но я все-таки не понимаю, почему вы не можете поехать в Индию, — начал было Ральф, надеясь задержать ее этим вопросом, поскольку увидел, что она собирается сойти.

Но она все же встала, попрощалась с ним решительным кивком и покинула его с той же стремительностью, с которой, как заметил Ральф, делала все. Он глянул вниз и увидел, что она стоит на краю тротуара, собранная, горделивая, ожидая сигнала, — и вот уже быстро и решительно переходит улицу. Это ее движение, этот порыв он непременно добавит к имеющемуся портрету, но сейчас реальная женщина полностью развеяла созданный им фантом.

ГЛАВА VII

— И тогда Огастус Пелем говорит: «Это молодое поколение стучится в дверь», а я в ответ: «Нет, молодое поколение не стучится, оно всегда входит без стука, мистер Пелем». Простенькая шутка, не правда ли? Тем не менее слово в слово занес ее в свой блокнот.

— Поздравим же себя с тем, что все мы уже перейдем в мир иной, когда это напечатают, — сказал мистер Хилбери.

Супруги ждали звонка к ужину — и еще они ждали свою дочь. Их кресла стояли по обе стороны камина, и оба сидели, склонив головы и глядя на пылающие угли с одинаковым выражением на лицах, как у людей, которые уже познали в жизни все и теперь спокойно ждут, не произойдет ли чего-нибудь еще. Мистер Хилбери сосредоточил все свое внимание на угольке, выпавшем из очага, и пытался вернуть его на подобающее место среди остальных, уже почти полностью прогоревших. Миссис Хилбери молча наблюдала за ним, и на губах ее играла улыбка, словно она мысленно все еще перебирала события минувшего дня.

Закончив возиться с углем, мистер Хилбери вновь принял ту же чуть согбенную позу и принялся теребить зеленый камушек — брелок, висевший у него на цепочке часов. Взгляд его темных миндалевидных глаз был устремлен на огонь, однако наблюдательный и авантюрный дух, таившийся в глубине, придавал им необычайную живость. Общее ощущение праздности, причиной которого был скепсис или же вкус столь изощренный, что ему претили простые блага и игры разума, слишком легко ему дававшиеся, придавало его облику несколько меланхолический оттенок. Посидев так некоторое время, он, казалось, достиг в своих умозаключениях некоей точки, демонстрирующей их полную бесполезность, после чего вздохнул и потянулся к книге, лежавшей на соседнем столике.

Когда дверь открылась, он захлопнул книгу, и взоры обоих родителей обратились на вошедшую Кэтрин. Казалось, с ее приходом их времяпрепровождение обрело некий смысл, которого до той поры не было. В легком вечернем платье, такая прелестная и юная, она вошла в комнату, и один ее вид для них был дуновением свежего ветерка, хотя бы потому, что ее молодость и неискушенность придавали значимости их собственному знанию мира.

— Тебя извиняет только то, что ужин сегодня задержался еще сильнее, — заметил мистер Хилбери, откладывая в сторону очки.

— А я не против опозданий, если результат такой прелестный! — воскликнула миссис Хилбери, с гордостью глядя на дочь. — Но, Кэтрин, я не уверена, что тебе стоит гулять так поздно. Надеюсь, ты не шла пешком?

Тут сообщили, что ужин подан, и мистер Хилбери торжественно повел супругу в столовую. К ужину все принарядились, и, разумеется, ужин того стоил. Скатерти на столе не было, и блики фарфора мерцали на темной полированной глади как ровные темно-синие озера. В центре стола стояла ваза с кирпично-красными и желтыми хризантемами; среди них была одна снежно-белая, ее тугие лепестки закручивались внутрь, образуя плотный белый шар. Со стен на все это великолепие взирали три великих писателя Викторианской эпохи, а приклеенные под ними бумажки с собственноручной подписью каждого подтверждали, что он был — «с любовью», «искренне» и «всегда ваш». И отец, и дочь с радостью поужинали бы молча или обмениваясь краткими замечаниями, непонятными для слуг. Но тишина угнетала миссис Хилбери, и она обычно адресовала близким свои реплики, причем ее не сдерживало ни присутствие прислуги, ни согласие или несогласие с нею собеседников. Прежде всего она обратила их внимание на то, что в комнате темнее, чем обычно, и попросила зажечь все лампы.

— Так намного веселее! — воскликнула она. — Представляешь, Кэтрин, сегодня ко мне на чай приходил этот невозможный болван. Как же мне тебя не хватало! Он просто сыпал эпиграммами, и я так нервничала в ожидании очередного перла, что разлила чай — и он немедленно сочинил про это эпиграмму!

— О каком «невозможном болване» идет речь? — поинтересовалась Кэтрин у отца.

— К счастью, среди наших болванов лишь один сочиняет эпиграммы, и это Огастус Пелем.

— Жаль, меня не было, — усмехнулась Кэтрин.

— Бедный Огастус! — воскликнула миссис Хилбери. — Но не будем к нему слишком строги. Вспомним хотя бы, как трогательно он заботится о своей несносной матушке.

— Только потому, что она ему родня. А всякий, кто имеет к нему непосредственное отношение…

— Нет-нет, Кэтрин, не говори так, это нехорошо. Это… Ну же, Тревор, ты понял, что я имею в виду… такое длинное латинское слово… вы с Кэтрин все время такие слова говорите…

— «Цинично»? — предположил мистер Хилбери.

— Да, именно! Я не очень высокого мнения о закрытых школах для девочек, но такие вещи все-таки следует знать. Так гордишься собой, когда используешь эти мелкие аллюзии и сразу же изящно переходишь к следующей теме. Но я не представляю, что со мной такое, — пока тебя не было, Кэтрин, я спросила у Огастуса, как звали девушку, в которую был влюблен Гамлет, — и даже боюсь представить, чего он понаписал обо мне в своем блокноте!

— Хорошо бы… — начала Кэтрин, но тут же одернула себя. Мать всегда вызывала в ней бурю эмоций, но она вовремя вспомнила, что отец рядом и внимательно слушает.

— Что именно? — спросил он, когда она вдруг замолчала.

Он часто неожиданно вызывал ее на разговор о том, чего она не собиралась ему рассказывать; затем они спорили, а миссис Хилбери в это время предавалась собственным мечтаниям.

— Чтобы мама не была так знаменита. Я сегодня была в гостях, и меня за чаем потчевали поэзией.

— Они думали, ты поэтическая натура. А разве это не так?

— Кто говорил с тобой о поэзии, Кэтрин? — заинтересовалась миссис Хилбери, и Кэтрин пришлось рассказать родителям про поездку к суфражисткам.

— У них контора на самом верху в одном из старых зданий на Расселл-сквер. Очень странные люди… Один, как только понял, что я родственница поэта, сразу же завел речь о поэзии. Мне даже Мэри Датчет показалась совсем другой в такой атмосфере.

— Да, атмосфера контор губительна для души, — заметил мистер Хилбери.

— Раньше на Расселл-сквер никаких контор не было, — задумчиво сказала миссис Хилбери. — Когда там жила матушка. Даже в голове не укладывается, как можно один из этих просторных благородных залов взять и превратить в тесную, душную суфражистскую контору. Хотя, раз клерки читают стихи, наверное, не так уж они и плохи.

— Нет, потому что они читают их совсем не так, как мы, — настаивала Кэтрин.

— Но все равно отрадно думать, что они читают книги твоего деда вместо того, чтобы целыми днями заполнять эти ужасные бланки, — упрямилась миссис Хилбери.

Ее собственное знакомство с конторской жизнью сводилось к случайному взгляду поверх головы банковского кассира в те несколько секунд, когда она убирала деньги в кошелек.

— По крайней мере, они не заманили в свои ряды Кэтрин, чего я весьма опасался, — заметил мистер Хилбери.

— О нет, — решительно ответила Кэтрин, — я бы ни за что не стала им помогать.

— Удивительно, — продолжал мистер Хилбери, — как расхолаживает подчас один вид таких же, как ты сам, энтузиастов. Они демонстрируют ущербность твоих мотивов сильнее любого антагониста. Можно быть энтузиастом, пока изучаешь предмет, но столкновение с единомышленниками уничтожает все его очарование. По крайней мере, так всегда бывало со мной. — И, очищая яблоко, он поведал, как однажды в юности решился выступить на митинге и пришел туда, охваченный душевным подъемом, готовый защищать некие идеи, сторонником которых себя считал. Но по ходу выступлений своих товарищей постепенно сменил точку зрения на противоположную, и ему даже пришлось сказаться больным, чтобы не выставлять себя на посмешище. Этот опыт навсегда отвратил его от собраний.

Кэтрин слушала его и чувствовала то же, что и обычно, когда ее отец, а иногда и мать описывали свои эмоции, которые были ей близки и понятны, но в то же время за этим ей виделось и нечто такое, что было им недоступно. И она всегда огорчалась, замечая некоторую их ограниченность, что случалось каждый раз. Перед ней бесшумно появлялись и исчезали блюда, подали десерт, беседа текла тихим ручейком, она сидела, словно судья, и слушала родителей, которые искренне радовались, если им удавалось ее развеселить.

Жизнь в доме, где обитают два поколения, полна мелких условностей, которые почти неукоснительно соблюдаются, даже если смысл их неясен и искать его бесполезно, что придает самим этим действиям чуть ли не сакральный характер. К ним относился и вечерний церемониал сигары, и бокала портвейна — оба указанных предмета появились по правую и по левую руку от мистера Хилбери, в то время как миссис Хилбери и Кэтрин покидали комнату. За все годы совместной жизни дамы никогда не видели, чтобы мистер Хилбери курил сигары или пил портвейн, но вторгнуться в комнату в это время означало бы совершить нечто неподобающее. Подобные краткие, но четкие периоды разделения полов всегда служили чем-то вроде теплого душевного постскриптума к сказанному за ужином. Возникало некое чувство женской солидарности, когда мужчин отделяли от них, словно в каком-то варварском ритуале. Кэтрин было хорошо знакомо ощущение, с которым она поднималась по лестнице в гостиную, рука об руку с матерью. Она предвкушала, с каким удовольствием зажжет свет и они обе увидят чистенькую гостиную, где им предстояло провести оставшуюся часть вечера: шторы расписаны алыми попугаями, мягкие кресла согреты пламенем камина. Миссис Хилбери встала у огня, поставив ногу на решетку и чуть поддернув подол юбки.

— Ах, Кэтрин, из-за тебя я все время думаю о матушке и о жизни на Расселл-сквер! — воскликнула она. — Я вижу свечи как наяву и покрытое зеленым шелком пианино, а матушка сидит у окна, кутаясь в кашемировую шаль, и поет, пока маленьким оборванцам на улице не надоест ее слушать. Папа послал меня домой с букетом фиалок, а сам ждал за углом. Кажется, это было летом, вечером. Еще до того, как все стало таким безнадежным…

Она произнесла эти слова с глубокой печалью, которая за долгие годы успела оставить свой след, и сейчас на ее лице четко обозначились морщинки вокруг глаз и губ. Брак поэта не был счастливым. Он бросил жену, и она умерла после нескольких лет довольно беспорядочного существования — умерла молодой. В результате этой трагедии обучение миссис Хилбери было нерегулярным — или, вернее сказать, она вообще благополучно избежала какого-либо образования. Но она сопровождала отца в тот год, когда была написана одна из лучших его поэм; сидела у него на коленях в трактирах и других заведениях, где собирались поэты. Ради нее — так говорили люди — он избавился от беспечности и стал одним из самых безупречных сочинителей — но вдохновение покинуло его. С годами миссис Хилбери все больше думала о прошлом, и та давняя трагедия не давала ей покоя — словно сама она не могла покинуть этот мир до тех пор, пока скорбный дух ее родительницы остается безутешным.

Кэтрин хотелось помочь матери, но сейчас, когда сами факты практически стали легендой, сделать это было очень непросто. Например, дом на Расселл-сквер с прекрасными комнатами, и раскидистой магнолией в саду, и пианино, и звуком шагов в коридорах, и другими яркими, романтическими подробностями — интересно, все это вообще существовало? И почему миссис Алардайс жила в этом огромном особняке совсем одна? А если не одна, то с кем? Сама по себе эта трагическая история скорее нравилась Кэтрин, и ей было бы очень интересно узнать все подробности и обсудить их. Но это было все труднее и труднее сделать, поскольку, хоть миссис Хилбери и возвращалась к этой истории непрестанно, делала она это весьма осторожно и неуверенно, словно легкими прикосновениями то тут, то там надеялась исправить все то, что было безнадежно испорчено шестьдесят лет назад. Возможно, она и сама уже не знала, что здесь правда.

— Если бы они жили в наши дни, — заключила она, — мне кажется, этого бы не случилось. Сейчас люди не так склонны все драматизировать. Если бы отец мог отправиться в кругосветное путешествие или если бы матушка могла отдохнуть и успокоиться, все бы наладилось. Но чем я могла помочь? И потом, у них были неподходящие друзья, которые сбивали их с пути, — у них обоих были такие. О Кэтрин, выходи замуж только за того, кого по-настоящему полюбишь!

В глазах миссис Хилбери стояли слезы.

Утешая ее, Кэтрин думала: «Вот этого Мэри Датчет и мистер Денем никогда не поймут. А у меня такие сцены каждый день. Как, наверное, легко им живется!» — так думала она, потому что весь вечер сравнивала свой дом и семью с конторой суфражисток и ее обитателями.

— Но, Кэтрин, — продолжила миссис Хилбери, у которой снова, как обычно, переменилось настроение, — хотя, видит Бог, мне совсем не хочется, чтобы ты выходила замуж, но если возможно на свете такое, чтобы мужчина любил женщину, то Уильям тебя точно любит. «Кэтрин Родни», по-моему, звучит очень мило и довольно солидно! Хотя, к сожалению, это вовсе не значит, что у него водятся деньги, ведь он небогат…

Такая переделка имени была неприятна Кэтрин, и она категорически заявила, что вообще не собирается замуж.

— Конечно, скучно, как подумаешь, что выйти замуж можно только за кого-то одного, — задумалась миссис Хилбери. — Мне всегда хотелось, чтобы ты могла выйти за всех, кто за тобой ухаживает. Может, они все сделают предложение… со временем, а пока что наш дорогой Уильям…

Но в этот момент в комнату вошел мистер Хилбери, и вечер перешел в менее легкомысленную фазу. Теперь Кэтрин предстояло читать вслух какую-нибудь прозу, пока мать вяжет шарфы один за другим, а отец просматривает газету — но не настолько внимательно, чтобы не отпускать время от времени ехидные комментарии относительно судеб героя и героини. Семья Хилбери была записана в библиотеку, книги из которой доставляли по вторникам и пятницам. Кэтрин всячески старалась заинтересовать родителей произведениями ныне живущих и уважаемых литераторов, но миссис Хилбери раздражал сам вид легких томиков с золотым тиснением, и во время чтения она морщилась, словно раскусила что-то горькое. Мистер Хилбери же последовательно и изощренно высмеивал творения современных писателей, как критиковал бы каракули ребенка. Этим вечером миссис Хилбери выслушала пять страниц творчества одного из таких авторов и заявила, что книга слишком заумна, низкопробна и отвратительно написана.

— Кэтрин, пожалуйста, почитай нам что-нибудь *настоящее*.

Кэтрин послушно достала из шкафа увесистый том в гладком желтоватом переплете из телячьей кожи, и обоих родителей тотчас сморила дремота. Однако вечерняя почта прервала сложные словесные построения Генри Филдинга*, и Кэтрин сказала, что ей пора заняться письмами, тем более что некоторые требовали ее пристального внимания.

---

* Генри Филдинг (1707—1754) — английский романист и драматург, крупнейший представитель литературы английского Просвещения.

ГЛАВА VIII

Вскоре после ухода мистера Хилбери Кэтрин с письмами поднялась к себе наверх, уговорив мать идти спать, поскольку, пока они сидели с ней наедине, миссис Хилбери в любой момент могла попросить у дочери показать ей почту. Бегло просмотрев пухлую стопку исписанных листов, Кэтрин поняла, что по странной случайности они дают ей сразу несколько поводов для беспокойства. Во-первых, Родни пространно изливал ей душу, сопровождая свои излияния сонетом, и просил пересмотреть их отношения. Как ни удивительно, Кэтрин это взволновало больше, чем ей бы того хотелось. Кроме того, там были два письма, которые следовало положить рядом и сравнить, чтобы определить, что в этой истории можно считать правдой, — даже ознакомившись с фактами, она не знала, что с ними делать. И наконец, ей нужно было подумать над пространным посланием от двоюродного брата, который, оказавшись в стесненных обстоятельствах, не придумал ничего лучше, как обучать молодых леди в Банги* игре на скрипке.

Однако основной причиной ее растерянности были те самые два письма, представлявшие разные версии одной и той же истории. Ее поразила новость о том, что другой ее двоюродный брат Сирил Алардайс последние четыре года живет с женщиной, кото-

---

* Городок в графстве Саффолк на востоке Англии.

рая не является его женой и тем не менее родила ему двоих детей, а сейчас готовится произвести на свет третьего. Это открытие сделала миссис Милвейн — тетушка Селия, наделенная особой бдительностью в подобных делах, и ее письмо также заслуживало внимания. Сирила, писала она, следует немедленно заставить жениться на этой женщине; сам же Сирил — справедливо или нет — был возмущен столь грубым вмешательством в свою личную жизнь, полагая, что ему абсолютно нечего стыдиться. Кэтрин задумалась, были ли у него на самом деле причины стыдиться, и вновь вернулась к письму тети.

«Не забывай, — писала та в своей обычной излишне эмоциональной манере, — что и он, и дитя, которое вот-вот родится, носят имя твоего дедушки. И все же стоит винить не столько бедного юношу, сколько его обольстительницу, которая полагала, что он джентльмен — а он *действительно* джентльмен — и что у него есть деньги, которых на самом деле у него *нет*».

«Интересно, что сказал бы на это Ральф Денем?» — думала Кэтрин, расхаживая взад-вперед по спальне. Она раздвинула занавески и, оборачиваясь, каждый раз упиралась взглядом в темноту — за окном можно было различить лишь ветви платана и желтые огни чужих окон.

«Что бы сказали Ральф Денем и Мэри Датчет?» — размышляла она, стоя у окна. Ночь была теплой, и она отворила окно, чтобы почувствовать дуновение ветерка и затеряться в безликости ночи. Но с ночным воздухом в комнату вторгся далекий уличный шум. И пока она так стояла у окна, немолчный и беспорядочный гул транспорта, казалось, воплощал в себе густую и плотную ткань ее жизни, ибо ее жизнь была до такой степени забита движением чужих судеб, что собственных ее шагов было уже не слышно. Люди вроде Ральфа и Мэри, думала она, идут каждый своей дорогой, перед ними — неизведанные просторы, и она завидовала им, представляя безграничную пустоту, в которой всех этих мелких столкновений между мужчинами и женщинами, всего этого густого и плотного переплетения мужских и женских проблем попросту не существовало. Даже сейчас, ночью, одна, глядя в окно на бесформенную массу Лондона, она не забывала о том, что связана некими невидимыми узами с другими людьми. Вот Уильям Родни, в эту самую минуту, сидит в тусклом пятнышке света где-то к востоку от нее и думает — не о книге, а о ней, о Кэтрин. А ей бы хотелось, чтобы ни единый человек в мире о ней не думал! «Но куда бежать от ближних своих?» — подумала она, со вздохом закрывая окно, и вернулась к письмам.

Письмо Уильяма было, несомненно, самым искренним из всех, какие она когда-либо от него получала. Он понял, что не может без нее жить, говорилось в письме. Он полагает, что достаточно хорошо знает ее, может составить ее счастье и их брак будет совсем непохож на другие браки. Как непохож на другие был и его сонет: при всем совершенстве формы ему недоставало страсти, и Кэтрин, вновь и вновь перечитывая послание, понимала, в каком направлении могли бы устремиться ее чувства, если бы они вдруг проявились. Эти строки, свидетельствующие о душе возвышенной и ранимой, могли бы пробудить в ней трогательную нежность, ведь в конце концов, заключила она, думая о своих родителях, что такое любовь?

Разумеется, девушке с ее внешностью, происхождением и положением в обществе не раз случалось выслушивать признания в любви с предложением руки и сердца, но, может быть, из-за отсутствия взаимности она не воспринимала своих поклонников всерьез. Не испытав сама этого чувства, она не первый год мысленно рисовала в своем воображении образ любви, и брак как достойное ее продолжение, и своего будущего избранника, — но по сравнению с этой мечтой все, кого она встречала, казались мелкими и незначительными. С удивительной легкостью и без малейшей оглядки на здравый смысл ее воображение подсказывало картины, роскошный фон которых отбрасывал явственный, хоть и нереальный, свет на все происходящее на переднем плане. Могучий поток, с грохотом свергающийся со скал и растворяющийся в синей бездне ночи, — такой грезилась ей любовь, которая вбирает в себя все человеческие силы до последней капли, чтобы разбить их вдребезги в грандиозном катаклизме, всеподчиняющем и необратимом. Избранник, разумеется, был благородный герой на прекрасном коне. Вместе они скакали по лесам, мчались вдоль кромки прибоя. Но, очнувшись, она всерьез полагала, что в реальной жизни браки заключаются без любви, поскольку можно же мечтать о чем-то и при этом совершать самые прозаические поступки.

В эту минуту ей больше всего хотелось сидеть так в ночи, сплетая тончайшее полотно мыслей, пока она не устанет от их тщетности, а затем перейти к математике. Но она отлично понимала, что с отцом необходимо поговорить прежде, чем он ляжет спать. Историю с Сирилом Алардайсом следовало обсудить, учитывая и трепетность миссис Хилбери, и интересы семьи. Она и сама не была уверена, насколько важна эта история, и потому хотела посоветоваться с отцом.

Кэтрин взяла письма и спустилась вниз. Было половина двенадцатого, в это время власть в доме забирали тикающие механизмы: старинные часы в холле словно соревновались с часами поменьше на лестничной площадке. Кабинет мистера Хилбери находился в задней части дома на первом этаже, там обычно было тихо, как в подземелье, а дневные лучи, проникавшие сквозь слуховое окно, едва освещали книги и большой стол, заваленный белыми листами — в данный момент на них падал свет от настольной лампы с зеленым абажуром. Здесь мистер Хилбери редактировал свой журнал или же собирал воедино документы, с помощью которых он мог доказать, что Шелли имел в виду «из», хоть и написал «и», что постоялый двор, где Байрон останавливался на ночлег, назывался «Конская голова», а вовсе не «Турецкий рыцарь» или что родного дядю Китса, скорее всего, звали Джоном, а не Ричардом, поскольку мистер Хилбери знал больше незначительных подробностей из жизни этих поэтов, чем, наверное, любой другой житель Англии, и готовил к публикации издание Шелли с подробнейшим послесловием, посвященным его авторской пунктуации. И хоть мистер Хилбери относился к своим исследованиям с изрядной долей юмора, это не мешало ему выполнять работу со всей скрупулезностью.

Он вольготно полулежал в глубоком кресле и курил сигару, размышляя над интересным вопросом: хотел ли Кольридж жениться на Дороти Вордсворт* и, если бы он это сделал, каковы могли быть последствия для него лично и для литературы в целом. Когда Кэтрин вошла, он, похоже, догадался о цели ее визита и даже набросал карандашом пару мыслей, перед тем как начать разговор. Дописав, он взглянул на нее и увидел, что она взяла какую-то книгу и погрузилась в чтение. Он помедлил минуту. Кэтрин читала поэму

---

* Известно, что английские поэты-романтики Сэмюэл Тэйлор Кольридж (1772–1834) и Уильям Вордсворт (1770–1850) были близкими друзьями, однако нет никаких документальных подтверждений, которые бы указывали на намерение Кольриджа жениться на сестре Вордсворта Дороти.

«Изабелла, или Горшок с базиликом»* и мысленно перенеслась туда, где под голубыми небесами раскинулись холмы Италии, а зеленые шпалеры усеяны кистями алых и белых роз. Почувствовав на себе выжидательный взгляд отца, она со вздохом закрыла книгу и сказала:

— Папа, у меня письмо от тети Селии насчет Сирила... Насчет его женитьбы — похоже, это правда. Что нам делать?

— Думаю, Сирил поступил весьма глупо, — приятным голосом раздумчиво проговорил мистер Хилбери.

Кэтрин обнаружила, что очень трудно поддерживать разговор, когда собеседник лишь рассудительно кивает и большую часть своих мыслей оставляет при себе.

— Сдается мне, он конченый человек, — продолжил он и, не считая нужным ничего к этому добавить, взял письма из рук Кэтрин.

Потом водрузил на нос очки и прочитал их все.

Наконец он произнес «Хм!» и вернул ей письма.

— Мама ничего об этом не знает, — заметила Кэтрин. — Вы ей скажете?

— Да, я расскажу твоей матери, но я скажу ей, что это не наше дело.

— Но как же женитьба? — робко промолвила Кэтрин.

Мистер Хилбери молча уставился на огонь.

— Ради чего, интересно знать, он это сделал? — проговорил он наконец скорее для себя, чем для нее.

Кэтрин вновь перечитала послание тети, на этот раз обратив внимание на одну фразу:

---

* Поэма Джона Китса. Вулф ошибочно упоминает «Isabella and the Pot of Basil» — «Изабелла и горшок с базиликом» — так называется картина художника Уильяма Ханта, написанная им в 1856 г. по мотивам поэмы Китса. Сама же поэма Китса называется чуть иначе.

— «Ибсен и Батлер...*» И присылает мне письмо из одних цитат, бессмыслица, заумь какая-то».

— Что ж, если молодое поколение желает так устраивать свою жизнь, думаю, это не наше дело, — заметил он.

— Но разве не наше дело поженить их? — устало промолвила Кэтрин.

— Какого черта меня вообще в это впутывают? — проворчал отец.

— Как главу семьи...

— Но я не глава семьи! Глава семьи Альфред. Пусть с Альфреда и спрашивают. — Мистер Хилбери вновь откинулся в кресле.

Кэтрин показалось, что она задела его за живое, упомянув семью.

— Думаю, мне стоит повидать их, — решила она.

— Я тебя даже близко к ним не подпущу! — воскликнул мистер Хилбери с необычной для него решимостью. — И я вообще не понимаю, для чего им понадобилось тебя в это вовлекать и какое это имеет к тебе отношение.

— Мы с Сирилом всегда были дружны, — заметила Кэтрин.

— Но он хоть раз говорил тебе об этом? — резко переспросил мистер Хилбери.

Кэтрин покачала головой. Разумеется, она была уязвлена тем, что Сирил не доверился ей, — неужели он думает, как, наверное, думают Ральф Денем и Мэри Датчет, что она черствая или даже злая?

Мистер Хилбери, казалось, внимательно изучал оттенки пламени в камине.

_____

* Генрик Ибсен (1828–1906) — норвежский писатель, один из выдающихся драматургов XIX в. Сэмюэл Батлер (1835–1902) — английский романист-сатирик, в романе «Путь всякой плоти» (издан в 1903 г.) изобличает фальшь буржуазных семейных отношений.

— Что касается твоей матери, — произнес он после паузы, — поставь ее в известность. Пусть узнает факты прежде, чем они станут предметом всеобщего обсуждения, хотя я не понимаю, почему тетя Селия уверена, что это обязательно произойдет. Чем меньше про это говорить, тем лучше.

Даже допуская, что джентльмены шестидесяти лет, высокообразованные, с большим жизненным опытом, вероятно, имеют право оставлять при себе кое-какие свои соображения, Кэтрин не могла не удивляться такой реакции отца. Как отстраненно он судил о случившемся! Как поверхностно оценивал факты, стараясь придать им внешнее подобие благопристойности, чтобы они не шли вразрез с его собственным представлением о жизни! Его не интересовали чувства Сирила, и он не стремился раскрыть тайную подоплеку всего дела. Он всего лишь отметил — как отмахнулся, — что Сирил поступает глупо, потому что другие так себя не ведут. Словно он смотрит в телескоп на крошечных людишек, отделенных от него расстоянием в сотни миль.

На следующее утро Кэтрин не покидало тревожное чувство, вызванное тем, что ей ужасно не хотелось сообщать миссис Хилбери печальную новость. Поэтому сразу после завтрака она последовала за отцом в холл.

— Вы рассказали маме? — спросила Кэтрин. Она говорила с отцом решительно, и в ее глубоком темном взгляде читалась озабоченность.

Мистер Хилбери вздохнул.

— Дитя мое, это совершенно вылетело у меня из головы. — Он пригладил ладонью шелковистый ворс шляпы и сделал вид, что спешит. — Но я пришлю записку с нарочным… Сегодня я опаздываю, а мне еще гранки в конторе читать….

— Так не пойдет, — возразила Кэтрин. — Мы обязаны ей рассказать — или вы, или я. Надо было сразу это сделать.

Мистер Хилбери надел шляпу и уже взялся за ручку двери. В его глазах мелькнуло выражение, знакомое Кэтрин с детства: с таким видом он обычно просил прикрыть его, когда ему хотелось пренебречь той или иной обязанностью, — смесь ехидства, юмора и беспечности. Мистер Хилбери многозначительно покивал, распахнул дверь и шагнул за порог с легкостью, неожиданной для его лет. Потом помахал дочери рукой и исчез. Оставшись одна, Кэтрин лишь рассмеялась оттого, как ловко на этот раз ее провели, что, впрочем, всегда бывало в домашних спорах с отцом, и теперь ей придется взять на себя неприятную обязанность, которую, по справедливости, должен был выполнить он.

ГЛАВА IX

Кэтрин точно так же, как и ее отцу, не хотелось говорить матери о проступке Сирила, и по тем же самым причинам. Оба они как-то внутренне сжимались — так съеживаются зрители, услышав, что сейчас на сцену вынесут ружье, — боясь возможных пересудов по этому поводу. Мало того, Кэтрин не могла понять, как относиться к такому из ряда вон выходящему поступку Сирила. Опять же, ей виделось за всем этим нечто, чего не видели родители, и по здравом размышлении она решила не давать действиям Сирила вообще никакой оценки. Пусть другие решают, хорошо это или плохо, для нее это всего лишь свершившийся факт.

Когда Кэтрин добралась до кабинета, миссис Хилбери уже обмакнула перо в чернила.

— Кэтрин, — кончик пера парил наготове, — я тут думала о твоем дедушке, и мне только что пришла в голову одна очень странная мысль. Я ведь сейчас на три года и шесть месяцев старше, чем был он, когда его не стало. Конечно, в матери ему я не гожусь, но, по крайней мере, я вполне могу почувствовать себя его старшей сестрой, а ведь это такое приятное ощущение. Сегодня я начну как бы с чистого листа, и, мне кажется, это будет правильно.

И она принялась что-то записывать, а Кэтрин села за свой стол, развязала пачку старых пожелтевших писем, с которыми работала, машинально разгладила их и стала разбирать поблекшие буквы. С минуту она смотрела на мать, сидевшую напротив, пытаясь угадать, в каком та сегодня настроении. Покой и счастье разгладили каждый мускул ее лица, с чуть приоткрытых губ слетали едва слышные прерывистые вздохи — так ребенок, возводящий вокруг себя игрушечный замок, каждый раз, когда ему удается правильно пристроить очередной кубик, дышит все радостнее и чаще. Так и миссис Хилбери каждым росчерком пера возводила вокруг небеса и деревья давнего прошлого и вспоминала голоса тех, кого уж нет. В тихой комнате, не потревоженная никакими сиюминутными звуками, Кэтрин с легкостью представила себе прошлое в виде глубокого омута, где они с матерью купаются, нежась в лучах шестидесятилетней давности. Ибо что может дать настоящее, задумалась она, в сравнении с этой роскошной грудой подарков, которыми одаривает нас прошлое? Было обычное утро четверга, производственный процесс шел полным ходом, часы на каминной полке исправно чеканили звонкие новенькие секунды. Она прислушалась: где-то вдали просигналило авто, шум колес быстро нарастал и снова затих вдали, позади дома, из глубины бедняцких кварталов, доносились крики старьевщиков и разносчиков овощей. Бесспорно, у комнат есть своя память, и каждая комната, в которой человек сосредоточивал силы на каком-то конкретном занятии, навевает воспоминания о его настроениях, мыслях, даже о позах, в которых его видели эти стены, так что заниматься любой другой работой здесь становится почти невозможно.

Каждый раз, входя в материнскую комнату, Кэтрин, не сознавая того, подпадала под это влияние прошлого, причем началось все довольно давно, в детстве, — тогда она ощущала это как что-то приятное и торжественное, связанное скорее с Аббатством, где был похоронен ее дедушка. Все книги и картины, даже стулья и столы здесь принадлежали ему или имели к нему какое-то отношение; даже фарфоровые собачки на каминной полке и крохотные пастушки со своими овечками были куплены им по пенни за штуку у торговца, стоявшего с полным подносом безделушек на Кенсингтон-Хай-стрит, — Кэтрин знала об этом со слов матери. Часто, сидя в этой комнате, она так сосредоточенно думала обо всех этих людях, что, казалось, она видит даже движение их глаз и губ, и у каждого из них был свой неповторимый голос, свои пальто, шляпа и галстук. Часто ей представлялось, как она движется среди них, незримый дух среди живых, лучше знакомая с ними, чем со своими сверстниками, потому что знает их секреты и даже наделена высшим знанием — может предсказать их судьбу. Для нее они были все такие несчастные, бестолковые, запутавшиеся. Она бы могла подсказать им, что для них лучше. И как же грустно было сознавать, что они не обращают на нее ни малейшего внимания и упорно идут дорогой скорби каждый по своему пути. Порой они вели себя крайне нелепо, несли несусветную чушь, и все же, пока она о них думала, она чувствовала себя настолько своей среди них, что не могла судить их строго. Она и сама уже начинала забывать о том, что существует отдельно от них, что у нее собственное будущее. В состоянии легкого уныния, как в это утро, она пыталась отыскать некий ключ к той головоломной путанице, которую представляли их старые письма, некую путеводную нить, которая придала бы им хоть какой-то смысл, ведь должен же в них быть какой-то смысл, — но тут ее прервали.

Миссис Хилбери поднялась из-за стола и стояла теперь у окна, глядя на плывущие по реке баржи.

Кэтрин наблюдала за ней. Вдруг миссис Хилбери отвернулась от окна и воскликнула:

— Меня как околдовали! Видишь ли, мне и нужно-то всего три фразы, что-то такое простое и понятное, а в голову ничего не приходит.

Она принялась расхаживать по комнате, схватила было тряпку, но даже такое привычное действие, как наведение лоска на корешки старых книг, не давало ей желанного успокоения.

— Кроме того, — произнесла она, протягивая Кэтрин исписанный лист, — я не уверена, что это подойдет. Как думаешь, бывал твой дедушка на Гебридах? — И устремила вопросительный взгляд на дочь. — Я просто вспомнила о Гебридах и решила дать их краткое описание, не могла удержаться. Может, сгодится для начала главы? Знаешь, главы ведь часто начинаются вовсе не с того, о чем потом пойдет речь.

Кэтрин прочла написанное матерью. С тем же успехом она могла быть школьным учителем, критикующим детское сочинение. Выражение ее лица не оставляло миссис Хилбери, которая с тревогой на нее смотрела, ни малейшей надежды.

— Очень красиво, — вынесла она вердикт, — и все же мы должны быть последовательными.

— Да знаю я! — воскликнула миссис Хилбери. — Но это выше моих сил. Просто разные мысли приходят мне в голову. Не то чтобы я чего-то о нем не знала или не чувствовала (кому еще и знать, как не мне?), но я просто не могу это выразить, понимаешь? Какое-то «белое пятно», — она коснулась своего лба, — здесь. И когда я ночами маюсь без сна, мне кажется, я так и умру, ничего не доделав.

Мысль о собственной смерти, несмотря на недавнее воодушевление, тотчас ввергла ее в пучину уныния. Это настроение передалось и Кэтрин. Какие же они обе беспомощные, возятся дни напролет с бумагами, и все без толку! Вот уж пробило одиннадцать, а ровным счетом ничего еще не сделано! Она заметила, как ее мать роется в окованном медью сундучке, что стоял возле её стола, но не предложила помочь. Ну вот, подумала Кэтрин, сейчас выяснится, что мать потеряла какое-то письмо, и весь остаток дня они будут искать его. Она нарочно уткнулась в свою бумажку и стала перечитывать сочиненные миссис Хилбери певучие фразы о серебристых чайках, о крошечных розовых цветочках, чьи корешки омывают прозрачные воды чистейших ручейков, о синей дымке гиацинтов — и в какой-то момент заметила, что мать подозрительно долго молчит. Она подняла глаза. Миссис Хилбери, вытряхнув из папки старые фотографии, разложила их на столе и теперь разглядывала одну за другой.

— Не кажется ли тебе, Кэтрин, — сказала она, — что мужчины в прежние времена были куда красивее, чем сейчас, даже несмотря на противные бакенбарды? Посмотри на старого Джона Грэма, вот он в белом жилете, — или на дядю Харли. А это слуга Питер, я полагаю. Дядя Джон привез его с собой из Индии.

Кэтрин не сказала ни слова и даже бровью не повела. Ей вдруг стало обидно, и обида эта была еще нестерпимее оттого, что родственные отношения принуждали ее молчать. Ну разве это справедливо, думала Кэтрин, что мать считает себя вправе отнимать у нее время и требует сочувствия, в то время как все, что попадает в руки миссис Хилбери, разбазаривается попусту! Но потом Кэтрин вдруг вспомнила, что ей еще предстоит рассказать матери о неподобающем поведении Сирила. И гнев ее рассеялся, как волна, поднявшаяся было над гладью моря; буря миновала, и Кэтрин успокоилась, теперь она думала только о том, как уберечь мать от потрясения, связанного с этой новостью.

Она подошла к матери и села на ручку ее кресла. Миссис Хилбери придвинулась к ней.

— Какая благородная роль, — мечтательно произнесла она, — быть женщиной, к которой все обращают взоры в минуты горестей и тревог! И много ли добились в сравнении с этим твои ровесницы, Кэтрин? Я так и представляю их на лужайке у домика на Мелбери*, в кружевах и рюшах, все статные и царственные (а позади непременно следует чернокожий карлик с обезьянкой), словно самое главное в жизни — это их красота и добродетель, а остальное не в счет. Но иногда мне кажется, что они сделали больше, чем мы. Они *были*, и это главное. Они как корабли, величавые корабли, идущие своим курсом, никого не пихая и не толкая, не переживая, как мы, из-за каждого пустяка, — гордые корабли под белыми парусами.

Кэтрин пыталась прервать этот монолог, но не получилось, и ей оставалось лишь перелистывать одну за другой страницы альбома со старыми фотографиями. Лица этих мужчин и женщин казались одухотворенными, в отличие от ныне живущих суетливых современников, и, как справедливо заметила ее мать, в тех лицах чувствовались и величавое достоинство, и спокойная уверенность, как у мудрых правителей, пользующихся всеобщей любовью и уважением. Некоторые поражали редкостной красотой, другие отталкивающим уродством, не было среди них лишь унылых и заурядных. Величественные жесткие складки кринолинов смотрелись на дамах так естественно, сюртуки и шляпы джентльменов многое могли сказать о характере их владельцев. От них веяло умиротворением, и, глядя на них, Кэтрин словно перенеслась куда-то на край земли, где слышался лишь тихий шум прибоя. Но при этом не забывала, что прошлое все же нужно как-то соединить с настоящим.

---

* Имеется в виду так называемый Голландский домик на Мелбери-стрит в Кенсингтоне, где в XIX в. жила родственница Вирджинии Вулф. Ее дом в свое время считался модным лондонским салоном.

Миссис Хилбери меж тем вспоминала все новые истории.

— Это Джейни Мэннеринг, — и указала на роскошную седовласую даму, чье атласное платье было густо расшито жемчугом. — Должно быть, я уже рассказывала тебе, как однажды она входит в кухню и видит: повар, в стельку пьяный, валяется под кухонным столом, а к ним в тот день императрица* должна была пожаловать на ужин. Так что же? Засучив бархатные рукава (а она всегда одевалась не хуже императрицы), Джейни сама принялась стряпать и вышла потом к гостям свежа как утренняя роза. Она многое могла сделать своими руками — все они могли — и дом построить, и нижнюю юбку вышивкой украсить. А это Куини Кольхун, — продолжала миссис Хилбери, перелистывая страницы. — Отправляясь на Ямайку, она захватила с собой гроб, доверху набитый чудными шалями и шляпками, потому что на Ямайке гробов не достать, и все время боялась, что умрет там (так оно и случилось) и тело ее будет отдано на съедение белым муравьям. А это Сабина, самая из них красавица, ах! — когда она входила в комнату, казалось, восходит новая звезда. А это Мириам, в плаще своего кучера с пелериной, а на ногах у нее, тут не видно, сапоги с высокими голенищами. Вот вы, молодые люди, любите оригинальничать, но все не то в сравнении с ней!

Переворачивая страницы, она наткнулась на портрет статной дамы очень мужественного вида, ее голову фотограф увенчал короной.

— Ах ты, старая греховодница! — воскликнула миссис Хилбери. — И как же ты всех нас тиранила в свое время! Как мы все трепетали перед тобой! «Мэгги, — скажет она, бывало, — если бы не я, где бы ты

---

* Имеется в виду императрица Евгения (1826–1920), супруга Наполеона III. После низложения императора в 1870 г. вместе с мужем поселилась в Англии.

была сейчас?» И это чистая правда, знаешь ли. Она сказала моему отцу: «Женись на ней», и он послушался, а бедняжке Кларе: «Падай ниц и боготвори его!» — и она так и сделала; правда, очень скоро встала с колен. И это естественно. Она была совсем дитя — восемнадцать лет, — к тому же полуживая от страха. Но эта старая тиранка все равно считала себя их благодетельницей. Она подарила им три месяца безоблачного счастья, а большего и желать нельзя — так она сама говорила, и знаешь, Кэтрин, я склонна думать, что она права. Многим из нас отпущено и того меньше, только мы делаем вид, что это не так, а они притворяться не могли. Мне кажется, — задумалась миссис Хилбери, — что в те времена в мужчинах и женщинах было больше искренности, которой, при всей вашей открытости, вам недостает.

Кэтрин снова попыталась что-то сказать. Но миссис Хилбери слишком увлеклась воспоминаниями, и ее уже было не остановить.

— Но, думаю, в душе они все же оставались друзьями, — продолжала она, — потому что она обычно напевала его песенки. Дай-ка вспомнить… — И миссис Хилбери, обладавшая довольно приятным голосом, попыталась исполнить известный романс на стихи отца, сочиненный неким композитором Викторианской эпохи и отличавшийся на редкость сентиментальной мелодией. — В них была жизнь, вот лучшее тому доказательство! — заключила она, стукнув кулачком по столу. — Вот чего нам так не хватает! Да, мы можем быть виртуозными, искренними, ходим на собрания, платим беднякам жалованье, но жить, как жили они, мы неспособны. Мой отец по три ночи в неделю проводил без сна и все же наутро всегда был бодр и полон сил. Вот — я прямо слышу из детской — он напевает на лестнице, поджаривает кусок хлеба на острие шпаги-трости, а потом отправляется на поиски дневных радостей — в Ричмонд*, Хэмптон-Корт** или на суррейские холмы. Почему бы и нам не съездить туда, Кэтрин? День сегодня чудесный.

В эту минуту, как раз когда миссис Хилбери глянула за окно проверить погоду, в дверь постучали, и на пороге появилась сухопарая пожилая дама. «Тетушка Селия!» — воскликнула Кэтрин, при этом явно смутившись. Она уже догадалась, зачем та пожаловала. Разумеется, для того, чтобы обсудить ситуацию с Сирилом и женщиной, которая не была ему женой, а из-за нерешительности Кэтрин миссис Хилбери оказалась к этому совершенно не подготовлена. Настолько не подготовлена, что первым делом предложила отправиться втроем на прогулку в Блэкфрайерз*** и посмотреть на место, где когда-то стоял шекспировский театр, потому что погода не очень подходит для загородных прогулок.

На это предложение миссис Милвейн ответила сдержанной улыбкой, которая должна была показать, что за долгие годы она привыкла к подобным чудачествам своей невестки и относится к ним с философским спокойствием. Кэтрин встала чуть поодаль, поставив ногу на каминную решетку, как будто эта поза позволяла ей лучше понять суть дела. Но, несмотря на присутствие тетушки, все связанное с Сирилом и его нравственным обликом казалось ей таким нереальным! Теперь главная трудность, как ей казалось, заключалась не в том, чтобы осторожно подготовить

* Западное предместье Лондона, сейчас входит в состав англомерации Большой Лондон.

** Дворец с парком на берегу Темзы, бывшая королевская резиденция.

*** Район в центре Лондона, где в одном из зданий заброшенного монастыря с 1609 г. давала представления театральная труппа «Слуги короля», в которой Шекспир был пайщиком. Театр «Блэкфрайерз» служил зимним помещением, летом представления давали в «Глобусе», расположенном на другом берегу Темзы.

миссис Хилбери к этой новости, а в том, чтобы она ее осознала. И возможно ли с помощью умело брошенного лассо хоть на миг направить этот возвышенный ум к такой ничтожной малости? Нет, куда лучше сказать прямо, без обиняков.

— Думаю, мама, тетя Селия пришла поговорить о Сириле, — быстро и деловито сообщила она. — Тетя Селия узнала, что Сирил женат. У него жена и двое детей.

— Нет, вовсе он не женат, — поспешила добавить миссис Милвейн, понизив голос и обращаясь только к миссис Хилбери. — У него двое детей и еще один на подходе.

Взгляд миссис Хилбери выражал недоумение.

— Мы не хотели говорить тебе, пока не будем знать наверняка, — добавила Кэтрин.

— Но я всего пару недель назад видела Сирила в Национальной галерее! — воскликнула миссис Хилбери. — Не верю ни единому слову, — и удостоила миссис Милвейн снисходительной улыбкой, словно хотела сказать: каждый может ошибиться, а уж бездетной женщине, чей муж корпит над циркулярами в Министерстве торговли, это вдвойне простительно.

— Я тоже не хотела верить, Мэгги, — сказала миссис Милвейн. — И долгое время отказывалась верить. Но потом увидела — и пришлось поверить.

— Кэтрин, — спросила миссис Хилбери, — а твой отец об этом знает?

Та кивнула.

— Сирил женат! — повторила миссис Хилбери. — И не сказал нам ни слова, хотя мы принимаем его у себя в доме с детских лет, — сын благородного Уильяма! Нет, я не верю своим ушам!

Чувствуя, что бремя доказательств легло на нее, миссис Милвейн начала свой рассказ. Это была пожилая и хрупкая на вид дама, но ее бездетность, казалось, налагала на нее малоприятные обязанности оберегать честь семьи и наводить в ней порядок, что и стало главным делом ее жизни.

— Я уже давно заподозрила неладное, — начала она свой рассказ тихим, прерывающимся от волнения голосом. — Он как-то осунулся, на лице появились морщины. И я отправилась к нему на квартиру, когда узнала, что он поступил на службу в колледж для бедняков. Он читает им лекции по римскому праву, а может, греческому. Квартирная хозяйка сообщила, что мистер Алардайс ночует там раз в две недели, не чаще. И выглядит таким усталым и больным, сказала она. Она видела его с какой-то юной особой. Я сразу догадалась, что к чему. Зашла к нему в комнату, а там конверт на каминной полке и письмо с адресом на Ситон-стрит, недалеко от Кеннингтон-роуд.

Миссис Хилбери, похоже, все это слушать было не очень приятно, и она даже стала тихонько напевать недавнюю мелодию, словно могла этим остановить льющийся на нее поток слов.

— Тогда я пошла на Ситон-стрит, — невозмутимо продолжила тетушка Селия. — Такое убожество: меблированные комнаты, канарейки в окнах и тому подобное. Дом под номером семь не лучше остальных. Я звонила, стучала — никто не вышел. Я походила вокруг немного. И уверена, внутри кто-то был — дети, колыбелька. Но никто не ответил — никто. — Она вздохнула, устремив застывший взгляд подслеповатых голубых глаз в пустоту, и закончила свою печальную повесть: — Я осталась на улице, думая: вдруг увижу кого-нибудь из них. Долго я так стояла. В трактире на углу какие-то мужланы горланили песни. Наконец дверь открылась, и кто-то быстро прошел мимо меня — женщина. Нас разделяла только почтовая тумба.

— А как она выглядела? — поинтересовалась миссис Хилбери.

— Неудивительно, что ей удалось завлечь несчастного мальчика. — Вот и все, что миссис Милвейн сочла нужным ответить.

— Бедняжка! — воскликнула миссис Хилбери.

— Бедный Сирил! — уточнила миссис Милвейн.

— Но им не на что жить, — продолжила миссис Хилбери. — Если бы он пришел к нам как приличный человек и сказал: «Я сделал глупость» — можно было бы пожалеть его, попытаться как-то помочь. В конце концов, ничего постыдного он не совершил. Но ведь он ходил к нам все эти годы и притворялся, чтобы все думали, что он одинокий. А бедная покинутая женушка...

— Она не жена ему, — прервала ее тетушка Селия.

— Никогда не слышала ничего более отвратительного! — От негодования миссис Хилбери постучала кулаком по ручке кресла. По мере того как ей открывались новые подробности, история эта все меньше и меньше ей нравилась, хотя, вероятно, ее куда больше задел сам факт сокрытия греха, а не грех как таковой. Она выглядела крайне взволнованной, и Кэтрин почувствовала неимоверное облегчение и даже некоторую гордость за мать. Было очевидно, что негодование миссис Хилбери вполне искреннее и что она восприняла факты так, как этого от нее ждали, — и даже серьезнее, чем тетушка Селия, которая с каким-то нездоровым удовольствием сосредоточилась больше на неприглядных деталях. Теперь вместе с матерью они возьмут это дело в свои руки, навестят Сирила и все выяснят.

— Для начала надо узнать, что думает сам Сирил обо всем этом, — сказала она, обращаясь исключительно к матери, словно та была ее ровесницей и действовала с ней заодно, но не успела она произнести эти слова, за дверью послышался шум, и в комнату вошла кузина Кэролайн, незамужняя двоюродная сестра миссис Хилбери.

Хоть она и являлась урожденной Алардайс, а тетушка Селия — Хилбери, сложность семейных связей была такова, что обе приходились друг другу одновременно двоюродными и троюродными родственницами, а заблудшему Сирилу одна — тетушкой, другая кузиной, так что его порочное поведение задевало Кэролайн не меньше, чем тетушку Селию. Кузина Кэролайн была дама рослая и дородная, но, несмотря на внушительные размеры и роскошный наряд, в ней чувствовалась какая-то беззащитность, как будто ее лицо с красноватой кожей, крючковатым носом и тройным подбородком, в профиль очень напоминавшее какаду, много лет подряд подвергалось ударам стихий. Будучи незамужней, она, как имела обыкновение говорить, «жила для себя», подчеркивая тем самым, что к ней следует относиться с уважением.

— Вот беда, — начала она, слегка запыхавшись. — Если бы я успела на поезд — а он ушел, меня не дождавшись, — я бы давно уже была здесь. Селия, конечно, все рассказала. Думаю, ты со мной согласишься, Мэгги. Ему следует сочетаться с ней браком сейчас же, хотя бы ради детей…

— Но если он не захочет? — робко спросила миссис Хилбери.

— Он прислал мне нелепое письмо, сплошь из цитат, — фыркнула кузина Кэролайн. — Он полагает, что поступает правильно, тогда как для нас это безрассудство… Девица безумна не меньше его — и в этом целиком его вина.

— Она его опутала, — произнесла тетушка Селия с такой интонацией, что присутствующие почти зримо представили себе шелковистые нити, все туже оплетающие несчастную жертву.

— Сейчас не время разбирать, кто прав, кто виноват, Селия, — сказала кузина Кэролайн, как отрезала, поскольку считала себя единственным практичным человеком в семье и очень сожалела, что отставшие кухонные часы задержали ее дома и миссис Милвейн к этому времени уже успела смутить бедняжку Мэгги собственной куцей версией случившегося. — Дело сделано, притом весьма неприглядное. Но неужели мы допустим, чтобы третий ребенок появился на свет вне брака? (Прости, Кэтрин, что приходится говорить такое при тебе.) Он будет носить твою фамилию, Мэгги, — фамилию твоего отца, не забывай.

— Но может, родится девочка… — произнесла миссис Хилбери.

Кэтрин, во время разговора поглядывавшая на мать, заметила, что от былого негодования не осталось и следа, похоже, ее мать пыталась сообразить, нет ли какого способа закрыть это дело или найти в нем положительную сторону — а может, на нее внезапно снизойдет озарение, и все поймут, что все, что ни делается, к лучшему и чудесным образом все как-нибудь устроится.

— Как это отвратительно, как отвратительно! — повторяла миссис Хилбери, правда, без особой убежденности в голосе, потом ее лицо озарилось улыбкой, поначалу робкой, затем все более уверенной. — Но знаете, в наше время проще относятся к подобным вещам, не то что прежде, — начала она. — Мне будет, конечно, ужасно неловко за них, однако если это будут смелые и смышленые дети, на что я очень надеюсь, то они могут стать незаурядными личностями. Роберт Браунинг* говорил, что в каждом великом человеке есть капля еврейской крови, так, может, и нам стоит посмотреть на это с такой точки зрения? И в конце-то концов Сирил действовал из принципа. Можно не соглашаться с его принципами, но бесспорно, они заслуживают уважения — как Французская революция или Кромвель, отрубивший королю голову. Самые

---

* Роберт Браунинг (1812–1889) — английский поэт.

ужасные вещи в истории творились из принципа, — сказала она в заключение.

— Боюсь, у меня другая точка зрения на принципы, — сухо заметила кузина Кэролайн.

— Принципы! — повторила тетушка Селия, словно отказываясь понимать это слово в таком контексте. — Завтра пойду повидаюсь с ним, — добавила она.

— Но зачем тебе брать эту неприятную обязанность на себя, Селия? — вмешалась миссис Хилбери, а кузина Кэролайн тут же предложила план, в котором жертвенная роль отводилась именно ей.

Кэтрин утомили все эти досужие разговоры, она подошла к окну, пристроилась у складок гардины, прижавшись к стеклу, и стала рассеянно смотреть на реку с чувством ребенка, подавленного бессмысленной болтовней взрослых. Она была очень недовольна поведением матери — и своим тоже. Случайно задела жалюзи, отчего шторка с сухим шорохом взлетела вверх, — и еще больше расстроилась. Она сердилась, но не смела это показывать и уж тем более не могла сказать, на кого сердится. Как они упивались беседой, рассуждали о нравственности и придумывали собственные версии событий, втайне гордясь своей жертвенностью и тактичностью! Нет, они бродят как в тумане, решила она, в сотнях миль от… от чего именно? «Может, было бы лучше, если б я вышла замуж за Уильяма», — подумала она вдруг, эта мысль теперь маячила за туманом, словно далекий и надежный, едва различимый в дымке берег. Так она стояла, размышляя о собственной участи, а старшие дамы все говорили и говорили, пока не договорились до того, что надо пригласить молодую женщину на ланч и сказать ей, просто по-дружески, как подобное поведение выглядит в глазах других женщин, в отличие от нее знающих свет. И тогда миссис Хилбери осенила идея получше.

ГЛАВА X

Господа Грейтли и Купер, поверенные, у которых Ральф Денем служил стряпчим, держали контору на Линкольнз-Инн-Филдс, куда Ральф Денем приходил каждое утро ровно к десяти часам. Его пунктуальность, помимо прочих похвальных качеств, выделяла его из общей массы служащих, и можно было спокойно держать пари, что лет этак через десять он займет самое высокое положение среди своих нынешних сослуживцев, если бы не одна странность, иногда наводившая на мысль, что иметь с ним дело сомнительно и даже небезопасно. Сестра Джоан не напрасно тревожилась, памятуя о его склонности ставить на кон все свои сбережения. При всей ее любви и восхищении, она знала об этом изъяне его характера, внушавшем ей опасения, которые были бы еще более серьезными, если б она не находила их зачатков в собственной натуре. В ее представлении Ральф вполне мог внезапно пожертвовать удачной карьерой ради какой-нибудь своей фантазии: какой-то задачи, или идеи, или даже (так далеко заходило ее воображение) ради какой-нибудь женщины, увиденной из окна поезда, когда та развешивала белье на заднем дворе. Если он найдет достойное его дело, никакая сила, это она понимала, не остановит его на пути к желанной цели. И о Востоке она думала тоже, и ей становилось не по себе, когда она заставала его с какой-нибудь книжкой об индийских путешествиях, будто он мог подхватить заразу с ее страниц. С другой стороны, банальное любовное увлечение, случись с братом такое, не вызвало бы у нее ни малейшего беспокойства. В ее представлении, ему было уготовано что-то грандиозное — великий успех либо великое падение, вот только что именно, она не знала.

И все же никто не работал упорнее Ральфа и не добивался больших успехов во всех известных областях, доступных для молодого человека его возраста и положения, и Джоан приходилось черпать пищу для опасений из случайных обмолвок или странностей в его поведении, на которые другой не обратил бы внимания. Она не могла не тревожиться. Жизнь не баловала их с самого начала, и ей страшно было даже помыслить, что братец вдруг даст слабину и выпустит из рук все, что имеет, хотя, насколько она могла судить по себе, желание бросить всю эту рутину было почти необоримым. Но она понимала, что если Ральф и бросит все это, то лишь ради еще больших тягот и лишений; она живо представляла, как он бредет по пустыне под палящими лучами, чтобы отыскать исток некой реки или какое-нибудь редкое насекомое, представляла, как он работает в поте лица где-нибудь в грязной трущобе, соблазнившись одной из этих кошмарных новомодных теорий о свободе и угнетении; представляла, как он заточает себя в четырех стенах рядом с женщиной, которая разжалобила его своими несчастьями. Гордясь им, она все же держала в уме все эти варианты, когда они поздно вечером беседовали перед газовым камином у него в комнате.

Скорее всего, Ральф не увидел бы ничего общего с собственной мечтой о будущем в тех пророчествах, что так будоражили воображение сестры. Более того, любой из ее вариантов, будучи представлен на его суд, был бы со смехом отвергнут как чуждый ему и ничуть его не прельщающий. Даже непонятно, как вообще она додумалась до такого. На самом деле он гордился собой за то, что справляется с тяжелой работой, относительно которой у него не было иллюзий. Его собственные планы на будущее, в отличие от предсказаний сестры, можно было в любой момент обнародовать без тени смущения. Он считал себя человеком толковым и лет в пятьдесят вполне мог рассчитывать на место в палате общин, небольшое состояние и — если повезет — скромную должность в либеральном правительстве. Ничего экстравагантного и уж точно ничего постыдного в этом плане не было. И все же, как догадывалась его сестра, требовалась железная воля, чтобы, наперекор обстоятельствам, шаг за шагом двигаться по намеченному пути. В частности, требовалось постоянно внушать себе, что он хочет быть как все, что это лучшая участь и другой он не желает. От повторения подобных фраз появлялись и пунктуальность, и усердие, так что он мог собственным примером наглядно показать: быть клерком в конторе стряпчих — самая завидная доля, а все прочие мечты — пустое.

Однако, как и все наносное, не слишком искреннее, эти убеждения очень сильно зависели от благосклонной оценки окружающих, и, оставшись один, когда можно было не заботиться о производимом впечатлении, Ральф с легкостью забывал о реальной действительности и пускался в странствия, которые наверняка постыдился бы кому-либо описать. Разумеется, в этих мечтах ему отводилась благородная и романтическая роль, но целью их было не самоутверждение. Они служили отдушиной для некоего стремления, которое не находило применения в реальной жизни, ибо, при всем своем пессимизме, навеянном житейскими обстоятельствами, Ральф был убежден, что в мире, где он живет, нет места тому, что презрительно называл мечтами. Иногда ему казалось, что это стремление — самое ценное, что в нем есть, и что с его помощью он мог бы взрастить сады на бесплодных землях, исцелять больных или создать такую красоту, которой мир еще не видывал. Это был суровый и мятежный дух, который, если дать ему волю, мигом слизнет пыльные конторские книги, в мгновение ока оставив хозяина голым и беззащитным. И задачей Ральфа на протяжении многих лет было смирять этот дух, контролировать его: в двадцать девять лет он уже готов был поздравить себя с тем, что ему удалось четко разграничить свою жизнь, одна ее часть всецело была отдана работе, а другая — мечтам, и обе эти части мирно соседствовали, не мешая одна другой. На самом деле привычке к порядку отчасти помог и выбор профессии, но вывод, к которому Ральф пришел по окончании колледжа, до сих пор окрашивал его мировоззрение горькой меланхолией и сводился к тому, что жизнь большинства из нас требует проявления самых низменных свойств натуры в ущерб возвышенным и прекрасным, так что в конце концов приходится признать, что все, что когда-то казалось нам благороднейшей и лучшей частью наших природных качеств, не так уж и важно и не приносит никакой практической пользы.

Денем не пользовался всеобщей любовью ни среди конторских служащих, ни в собственной семье. Он был слишком категоричным по отношению к тому, что хорошо, а что дурно, по крайней мере, на этом этапе своей карьеры, гордился своей выдержкой и, как это бывает с людьми не слишком счастливыми или не слишком уверенными в себе, не терпел самодовольства и готов был высмеять всякого, кто признался бы в подобной слабости. В конторе его чрезмерное рвение не находило признания у тех, кто относился к своей работе не так серьезно, и если ему и прочили продвижение, то без симпатии. Действительно, он производил впечатление замкнутого и самонадеянного человека, со странным темпераментом и грубоватыми манерами, занятого одной лишь мыслью — выбиться в люди, черта естественная для человека без средств, но малоприятная, во всяком случае так считали его недоброжелатели.

Молодые сослуживцы имели полное право так думать, потому что Денем и не искал их расположения. Он ничего не имел против них, но отводил им строго определенное место в той части своей жизни, которая была посвящена работе. Действительно, до сих пор ему нетрудно было распределять свою жизнь так же методично, как он распределял расходы, но в последнее время он начал сталкиваться с явлениями, которые невозможно было разложить по полочкам. Два года назад Мэри Датчет впервые поставила его в тупик, рассмеявшись в ответ на какое-то его замечание, — это было чуть ли не в их первую встречу. Она и сама не могла объяснить, что ее так насмешило. Просто он показался ей ужасно чудны́м. Когда он узнал ее настолько, что мог с полной уверенностью сказать, что она делала в понедельник, среду и пятницу, она еще больше развеселилась; ее веселье было заразительным — глядя на нее, он и сам не мог удержаться от смеха. Ей казалось очень странным, что он интересуется разведением бульдогов, что у него есть гербарий, для которого он собирает цветы в окрестностях Лондона, а его рассказы о еженедельных визитах к старушке мисс Троттер в Илинг*, считавшейся знатоком по части геральдики, неизменно вызывали у нее заливистый смех. Ей хотелось знать буквально все, даже какой пирог испекла старушка к его приходу, а их летние экскурсии по церквям в лон-

---

* Илинг — западный пригород Лондона.

донских предместьях — он копировал узоры с медной утвари — становились настоящим праздником, потому что она проявила к этому живейший интерес. Через полгода она знала о его странных приятелях и увлечениях больше, чем его собственные братья и сестры, прожившие с ним под одной крышей всю жизнь. Ральфу это было приятно, хотя и смущало немного, поскольку сам он относился к себе весьма серьезно.

Разумеется, находиться рядом с Мэри Датчет было очень приятно — оставшись с ней наедине, он становился совсем другим, дурашливым и милым, совершенно непохожим на того Ральфа, каким его знало большинство людей. Он стал менее строгим и куда менее требовательным к домашним, потому что Мэри со смехом говорила ему, что он «ничегошеньки ни в чем не смыслит», и почему-то он ничуть не обижался на нее за это и даже улыбался в ответ. Благодаря ей он тоже стал интересоваться общественными делами, к которым от природы имел склонность, и находился где-то на полпути от тори к радикалам — после нескольких собраний, на которых он поначалу откровенно зевал, а под конец увлекся даже сильнее, чем она.

Но он был сдержанным человеком и все мысли автоматически разделял на те, которые можно доверить Мэри, и те, которые следует держать при себе. Она это знала и очень удивлялась, потому что обычно молодые люди охотно откровенничали с ней, а она слушала их рассказы, как детский лепет, не имеющий к ней ни малейшего отношения. Но Ральф таких материнских эмоций у нее почти не вызывал, а следовательно, рядом с ним она чувствовала себя личностью.

Как-то в конце рабочего дня Ральф шел по Стрэнду, ему нужно было побеседовать по делу с одним адвокатом. Смеркалось, над городом поплыли зеленоватые и желтоватые потоки искусственных огней, чтобы раствориться на окраинах в дыму от печных труб, по обеим сторонам улицы в витринах на полках из зеркального стекла сверкали цепочки и футляры из лаковой кожи. Ничего этого по отдельности Денем не разглядывал, но все вместе эти вещицы давали ощущение бодрости и радостной суеты. И в этот момент он увидел Кэтрин Хилбери. Она шла ему навстречу; он не удивился и посмотрел на нее так, словно она всего лишь иллюстрация очередной его мысли. Он заметил, что глаза ее грустны, а губы чуть шевелятся, как будто она отвечает кому-то, и это, учитывая ее рост и необычный покрой платья, создавало ощущение, что она идет наперерез бурлящей толпе. Ральф это отметил спокойно, но вдруг, когда он поравнялся с ней, его руки и колени мелко задрожали, а сердце мучительно забилось. Но она его не заметила и продолжала шагать, повторяя про себя поразившие ее недавно строки: «Дело в жизни, в одной жизни, — в открывании ее, беспрерывном и вечном, а совсем не в открытии!»* Она не заметила Денема, а он не посмел ее остановить. Но внезапно вся эта сцена на Стрэнде обрела странный порядок и значительность, какую сообщает самым разнородным вещам звучащая музыка; и до того приятным было это впечатление, что он в конце концов даже порадовался, что не остановил ее. Постепенно впечатление поблекло, но полностью изгладилось, лишь когда он подошел к адвокатской приемной.

Закончив беседовать с адвокатом, он прикинул, что уже поздно возвращаться в контору. После встречи с Кэтрин почему-то совсем не хотелось проводить

_____

* Цитата из романа Ф. Достоевского «Идиот», часть 3, глава 5.

остаток дня дома. Так куда же податься? Прогуляться по лондонским улицам до дома Кэтрин, поглядеть на ее окна, представить, как она там, — мысль эта показалась ему разумной, но лишь на миг, и он, смутившись, тотчас отказался от этого плана: так человек — вот вам двойственность сознания! — срывает цветок, а сорвав, тотчас бросает на землю, устыдившись сентиментальных чувств. Нет, лучше он повидается с Мэри Датчет. Она наверняка уже вернулась с работы.

Когда Ральф неожиданно появился на пороге ее комнаты, Мэри поначалу растерялась. Она в это время чистила ножи и, впустив его, вернулась в крохотную кухоньку, открыла посильнее кран с холодной водой, затем завернула его. «Так, — подумала она, закручивая кран, — больше никаких глупых мыслей...»

— Как, по-вашему, заслуживает ли мистер Асквит*, чтобы его повесили? — крикнула она Денему, который оставался в гостиной, затем присоединилась к нему, вытирая руки передником, и принялась рассказывать о последней уловке со стороны правительства по отношению к биллю об избирательных правах женщин.

Ральфу не хотелось говорить о политике, но то, что Мэри проявляет такой живой интерес к общественным вопросам, невольно вызывало у него уважение. И когда она склонилась над камином поворошить угли, одновременно очень ясно и четко формулируя свои мысли, словно излагала политическую программу, он подумал: «Что сказала бы Мэри, узнай она, как я чуть не потащился пешком

* Герберт Генри Асквит (1852–1928) — премьер-министр Великобритании от Либеральной партии с 1908 по 1916 г. Был противником женского равноправия, за что неоднократно подвергался нападкам со стороны суфражисток.

через весь Челси, чтобы постоять под окном Кэтрин? Она этого не поймет, но все равно Мэри мне очень нравится».

Они еще немного побеседовали о том, чем женщинам лучше заниматься, но, когда Ральф увлекся этой темой, Мэри почему-то потеряла к ней интерес — ей вдруг захотелось поговорить с Ральфом о своих чувствах — или, во всяком случае, о чем-то личном, чтобы проверить, как он к ней относится. Но она поборола это желание. И все же ей не удалось скрыть от него, что ее мало интересуют его рассуждения, и постепенно разговор иссяк. Оба молчали. Ральф пытался подыскать какую-нибудь подходящую тему, но все мысли, которые приходили ему на ум, касались Кэтрин и были так или иначе навеяны романтическими чувствами, которые она у него вызывала. Об этом Мэри знать не следовало, и ему даже стало жаль ее, оттого что она не понимает, что с ним происходит. «В этом, — подумалось ему, — и состоит наше главное отличие от женщин: они не имеют понятия о влюбленности».

— Что это, Мэри, — сказал он наконец, — сегодня никаких смешных историй от вас не дождешься?

Он явно подтрунивал над ней, и обычно Мэри не обращала внимания на колкости. Однако на этот раз реакция ее была довольно резкой:

— Должно быть, потому, что я их не знаю.

Ральф, помолчав немного, заметил:

— Вы слишком много работаете. Я не хотел сказать: в ущерб здоровью, — добавил он, когда она презрительно фыркнула. — Я лишь имел в виду, что, на мой взгляд, вы слишком увлечены работой.

— А это плохо? — спросила она, прикрывая глаза рукой.

— Думаю, да, — серьезно ответил он.

— Всего неделю назад вы говорили обратное.

Она произнесла это с вызовом, но ясно было, что она расстроилась. Ральф не заметил этого и принялся тоном наставника излагать ей свои взгляды на правильный образ жизни. Она слушала его, но из всего сказанного могла сделать только один вывод: он говорит так, потому что встретился с кем-то и находится под влиянием этой персоны. Он говорит, что ей следует больше читать и вообще неплохо бы понять, что есть разные точки зрения, которые заслуживают внимания не меньше, чем ее собственная. А поскольку в последний раз, когда она его видела, он уходил из конторы вместе с Кэтрин, она приписала эту перемену ее влиянию — скорее всего, Кэтрин, покидая сцену, которая явно произвела на нее неприятное впечатление, не удержалась от критики или даже ничего не сказала, но своим видом дала понять, что всего этого не одобряет. Тем не менее она знала и то, что Ральф нипочем не признается, что кто-то на него повлиял.

— Вы мало читаете, Мэри, — говорил он. — Вам надо почаще читать стихи.

Это верно, литературные познания Мэри были ограничены лишь теми произведениями, которые требовалось знать для экзаменов, а в Лондоне времени на чтение почти не оставалось. Мало кому понравится, если его упрекнут в недостаточном знании поэзии, но о том, что Мэри задело это замечание, можно было догадаться лишь по внезапно застывшему взгляду. «Вот, я веду себя именно так, как не хотела», — спохватилась она и сказала очень спокойно:

— Ну так скажите, что я должна прочесть.

Ральфа почему-то раздосадовал такой ответ, и он назвал несколько имен великих поэтов, что дало повод поговорить о несовершенстве характера и образа жизни Мэри.

— Вы общаетесь с теми, кто ниже вас, — заговорил он с неожиданным волнением, — и это вошло у вас в привычку, потому что на самом деле это довольно приятно. Но вы начинаете забывать о том, кто вы, в чем ваше предназначение. Вы, как всякая женщина, слишком много внимания уделяете мелочам. И уже не различаете, где главное, а где второстепенное. Именно поэтому все подобные организации обречены на неуспех. Именно поэтому суфражистки ничего не добились за все эти годы. Что толку в салонах и благотворительных базарах? Вам нужны идеи, Мэри? Выберите что-то большое, значительное: и не бойтесь совершать ошибки, главное — не мелочитесь! Почему бы вам не оставить все это на годик-другой? Поездите по свету, мир повидаете. Вместо того чтобы барахтаться с полудюжиной людей в болоте до конца дней. Но вы не послушаете меня, — заключил он.

— Знаете, я и сама так думала в последнее время, о своей жизни то есть, — произнесла она, удивив Ральфа покладистостью. — Я бы хотела уехать куда-нибудь далеко-далеко!

Повисло молчание. Потом Ральф сказал:

— Мэри, неужели вы это серьезно? — Раздражение улеглось, и грустный тон ее голоса заставил его пожалеть о том, что он был с ней так резок. — Но вы ведь не уедете, правда? — спросил он. И поскольку она ничего не сказала, добавил: — О нет, только не уезжайте.

— Я сама толком не знаю, чего хочу, — ответила она. И уже готова была поделиться с Ральфом своими планами, но, похоже, он не настроен был выслушивать.

Он погрузился в молчание, которое, как показалось Мэри, имеет какое-то отношение к тому, о чем она сама не могла не думать, — об их чувствах друг к другу. Она почти видела, как их мысли прокладывают путь навстречу, словно длинные параллельные тоннели, которые уже почти соприкасаются, но все никак не сойдутся.

Когда он ушел — а он ушел, так и не сказав ничего, кроме дежурного «спокойной ночи», — она еще некоторое время сидела, перебирая в памяти его слова. Если любовь — всепожирающий огонь, который переплавляет все твое существо в кипучий бурный поток, то Мэри любила Денема не больше, чем кочергу или каминные щипцы. Но вероятно, такая страсть — большая редкость и все вышеперечисленное свойственно лишь последним стадиям любви, когда сил сопротивляться больше нет, они таяли день за днем, неделя за неделей и иссякли. Как большинство образованных людей, Мэри была немного эгоисткой, в том смысле, что придавала большое значение своим переживаниям, и, как ревнительница строгой морали, считала своим долгом время от времени убеждаться, что ее чувства делают ей честь. Когда Ральф ушел, она проанализировала свое душевное состояние и пришла к выводу, что неплохо было бы выучить какой-нибудь иностранный язык — например, итальянский или немецкий. Подойдя к письменному столу, она достала из ящика, который держала под замком, стопку густо исписанных страниц. Принялась читать, поминутно отрываясь и думая о Ральфе. Она постаралась вспомнить все его качества, которые вызывали в ней такую бурю эмоций, и лишний раз убедилась, что ничего не приукрасила. Потом опять посмотрела на рукопись и сказала себе, что писать грамматически правильную английскую прозу — самое трудное, что может быть на свете. Но поскольку о себе она думает в этот момент гораздо больше, чем о правильной английской прозе и даже о Ральфе Денеме, то еще неизвестно, любовь ли это, а если даже и так, то к какой ветви данного семейства можно отнести ее чувство.

ГЛАВА XI

«Дело в жизни, в одной жизни, — в открывании ее, беспрерывном и вечном, — сказала Кэтрин, проходя под аркой и ступая на просторную Кингс-Бенч-уок*, — а совсем не в открытии». Последние слова она произнесла, поглядывая на окна Родни, которые сейчас были красновато-прозрачными — он ждал ее. Он пригласил ее на чай. Но Кэтрин была в таком состоянии, когда очень трудно и даже невозможно прервать поток мыслей, поэтому она сделала еще пару-тройку кругов под деревьями, прежде чем приблизиться к парадному. Она любила взять какую-нибудь книгу, которую ни отец, ни мать не читали, и погрузиться в нее, разбираясь в хитросплетениях сюжета и самостоятельно решая, хороша она или плоха. В этот вечер ей не давала покоя одна фраза из Достоевского, как нельзя более соответствовавшая ее фаталистическому настрою, — о том, что сам процесс открывания жизни и есть жизнь и что, по-видимому, цель сама по себе не так уж и важна. Она присела на скамеечку, не в силах выбраться из властного водоворота самых разных забот, и, решив наконец, что со всем этим пора покончить, встала, забыв на скамейке корзинку из рыбной лавки. А через пару минут уже уверенно постучала в дверь Родни.

---

* Небольшая площадь в центре Лондона, в районе Темпл.

— Боюсь, Уильям, я слишком поздно, — сказала она с порога.

Это была правда, но он так обрадовался, увидев ее, что ни словом не попрекнул за опоздание. Он больше часа готовился к ее приходу. Снимая и передавая ему накидку, она успела мельком оглядеть комнату и хоть и не сказала ни слова, но, похоже, оценила его старания, а это для него было высшей наградой. В камине ярко пылал огонь, на столе красовались баночки с джемом, и даже медная каминная решетка сияла как золотая, и все в этой бедной комнате дышало уютом. На Родни был поношенный халат пунцового цвета, изрядно выцветший, с парой свежих заплат — пронзительно ярких, как трава под отваленным камнем. Он стал заваривать чай, а Кэтрин тем временем сняла перчатки и села, непринужденно закинув ногу на ногу, как это обычно делают мужчины. Но разговора не получалось, пока наконец они оба, закурив сигареты, не устроились в креслах у камина, поставив чашки рядышком на полу. Они не виделись с тех самых пор, как обменялись письмами по поводу своих взаимоотношений. Ответ Кэтрин был кратким и недвусмысленным и занимал всего полстранички. Она написала, что не любит его, а следовательно, не может стать его женой, но надеется, что это не помешает им и дальше продолжать знакомство. И добавила в постскриптуме: «Твой сонет мне очень понравился».

Что касается Родни, то изображать непринужденность было для него нелегко. Накануне он трижды облачался во фрак и трижды отказывался от этого наряда в пользу халата, трижды пришпиливал на галстук жемчужную булавку, чтобы убрать ее снова, — маленькое зеркало в спальне было молчаливым свидетелем столь резких перепадов настроения. Вопрос заключался в том, что больше понравится Кэтрин в этот декабрьский вечер? Он еще раз перечитал ее записку, и постскриптум о сонете решил дело. Очевидно, она видит в нем прежде всего поэта, а поскольку в общем и целом он не против такого подхода, то уместно будет подчеркнуть этот его аспект легкой романтической небрежностью. Его манера держаться также была продумана до мелочей: он был немногословен и говорил только о том, что не затрагивало личных тем. Ему очень хотелось показать ей, что, хотя она впервые пришла к нему одна, без сопровождения, ничего особенного в этом нет (правда, сам он до конца не был в этом уверен).

Кэтрин казалась очень спокойной, и, если бы он не был так занят своими переживаниями, он мог бы даже посетовать на некоторую ее рассеянность. Простота и обыденность обстановки, со всем этими чашечками, блюдечками и свечами, по-видимому, подействовали на нее сильнее, чем можно было рассчитывать. Она попросила показать ей книги, затем стала рассматривать репродукции. Но когда он передал ей фотографию какой-то греческой статуи, она вдруг ни с того ни с сего воскликнула:

— Ой, мои устрицы! — И пояснила смущенно: — У меня была корзинка, и я ее где-то посеяла. А с нами сегодня дядюшка Дадли ужинает. Где же я ее могла оставить?

Она вскочила и заметалась по комнате. Уильям отошел к камину, бормоча под нос: «Устрицы, устрицы… корзинка с устрицами!» — и на всякий случай оглядел все углы, как будто устрицы могли притаиться на книжном шкафу или еще где. Кэтрин меж тем отодвинула штору и стала вглядываться в темноту, словно надеялась разглядеть что-то за редкой листвой платанов.

— На Стрэнде корзинка еще была у меня в руках, — вспоминала она. — Потом я присела на скамейку. А, ладно, ничего страшного, — добавила она, отходя от окна, — думаю, какая-нибудь старушка уже уплетает их за обе щеки.

— А мне казалось, ты никогда ничего не забываешь, — заметил Уильям, когда они снова уселись перед камином.

— Ну да, все так думают, но на самом деле это неверно, — отвечала Кэтрин.

— Интересно, — осторожно продолжал Уильям, — а что верно? Хотя, конечно, тебя не интересуют подобные вещи, — поспешил добавить он.

— Ты прав, не слишком интересуют, — честно ответила Кэтрин.

— Тогда предложи, о чем нам лучше поговорить.

Она бросила странный взгляд на книжные полки.

— С чего бы мы ни начали, все почему-то заканчивается одним и тем же — разговорами о поэзии, я хочу сказать. Ты хоть понимаешь, Уильям, что я даже Шекспира толком не читала? Сама не знаю, как мне удавалось скрывать это от тебя столько лет.

— Прекрасно удавалось все десять лет, насколько я могу судить, — сказал он.

— Десять лет? Неужели так долго?

— И я не думаю, что это сильно тебя беспокоило, — добавил он.

Она помолчала, глядя на огонь. Нельзя сказать, что все связанное с Уильямом вызывало у нее полное неприятие, напротив, она чувствовала, что со многим в его характере сможет смириться. С ним ей было спокойно, и можно было свободно думать о вещах, совершенно не относящихся к тому, о чем они говорили. Даже сейчас, когда они так близко, буквально в метре друг от друга, она без малейшего стеснения может думать о чем угодно! Внезапно ей представилась картина, причем это было так естественно: вот она в этой самой комнате, только вернулась с лекции со стопкой книг в руке — ученых книг по математике и астрономии, предметам, которые к тому времени она как следует изучит. Она кладет их вот на этот столик. Это картинка из ее жизни три-четыре года спустя, когда она уже будет женой Уильяма, — однако на этом видение кончилось, и нет, не стоит об этом мечтать.

Она не могла полностью забыть о присутствии Уильяма, поскольку, несмотря на все старания держать себя в руках, он заметно нервничал. Взгляд его крупных, навыкате, глаз, как всегда бывало с ним в такие минуты, стал тяжелым и застывшим, под тонкой сухой кожей щек отчетливо проступала каждая жилка. К этому времени он успел заготовить столько фраз и от стольких успел отказаться, что от волнения лицо его стало красным, как мак.

— Можешь сколько угодно говорить, что не любишь книги, — заметил он, — но ты о них хотя бы знаешь. К тому же от тебя и не требуется проявлять ученость. Оставь это тем бедняжкам, которым больше нечем заняться. Ты такая… такая… — Он осекся.

— Ну тогда, может, почитаешь мне что-нибудь напоследок? — сказала Кэтрин, поглядывая на свои часики.

— Но ты ведь только пришла! Дай-ка подумаю, что тебе может быть интересно.

Подойдя к столу, он какое-то время перебирал бумаги, будто не знал, какой отдать предпочтение; наконец взял одну рукопись и, разгладив ее на колене, вопросительно посмотрел на Кэтрин — та улыбалась.

— Ты из вежливости попросила меня прочесть! — вспыхнул он. — Давай о чем-нибудь другом поговорим. С кем ты виделась на днях?

— Обычно я ни о чем не прошу из вежливости, — заметила Кэтрин, — но если не хочешь читать — не читай.

Уильям хмыкнул и снова раскрыл свой манускрипт, не сводя при этом глаз с лица Кэтрин. Оно было мрачно-сосредоточенным, как у судьи, готовящегося вынести вердикт.

— Да уж, доброго слова от тебя не дождешься. — Он снова разгладил страницу, потом откашлялся и для разгона пробежал глазами начало строфы. — Хм! Принцесса заблудилась в лесу и слышит звук охотничьего рожка. (В постановке это будет очень красиво, но сценических эффектов я не могу сейчас изобразить.) Так или иначе, входит Сильвано, а с ним остальные придворные Грациана. Начну с его монолога. — Он приосанился и начал декламировать.

Хотя Кэтрин только что призналась в полном незнании литературы, слушала она со вниманием. По крайней мере, внимательно выслушала первые двадцать пять строк, а потом нахмурилась и, видимо, отвлеклась. Но вот Родни поднял вверх указательный палец, а это, насколько она знала, означало, что далее следует смена метра.

У Родни была своя теория, она заключалась в том, что каждое настроение имеет свой метрический рисунок. Поэтической формой он овладел вполне, и, если бы красота пьесы зависела от разнообразия стихотворных размеров, которыми изъясняются действующие лица, пьесы Родни наверняка могли бы поспорить с творениями Шекспира. Но, и не зная Шекспира, Кэтрин могла сказать наверняка, что пьесы не должны ввергать публику в оцепенение, а именно так подействовали на нее льющиеся строки — то длинные, то короткие, но с неизменным акцентированием в конце, которое будто прибивало каждую строчку к одному и тому же месту в мозгу слушателя. И все же, подумалось ей, подобное умение присуще только мужчинам; женщины так не делают и даже ничего в этом не понимают, однако виртуозность супруга в подобных вещах лишь добавила бы ему уважения в глазах жены, если можно уважать за мистификацию. Потому что кто же усомнится в том, что Уильям — ученый… Декламация закончилась с концом акта. Кэтрин заготовила небольшую речь.

— На мой взгляд, очень хорошо написано, Уильям. Хотя, конечно, я мало знаю, чтобы судить о деталях.

— Но тебя поразило литературное мастерство — не чувство?

— В таких отрывках, как этот, конечно, мастерство больше бросается в глаза.

— А может, найдешь время послушать еще один кусочек? Диалог влюбленных? По-моему, там есть настоящее чувство. Денем тоже считает, что это лучшее из всего, что я написал.

— Ты читал свою пьесу Ральфу Денему? — удивилась Кэтрин. — Наверное, он в этом смыслит больше, чем я. И что он сказал?

— Кэтрин, дорогая! — воскликнул Родни. — Я не прошу разбирать пьесу по косточкам, как это сделал бы какой-нибудь критик. Полагаю, во всей Англии найдется от силы пять человек, чье мнение о моем творчестве для меня хоть что-то да значит. Но я доверяю тебе в том, что касается чувств. Когда я пишу, я всегда думаю о тебе, Кэтрин, даже если это такие вещи, которые я никогда не осмелюсь тебе показать. И главное для меня — я правда так считаю, — чтобы тебе мое произведение понравилось, а до остальных мне дела нет.

Кэтрин была растрогана этим знаком доверия.

— Ты слишком много обо мне думаешь, Уильям, — сказала она, забыв о том, что не собиралась говорить с ним в таком тоне.

— Нет, Кэтрин, не много, — ответил он, отправляя рукопись в ящик стола. — Мне приятно о тебе думать.

Такой смиренный ответ, за которым не последовало никаких заверений в любви — он лишь сказал, что если ей пора идти, то он проводит ее до Стрэнда, и не может ли она подождать минутку, пока он снимет халат и наденет пальто, — всколыхнул в ней теплую волну чувства, которого раньше она к нему не испытывала. Он удалился в соседнюю комнату переодеться, а она подошла к книжному шкафу, взяла из него первую попавшуюся книгу, открыла — и уставилась на страницы невидящим взором.

Сомнений не оставалось: она станет женой Родни. Разве не все к тому идет? И что в этом плохого? Тут она вздохнула и, отбросив мысли о замужестве, впала в мечтательное состояние — в своих мечтах и она сама стала другой, и мир вокруг тоже переменился. И поскольку заглядывала она туда не первый раз, то легко нашла там дорогу. Если б ее попросили поделиться своими впечатлениями, она бы ответила, что там обитают реальности иллюзий, родившихся здесь, в этом мире, — такими непосредственными, яркими и свободными были ее ощущения в сравнении с тем, что доступно нам в этой жизни. Там было все то, что мы могли бы почувствовать, будь нам это позволено: счастье, которое дается нам здесь лишь урывками, красота, отблеск которой мелькнет — и нет его. Несомненно, большая часть обстановки в том мире была взята из прошлого, вернее, даже из Англии елизаветинской поры. Однако как бы ни менялось убранство этого воображаемого мира, две его черты оставались неизменными. Это был мир, где чувства свободны от оков, налагаемых реальной жизнью, и возвращение к действительности всегда сопровождалось горечью и стоическим смирением. Она не встречала там, как Денем, чудесно преобразившихся знакомых, не примеривала на себя никакой героической роли. Но там ее ждал благородный герой, ее единственный избранник, и, пока они мчались на резвых конях под пологом ветвей, их окрыляло чувство, чистое и внезапное, как накатившая на берег волна. Но ее свобода утекала, точно время в песочных часах, из-за древесных крон уже доносились посторонние звуки — это Родни переставлял какие-то вещи на туалетном столике; наконец, Кэтрин очнулась от грез, захлопнула книгу, которую держала в руке, и вернула ее на место.

— Уильям, — позвала она, сначала едва слышно, как во сне, когда пытаешься докричаться, а тебя не слышат, — Уильям, — повторила она на этот раз уверенней, — если ты все еще не оставил мысль жениться на мне, я согласна.

Когда самый главный вопрос вашей жизни решается таким бесцветным и унылым голосом, без малейшей радости и оживления, вряд ли вам это понравится. Как бы то ни было, Уильям не ответил. Он стоически выжидал. Секунду спустя он быстро вышел из гардеробной и спокойно сказал, что, если ей нужны устрицы, у него есть на примете одна рыбная лавка, которая открыта допоздна. Она облегченно вздохнула.

Из письма, отправленного миссис Хилбери золовке миссис Милвейн несколькими днями позже:

«...Как глупо с моей стороны пропустить фамилию в телеграмме. Такая красивая, звучная английская фамилия, к тому же умнейший человек! Он читал буквально *все*. Я сказала Кэтрин: хочу, чтобы он за ужином сидел по правую руку от меня и был рядом, когда зайдет речь о шекспировских персонажах. Конечно, молодые не будут богаты, зато будут очень, очень счастливы. Как-то поздно вечером я сидела у себя в комнате и думала: как жаль, что ничего прекрасного со мной уже не случится, и вдруг услышала шаги Кэтрин в коридоре и сказала себе: «Может, позвать ее?» — но потом подумала (такие вот безнадежные, унылые мысли обычно приходят в голову, когда в камине догорает огонь и закончился твой день рожденья): «К чему ей знать мои тревоги?» Однако, по здравом размышлении, я все же взяла себя в руки, потому что в следующее мгновение она постучалась, вошла и опустилась на коврик, и, хоть никто из нас ни произнес ни слова, я вдруг почувствовала себя такой счастливой, что невольно воскликнула: «О Кэтрин, как бы я хотела, чтобы, когда ты доживешь до моих лет, у тебя тоже была дочь!» Ты знаешь, как Кэтрин умеет молчать. Она молчала, да так долго, что я по глупости и от волнения испугалась. Чего — сама не знаю. И тогда она поведала мне, что в конце концов решилась. Она написала ему. И ожидала его у нас на следующий день. Поначалу я вовсе не обрадовалась: зачем ей вообще выходить замуж? Но когда она сказала: «Все останется как прежде. Я всегда буду заботиться о вас с папой в первую очередь», — лишь тогда я поняла, какой была эгоистичной, и сказала ей, что она должна отдать ему все, все, все! А сама я с благодарностью удовольствуюсь и второй ролью. Но почему, когда все обернулось так, как только и можно было пожелать, почему ничего не можешь с собой поделать, и плачешь, и чувствуешь себя несчастной старой женщиной, чья жизнь безотрадна, пуста и вот-вот подойдет к концу, ведь годы никого не щадят? Но Кэтрин сказала мне: «Я счастлива. Я очень счастлива». И тогда я подумала, хотя в ту минуту все казалось ужасно нерадостно: Кэтрин говорит, что она счастлива, а у меня теперь есть сын, и значит, все к лучшему и даже еще прекрасней, чем я могла себе представить, ибо, хоть в проповедях об этом и не говорят, я все же верю, что мир создан для того, чтобы человек был в нем счастлив. Она сказала мне, что они поселятся недалеко от нас и будут навещать каждый день — и она будет продолжать Жизнь, а мы сможем ее завершить так, как и мечтали. И в конце-то концов было бы куда ужасней, если б она вовсе не вышла замуж — или, допустим, вышла за кого-то, с кем мы не смогли бы ужиться. Только представь, если бы она влюбилась в женатого?

И хотя никто не бывает достаточно хорош для тех, кого мы так любим, я уверена, он питает к ней самые добрые и искренние чувства, а что выглядит немного нервным и его манерам недостает властности — я думаю, тут все дело в Кэтрин. Вот я написала это и вижу, что конечно же у моей Кэтрин есть все те качества, которых ему так не хватает. Она властная, и нервозности в ней нет; она привыкла приказывать и распоряжаться. И теперь ей пора принести все это в дар тому, кто станет ценить ее, когда нас уже здесь не будет, разве что бесплотные духи, поскольку — и не важно, что скажут люди, — я наверняка буду не раз возвращаться в этот прекрасный мир, где мы были так счастливы и так несчастны и где даже сейчас я вижу себя, протягивающую руки за очередным подарком с великого Волшебного Дерева, ветви которого все еще увешаны, хоть и не так густо, как прежде, чудесными игрушками, а между ветвями виднеется уже не синее небо, но звезды и вершины далеких гор. А дальше — кто знает? И кто мы такие, чтобы давать советы собственным детям? Можно лишь надеяться, что и они увидят ту же картину и будут так же верить, потому что без этого жизнь кажется совсем бессмысленной. Вот этого я и прошу для Кэтрин и ее мужа».

ГЛАВА XII

— Дома ли мистер Хилбери или миссис Хилбери? — поинтересовался мистер Денем у горничной в Челси неделю спустя.

— Нет, сэр. Но дома мисс Хилбери, — ответила та.

Из всех возможных ответов именно этого Ральф не ждал, но вдруг со всей ясностью понял, что именно надежда увидеть Кэтрин и привела его в Челси, под предлогом якобы встречи с ее отцом.

Поэтому он для порядка сделал вид, что раздумывает, а затем последовал за прислугой наверх, в гостиную. Как и в первый раз, несколько недель назад, дверь закрылась за ним, словно тысяча дверей, мягко отрезая его от всего внешнего мира. И вновь Ральф ощутил особую атмосферу этой гостиной, наполненной глубокими тенями, пламенем камина, неподвижными светлыми огоньками свеч и бесконечным пространством, которое следовало пересечь, чтобы добраться до круглого стола в центре комнаты, отягощенного хрупким бременем серебряных подносов и фарфоровых чашек. Но сегодня здесь была и сама Кэтрин. Судя по книге в ее руке, она не ждала гостей.

Ральф сказал, что надеялся застать ее отца.

— Отец вышел, — ответила она. — Можете подождать его, думаю, он скоро вернется.

Возможно, это была простая вежливость, но Ральфу показалось, что Кэтрин рада его визиту. Может, ей надоело пить чай и читать в одиночестве; как бы то ни было, она бросила книгу на диван едва ли не с облегчением.

— Один из современных авторов, которых вы презираете? — спросил он, улыбнувшись ее небрежному жесту.

— Да, — ответила она. — Думаю, даже вы бы его презирали.

— Даже я? — повторил он. — Почему даже я?

— Вы сказали, что любите современную литературу. А я говорила, что терпеть ее не могу.

Пожалуй, это было не слишком точным пересказом их беседы среди семейных реликвий, но Ральф был польщен тем, что она этого не забыла.

— Или же я сказала, что ненавижу книги вообще? — продолжила она, перехватив его вопросительный взгляд. — Я уже не помню…

— А вы ненавидите книги вообще?

— Пожалуй, было бы глупо утверждать, что я ненавижу книги вообще, прочтя всего десяток. Но… — Она вдруг остановилась.

— Но?

— Да, я ненавижу книги, — сказала она. — К чему все время твердить о чувствах? Вот чего я понять не могу. Все стихи, все романы — о чувствах.

Она быстро и ловко нарезала пирог, собрала поднос с хлебом и маслом для миссис Хилбери, которая была простужена и не выходила из своей комнаты, и приготовилась отнести его наверх.

Ральф придержал перед ней дверь, а затем замер посреди пустой комнаты, скрестив руки. Глаза его сияли, и он даже не понимал, во сне это происходит с ним или наяву. И на улице, и на крыльце, и на лестнице его преследовала мечта о Кэтрин; лишь на пороге гостиной она исчезла, чтобы не так мучительно было несоответствие Кэтрин воображаемой и Кэтрин реальной.

Но уже через пять минут оболочка призрачной мечты заполнилась плотью; взгляд волшебного видения обжигал биением жизни. Оглядевшись вокруг в замешательстве, он обнаружил, что стоит меж *ее* столиков и стульев; они были тяжелые и настоящие — он для верности потрогал спинку стула, на котором Кэтрин только что сидела, — но при этом оставались нереальными, как во сне. Он весь превратился в зрение и слух, и где-то в глубине сознания, помимо его воли, явилось вдруг радостное понимание того, что действительность по красоте своей превосходит любые, даже самые невероятные, грезы.

Через минуту в комнату вошла Кэтрин. Она шла ему навстречу — еще более прекрасная и необыкновенная, чем в мечтах: потому что реальная Кэтрин могла произносить слова — он словно видел, как они теснятся в ее голове, рвутся наружу в сиянии глаз; и даже самая обычная фраза вспыхивала, озаренная этим бессмертным огнем. Она превосходила все его мечты о ней. Она показалась ему нежной, как пушистая белая совушка, на пальце он заметил кольцо с рубином.

— Мама просила передать, — сказала Кэтрин, — она надеется, что вы уже начали писать поэму. Она говорит, стихи должен писать каждый… Все мои родственники сочиняют стихи, — продолжила она. — Даже неприятно, как подумаешь, — потому что, разумеется, все их вирши ужасны. Но по крайней мере, их не надо учить наизусть…

— Не слишком приятные слова для начинающего поэта, — заметил Ральф.

— Но вы же не поэт? — спросила она, со смешком обернувшись к нему.

— Если б я был им, мне следовало бы вам признаться?

— Да. Потому что, мне кажется, вы говорите правду, — ответила она, глядя ему в глаза, словно надеялась найти подтверждение сказанному.

Ну разве можно не боготворить ее, такую недоступную и такую естественную, подумал Ральф, и как легко поддаться ее плену, не думая о будущих муках!

— Вы поэт? — требовательно повторила она.

Он почувствовал, что в этом вопросе заключалось что-то еще — словно она ждала ответа на вопрос, который не был задан.

— Нет. Я за много лет не написал ни единого стихотворения, — ответил он. — Но все равно я с вами не согласен. Мне кажется, это единственное стоящее занятие.

— Почему вы так считаете? — спросила она нетерпеливо, постукивая ложечкой о край чашки.

— Почему? — Ральф ответил первое, что пришло в голову: — Потому что, мне кажется, поэзия помогает сохранять идеал, который иначе не выживет.

Ее лицо странно изменилось; как будто притушили огонь, озарявший его изнутри. Она взглянула на него насмешливо — и с тем выражением, которое он раньше, не найдя лучшего определения, назвал грустью.

— Не понимаю, зачем вообще нужны идеалы, — сказала она.

— Но у вас же они есть! — горячо ответил он. — Почему это называют идеалами? Звучит глупо. Я имел в виду мечты…

Она слушала его с вниманием и даже заранее приготовилась ответить, как только он договорит. Но после слова «мечты» дверь гостиной распахнулась, да так и осталась открытой. Оба замерли на полуслове.

В прихожей послышался шелест юбок. Затем в дверях показалась их обладательница, почти заполнив дверной проем и загородив собой невысокую и более стройную спутницу.

— Мои тетушки! — недовольно пробормотала Кэтрин.

Прозвучало это довольно мрачно, но не более, подумал Ральф, чем того требовала ситуация. Полная дама была тетушкой Миллисент, вторая — тетушкой Селией — миссис Милвейн, которая взяла на себя труд женить Сирила на его жене. Обе дамы, но в особенности миссис Кошем (она же тетя Миллисент), выглядели румяными, холеными и цветущими, как и подобает лондонским дамам средних лет, наносящим визиты в пять часов пополудни. Они были похожи на портреты Ромни* под стеклом — такие же бело-розовые, безмятежные, исполненные цветущей нежности, ну точь-в-точь персики на фоне красной стены, налитые полуденным солнцем. Миссис Кошем была так увешана муфтами, цепочками и накидками, что в черно-коричневом ворохе, заполнившем кресло, невозможно было угадать человеческую фигуру. Миссис Милвейн выглядела много стройнее, но и относительно ее фигуры при ближайшем рассмотрении у Ральфа возникли такие же сомнения. Может ли вообще хоть что-то сказанное им достичь слуха этих нелепых сказочных персонажей? — потому что было нечто нереальное в том, как кивала головой и покачивалась миссис Кошем, словно в ее теле пряталась огромная пружина. Она говорила тонким голосом с воркующими интонациями, растягивала слова и затем резко обрывала их, так что в ее устах английский язык полностью утрачивал свое прямое назначение. Кэтрин, видимо от волнения, как предположил Ральф, непонятно зачем включила все электрические лампы. Но миссис Кошем уже изготовилась (вероятно, тому способствовали ее покачивания) к продолжительной речи — и теперь обращалась исключительно к Ральфу:

— Я сейчас из Уокинга, мистер Пофам. Возможно, вы спросите, почему Уокинг? На что я отвечу, навер-

---

* Джордж Ромни (1734–1802) — английский живописец-портретист, работавший в манере, близкой к классицизму.

ное, уже в сотый раз, — из-за закатов. Когда-то мы ездили туда любоваться закатами, но с тех пор четверть века прошло. И где сейчас те закаты? Увы! Теперь не найти ни одного приличного заката ближе южного побережья.

Ее забавные романтические замечания сопровождались плавными жестами длинной белой руки, при каждом движении рассыпавшей вспышки бриллиантов, рубинов и изумрудов. Ральф задумался, на кого она больше похожа: на слона в усыпанной каменьями попоне или же на величественного какаду, балансирующего на жердочке и капризно выпрашивающего кусочек сахара.

— И где сегодня закаты? — повторила она. — Вы любуетесь закатами, мистер Пофам?

— Я живу в Хайгейте, — ответил он.

— Хайгейт? Да, Хайгейт по-своему очаровательное место. Твой дядя Джон там жил, — сообщила она Кэтрин. Затем склонила голову, словно в глубокой задумчивости, но через минуту продолжила: — В Хайгейте очень милые улочки. Помнится, мы с твоей матерью, Кэтрин, гуляли там среди цветущего боярышника. Но где теперь настоящий боярышник? Мистер Пофам, вы помните то прелестное описание у Де Куинси*? Впрочем, я забыла, что ваше поколение, при всей вашей активности и просвещенности, которой я могу лишь восхищаться, — тут она взмахнула белоснежными руками, — вы не читаете Де Куинси. У вас есть этот ваш Беллок**, и Честертон, и Бернард Шоу — зачем вам Де Куинси?

— Но я читал Де Куинси, — возразил Ральф. — По крайней мере, больше, чем Беллока или Честертона.

* Томас Де Куинси (1785–1859) — английский писатель. Автор автобиографической книги «Исповедь англичанина, употреблявшего опиум» (1822).

** Хилери Беллок (1870–1953) — английский писатель-сатирик, автор романов и исторических очерков.

— О, ну конечно! — воскликнула миссис Кошем удивленно и с облегчением. — Значит, вы в своем поколении rara avis*. Для меня подлинное наслаждение встретить человека, который читает Де Куинси.

Тут она обернулась к Кэтрин и, заговорщицки прикрывшись ладошкой, очень громким шепотом спросила:

— А твой друг *пишет*?

— Мистер Денем, — ответила Кэтрин громко и внятно, — пишет для «Обозрения». Он юрист.

— Ах да, чисто выбритый подбородок, подчеркивающий выразительность линии губ! Я сразу их узнаю, юристов. Они мне как родные. Мистер Денем...

— В прежние времена они часто к нам захаживали, — вставила миссис Милвейн. Ее звонкий, с серебристыми переливами интонаций голос звучал с мелодичностью старинного колокола.

— Вы говорили, что живете в Хайгейте, — продолжила миссис Милвейн. — Скажите, может, вы знаете: дом под названием «Прибежище в бурю» еще существует? Такой обветшалый белый особняк с садом.

Ральф покачал головой, и она вздохнула:

— Ох, нет. Наверное, его уже давно снесли, как и остальные старые дома. А когда-то там были такие милые улочки! Знаешь, именно там твой дядя встретил твою тетю Эмили, — сказала она Кэтрин. — Они вместе возвращались домой по тамошним улочкам.

— «И майский цвет на шляпке женской», — продекламировала миссис Кошем.

— А в следующую субботу у него в петлице были фиалки. Вот так мы и догадались.

Кэтрин засмеялась и посмотрела на Ральфа. Он, похоже, задумался. И что такого глубокомысленного

_____

* Редкое явление; букв.: редкая птица (*лат.*).

170

он мог найти в этой давней сплетне? Ей стало даже жаль его немного.

— Вы всегда называли дядю Джона «бедняга Джон». А почему? — спросила она, подкидывая тетушкам тему для дальнейших разговоров, и те охотно за нее ухватились.

— Так его называл отец, сэр Ричард. «Бедняга Джон», или «наш дурачок», — поспешила сообщить миссис Милвейн. — Остальные мальчики были умницы, а он ни разу не смог выдержать экзамена — в результате его отправили в Индию, бедняжку. Тогда это было долгое путешествие. Вам давали комнату, и нужно было самому там прибирать. Правда, потом давали дворянство и пенсию, — добавила она, обращаясь к Ральфу, — но только уже не в Англии.

— Да, — подтвердила миссис Кошем, — это вам не Англия. Тогда мы думали, что быть судьей в Индии — все равно что быть судьей графства у нас. «Ваша честь» — весьма привлекательный титул, но, конечно, не самый блестящий. Как бы то ни было, — вздохнула она, — когда у человека жена и семеро детей, а имя его отца людям уже мало что говорит, — что ж, приходится мириться с тем, что есть.

— Как мне кажется, — произнесла миссис Милвейн доверительно, — Джон достиг бы большего, если б не его жена, твоя тетушка Эмили. Она добрая женщина и, разумеется, преданная, но совершенно не амбициозна, а если жена не питает амбиций в отношении мужа, особенно в судейской среде, то его клиенты очень скоро об этом узнают. В молодости, мистер Денем, мы говорили: хотите узнать, кто из ваших знакомых станет судьей? Тогда взгляните на его избранницу. Так оно было, и, полагаю, так будет всегда. Не думаю, — добавила она, подводя итог своим довольно сумбурным высказываниям, — что мужчина может быть счастлив, если не преуспеет в своей профессии.

Миссис Кошем одобрила эти рассуждения со своей стороны чайного столика — сперва величественным кивком, затем следующим замечанием:

— Да, мужчины устроены иначе, чем женщины. Думаю, Альфред Теннисон в этом был прав, как и во всем остальном. Как бы мне хотелось, чтобы он жил подольше и успел написать «Принца» в продолжение «Принцессы»! Признаюсь, «Принцесса» меня немного утомляет. Нужно, чтобы кто-то показал, каким может быть правильный мужчина. У нас есть Лаура и Беатриче, Антигона и Корделия, но нет мужчины-героя. Что вы об этом думаете, мистер Денем, — как поэт?

— Я не поэт, — ответил Ральф добродушно. — Я просто стряпчий.

— Но вы ведь и сочиняете тоже? — требовательно вопросила миссис Кошем, боясь лишиться бесценной находки — молодого человека, который действительно любит литературу.

— В свободное время, — заверил ее Денем.

— В свободное время! — повторила миссис Кошем. — Разумеется, это доказывает вашу любовь к литературе.

Она прикрыла глаза и представила себе пленительную картину: безработный стряпчий в съемной мансарде пишет бессмертные поэмы при свете огарка. Но романтика, которой овеяны образы великих писателей и их творения, для нее была не пустым звуком. Она всюду носила с собой карманный томик Шекспира и уверенно шествовала по жизни, вооруженная словом поэта. Насколько она вообще видела реального Денема, а не путала его с вымышленным литературным персонажем, судить трудно. Литература властвовала даже над ее воспоминаниями. Вероятно, она сравнивала его с какими-то героями старинных романов, потому что уже через минуту очнулась и произнесла:

— Хм, Пенденнис, Уоррингтон… Нет, я никогда не прощу Лору*, — решительно заявила она. — За то, что она все же не вышла за Джорджа. Джордж Элиот** сделала практически то же самое: ее Льюис был карликом с лицом жабы и повадками учителя танцев. И чем ей Уоррингтон не угодил: умен, страстен, романтичен и знаменит, а связь та была результатом юношеской глупости. Признаюсь, Артур мне всегда казался слишком фатом; не понимаю, как Лора могла его предпочесть. Однако вы, кажется, говорили, что служите стряпчим, мистер Денем, и я хотела бы задать вам пару вопросов о Шекспире.

Она с некоторым трудом достала потрепанный маленький томик, открыла и помахала им.

— Сейчас говорят, что Шекспир был юристом. Говорят, именно поэтому он так хорошо знал человеческую природу. Превосходный пример для вас, юноша. Изучайте своих клиентов, мистер Денем, и я уверена — однажды этот мир станет лучше. А сейчас далеко ли мы продвинулись, как вы считаете? Стали мы лучше или хуже?

В ответ на призыв описать сущность человечества в нескольких словах Ральф решительно ответил:

— Хуже, миссис Кошем, намного хуже. Боюсь, обычный человек — плут.

— А обычная женщина?

— Обычные женщины мне тоже не нравятся.

— Ах, Господи, я и не сомневаюсь, что так оно и есть! — вздохнула миссис Кошем. — Свифт бы с вами наверняка согласился.

Она глянула на него повнимательнее и решила, что в изгибе его бровей определенно чувствуется сила.

---

* Здесь и далее упоминаются персонажи произведений У. М. Теккерея.

** Джордж Элиот (настоящее имя Мэри Анн Эванс, 1819–1880) — английская писательница.

Да, ему бесспорно следует посвятить себя сатире, подумала она.

— Чарльз Лавингтон, если вы помните, был стряпчим, — вмешалась миссис Милвейн, которая считала пустой тратой времени разговоры о вымышленных персонажах, когда для этого есть люди вполне реальные. — Но ты, Кэтрин, его, наверное, не помнишь.

— Мистера Лавингтона? Конечно, помню! — сказала Кэтрин, подключаясь к разговору. — Тем летом мы снимали дом возле Тенби. Я помню поле, пруд с головастиками и как мы с мистером Лавингтоном сгребали стожки сена.

— Верно, там был пруд с головастиками, — подтвердила миссис Кошем. — Милле* делал там эскизы для «Офелии». Говорят, это его лучшая картина.

— А еще я помню цепного пса во дворе. А в сарае висели мертвые змеи.

— Да, и именно в Тенби за тобой погнался бык, — сказала миссис Милвейн. — Но как ты можешь это помнить — хотя, конечно, ты была прелестное дитя. Ах, какие у нее были глаза, мистер Денем! Я говорила ее отцу: она смотрит на нас так, будто прикидывает своим крошечным умом, чего мы все стоим. С ней тогда сидела няня, — продолжала она рассказывать Ральфу с трогательной серьезностью, — неплохая девушка, но жених у нее был моряк, и, вместо того чтобы присматривать за ребенком, она все смотрела на море. Вот миссис Хилбери позволила этой девушке — Сьюзен ее звали — пригласить его пожить в деревне. И эти люди злоупотребили ее добротой, как ни печально такое говорить. Гуляли себе по тропинкам, а коляску с ребенком оставили посреди поля, на котором пасся бык. Из-за красного одеяльца в коляске бык разъярил-

---

* Джон Эверетт Милле (1829–1896) — английский живописец из группы прерафаэлитов.

ся, и один Господь знает, что могло случиться, если бы проходивший мимо джентльмен не спас Кэтрин!

— Мне кажется, тот бык был обычной коровой, тетя Селия, — заметила Кэтрин.

— Милая, то был огромный рыжий бык девонширской породы, и вскоре после того он забодал кого-то насмерть и был отправлен на бойню. Твоя матушка простила Сьюзен, а вот я бы никогда не смогла такое простить.

— Уверена, симпатии Мэгги были целиком на стороне Сьюзен и ее моряка, — ехидно ответила миссис Кошем. — Моя невестка привыкла полагаться на Провидение при любых затруднениях — и Оно покамест благородно отвечало ее ожиданиям…

— Да, — продолжила Кэтрин со смехом, поскольку ей нравилась в матери эта беззаботность, так возмущавшая остальное семейство. — И матушкины быки в минуту опасности всегда превращаются в мирных коров.

— Что ж, — ответила миссис Милвейн, — хорошо, что теперь тебя есть кому защитить от быков.

— Не могу представить Уильяма в роли защитника от быков, — сказала Кэтрин.

Так случилось, что миссис Кошем вновь достала свой карманный томик Шекспира и в данную минуту обсуждала с Ральфом непонятный фрагмент из пьесы «Мера за меру». До него не сразу дошел смысл сказанного Кэтрин и ее тетушкой, он решил, что Уильям — это кто-то из младших двоюродных братьев, поскольку представлял сейчас Кэтрин ребенком в передничке, — но он невольно прислушивался к их разговору, так что с трудом следил за шекспировским текстом. Через мгновение собеседницы совершенно недвусмысленно заговорили об обручальном кольце.

Кэтрин сказала:

— Мне нравятся рубины.

«Быть заключенным средь ветров незримых
И в буйстве их носиться все вокруг
Земли висящей…»*

— с выражением прочла миссис Кошем, и в тот же
миг слово «Родни» в мозгу Ральфа соединилось с
«Уильямом». Сомнений быть не могло: Кэтрин помолвлена с Родни. Первое, что он почувствовал, был
гнев: оказывается, все то время, пока он находился в
этом доме, она обманывала его, пичкала старыми бай-
ками, представала перед ним ребенком, играющим на
лугу, позволила пережить вместе с ней трогательные
моменты далекого детства — и все это время оставалась ему совершенно чужой: невестой Родни!

Возможно ли такое? Нет, конечно нет. Потому что
в его глазах она все еще была ребенком. Он так долго
молчал над книгой, что миссис Кошем успела обернуться к племяннице и спросить:

— Вы уже выбрали дом?

Эта фраза подтверждала его худшие подозрения.
Он поднял глаза от книги и сказал:

— Да, это действительно трудное место.

Его изменившийся голос был исполнен такой горечи и негодования, что миссис Кошем недоуменно
вскинула брови. К счастью, она относилась к тому
поколению дам, которые признавали за мужчинами
право на некоторую грубость манер, и лишний раз
убедилась, что мистер Денем необычайно, необычайно умен. Она забрала обратно томик Шекспира, поскольку Денему, по-видимому, нечего было больше
добавить, и снова спрятала его в глубинах платья с
бесконечно жалостным старушечьим смирением.

— Кэтрин помолвлена с Уильямом Родни, — сказала она, чтобы заполнить паузу, — давним другом
нашей семьи. Он великолепно разбирается в литера-

* Уильям Шекспир. Мера за меру (*перевод М.А. Зенкевича*).

туре, просто великолепно. — Она кивнула для пущей убедительности. — Вам следует познакомиться.

Единственным желанием Денема в этот момент было выбежать из этого дома и никогда больше не возвращаться. Однако старшие дамы поднялись, чтобы навестить миссис Хилбери в ее спальне, и уйти сейчас было бы неучтиво с его стороны. В то же время он хотел что-нибудь сказать Кэтрин, когда они останутся наедине, — не важно что. Она проводила своих тетушек наверх и вернулась к нему — все такая же невинная и дружелюбная.

— Отец скоро вернется, — сказала она. — Присядьте.

И она улыбнулась, словно им предстояло веселое чаепитие.

Но Ральф не собирался садиться.

— Я должен поздравить вас, — сказал он. — Для меня это новость.

Он увидел, как ее лицо переменилось, став чуть серьезнее.

— Вы о моей помолвке? — спросила она. — Да, я выхожу замуж за Уильяма Родни.

Ральф стоял молча, рука его по-прежнему покоилась на спинке стула. Казалось, между ними разверзлась и ширится бездонная черная пропасть. Он взглянул на нее, но, судя по выражению ее лица, она думала не о нем. В ее глазах не было ни намека на раскаяние, ни даже понимания того, что что-то не так.

— Что ж, мне пора, — промолвил он наконец.

Кэтрин, видимо, хотела что-то сказать, но передумала и лишь произнесла:

— Надеюсь, вы придете еще. Кажется… — она запнулась, — кажется, нас все время прерывают.

Он поклонился и вышел из комнаты.

Ральф стремительно шагал по набережной. Каждый мускул его тела был напряжен до предела, словно он готовился дать отпор неведомому врагу и только и ждал, когда это случится. Однако нападения не последовало, и через несколько минут, убедившись, что за ним никто не следит и нападать не пытается, он замедлил шаг — и боль, не встречая более преград в теле, ослабленном недавним напряжением, разлилась по всем членам, завладела всем его естеством. Он бездумно и бесцельно брел вдоль реки, скорее удаляясь от дома, чем приближаясь к нему. Он сдался. Он смотрел вокруг, но ничего не узнавал. Он сейчас делал то же, за что еще недавно осуждал других: плыл по воле волн, как человек, не имеющий более власти над обстоятельствами. Потрепанные пьянчуги, ошивающиеся у дверей паба, стали ему как братья — он чувствовал то же, что, наверное, чувствовали они: зависть и ненависть к тем, кто проходил мимо них и явно имел какую-то цель в жизни. Им тоже все наверняка казалось зыбким и призрачным, их тоже норовил сбить с ног легчайший порыв ветра. Потому что вещественный мир, с широкими, уходящими в бесконечность проспектами, пропал для него: ведь Кэтрин стала невестой другого. Вот его жизнь вся как на ладони; прямой и печальный путь, который вот-вот оборвется. Кэтрин обручена. Кэтрин ему изменила. Конечно, он чувствовал, что в душе еще остались какие-то уголки, не затронутые этим бедствием, и тем не менее понесенный урон был велик; все в нем было надломлено. Кэтрин предала его; она проникла во все его мысли, и без нее они теперь казались насквозь фальшивыми — стыдно было даже подумать о том, чтобы вернуться к ним вновь. Вся жизнь его стала вдруг абсолютно бессмысленной и пустой.

Днем сел на скамейку на набережной, несмотря на холод и туман, окутавший дальний берег сплошной пеленой, за которой едва угадывались бледные огни, и весь отдался своему горю. В его жизни не осталось ни единой светлой полосы; все достижения были перечеркнуты. Сперва он убедил себя, что Кэтрин дурно с ним обошлась, и черпал в этом хоть какое-то утешение: оставшись одна, она вспомнит все, пожалеет его и так или иначе, хоть молча, попросит у него прощения. Но эта крупица радости длилась не дольше пары секунд: подумав еще, он вынужден был признать, что Кэтрин ничем ему не обязана. Она ничего не обещала, ничего не отнимала; для нее его мечты ничего не значили. Естественно, это открытие повергло его в еще большее уныние. Если ваши лучшие чувства ничего не значат для той, кому они предназначены, что вам остается? Старомодный роман, согревавший душу в последние дни, мысли о Кэтрин, расцветившие яркими красками каждый его час, — все это оказалось глупостью, ерундой. Он встал и посмотрел на воду. Стремительный бег темных вод был для него символом тщеты и забвения.

«Во что же тогда верить?» — думал он, склонившись над водой. И сам себе показался настолько ничтожным и нереальным, что повторил вслух:

— Во что же тогда верить? Только не в мужчин и женщин. И не в мечты о них. Ничего — ничего больше нет.

Днем почувствовал, как в сердце вскипает чистый и праведный гнев. И Родни станет для него отличной мишенью. По крайней мере, в этот момент и Родни, и даже сама Кэтрин представлялись ему бестелесными призраками. Он уже не помнил, как они выглядят. Сознание его погружалось во все более мрачные глубины. Их брак для него ничего не значит. Весь мир обернулся иллюзией, весь мир — как призрачный туман, где теплилась одна-единственная свеча, он еще помнит огонек этой свечи, но она не горит более. Когда-то он лелеял мечту, и Кэтрин стала воплощением этой мечты, но и это уже в прошлом. Он не винил ее, он никого не винил; он видел то, что есть на самом деле. Он видел бег тусклых волн и пустой берег. Однако жизнь сильна, и тело продолжает жить, и, несомненно, именно тело навело его на мысль, которая и побудила к действию, — что, даже если отбросить все формы физического существования, остается любовь, неотделимая от плоти. И теперь эта любовь сияет на его горизонте — так зимнее солнце сквозь редеющие облака высвечивает на закатном небе слабую бледно-зеленую полоску. Его взгляд был устремлен теперь на что-то бесконечно далекое; он понял: этот маячок поможет ему идти и, вероятно, когда-нибудь, в будущем, он отыщет дорогу. Но это все, что ему осталось в тесном мире, переполненном людьми.

ГЛАВА XIII

Время, отводившееся конторским служащим для ланча, Денем лишь частично проводил в кафе. При любой погоде, и в ясный день, и в ненастье, большую часть этого времени он занимался тем, что расхаживал взад-вперед по гравийным дорожкам парка Линкольнз-Инн-Филдс. Детишки издали его примечали, а воробьи только и ждали, когда он начнет бросать им хлебные крошки. И поскольку для одних у него нередко находилась монетка, для других — почти всегда горсть хлебного мякиша, нельзя сказать, что он был безразличен к окружающему его миру, как он привык считать.

Он был уверен, что проводит эти унылые долгие зимние дни в маете, дожидаясь момента, когда бумаги на письменном столе вновь засияют в свете электрических ламп, или в коротких пробежках по туманным улицам. Возвращаясь к прерванной работе, он все еще мысленно видел Стрэнд с вереницей омнибусов и лиловые контуры листьев, распластанных на гравии, как будто его глаза всегда были устремлены вниз, на землю. Он много размышлял, но мысли его были до того безрадостны, что не хотелось и вспоминать, и он шел то в одну сторону, то в другую, и приходил домой нагруженный библиотечными книгами.

Мэри Датчет, возвращаясь со Стрэнда в дневной перерыв, однажды заметила его, когда он свернул на очередную дорожку, в наглухо застегнутом пальто и настолько погруженный в раздумья, что можно было подумать, он мыслями все еще у себя в конторе.

При виде Денема она испытала нечто вроде священного трепета, в следующую минуту ей захотелось рассмеяться, и сердце ее вдруг забилось часто-часто. Она прошла мимо, и он ее не заметил. Тогда она вернулась и тронула его за рукав.

— Боже мой, Мэри! — воскликнул он. — Как вы меня напугали!

— Да. Вы шли как лунатик, — сказала она. — Разбираетесь с каким-нибудь ужасным любовным романом? Удалось примирить несчастную пару?

— Я думал не о работе, — поспешно ответил Ральф. — И кроме того, такого рода дела не в моей компетенции, — довольно мрачно добавил он.

Утро выдалось ясное, и у них еще было несколько свободных минут. Они не виделись недели две или три, и Мэри хотелось многое ему рассказать, но она не была уверена, что ему так уж приятно сейчас ее общество. Однако, пройдясь немного по дорожке, они успели обменяться кое-какими новостями. Он предложил ей присесть, и она опустилась на скамейку рядом. Слетелись воробьи, и Ральф, достав из кармана половину булочки, бросил горсть крошек воробьям.

— Никогда не видела, чтобы воробьи были такими ручными, — заметила Мэри.

— Точно, — ответил Ральф. — В Гайд-парке воробьи пугливые. Если вы посидите тихо, я подманю одного, и он сядет мне на руку.

Мэри хотела было воспротивиться этой демонстрации птичьего бесстрашия, но, видя, что Ральф по какой-то странной причине гордится воробьями, поставила шестипенсовик на то, что у него ничего не получится.

— Идет! — оживился он, в его глазах, до той поры унылых, блеснул задорный огонек.

Теперь он обращался исключительно к воробью с белой шапочкой на голове, который казался смелее прочих. А Мэри тем временем посмотрела на своего собеседника внимательней. То, что она увидела, огорчило ее: он осунулся, на лице появилась непривычная суровость.

Какой-то ребенок, гоняя обруч, спугнул стайку воробьев, и Ральф, досадливо поморщившись, швырнул остаток крошек в кусты.

— Вот так всегда — а я ведь его почти подманил... — сказал он. — Держите монетку, Мэри. Но это только из-за мальчишки. Надо запретить им гонять здесь обручи...

— Запретить гонять обручи! Дорогой мой, какая чушь!

— Вы всегда так говорите, — посетовал он, — и никакая это не чушь. Для чего еще нужен парк, если не смотреть на птиц? Играть в серсо можно и на улице. А если мать боится отпускать ребенка на улицу, пусть нянчится с ним дома.

Мэри ничего на это не ответила, только нахмурилась.

Откинувшись назад, она стала смотреть вокруг — на громоздкие дома, на трубы, пронзающие рыхлое серебристо-голубое небо.

— А, все равно, — сказала она. — Лондон — такое прекрасное место. Наверное, я могу целыми днями сидеть и смотреть на людей. Я люблю людей.

Ральф нетерпеливо вздохнул.

— Да, я действительно так думаю — особенно когда узнаешь их получше... — добавила она, как будто он пытался ей возразить.

— А мне даже узнавать не хочется, — ответил он. — Но вы можете думать как вам угодно. — Он произнес это равнодушно, не одобряя и не осуждая ее.

— Очнитесь, Ральф! Вы вот-вот заснете! — воскликнула она, оборачиваясь к нему и дергая его за рукав. — Да что с вами такое? Хандра напала? Заработались? Презираете весь мир, как обычно?

Вместо ответа он лишь покачал головой и принялся набивать трубку, и она продолжила:

— Но ведь это все напускное?

— Не больше, чем все остальное, — ответил он.

— Ладно, — сказала Мэри. — Я многое собиралась вам сказать, но мне пора идти — у нас комитет. — Она поднялась со скамьи, и все же уходить не спешила, а стояла и смотрела на него серьезно. — Вы не выглядите счастливым, Ральф, — заметила она. — Есть причина или я ошибаюсь?

Он не сразу ответил, но тоже поднялся, чтобы проводить ее до ворот парка. Как обычно в беседе с ней, он взвешивал в уме все, что собирался сказать, словно решая, обязательно ли ей об этом знать.

— Я устал, — наконец сказал он. — Отчасти из-за работы, отчасти из-за семейных проблем. Чарльз в последнее время ведет себя как последний дурак. Хочет ехать в Канаду и работать на ферме…

— Ну, не такая уж плохая мысль, — заметила Мэри; они миновали ворота и медленно шли вдоль ограды, обсуждая трудности, которые, по правде сказать, не переводились в семействе Денема, но теперь преподносились Мэри как нечто заслуживающее сочувствия, которое было необходимо Ральфу даже больше, чем он предполагал. По крайней мере, Мэри помогла ему сосредоточиться на реальных проблемах — в том смысле, что они были разрешимыми, но истинная причина его уныния, которую сочувствием не исцелить, еще глубже ушла в глубины сознания.

Мэри была чуткой и внимательной. Ральф не мог не испытывать к ней благодарности, тем более что не сказал ей правды о своем состоянии; и, когда они, сделав круг, снова дошли до ворот, он попытался задержать ее, показать, как ценит ее участие. Однако добрые намерения вылились в упреки, связанные с ее работой.

— На что вам этот комитет? — сказал он. — Пустая трата времени, Мэри.

— Не спорю, прогулка по лугам принесет человечеству больше пользы, — отвечала она. — Постойте-ка, — сказала она вдруг, — может, приедете к нам на Рождество? Это, наверное, самое лучшее время в году.

— Приехать к вам в Дишем? — удивился Ральф.

— Да. И там вам никто не будет мешать. Но только не отвечайте сейчас. Потом, — сказала она, почему-то заторопившись, и пошла прочь в направлении Расселл-сквер.

Она пригласила его, повинуясь минутному порыву, как только представила себе мирную сельскую картину, и теперь горько корила себя за то, что сделала это, а потом и за то, что недовольна собой.

«Если я не смею даже помечтать о том, как гуляю в полях вдвоем с Ральфом, — решила она, — тогда не лучше ли купить кота и поселиться в меблирашке в Илинге, как Салли Сил? Но нет, он просто так спросил: он не приедет. Или он все же имел в виду, что приедет?» Мэри покачала головой. Она действительно не поняла, что он имел в виду. С ним никогда точно не знаешь, но теперь она была не на шутку озадачена. Может, он что-то от нее скрывает? Ведет себя странно, замкнутый какой-то, было в его поведении что-то недоступное ее пониманию, и эта его таинственность невольно притягивала ее еще сильнее. Более того, она не нашла в себе сил противиться тому, что с неудовольствием замечала в других представительницах женского пола, а именно: наделив своего друга чем-то вроде небесного огня, она стала пересматривать в этом свете всю свою жизнь в надежде на высочайшее одобрение.

Во время этой душевной работы комитет утратил былую значительность, суфражистская идея съежилась; она дала себе слово, что начнет учить итальянский; и еще подумала, не заняться ли орнитологией. Но эта программа идеальной жизни в конце концов дошла до такого абсурда, что вскоре она поймала себя на вредной привычке: когда вдали замаячили каштаново-красные кирпичи Расселл-сквер, она уже мысленно репетировала свою речь на предстоящем заседании. На самом деле она ничего вокруг уже не замечала. Она взбежала по лестнице, и тут ее вернула к реальности такая картина: миссис Сил на лестничной площадке перед дверью конторы предлагала огромной собаке попить воды из стакана.

— Мисс Маркем приехала, — заметила миссис Сил с должной серьезностью, — а это ее пес.

— Хороший пес, — сказала Мэри, погладив собаку по голове.

— Да, замечательный, — согласилась миссис Сил. — Что-то вроде сенбернара, так она сказала, и это так похоже на Кит — завести сенбернара. Ты хорошо охраняешь свою хозяйку, правда, Морячок? Следишь, чтобы эти злые люди не залезли в ее кладовку, когда она на *своей* работе — помогает бедняжкам, сбившимся с пути… Но мы опаздываем — пора начинать! — Она выплеснула остатки воды на пол и вместе с Мэри поспешила в комнату для заседаний.

ГЛАВА XIV

Мистер Клактон был в зените славы. Как это обычно случалось раз в полмесяца, машинерия, которую он усовершенствовал и держал под контролем, готовилась произвести очередной продукт: заседание комитета. Отточенной структурой этих собраний он гордился безмерно. Ему нравился суконный язык заседаний, нравилось, как в назначенный час, повинуясь нескольким росчеркам его пера, открывалась дверь; и после того как ее достаточно пооткрывали, он с удовольствием выходил из своей комнатушки, держа документы в руках, такой важный, с таким серьезным лицом, ни дать ни взять премьер-министр на встрече со своим кабинетом. Под его руководством стол заранее подготовили к заседанию: на нем красовались шесть листов промокательной бумаги, шесть перьев, шесть чернильниц, кувшин с водой, стакан, колокольчик и, учитывая предпочтения дам-участниц, ваза с зимними хризантемами.

Он чуть выровнял бумажки, придвинув их поближе к чернильницам, и теперь стоял перед камином, беседуя с мисс Маркем. Но при этом не забывал поглядывать на дверь, и, когда вошли Мэри и миссис Сил, заметил с довольным смешком, обращаясь ко всем собравшимся, которые успели разбрестись по комнате:

— Думаю, леди и джентльмены, пора начинать.

187

С этими словами он занял место во главе стола и, положив одну стопку бумаг по правую руку от себя, а другую — по левую, попросил мисс Датчет зачитать протокол предыдущего собрания. Мэри повиновалась. Глядя на нее, внимательный наблюдатель мог бы заметить, что секретарю собрания вовсе не обязательно так хмурить брови, зачитывая этот довольно прозаический документ. Может, ее смущало то, что было решено распространять в провинциях листовку под номером три или выпустить статистическую таблицу, показывающую процентное соотношение замужних женщин в Новой Зеландии к одиноким? Или что выручка от распродажи миссис Хипсли насчитывает в общей сумме пять фунтов восемь шиллингов и два пенса медяками?

Может, она озабочена точностью или уместностью этих грамотно написанных фраз? Но по ее виду нельзя было сказать, что она чем-то озабочена. Более приятной и здравомыслящей особы, чем Мэри Датчет, ни один зал заседаний еще не видывал. Она была — как зимнее солнце в ворохе осенней листвы, а если говорить более прозаическим языком, в ней чувствовались одновременно и нежность, и сила, некий отдаленный намек на покровительственность сочетался в ней с очевидной готовностью к упорному труду. Тем не менее ей было непросто сосредоточиться на документе, и потому ее голосу не хватало убедительности, как будто она с трудом понимает, что зачитывает. Так оно и было. И как только перечень мероприятий подошел к концу, она тотчас же вернулась мыслями к Линкольнз-Инн-Филдс и бесчисленным порхающим воробьям. Интересно, Ральф все еще пытается приручить того воробья с белой шапочкой? Слушается ли воробей? И удастся ли ему вообще научить птаху садиться на руку? Она бы спросила его, почему воробьи на Линкольнз-Инн-Филдс более ручные, чем в Гайд-парке, — может, потому, что прохожих не так много и они знают в лицо всех своих кормильцев. Таким образом, в первые полчаса заседания Мэри боролась с незримым присутствием скептичного Ральфа Денема, который норовил все повернуть по-своему. Чтобы избавиться от него, она перепробовала полдюжины способов. Повышала голос, старательно выговаривала каждое слово, смотрела, не отрываясь, на плешивую голову мистера Клактона, начала даже делать пометки на промокательной бумаге. Но, как назло, карандаш вывел некую округлую фигуру на рыхлом листке, оказавшуюся — и это трудно было не признать — на самом деле воробьем с белой шапочкой на голове. Она снова посмотрела на мистера Клактона: да, у него лысина — совсем как шапочка у воробья. Никогда еще секретарей собрания не посещали такие разнообразные и притом совсем неуместные мысли, а они нахлынули, и — увы! — было в них что-то смехотворно гротескное, отчего она могла в любую минуту совершить какую-нибудь глупость, которая навеки отвратит от нее коллег. При мысли о том, что она могла бы наговорить тут, Мэри закусила губу, будто в этом было спасение.

Но все эти мысли были как обломки кораблекрушения, выброшенные на поверхность водоворотом, который, хотя в данный момент она об этом не думала, давал о себе знать такими вот странными обиняками и намеками. А подумать надо, обязательно, как только заседание закончится. Между тем она вела себя возмутительно: смотрела в окно и думала о том, какого цвета небо, и о том, как украсили к празднику «Империал-отель», хотя в ее обязанности входило присматривать за коллегами, чтобы они не отвлекались от обсуждаемой темы. Никак не получалось у нее уделять больше внимания какому-то одному проекту. А ведь Ральф говорил… не важно, какими словами, но смысл в том, что нужно видеть суть происходящего, освободиться от всего лишнего. И вдруг, без малейших усилий с ее стороны, по какой-то странной прихоти ума, она вдруг заинтересовалась одной схемой организации газетной кампании. Нужно будет написать кое-какие статьи, найти подход к редакторам. Каким образом это лучше сделать? Ей, как выяснилось, очень не понравились слова мистера Клактона. Она придерживается мнения, что пришло время нанести главный удар. И как только Мэри сказала об этом во всеуслышание, она почувствовала, что обратилась как бы в призрак Ральфа; она все более вживалась в эту роль, и для нее было важно, чтобы и другие поняли ее точку зрения. И снова она точно знала, что хорошо и что плохо. Словно вынырнув из тумана, замаячили перед ней заклятые враги общественного блага: капиталисты, владельцы газет, противники суфражистского движения и — в каком-то смысле самые злостные враги — народные массы, которые ни та ни другая позиция не интересует и в гуще которых в данный момент она явственно различала черты Ральфа Денема. И действительно, когда мисс Маркем попросила ее порекомендовать каких-нибудь своих знакомых, она ответила с неожиданной горечью:

— Мои знакомые считают, что все это бесполезно. — Она говорила так, как будто Ральф слушает ее сейчас: именно к нему были обращены эти слова.

— Ах, так вот они какие? — с усмешкой произнесла мисс Маркем, после чего их легионы с удвоенной силой обрушились на врага.

Мэри шла на заседание, совсем пав духом, но теперь заметно приободрилась. Она понимала, что собой представляет этот мир: он устроен очень разумно, и она знает, что в нем хорошо и что плохо, и от мысли, что именно ей уготована роль нанести сокрушительный удар по врагу, в груди стало горячо, а глаза так и сияли. В одной из мимолетных фантазий, которые вообще ей были несвойственны, но в это утро преследовали ее особенно навязчиво, она представила, как стоит на трибуне, осыпаемая градом тухлых яиц, а Денем тщетно умоляет ее спуститься.

Но... «Что моя жизнь в сравнении с великим делом?» — отвечает она, и далее в том же духе. К чести сказать, как бы ни искушали ее подобные фантазии, внешне она оставалась скромной и бдительной и пару раз очень тактично сделала замечание миссис Сил, когда та, как истинная дочь своего отца, потребовала: «Действий! Повсеместно — и немедленно!»

На других членов комитета, а все это были люди довольно преклонного возраста, Мэри произвела благоприятное впечатление, и каждый норовил перетянуть ее на свою сторону — против других — отчасти из-за ее молодости. Сознание собственной власти над остальными наполняло ее гордостью; ей казалось, что нет работы важнее или приятней, чем такая, когда ты заставляешь других делать то, что нужно тебе. И в самом деле, когда ей удавалось настоять на своем, она начинала даже немного жалеть тех, кто ее послушался.

Но вот члены комитета поднялись со своих мест, собрали бумаги, постукивая по столу, чтобы подравнять края стопок, сложили их в портфели, защелкнули замочки и поспешили прочь, намереваясь — по крайней мере, большинство из них — успеть на поезд, чтобы не опоздать на заседания других комитетов, поскольку все они были люди занятые. Мэри, миссис Сил и мистер Клактон остались одни; в помещении было душно и неприбрано, на столе валялись в беспорядке розовые промокашки, в стакане осталась недопитая вода — кто-то налил себе и забыл выпить.

Миссис Сил занялась приготовлением чая, а мистер Клактон удалился в свою каморку — подшивать кипу новых документов. Мэри от волнения даже не предложила миссис Сил помочь с чайной посудой. Она подошла к окну, распахнула его и стала глядеть на улицу. Уже зажглись уличные фонари, и сквозь туман на площади можно было различить фигурки людей, переходивших улицу, спешивших куда-то по тротуару на другой стороне.

Упиваясь беспричинным чувством собственного превосходства, Мэри смотрела на крохотные фигурки и думала: «Стоит мне только захотеть, и вы у меня все будете маршировать или стоять на месте по стойке "смирно", выстроитесь в одну или в две шеренги; я могу сделать с вами все, что пожелаю».

Подошла миссис Сил, встала рядом.

— Не хотите что-нибудь накинуть на плечи, Салли? — спросила Мэри несколько покровительственно, испытывая что-то вроде жалости к этой незадачливой маленькой энтузиастке.

Но миссис Сил не обратила на ее слова ни малейшего внимания.

— Ну как вам? — спросила Мэри и засмеялась.

Миссис Сил глубоко вздохнула, пытаясь сохранять серьезность, но не смогла и тоже рассмеялась, глядя на Расселл-сквер и Саутгемптон-роу и на прохожих:

— Ах, если бы возможно было собрать их всех в нашей комнате, уверена, им хватило бы пяти минут, чтобы во всем разобраться! Но они обязательно узнают правду — потом. Надо помочь им ее поскорее увидеть!

Мэри считала себя намного умнее миссис Сил, и, когда та говорила что-нибудь, даже если Мэри была в душе полностью согласна с ней, она машинально начинала придумывать возражения. На сей раз приятное чувство, что она может командовать людьми, оставило ее.

— Давайте чай пить, — сказала она, отворачиваясь от окна и опуская жалюзи. — Отлично прошло заседание, правда, Салли? — произнесла она, усаживаясь за стол. Ведь должна же понимать миссис Сил, что Мэри блестяще справляется со своими обязанностями?

— Но мы ползем как улитки, — сказала Салли, покачав головой.

Мэри, не выдержав, рассмеялась, и весь ее гонор как рукой сняло.

— Смейтесь сколько угодно, — продолжала Салли, — а я не могу себе этого позволить. Мне пятьдесят пять, и, смею предположить, я сойду в могилу раньше, чем мы добьемся цели — если вообще добьемся.

— Нет-нет, не говорите так, — ласково сказала Мэри.

— Это будет великий день, — продолжила миссис Сил, тряхнув кудряшками. — Великий день, и не только для нас — для всего человечества. И знаете, что я думаю об этих собраниях? Каждое из них — это шаг на великом пути — человечества, я имею в виду. Мы хотим, чтобы жизнь тех, кто будет жить после нас, стала лучше — а многие этого не понимают. И я все думаю: почему они этого не понимают?

Так говорила она, доставая из буфета тарелки и чашки, поэтому ее речь прерывалась чаще обычного. Мэри смотрела на эту маленькую поборницу счастья человечества с невольным восхищением. В то время как она предавалась себялюбивым мечтам, миссис Сил думала исключительно о светлом будущем для всех.

— Тогда вам следует беречь силы, Салли, если хотите дожить до этого великого дня, — заметила она, вставая и пытаясь забрать у миссис Сил блюдо с печеньем.

— Деточка, на что еще годится мое дряхлое тело? — воскликнула она, сильнее вцепляясь в блюдо. — Разве не должна я с гордостью пожертвовать всем ради нашего дела? — потому что я ведь не ученая, как вы. Тому причиной домашние обстоятельства… как-нибудь потом расскажу… Поэтому я иногда говорю глупости. Теряю голову, так сказать. Вы — никогда. И мистер Клактон тоже. Это неправильно — терять голову. Но у меня есть сердце... И я так рада, что у Кит большая собака, потому что, мне кажется, она неважно выглядит.

Они втроем пили чай и обсуждали разные темы, поднятые на заседании, с большей доверительностью, чем раньше, их объединяло чувство, какое, наверное, бывает у кукловода за сценой: что они держат в своих руках нити и, если за них потянуть, полностью изменят картину, преподносимую ежедневно на газетных страницах. И хотя их мнения не во всем сходились, это чувство сближало и придавало их общению чуть ли не задушевность.

Мэри, однако, ушла с чаепития пораньше — ей хотелось побыть одной, может, послушать музыку в Куинс-холле*. Нужно было обдумать, как теперь ей следует вести себя с Ральфом, но хоть она и направлялась к Стрэнду с таким намерением, в голове ее, как назло, мысли путались и так и норовили разбежаться в разные стороны. Она выбирала одну, бросала, бралась за другую. Казалось, сами улицы, по которым она шла, особым образом окрашивали ход ее размышлений. Так, мысль о счастье человечества оказалась каким-то образом связана с Блумсбери и успела заметно поблекнуть к тому моменту, когда она переходила дорогу; от старой шарманки в Холборне ее мысли почему-то пустились в пляс, а выйдя на большую туманную площадь Линкольнз-Инн-Филдс, она почувствовала, что замерзла и устала, и неожиданно пришло горькое озарение. В темноте, уже не сдерживаясь, не опаса-

* Куинс-холл — концертный зал в центре Лондона. Построен в 1893 г., во время Второй мировой войны разрушен при бомбардировке города.

ясь, что заметят, она даже всплакнула, когда поняла, что любит Ральфа, а он ее — нет. Как сумрачна и пустынна дорожка, по которой они с Ральфом гуляли нынче утром! И птичьего щебета не слышно среди голых ветвей. Но вскоре она увидела свет в окнах своего дома и приободрилась; все эти разные состояния духа отошли на второй план, подхваченные глубинным потоком мыслей, чувств, ожиданий, антагонизмов, которые постоянно бились, точно волны, у основания бытия, вздымаясь поочередно, когда обстоятельства верхнего мира тому способствовали. Оставлю это до Рождества, к тому времени в голове прояснится, сказала она себе, растапливая камин, — право же, в Лондоне ни о чем невозможно думать, — и, разумеется, Ральф не приедет на Рождество, так что во время долгих прогулок по полям и холмам она сможет решить этот и другие вопросы, которые ее так волнуют. Тем временем, подумала она, поудобнее пристраивая ноги к каминной решетке, жизнь штука сложная, ее следует любить такой, какая она есть, до последней капли.

Так она сидела минут пять, пытаясь отрешиться от тревог, как вдруг звякнул дверной колокольчик. Глаза Мэри просияли: она почему-то была уверена, что это Ральф. А потому не спешила открывать дверь: сначала надо было успокоиться, взять себя в руки. Но ее старания оказались излишни, потому что это был вовсе не Ральф, а Кэтрин и Уильям Родни. Первой ее мыслью было: как потрясающе они одеты. Рядом с ними она невольно почувствовала себя замарашкой и понятия не имела, чем их занять, равно не догадывалась и о целях этого визита. О помолвке она еще не слышала. Но когда минутное оцепенение прошло, даже обрадовалась: Кэтрин ей нравилась, более того, с ней можно было вести себя естественно.

— Мы проходили мимо и увидели свет в вашем окне, вот и решили зайти, — объяснила Кэтрин. Она стояла прямая, как струнка, и казалась очень высокой, красивой и беспечной.

— Мы ходили смотреть картины, — сказал Уильям. — О Боже! — воскликнул он, оглядываясь по сторонам. — Эта комната напомнила мне об одной из самых тягостных минут моей жизни — когда я делал доклад, а вы все сидели рядом и потешались надо мной. Особенно Кэтрин. Я прямо чувствовал, как она злорадствует при каждой моей ошибке. Одна мисс Датчет пожалела меня. Мне кажется, без ее поддержки я бы не выжил.

Усевшись, он снял бледно-желтые перчатки и принялся постукивать ими по коленям. Его жизнелюбие подкупает, подумала Мэри, хоть он и смешной. Одна внешность чего стоит. Взгляд его темных, навыкате, глаз казался слишком суетливым, а губы едва заметно подрагивали, как будто он все время порывается что-то сказать, но не решается.

— Мы смотрели старых мастеров в галерее Графтона, — сказала Кэтрин, не обращая внимания на Уильяма и прикуривая предложенную ей сигарету. Она откинулась на спинку стула, окутанная облачком дыма, которое, казалось, еще больше отдаляло ее от остальных.

— Верите ли, мисс Датчет, — продолжал Уильям, — Кэтрин не любит Тициана. Не любит абрикосы, не любит груши, не любит зеленый горошек. Она любит элгиновские мраморы и серые пасмурные дни. Типичный пример холодной северной натуры. Я сам из Девоншира…

Может, они поссорились, предположила Мэри, и решили у нее пересидеть бурю? Или обручились? Или Кэтрин ему только что отказала? Мэри терялась в догадках.

Кэтрин вынырнула из облака дыма, стряхнула пепел в камин и бросила на своего раздраженного спутника странный озабоченный взгляд.

— Простите, Мэри, — робко сказала она, — не могли бы вы угостить нас чаем? Мы зашли в одну кондитерскую, но там оказалось полно народу, а в другой играл оркестр, и, кстати, картины большей частью были очень скучные, что бы ты ни говорил, Уильям. — Последние слова были произнесены светским тоном, без особой нежности.

Мэри удалилась в кухню готовить чай.

«Чего ради они ко мне пожаловали?» — спрашивала она у своего отражения в маленьком зеркале, висевшем над раковиной. Но сомнения ее вскоре рассеялись: когда она вернулась в гостиную с чайником и чашками, Кэтрин, вероятно по просьбе Уильяма, сообщила ей о помолвке.

— Уильям предположил, что, может, вы не знаете. Мы собираемся пожениться.

Мэри поспешила их поздравить, но обнаружила, что пожимает руку только Уильяму, Кэтрин же словно отгородилась от них: придвинула к себе чайник и явно решила за ними поухаживать.

— Если я правильно понимаю, — сказала Кэтрин, — сначала в чашки наливают кипяток? Уильям, у тебя есть какой-нибудь собственный способ заваривать чай?

Мэри показалось, что Кэтрин таким образом пытается скрыть волнение, и если так, то это ей удалось идеально. О помолвке больше никто не вспоминал. Можно было подумать, Кэтрин сидит у себя в гостиной — так просто, играючи она справилась с ситуацией, направив беседу в нужное русло. И вскоре Мэри, к своему большому удивлению, уже увлеченно обсуждала с Уильямом картины старых итальянских мастеров, а Кэтрин тем временем разливала чай, разрезала пирог, один кусок положила Уильяму на тарелку и не вмешивалась в разговор более чем это было необходимо. С видом хозяйки она передала Мэри чашку с блюдцем, точно это ее фамильный сервиз. Но все это выглядело до того естественно, что Мэри ничуть не обиделась, напротив, она даже из чувства признательности в какой-то момент положила руку на колено Кэтрин. Может, в этом стремлении контролировать все и вся по-своему выражалось материнское чувство? И если учесть, что Кэтрин вскоре предстоит выйти замуж, мысль о материнских чувствах вызвала у Мэри нежность и отчасти даже благоговение. Кэтрин казалась намного старше и куда более опытней ее.

Тем временем Родни говорил не умолкая. И если внешность его производила скорее отталкивающее впечатление, то обширность его познаний стала для Мэри приятной неожиданностью. Он много всего знал о картинах и, если нужно было, для верности заглядывал в блокноты, которые держал под рукой. Он сравнивал различные экспонаты из разных галерей и отвечал на ее вопросы обстоятельно и со знанием дела, для пущей важности постукивая тростью по каминной решетке. Она была потрясена.

— Твой чай, Уильям, — спокойно произнесла Кэтрин.

Он сделал передышку, послушно глотнул чаю и продолжил разговор.

И тут Мэри догадалась, что Кэтрин, в тени широкополой шляпки, в облаке дыма и ореоле загадочности, на самом деле улыбается, причем совсем не по-матерински.

Она говорила о простых вещах, но ее слова, даже «Твой чай, Уильям», — звучали нежно и осторожно — так ставит лапки персидский кот, пробираясь меж фарфоровых статуэток. Второй раз за этот день Мэри столкнулась с какой-то непостижимой чертой в характере человека, к которому испытывала симпатию. И ей пришло в голову, что если бы она была помолвлена с Кэтрин, то и она тоже вскоре стала бы подтрунивать над ней, как это, по-видимому, делает Уильям. И все же в голосе Кэтрин звучало смирение.

— Интересно, как ты находишь время для изучения всех этих картин и книг? — спросила она.

— Как нахожу время? — Уильяму, заметила Мэри, понравился этот маленький комплимент. — Ну, я даже в поездках не расстаюсь с блокнотом. И первым делом с утра пораньше спрашиваю, как пройти к картинной галерее. Потом, я вижусь с разными людьми, беседую с ними. У меня в конторе есть один человек, он абсолютно все знает о фламандской школе. Я тут рассказывал мисс Датчет о фламандской школе, так вот, многое я узнал от него — Гиббонс его зовут. Тебе обязательно надо с ним познакомиться, мы пригласим его на ланч. А то, что Кэтрин якобы дела нет до искусства, — пояснил он для Мэри, — так это просто поза, мисс Датчет, одна из многих. Вы не знали, что она позерка? Притворяется, что не читала Шекспира. А зачем ей читать Шекспира, если она и есть Шекспир — вернее, Розалинда. — И хихикнул.

Почему-то этот комплимент покоробил Мэри своей пошлой старомодностью. Мэри вся вспыхнула, как будто он произнес слово «женский пол» или «дамочки». Видимо, от волнения Родни продолжал в том же духе:

— Она достаточно знает — достаточно для любых достойных целей. На что вам, женщинам, образование, когда у вас есть другое... я бы даже сказал: все. Оставьте и нам хоть что-нибудь, а, Кэтрин?

— Что тебе оставить? — переспросила Кэтрин, которая, по-видимому, отвлеклась на минуту. — Я думаю, нам пора идти...

— Ах да, леди Феррилби обещала зайти к нам на ужин. Нет, опаздывать не годится, — сказал Родни, поднимаясь. — Вы знакомы с Феррилби, мисс Датчет? Среди их имений Трантемское аббатство, — добавил он, как будто это многое объясняло. — И если Кэтрин сегодня ее очарует, может, они пустят нас пожить там в медовый месяц.

— Согласна, это веская причина. Иначе я бы не выдержала: она такая зануда, — сказала Кэтрин. — По крайней мере, — добавила она, словно оправдываясь за излишнюю резкость, — мне нелегко найти с ней общий язык.

— Потому что ты считаешь, что кто-то другой должен об этом позаботиться. Как-то она молчала весь день, — сказал он, обращаясь к Мэри. — Вы никогда не замечали? Иногда, когда мы остаемся наедине, я засекаю время, — он посмотрел на большие золотые часы и постучал ногтем по стеклу, — между одной ее фразой и следующей. Однажды насчитал десять минут и двадцать секунд, и тогда, верите ли, она сказала «хм».

— Мне правда жаль, — сказала Кэтрин, — я знаю, это вредная привычка, но в конце концов, когда ты дома…

Окончания фразы Мэри не услышала — судя по всему, оно было отсечено хлопаньем входной двери. Но она живо представила, как Уильям на лестнице пытается найти очередной изъян в своей избраннице. Секундой позже дверной звонок снова звякнул — Кэтрин забыла на стуле свою сумочку. Она быстро нашла ее, подхватила, но, помедлив у двери, заговорила уже совсем другим тоном:

— Мне кажется, помолвка плохо сказывается на человеке. — Она потрясла сумочкой, в которой звякнули монеты, как будто сказанное относилось исключительно к ее забывчивости. Однако замечание озадачило Мэри — похоже, за этим стояло что-то еще; как странно переменилось ее поведение, когда Уильям ушел и не мог ее слышать, — и Мэри невольно посмотрела на нее с удивлением, ожидая разъяснений.

Но Кэтрин была так сурова, что Мэри, пытавшаяся ей улыбнуться, не смогла изобразить улыбку — получилась лишь вопросительная гримаса.

Когда за ней снова закрылась дверь, Мэри опустилась на пол перед камином, пытаясь теперь, когда тех двоих уже не было рядом и они ее не отвлекали, собрать воедино все свои впечатления. И хоть Мэри и гордилась своей проницательностью, она не могла поручиться, что знает, какие мотивы движут Кэтрин Хилбери. Было что-то такое, отчего та плавно ускользала из пределов досягаемости, не давая ухватить суть, — что-то, но что именно? — что-то, напомнившее Мэри Ральфа. Странно, с ним было такое же ощущение, он тоже сильно ее озадачил. Действительно странно, поскольку не было еще на свете двух столь непохожих людей, подумала она. И все же в обоих чувствовался некий скрытый импульс, некая неведомая сила — нечто такое, чем они дорожили, о чем умалчивали — вот только что?

ГЛАВА XV

Деревушка Дишем расположилась среди полей и холмов возле Линкольна, не настолько далеко от побережья, чтобы теплыми летними вечерами или когда зимние шторма швыряют волны на пологий берег, сюда не долетал звучный, бодрящий шум прибоя. Деревенская церковь, и особенно колокольня, выглядит чересчур громоздкой по сравнению с маленькими домишками на короткой улице, собственно и составляющей деревню, так что путешественнику сразу приходит на ум Средневековье, когда еще возможна была подобная набожность. Столь явное почтение к церкви в наши дни большая редкость, из чего вполне можно заключить, что все обитатели деревушки давно исчерпали сроки, отпущенные смертным на этой земле. Примерно так может подумать посторонний человек, и вид местного населения — два-три мужика с мотыгами на засеянном репой поле, ребенок с кувшином да еще молодая женщина, выбивающая у крыльца половик, — не позволит ему разглядеть в деревушке Дишем, какой она предстает перед нами сегодня, ничего, что противоречило бы духу Средневековья. Все ее обитатели, хоть и относительно молодые, выглядят угловатыми и грубыми, как те миниатюрные картинки, которыми монахи украшали прописные буквы своих манускриптов. Их речь покажется ему невнятной, из услышанного он поймет едва ли половину и постарается говорить громко и отчетливо, словно его голосу предстоит пробиться сквозь толщу столетий. Он скорее поймет жителя Парижа или Рима, Берлина или Мадрида, чем этих своих селян-соотечественников, проживающих последние два тысячелетия не далее двух сотен миль от лондонского Сити.

Дом приходского священника находился в полумиле от деревни. Это большое строение, в течение нескольких веков постепенно разраставшееся вокруг огромной кухни, где пол выложен узкой красноватой плиткой, — об этом священник поведает гостям в первый же вечер, взяв медный подсвечник и предупредив, чтобы смотрели под ноги на лестнице, призывая обратить особое внимание на толщину стен, старых балок, идущих по всему потолку, на крутизну ступенек и на чердачные помещения с высокой, как шатер, крышей, под которой вьют гнезда ласточки, а однажды даже жила белая сова. Но ничего особенно красивого и интересного в пристройках, сделанных в разное время разными священниками, не было.

Однако сам дом был окружен садом, которым хозяин весьма гордился. Лужайка перед окнами гостиной представляла собой густой темно-зеленый ковер, не запятнанный ни единым цветком маргаритки, по другую ее сторону две дорожки, обрамленные по краям рабатками из высоких цветов, вели к прелестной зеленой лужайке, по которой преподобный Уиндем Датчет имел обыкновение расхаживать каждое утро в одно и то же время, которое подсказывали ему солнечные часы. Часто его можно было заметить там с книгой в руке, он периодически в нее заглядывал, затем закрывал и произносил конец оды по памяти. Он знал Горация почти наизусть и имел обыкновение связывать очередную прогулку с какими-нибудь определенными одами, которые прилежно повторял, одновременно оглядывая цветник и то и дело останавливаясь, чтобы оборвать засохший или увядший лист или цветок. В дождливые дни, верный своей привычке, в тот же самый час он вставал с кресла и принимался расхаживать по кабинету, останавливаясь, только чтобы поправить какую-нибудь книжку в шкафу или получше расположить на каминной полке два бронзовых распятия, стоявших на пирамидальных подставках из змеевика. Дети его любили, считая его более ученым, чем он был на самом деле, и уважали его привычки. Как человек педантичный, он был наделен в первую очередь такими качествами, как целеустремленность и готовность к самопожертвованию, а вовсе не эрудицией и оригинальностью. Холодными ночами, в дождь и бурю он без лишних слов садился в седло и отправлялся к слабым и больным прихожанам, нуждавшимся в его поддержке, а из-за умения быть пунктуальным в самых скучных делах его часто приглашали в различные комитеты и местные советы; и в данный период жизни (ему минуло шестьдесят восемь лет) его исключительная худоба начинала вызывать сочувственные вздохи у пожилых дам, полагавших, что он слишком изводит себя постоянными разъездами, нет чтобы посидеть в тепле и уюте у камелька. Его старшая дочь Элизабет жила в его доме, вела хозяйство и очень напоминала отца прямотой и чистосердечием, а также педантичностью. Из двоих сыновей один, Эдвард, был агентом по продаже недвижимости, другой, Кристофер, готовился стать юристом. На Рождество, естественно, все они собирались вместе, и в предшествующий месяц приготовления к рождественской неделе занимали довольно много места в умах хозяйки и прислуги, которые с каждым годом имели все больше поводов гордиться обустройством дома по этому случаю. Покойная миссис Датчет оставила полный шкаф превосходного постельного и столового белья, который перешел к Элизабет в девятнадцать лет, после смерти матери, и с тех пор забота о семье легла на плечи старшей дочери. Она разводила симпатичных желтеньких цыплят, немножко рисовала, и несколько розовых кустов в саду были всецело на ее попечении; и за всеми этими заботами — о доме, о цыплятах, о бедных и немощных — ей не оставалось ни одной спокойной минуты. Из всех полезных качеств именно ее «правильность» придавала ей вес в семье. Когда Мэри писала сестре, что пригласила Ральфа Денема погостить у них, она добавила, зная характер Элизабет, что он очень милый, хотя немного странный, и чуть не заморил себя в Лондоне работой. Конечно, Элизабет может подумать, что у них с Ральфом роман, но, разумеется, никто из сестер об этом не станет даже упоминать, разве что какое-нибудь ужасное событие сделает это упоминание неизбежным.

Мэри приехала в Дишем, еще не зная, примет ли Ральф ее приглашение, но за два или три дня до Рождества она получила от него телеграмму: он просил ее снять для него комнату в деревне. Следом пришло и письмо, в котором он писал, что будет рад возможности столоваться у них, но хотел бы поселиться отдельно, поскольку для работы ему необходимы тишина и покой.

Когда доставили письмо, Мэри гуляла по саду с Элизабет — они осматривали розы.

— Какая чушь! — решительно сказала Элизабет, после того как сестра изложила ей этот план. — У нас пять свободных комнат, даже когда мальчики здесь. Кроме того, в деревне он не найдет сейчас жилья. И ему не следует работать, раз он переутомился.

«А может, он просто не хочет нас слишком часто видеть», — подумала Мэри, но вслух согласилась с сестрой. Она была благодарна ей за поддержку в том, чего ей на самом деле очень хотелось. Девушки срезали поздние розы и складывали их, цветок к цветку, в плоскую корзинку.

«Если бы Ральф был сейчас здесь, он бы счел это занятие ужасно скучным», — подумала Мэри, рука дернулась, и роза легла в корзинку чуть наискосок. Тем временем они дошли до конца дорожки, и, пока Элизаберт выравнивала некоторые цветы и подвязывала их к шпалерам, Мэри смотрела на отца, который расхаживал, как обычно, заложив одну руку за спину и задумчиво склонив голову. Отчасти чтобы прервать этот размеренный марш, Мэри ступила на травянистую лужайку и тронула отца за плечо.

— Вот вам цветок для бутоньерки, — сказала она, протягивая ему розу.

— Что, милая? — произнес мистер Датчет, взяв у нее цветок и держа его чуть на отлете, поскольку был подслеповат, при этом он даже не замедлил шага.

— Когда прибудет этот твой знакомый? Это розочка Элизабет — надеюсь, ты спросила у нее разрешения... Элизабет очень не любит, когда срывают розы без ее спросу, и она, конечно, права…

Почему-то только сейчас Мэри обратила внимание на его привычку произносить фразы певучей скороговоркой, после чего он впадал в глубокую задумчивость, которую его дети принимали за усиленную мыслительную работу, слишком важную, чтобы ее выразить ее вслух.

— Что? — спросила Мэри, как только бормотание смолкло, возможно впервые в жизни осмелившись нарушить молчание отца.

Отец не ответил. Она прекрасно понимала, что он хочет, чтобы его оставили в покое, но не отступалась, как если бы перед ней был лунатик, которого она считала своим долгом разбудить для его же блага. И, желая разбудить отца, она ничего лучше не придумала, как сказать:

— Какой красивый у нас сад!

— Да-да-да, — пробормотал мистер Датчет и еще ниже опустил голову. И вдруг, когда они дошли до конца тропинки и повернули обратно, он встрепенулся: — Знаешь, все больше людей ездят по железной дороге. Там уже вагонов не хватает. Вчера к четверти первого сорок штук проехало — сам считал. Они отменили поезд на девять ноль три, а вместо него дали на восемь тридцать, деловым людям так удобнее, видите ли. Но ты приехала вчера на обычном поезде, в десять минут четвертого, полагаю?

Она ответила «да» и, казалось, ждала продолжения, но он посмотрел на часы и направился по тропинке к дому, держа розу все так же чуть в стороне. Элизабет между тем удалилась на задний двор, где был птичник, так что Мэри осталась одна, с письмом Ральфа в руке. На душе было неспокойно. Она благополучно забыла о том, что собиралась за это время все хорошенько обдумать, и теперь, когда Ральф вот-вот приедет, ее беспокоило только одно: какое впечатление произведет на него ее семейство. Скорее всего, подумала она, отец станет обсуждать с ним железнодорожное сообщение. Чуткая и проницательная Элизабет постарается почаще оставлять их наедине, под предлогом того, что надо отдать распоряжение служанке. Братья уже пообещали взять его с собой на охоту. Она была рада, что их можно не посвящать в личные обстоятельства Ральфа — она была уверена: мужчины всегда найдут общий язык. Но что он подумает *о ней*? Заметит ли, что она не такая, как остальные члены ее семейства? Она придумала план: отведет его в свою гостиную и как бы невзначай заведет разговор об английских поэтах, которые теперь занимали значительное место в ее книжном шкафу. Более того, она даст ему понять — естественно, когда они будут одни, — что она тоже считает свою

207

семью необычной, пусть даже чудно́й, но только не заурядной. Но к этой мысли его еще нужно каким-то образом подвести. Можно обратить его внимание на то, что Эдвард зачитывается комическими историями про Джоррокса*, а Кристофер, при том что ему уже двадцать два года, увлеченно собирает бабочек и мотыльков. Может, кое-какие рисунки Элизабет, конечно самые достойные, добавят красок той семейной картине, которую она надеялась ему представить: да, они люди со странностями и, может быть, в чем-то ограниченные, но вовсе не скучные и заурядные. Эдвард, просто чтобы не сидеть без дела, в это время разравнивал катком газон: и стоило ей увидеть его, раскрасневшегося, с блестящими карими глазами, похожего в своем коричневом ворсовом пальто на молодую и норовистую упряжную лошадку, она тотчас устыдилась своих честолюбивых планов. Она любила его таким, как он есть, она любила их всех, и, пока шла рядом с братом, от одного конца лужайки к другому, а потом обратно, ее строгое нравственное чувство прилежно изничтожало тщеславные и романтические мечты, возникавшие при одной мысли о Ральфе. Мэри ведь прекрасно понимала, что, к счастью или к несчастью, она мало чем отличается от остальных членов своей семьи.

На следующий день, сидя в углу вагона третьего класса, Ральф стал осторожно расспрашивать коммивояжера, сидевшего в углу напротив. Речь шла о деревне под названием Лэмпшер, что находилась, насколько он знал, милях в трех от Линкольна. Есть ли

* Серия юмористических рассказов Роберта Смита Сертиза, публиковавшихся в Sporting Magazine («Спортивном журнале») с 1831 по 1834 г. и впоследствии составивших книгу. Главный персонаж Джоррокс — лондонский лавочник, энтузиаст жизни на природе, которого за городом ждут разные забавные приключения.

там большой дом, поинтересовался он, в котором живет джентльмен по фамилии Отуэй?

Коммивояжер ничего об этом не знал, но на всякий случай несколько раз повторил для себя фамилию Отуэй, к тайному удовольствию Ральфа. Воспользовавшись случаем, тот достал из кармана письмо, чтобы сверить адрес.

— Стогдон-Хаус, Лэмпшер, Линкольн, — прочитал он.

— В Линкольне вам кто-нибудь подскажет дорогу, — сказал коммивояжер, и Ральфу пришлось признаться, что сегодня туда не собирается.

— Сначала мне надо в Дишем, а оттуда я пешком дойду, — сказал он и порадовался, как ловко заставил странствующего торговца поверить в то, во что сам очень хотел бы верить.

Потому что в письме, хотя и подписанном отцом Кэтрин, не было даже намека на приглашение, да и неясно, там ли сейчас Кэтрин; в нем лишь сообщалось, что в течение двух недель письма мистеру Хилбери следует отправлять по указанному адресу. Но когда Ральф смотрел в окно, то думал только о ней, ведь она тоже могла видеть эти серые поля, а может, она сейчас там, где на взгорке темнеет роща, а у подножья холма сияет, то исчезая, то вновь появляясь, желтый огонек. Наверное, это солнце отражается в стеклах старинного серого особняка, решил он. И блаженно откинулся на спинку сиденья в своем углу, забыв о коммивояжере. Но все его попытки представить Кэтрин ограничивались этим старым особняком; некое внутреннее чутье подсказывало ему, что, зайди он чуть дальше, реальность вторгнется в его мечты и разрушит их; ведь нельзя так просто взять и отмахнуться от фигуры Уильяма Родни. После того дня, когда Кэтрин сообщила ему о своей помолвке, он старательно изгонял из мечты о ней любые приметы реальной жизни. Но предзакатный солнечный луч, отливающий зеленью за стволами высоких деревьев, стал для него символом Кэтрин. Этот свет, казалось, проникает в самое сердце. Словно она тоже смотрит на эти серые поля, сидя рядом с ним в этом вагоне, задумчивая, молчаливая и бесконечно нежная, — но, когда она приблизилась настолько, что у него перехватило дыхание, он поспешил прогнать дивное виденье, к тому же поезд замедлял ход. Вагон дернулся пару раз, и это окончательно вернуло Денема к действительности, а когда состав заскользил вдоль платформы, он заметил Мэри Датчет, ее крепкую фигуру, облаченную во что-то коричневое с примесью алого. Сопровождавший ее высокий юноша пожал ему руку, забрал багаж и пошел впереди, так и не сказав ни единого внятного слова.

Как же приятно звучат голоса в зимний вечер, когда фигуру говорящего окутывает мгла и кажется, что голос исходит откуда-то из пустоты и пронизан он такой теплотой и доверительностью, какую редко можно заметить при свете дня. Именно таким был голос Мэри, когда она приветствовала его. Весь ее вид навевал мысли о зимних изгородях, о листьях ежевики, горящих багрянцем. Ему показалось, что он ступил вдруг на берег совершенно другого, неведомого мира, но не спешил отдаться сразу всем его удовольствиям. Ему предложили на выбор — поехать в тележке с Эдвардом или идти до самого дома по полям вместе с Мэри; путь неблизкий, объяснили ему, но Мэри сказала, что пешком намного приятнее. И он решил пойти с Мэри, потому что рядом с ней он чувствовал себя увереннее. Отчего это она так весела, подумал он не без зависти, провожая взглядом быстро удаляющийся возок. Высокая фигура Эдварда, привставшего на облучке с поводьями в одной руке и кнутом в другой, вскоре скрылась во мгле. Деревенские жители, ездившие в город на рынок, забирались

210

в свои двуколки или по двое, по трое брели пешком по дороге. Многие из них узнавали Мэри, желали ей доброго вечера, и она тоже кричала что-то им в ответ, приветствуя каждого по имени. Но вскоре она свернула на тропинку, начинавшуюся за перелазом и терявшуюся в темно-зеленой дымке кустов. Теперь перед ними сияло красновато-желтое небо, как спил полупрозрачного камня, когда его поднесешь к лампе, в обрамлении голых древесных крон — черные ветки четко вырисовывались на сияющем фоне; часть закатного неба с одной стороны загораживал высокий холм, по другую сторону до самого горизонта расстилалась равнина. Какая-то быстрая, бесшумная ночная птица, похоже, вызвалась их сопровождать — летела впереди, делала круг, исчезала, появлялась снова.

Мэри сотни раз ходила этой дорогой, обычно одна, и, стоило ей увидеть знакомый силуэт дерева или услышать голос фазана, доносившийся из овражка, отзвуки давних впечатлений вели за собой целый сонм мыслей и воспоминаний. Но в этот вечер настоящее взяло верх над призраками прошлого, и она смотрела на поля и деревья с упоением и восторгом первооткрывателя, так, словно видит их впервые.

— Ну как вам, Ральф, — сказала она, — это ведь лучше, чем Линкольнз-Инн-Филдс? Смотрите, вот и птица! Надеюсь, вы захватили бинокль? Эдвард и Кристофер хотят вас взять с собой на охоту. Вы умеете стрелять? Хотя…

— Постойте, прежде объясните мне, — сказал Ральф. — Кто хочет взять на охоту? И где я остановлюсь?

— Остановитесь вы у нас, — храбро сказала она. — Разумеется, у нас — вы ведь не возражали, когда собирались приехать?

— Если бы я знал, я бы не приехал, — произнес он очень серьезно.

211

Какое-то время они шли молча, Мэри больше не делала попыток заговорить. Она хотела, чтобы Ральф почувствовал, а он наверняка почувствует, в этом она не сомневалась, всю прелесть жизни на природе, на свежем воздухе. И она была права. Уже через минуту, к ее большой радости, он это подтвердил.

— Именно так я и представлял ваши родные места, — сказал он, сдвигая на затылок шляпу и оглядываясь по сторонам. — Настоящая сельская местность. Не барская усадьба.

Ральф вдохнул полной грудью живительную прохладу и впервые за много недель почувствовал, какое это счастье — ощущать свое тело.

— Теперь нам надо как-то пробраться за изгородь, — сказала Мэри.

В просвете между кустами Ральф заметил и потянул на себя проволоку — силки браконьера над кроличьей норой.

— Я бы не стала их винить, браконьеров, — сказала Мэри, глядя, как он возится с проволокой. — Не знаю только, чьих это рук дело: Альфреда Даггинса или Сида Рэнкина? Но что им еще остается, когда зарабатываешь всего пятнадцать шиллингов в неделю? Пятнадцать шиллингов в неделю, — повторила она, оказавшись по другую сторону изгороди и проводя рукой по волосам, чтобы выбрать прицепившиеся колючки. — Я бы могла прожить на пятнадцать шиллингов в неделю — легко.

— Неужели? — сказал Ральф. — Не верю, что смогли бы, — добавил он.

— Да-да! У них есть сторожка и огород, где можно выращивать овощи. Не так уж плохо, — сказала Мэри смиренно.

— Но вам бы это быстро надоело, — настаивал Ральф.

— Иногда мне кажется, это единственное, что никогда не надоест, — ответила она.

Мысль о домике, где можно выращивать овощи и жить на пятнадцать шиллингов в неделю, показалась Ральфу на удивление приятной.

— Но если рядом шумная дорога или у соседей шестеро по лавкам и они вечно развешивают стираное белье у вас в саду?

— Мой домик, каким я его себе представляю, стоит на отшибе, а вокруг вишневый или яблоневый садик.

— А как же суфражистское движение? — спросил он с ехидцей.

— Ах, на свете столько всего помимо суфражистского движения, — беззаботно ответила она.

Для Ральфа ответ Мэри был полной неожиданностью. Он замолчал. Его неприятно поразила догадка, что она вынашивает какие-то планы, о которых он ничего не знает, но не смел расспросить ее подробнее. А что, если и впрямь поселиться в деревне? Идея вроде неплохая, и это многое решает. Он с силой вонзил трость в землю и стал пристально вглядываться в сумеречную даль.

— Вы умеете ориентироваться по сторонам света? — спросил он.

— Да, разумеется, — сказала Мэри. — За кого вы меня принимаете? Я не кокни в отличие от вас! — И точно показала ему, где находится север, а где юг. — Это мои родные места, моя земля, — добавила она. — Я тут даже с завязанными глазами дорогу найду — чутье подскажет.

И, словно желая доказать, что это не пустые слова, пошла быстрее, так что Ральф с трудом за ней поспевал. Он вдруг почувствовал, как привязан к этой девушке, — может, оттого, что здесь она казалась еще более независимой, чем в Лондоне, и была тесно связана с миром, где он был чужаком. Тем временем совсем стемнело, и ему волей-неволей приходилось не отставать от нее, он даже оперся на ее руку, когда они перепрыгивали через насыпь, за которой шла очень узкая тропинка. Неожиданно она остановилась и, сложив ладони рупором, стала кричать, обращаясь куда-то к пятнышку света, что качался в тумане над соседним полем. Сначала ему стало неловко от такого простецкого жеста, но он осмелел и тоже крикнул, и огонек застыл в воздухе.

— Это Кристофер приехал и кормит цыплят, — объяснила она.

Она представила брата Ральфу — тот едва разглядел в темноте высокого мужчину в гетрах, стоявшего посреди трепещущего облака желтых пушистых комочков, колеблющийся круг света выхватывал из темноты то ярко-желтое пятно, то темно-зеленое, то красное.

Мэри запустила руку в ведерко, которое держал Кристофер, и тотчас рядом с ней образовалось такое же облако, она бросала цыплятам корм и нежным, воркующим голосом говорила им что-то — Ральф же стоял поодаль в своем черном строгом пальто.

К тому времени, как все собрались в гостиной, пальто он уже успел снять, но все равно разительно отличался от остальных, сидевших рядом с ним за овальным столом в тусклом свете свечей. Сельская жизнь и воспитание придавали им всем вид, который Мэри постеснялась бы назвать невинным или ребяческим, но все же было нечто детски наивное даже во внешности самого приходского священника. Изборожденное морщинами лицо его было румяным, а взгляд спокойных голубых глаз, казалось, устремлен куда-то в недосягаемую даль, где вот-вот мелькнет нужный поворот или проглянет огонек за завесой дождя.

Она посмотрела на Ральфа. Он выглядел на редкость сосредоточенным и серьезным — как будто жизнь приучила его очень осторожно выбирать, какие из собственных достоинств можно выставить напоказ, а какие лучше утаить. В сравнении с этим загадочным и суровым ликом лица братьев, склонившихся над тарелками, казались просто кусками розовой бесформенной плоти.

— Вы прибыли на поезде в пятнадцать десять, мистер Денем? — спросил преподобный Уиндем Датчет, засовывая угол салфетки за воротник, так, что почти всю его фигуру теперь закрывал белый полотняный ромб. — Хотя, в общем и целом, они с нами считаются. С учетом возросшего транспортного потока они с нами очень даже считаются. Я из чистого любопытства иногда подсчитываю вагоны в товарных составах, и знаете, иногда бывает больше пятидесяти — намного больше пятидесяти, в такое время года.

Пожилого джентльмена явно вдохновляло присутствие рядом чуткого и знающего молодого человека, если судить по старательности, с которой священник выговорил конец фразы, и небольшому преувеличению числа вагонов в поездах. И в самом деле, взвалив на себя нелегкое бремя направлять беседу, сегодня он справлялся с этим так блестяще, что сыновья поглядывали на него с восхищением; все они немного стеснялись Денема и были рады, что не им приходится говорить. Обилие информации о прошлом и настоящем этого уголка Линкольншира, которую сообщил гостю мистер Датчет, поразило его детей, потому что хотя они и знали о его эрудиции, но успели забыть, насколько она велика, как забываешь число тарелок, хранящихся в буфете, пока по какому-нибудь торжественному поводу их не выставят на всеобщее обозрение.

После ужина дела прихода потребовали от священника уединиться в своем кабинете, и Мэри предложила оставшейся компании перебраться на кухню.

— Это не совсем кухня, — поспешила объяснить гостю Элизабет, — но мы так ее называем…

— Это самая красивая комната в доме, — добавил Эдвард.

— Там у камина есть стойка, где мужчины вешали ружья, — сказала Элизабет и, взяв высокий медный канделябр, пошла впереди, освещая темный коридор.

— Кристофер, покажи мистеру Денему лестницу… Когда у нас в позапрошлом году были люди из церкви, они сказали, что это самая интересная часть дома. Судя по узким кирпичам, данной постройке пятьсот лет — это я говорю «пятьсот», а на самом деле, может, и шестьсот. — Ей тоже захотелось преувеличить возраст кирпичей, как ее отец преувеличил число вагонов.

Свисавшая с потолка большая лампа и камин освещали просторное помещение с балками на потолке, красной плиткой на полу и огромным очагом, сложенным из тех же узких желтых кирпичей, которым, как уверяли, было пятьсот лет. Несколько ковриков и глубоких кресел превратили эту старинную кухню в гостиную. Элизабет, указав на подставку для ружей, крюки для вяления окорока и другие неоспоримые приметы старины и сообщив, что именно Мэри пришла идея устроить здесь гостиную (до этого помещение использовали для стирки, да еще мужчины переодевались здесь, вернувшись с охоты), сочла, что в роли хозяйки дома потрудилась достаточно. Она уселась в кресло с прямой спинкой прямо под лампой, возле длинного и узкого стола, надела очки в роговой оправе и придвинула к себе корзинку с клубками. Через несколько минут на ее губах заиграла улыбка, уже не сходившая с ее лица до конца вечера.

— Пойдете с нами завтра на охоту? — спросил Кристофер, на которого гость произвел приятное впечатление.

— Я не буду охотиться, но от прогулки не откажусь, — ответил Ральф.

— Вы не любите охоту? — изумился Эдвард, он пока не разобрался, что представляет собой этот знакомый сестры.

— Я ни разу в жизни не стрелял из ружья. — Ральф обернулся и посмотрел собеседнику в глаза, потому что не знал, как тот отнесется к подобному признанию.

— Полагаю, в Лондоне у вас не было такой возможности, — сказал Кристофер. — Но не наскучит ли вам — просто ходить и глядеть на нас?

— Я буду глядеть на птиц, — с улыбкой ответил Ральф.

— Тогда я вам покажу место, где много птиц, — вызвался Эдвард, — раз вы их любите. Я знаю одного человека, так он каждый год приезжает из Лондона примерно в это время года, чтобы на них посмотреть. Там и дикие гуси водятся, и утки. По его словам, это одно из лучших птичьих мест во всей стране.

— Возможно, это вообще лучшее место в Англии, — заметил Ральф.

Всем было приятно услышать похвалу родному краю, и Мэри с удовольствием отметила, что в коротких фразах, которыми они обменивались, уже не было настороженной подозрительности, по крайней мере со стороны братьев, и вскоре завязалась увлекательная беседа о повадках птиц, сменившаяся рассуждениями о повадках стряпчих, так что ей было необязательно участвовать в общем разговоре. Отрадно было видеть, что братьям Ральф понравился, во всяком случае, они явно прислушивались к его мнению. Но вот насколько они ему понравились, по его вежливой, но сдержанной манере судить было невозможно. Время от времени Мэри подбрасывала в очаг новое полено, и, по мере того как по комнате разливалось приятное сухое тепло от пылающих поленьев, все, за исключением Элизабет, которая сидела дальше всех от огня, уже мало заботились о том, чтобы произвести впечатление, потому что всех неумолимо клонило в сон.

В этот момент снаружи в дверь кто-то яростно заскребся.

— Пайпер! Ах, черт, придется вставать, — пробормотал Кристофер.

— Это не Пайпер, а Пич, — сказал Эдвард.

— Один шут, надо открыть, — буркнул Кристофер. Он впустил в дом пса и некоторое время постоял у двери, распахнутой в сад, ощущая на лице бодрящую прохладу звездной ночи.

— Да входи же наконец и дверь закрой! — крикнула Мэри, чуть повернувшись к нему в кресле.

— Завтра у нас будет славный денек, — сказал Кристофер.

Он сел на пол возле нее, прислонившись к ее коленям и вытянув длинные ноги в гетрах к огню, — присутствие постороннего его ничуть не смущало. Кристофер был младшим в семье и любимцем Мэри, отчасти из-за сходства характеров, тогда как Эдвард по характеру скорее напоминал Элизабет. Она поудобнее пристроила его голову к своим ногам и слегка взъерошила ему волосы.

«Ах если бы Мэри и меня так погладила по голове!» Поймав себя на этой мысли, Ральф чуть не с нежностью посмотрел на Кристофера. И вдруг представил Кэтрин, как она стоит одна под звездным небом, затерянная в огромном черном пространстве, — и нахмурился. Мэри, поглядывавшая на него украдкой, заметила, что он вдруг помрачнел. Ральф подложил в очаг полено, стараясь как можно аккуратнее разместить его на хрупких пылающих подмостках и при этом сосредоточиться только на том, что происходит здесь, в этой комнате.

Мэри уже не гладила брата по голове, а, устроившись поудобнее, стала, как ребенку, перебирать его густые рыжеватые кудри, укладывая их то так, то эдак. Но в сердце ее пылала страсть куда более сильная, чем сестринская любовь, поэтому, заметив внезапную перемену в лице Ральфа, она еще машинально поглаживала кудри, но сердце ее уже неотвратимо соскальзывало в разверзшуюся бездну, и не было опоры на скользких берегах.

ГЛАВА XVI

В то же ночное небо и, можно сказать, на тот же усыпанный звездами его кусочек глядела сейчас и Кэтрин, с той лишь разницей, что она не высматривала там примет хорошей погоды для утренней утиной охоты. Она ходила взад-вперед по гравийной дорожке в саду Стогдон-Хауса, и картина небес для нее была расчерчена тонкими и безлистыми арками перголы, так что побег клематиса иногда полностью заслонял собой Кассиопею или перекрывал своим черным прихотливым узором мириады миль Млечного Пути. Однако в дальнем конце перголы стояла каменная скамейка, с которой можно было увидеть все небо совершенно без помех, разве что справа обзору немного мешали кроны вязов, живописно присыпанных звездной пылью, да серебристый легкий дымок, клубившийся над крышей длинной приземистой постройки. Ночь выдалась безлунная, но света звезд хватало, чтобы разглядеть очертания женской фигуры и заметить, что глаза женщины серьезно, почти сурово устремлены в небеса. Кэтрин вышла в ночной сад, благо было не очень холодно, и не столько для того, чтобы понаблюдать зорким взглядом астронома за небесными явлениями, просто ей хотелось забыть хоть ненадолго о чисто земных и досадных моментах. И как ценитель литературы в подобных обстоятельствах перебирал бы книги одну за другой, так и она вышла в сад, где звезды — вот они, под рукой, даже если на них не смотришь. Она чувствовала себя несчастной, тогда как рассчитывала, что будет очень счастлива, — именно это, насколько она могла судить, и было причиной горького чувства, которое не давало ей покоя с тех самых пор, как она два дня назад приехала сюда, и в конце концов стало таким нестерпимым, что ей пришлось покинуть семейное сборище и выйти на воздух, чтобы в одиночестве поразмыслить над всем этим. На самом деле она вовсе не такая несчастная, просто ее двоюродные братья и сестры так считают. В этом доме полным-полно молодежи, ее кузенов и кузин, в основном ее ровесников или помладше, от их зорких глаз ничего не скроешь. И похоже, все это время они присматривались к ней и к Родни, вероятно в надежде увидеть нечто такое, что связывает эту пару, но ничего не находили; и когда они так на нее смотрели, она мечтала лишь об одном — в Лондоне ей подобная мысль даже в голову бы не пришла, — остаться наконец наедине с Родни и своими родителями. Ну, может, «мечтала» — не совсем верное слово, во всяком случае, ей этого не хватало. И это угнетало ее, поскольку она привыкла к тому, что ее желания выполняются, и нынешняя ситуация задевала ее самолюбие. О, если бы она могла отбросить привычную сдержанность и поговорить с кем-нибудь начистоту о своей помолвке, чтобы лишний раз убедиться, что поступает правильно. Никто не критиковал ее, не осуждал, только все почему-то так и норовили оставить ее вдвоем с Уильямом; и это еще ничего, если бы родственники не делали это с такой подчеркнутой деликатностью, но, верно, даже это можно было снести, если бы все не умолкали вдруг в ее присутствии и не смотрели настороженно и чуть ли не участливо, из чего можно было сделать только один вывод: они не одобряют ее поступка.

И сейчас, время от времени поглядывая на небо, она перебрала всех своих двоюродных братьев и сестер: Элеонора, Хамфри, Мармадьюк, Сильвия, Генри, Кассандра, Гилберт и, наконец, Мостин. Генри, тот самый кузен, который обучал юных леди в Банги скрипичной игре, был единственный, кому она могла бы довериться. Она поднялась и пошла под сводами перголы, по пути обдумывая, что она ему скажет, и выглядело это примерно так:

«Во-первых, Уильям мне очень нравится. Этого нельзя отрицать. Я знаю его, наверное, лучше, чем кого бы то ни было, во всяком случае мне так кажется. Но почему я выхожу за него замуж — отчасти потому, тебе я признаюсь, но ты никому больше не говори, — отчасти потому, что мне хочется быть замужней дамой. Хочется, чтобы у меня был собственный уголок. А пока я дома с родителями, это невозможно. Хорошо тебе, Генри, ты можешь жить, как тебе вздумается. А мне приходится все время находиться при родителях. И кроме того, ты прекрасно знаешь, что у нас за дом. К тому же нельзя быть счастливой, если у тебя нет своего занятия. Не то чтобы дома мне было некогда — просто там такая атмосфера».

После чего она представила, как ее кузен, человек умный и чуткий, вопросительно поднимет брови и уточнит:

«Ну хорошо, и чем же ты думаешь заняться?»

В ходе этого чисто умозрительного диалога Кэтрин потребуется немалое мужество, чтобы поделиться своей заветной мечтой даже с чисто умозрительным собеседником.

«Я бы хотела... — скажет она, умолкнет и лишь после долгой паузы продолжит чуть дрогнувшим голосом: — Заниматься математикой и изучать звезды».

Генри будет потрясен, но по доброте душевной не станет высказывать вслух свои опасения, он лишь заметит, что математика — наука трудная, и добавит, что мало знает о звездах.

И тогда Кэтрин перейдет собственно к сути дела:

«Мне не важно, много ли узнаю в результате, просто я хочу иметь дело с цифрами — то есть мне нужно какое-то занятие, не связанное с людьми. Особенно с людьми. Знаешь, Генри, в некотором смысле я обманщица, то есть я не та, за кого меня все принимают. Я не домоседка, не практичная, не чуткая. И если я смогу что-нибудь подсчитывать, пользоваться телескопом, иметь дело с цифрами и точно знать, где я неправа, тогда я буду совершенно счастлива и, надеюсь, смогу дать Уильяму все, чего он от меня ждет».

И в этом месте интуиция подсказала ей, что она переступила черту, за которой совет Генри мог бы пригодиться, так что, закончив на этом воображаемый разговор, она опустилась на каменную скамью, невольно подняла взгляд к небу и задумалась о более серьезных вопросах, которые, как она понимала, ей нужно решить для себя самой. Действительно ли она может дать Уильяму то, чего он от нее ждет? Чтобы разобраться в этом, она бегло перебрала в уме весь небольшой перечень пожеланий, взглядов, комплиментов, жестов, которые были во время их общения за последний день или два. Родни очень расстраивался, что багаж с ее одеждой, которую он сам для нее выбирал, отправили не на ту станцию, поскольку она не удосужилась толком надписать ярлыки. Багаж конечно же вскоре доставили, и, когда Кэтрин в тот вечер спустилась в гостиную, он сказал, что сегодня она особенно красива. И будто бы она затмила своей красотой всех кузин, и что все ее жесты и движения изящны, и еще сказал, что форма ее головы позволяет ей, в отличие от многих женщин, низко закалывать волосы.

Он дважды упрекнул ее за то, что она молчит во время ужина, и однажды — за то, что не слушает его. Он подивился безупречности ее французского, но счел с ее стороны эгоистичным не отправиться с матерью с визитом к Миддлтонам, ведь они их старые знакомые и вообще очень милые люди. В целом баланс соблюдался, и, мысленно подведя итог, по крайней мере, на текущий момент, она вздохнула, подняла глаза к небу — и не видела уже ничего, кроме звезд.

В ту ночь они светили особенно ярко, от их мерцания у нее рябило в глазах, и она подумала: какие звезды счастливые! И хотя по сравнению со многими своими сверстницами Кэтрин довольно мало разбиралась в религии и даже не интересовалась ею, сейчас, когда она смотрела на рождественский небосвод, ей показалось, что небо склоняется над землей с глубокой нежностью и словно хочет сказать этим бессмертным сиянием: я тоже радуюсь вместе с тобой! Наверное, даже в этот момент небеса видят караван волхвов, движущихся по пыльной дороге в какой-то дальней стране... И, посидев так еще немного, она почувствовала то, что всегда чувствовала в присутствии звезд: как вся короткая история человечества рассыпается хладным пеплом и человеческое тело принимает облик обезьяноподобного косматого существа, притаившегося в диких и грязных каменных джунглях. Эту картину вскоре сменила другая, где в мире не было уже ничего, кроме звезд и звездного сияния; и, глядя в небеса сузившимися от звездного света зрачками, она чувствовала, что и сама превратилась в сияние и рассыпается мириадами серебряных брызг, все дальше и дальше по всей бесконечной Вселенной. И в то же время, как ни странно, она была всадницей, а рядом — благородный герой, и они мчались на резвых конях по берегу моря и под сводами леса, и так продолжалось бы вечно, если бы бренная плоть не напомнила о себе самым недвусмысленным образом: тело, привыкшее к нормальным жизненным условиям, воспротивилось попыткам разума эти условия изменить. Она замерзла. Поеживаясь от холода, она поднялась и пошла к дому.

Особняк Стогдон-Хаус в тусклом свете небес вставал перед ней бледной громадой, чуть не вдвое больше обычного, напоминая романтический замок. Построенный отставным адмиралом в самом начале девятнадцатого столетия, с округлыми эркерными окнами, горящими желтовато-красным огнем, в этот час он более всего напоминал величественный трехпалубный корабль, бороздящий моря с дельфинами и нарвалами, резвящимися тут и там, как их обычно изображали на старинных картах. Пологий ряд полукруглых ступеней вел к парадной двери, которую Кэтрин, выходя, забыла прикрыть за собой. Она помедлила, окинула взглядом фасад старого дома, отметив, что в маленьком окошке под крышей теплится огонек, и толкнула тяжелую дверь. С минуту постояла в квадратном холле, среди множества рогатых черепов, пожелтевших глобусов, старых картин в крокелюрах и совиных чучел, не решаясь открыть дверь справа, из-за которой доносились оживленные голоса. Прислушавшись, она уловила звук, окончательно убедивший ее, что входить не стоит: ее дядюшка, сэр Френсис, имевший обыкновение по вечерам играть в вист, уже приступил к любимому занятию и, судя по всему, пока был в проигрыше.

Она поднялась по витой лестнице, которая являла собой единственную претензию на помпезность в этом довольно обшарпанном особняке, затем прошла по узкому коридору, пока не оказалась перед той самой комнатой, горящее окошко которой заметила из сада. Постучалась и, дождавшись приглашения, вошла. Молодой человек — Генри Отуэй — читал, положив ноги на каминную решетку. У него была красивая голова, высокий, на елизаветинский манер, округлый лоб, но проницательные, ясные глаза смотрели не по-елизаветински сурово, а скорее насмешливо. Можно было подумать, он еще не нашел в мире ничего, что заслуживало бы серьезного отношения.

Генри отложил книгу и обернулся к ней. Он заметил ее побледневшее, в легкой испарине лицо — так бывает, когда человек с собой не в ладу. Сам он часто делился с ней своими сомнениями и теперь подумал, а даже отчасти надеялся, что, может быть, наконец-то и он сумеет ей чем-то помочь. С другой стороны, зная ее независимый характер, едва ли можно было ожидать от нее каких бы то ни было признаний.

— И ты тоже сбежала? — спросил он, поглядев на ее накидку. Кэтрин забыла снять это свидетельство своего звездочетства.

— Сбежала? — переспросила она. — От кого? Ах, с семейного сборища. Да, там стало чересчур душно, и я решила прогуляться.

— Очень замерзла? — поинтересовался Генри, подбросив в камин угольев, придвинув стул поближе к огню и забирая у нее накидку.

Из-за ее полного безразличия к таким мелочам Генри часто брал на себя роль, которая в подобных ситуациях обычно считается женской. И это их тоже по-своему сближало.

— Спасибо, Генри, — сказала она. — Я тебя ни от чего не отвлекаю?

— А меня здесь нет. Я в Банги, — ответил он. — Даю урок музыки Гарольду и Джулии. Потому я и вышел из-за стола вместе с дамами — сегодня переночую здесь и уеду, а потом вернусь только вечером в сочельник.

— Вот бы и мне… — начала было Кэтрин, но вдруг умолкла. — Мне кажется, эти семейные вечера — большая ошибка, — быстро добавила она и вздохнула.

226

— Да, ужасная! — согласился он, и снова повисла пауза.

Ее печальный вздох заставил его насторожиться. Может, прямо спросить ее, что случилось? Ведь едва ли правы те самонадеянные юноши, а их немало, кто считает Кэтрин скрытной во всем, что касается ее сердечных дел. Но с тех пор, как она обручилась с Родни, Генри испытывал к ней довольно смешанное чувство: при том что ему очень хотелось уязвить ее, он испытывал еще большую нежность к ней, и так странно и мучительно было сознавать, что она постепенно отдаляется от него, уплывает в далекое странствие по неведомым морям. Кэтрин же, стоило ей войти в эту комнату и стряхнуть с себя звездное оцепенение, уже понимала, что любое общение неполноценно: из всей массы чувств и эмоций только две возможно было представить на суд Генри — оттого она и вздохнула. Потом посмотрела на него, их взгляды встретились, и сразу стало ясно, что их объединяет нечто большее, чем можно было предположить: в конце концов, у них общий дед, и кроме того, принадлежность к одному семейству сближает, даже если у родственников нет особых поводов для взаимной симпатии, как у этих двоих.

— Когда свадьба? — сердито спросил Генри.

— Думаю, не раньше марта, — ответила она.

— А потом? — спросил он.

— Снимем домик, полагаю, где-нибудь в Челси.

— Очень интересно, — заметил он, искоса на нее поглядывая.

Кэтрин полулежала в кресле, задрав ноги и положив их почти на самый верх каминной решетки. Она развернула газету и, загородившись ею, как ширмой, время от времени зачитывала вслух то одну, то другую выхваченную наугад фразу.

Понаблюдав за ней некоторое время, Генри заметил:

— Может, замужество сделает тебя более человечной.

При этих словах она чуть опустила газету, но ничего не сказала.

Целую минуту длилось молчание.

— Если подумать о таких вещах, как звезды, сразу понимаешь, что наши отношения мало что значат, правда? — неожиданно произнесла она.

— А я не думаю о звездах, — ответил Генри. — И кроме того, это не объяснение, — добавил он, глядя на нее в упор.

— Может, и нет никакого объяснения, — поспешила ответить она, не совсем понимая, что он имеет в виду.

— Как? Вообще нет объяснения ничему? — с улыбкой поинтересовался он.

— Ну, всякое случается. Жизнь есть жизнь, — заключила она в своей обычной категоричной манере.

«Да, это уж точно объясняет некоторые твои действия», — подумал Генри.

— На самом деле я не вижу, чем одно лучше другого, да и наконец, нужно же что-то делать, — продолжил он с легкой издевкой, как бы продолжая ее мысль и даже копируя ее интонацию.

Наверное, она это почувствовала, потому что посмотрела на него внимательно и заметила с какой-то грустной иронией:

— Что ж, Генри, если ты думаешь, что твоя жизнь будет проще…

— Но я так не думаю.

— Вот и я тоже, — сказала она.

— Так что там насчет звезд? — спросил он чуть погодя. — Я так понял, ты ищешь путеводную звезду?

Кэтрин оставила эти его слова без внимания — то ли не расслышала, то ли ее покоробил сам тон замечания.

228

Она снова погрузилась в задумчивость, затем спросила:

— Но разве ты всегда понимаешь, зачем делаешь те или иные вещи? И возможно ли это понять? Люди вроде моей матушки, похоже, понимают, — печально сказала она. — Теперь мне, наверное, придется снизойти до них — и посмотрим, что из этого получится.

— А что может получиться?

— Ну, они бы захотели кое-что уладить, — уклонилась она от прямого ответа.

Спустив ноги на пол, она подалась вперед, подперев лицо руками, и стала смотреть на огонь. Язычки пламени отражались в ее черных глазах.

— И кроме того, есть Уильям, — добавила она, словно эта мысль только что пришла ей в голову.

Генри чуть не рассмеялся, но взял себя в руки.

— Ты не знаешь, из чего сделаны угли, Генри? — спросила она минуту спустя.

— Думаю, из кобыльих хвостов, — пошутил он.

— А ты когда-нибудь бывал в угольной шахте? — продолжала она.

— Давай не будем о шахтах, — сказал он. — Кто знает, может, мы видимся в последний раз. Когда ты станешь замужней дамой...

И к огромному своему удивлению, он вдруг заметил слезы в ее глазах.

— Зачем вы все дразните меня? — сказала она. — Так нечестно.

Генри не мог притвориться, будто не понимает, о чем речь, хотя обычно она не обижалась, когда он над ней подтрунивал. Но пока он собирался с мыслями, слезы исчезли, как будто ничего и не было.

— Жизнь вообще штука непростая, — сказала она.

Генри наконец понял: с ней что-то неладно, и заговорил с жаром:

— Пообещай мне, Кэтрин, что, если я смогу тебе хоть чем-то помочь, ты не откажешься принять мою помощь.

Она подумала немного, глядя на алые языки огня, и решила воздержаться от объяснений.

— Да, это я могу пообещать, — наконец сказала она очень серьезно.

Ее искренность приятно поразила Генри. И он, помня о ее любви к точным знаниям, принялся рассказывать ей об устройстве угольной шахты.

И вот они уже спускались в шахту в маленькой клети, прислушиваясь к доносившемуся снизу, из недр земли, стуку шахтерских молотков, как будто крысы точат зубами что-то жесткое, — как вдруг дверь комнаты без стука отворилась.

— А, вот ты где! — воскликнул Родни.

Кэтрин и Генри разом обернулись, причем вид у обоих был слегка виноватый. Родни был в вечернем костюме. Он не скрывал раздражения.

— Значит, вот где ты все это время сидела, — повторил он, глядя на Кэтрин.

— Я здесь всего десять минут, — ответила она.

— Дорогая моя, ты ушла из гостиной больше часа назад.

Она промолчала.

— А это так важно? — спросил Генри.

Родни, понимая, что его претензии выглядят как каприз, судорожно придумывал логичное объяснение.

— Им это не понравилось, — сказал он. — Не годится так поступать по отношению к старикам — оставлять их одних, хотя, конечно, сидеть тут и болтать с Генри гораздо приятнее.

— Мы беседовали об угольных шахтах, — спокойно пояснил Генри.

— Да. Но до этого — о более интересных вещах, — сказала Кэтрин.

Она произнесла это с вызовом, и Генри полагал, что Родни не замедлит ответить тем же.

— Понимаю, — усмехнулся Родни. Он оперся о спинку кресла и принялся барабанить по ней пальцами.

Наступившее вслед за этим долгое молчание становилось тягостным, по крайней мере для Генри.

— Там было очень скучно, Уильям? — вдруг спросила Кэтрин светским тоном, небрежно поводя рукой.

— Разумеется, — буркнул Уильям.

— Отлично, теперь ты посиди здесь и поболтай с Генри, а я спущусь вниз, — предложила она.

С этими словами она встала и, проходя мимо Родни, слегка коснулась его плеча. Родни схватил ее руку с таким пылом, что Генри сделалось неловко и он демонстративно уставился в раскрытую книгу.

— Я пойду с тобой, — сказал Уильям, когда она высвободила руку и хотела было уйти.

— Нет-нет, — остановила она его. — Ты останешься здесь и поболтаешь с Генри.

— Да, оставайтесь, — сказал Генри, захлопнув книгу.

Он сказал это вежливо, но без особого радушия. Родни, по-видимому, колебался, но, видя, что Кэтрин уже подошла к двери, воскликнул:

— Нет, я хочу с тобой!

Она оглянулась и, сделав строгое лицо, произнесла тоном, не терпящим возражений:

— Это не имеет смысла. Через десять минут я ложусь спать. Спокойной ночи.

Она кивнула им обоим, но Генри заметил, что последний прощальный кивок предназначался ему. Родни тяжело опустился на стул.

Он сидел такой подавленный и униженный, что Генри едва удержался от подходящей к случаю литературной цитаты. С другой стороны, если не подкинуть тему, Родни может заговорить о своих чувствах, а выслушивать его откровения будет крайне неприятно, во всяком случае, так ему сейчас казалось. Поэтому он избрал срединную тактику — то есть взял карандаш и написал на закладке следующее: «Ситуация становится крайне неудобной». И принялся обводить все это волнистой рамочкой с завитками, которые почему-то всегда появляются в таких случаях. И, сделав все это, подумал про себя: как ни трудно было Кэтрин, это не оправдывает ее поведения. Она обращалась с Родни слишком сурово, но, видно, женщины, от природы или намеренно, бывают слепы к чувствам мужчин.

Пока он черкал карандашом по бумаге, Родни вроде бы немного успокоился. Вероятно, будучи человеком тщеславным, он даже больше переживал не из-за того, что им пренебрегли, а из-за того, что Генри стал свидетелем этого унижения. Он любил Кэтрин, и это чувство не уменьшало, а еще более распаляло его тщеславие, особенно, как можно было предположить, в присутствии других мужчин. Но именно вследствие этого смешного и милого недостатка Родни храбрился: положим, он выставил себя на посмещище, подумал он, зато костюм на нем безупречного кроя. Он достал сигарету, постучал ею по тыльной стороне ладони, пристроил ноги в элегантных лаковых туфлях на край каминной решетки — и утраченное было чувство собственного достоинства вернулось к нему.

— Здесь в округе несколько больших имений, Отуэй, — начал он. — И как охота? Посмотрим, какая тут наберется компания. Кто у вас верховодит?

— Сэр Уильям Бадж, сахарный король, у него самое большое имение. Он прикупил земли у бедняги Станема, когда тот обанкротился.

— Какого именно Станема? Вернея или Альфреда?

— Альфреда… Я сам не любитель охоты. Но вы хороший охотник, верно? Во всяком случае, вы отлично держитесь в седле, — добавил он, желая сказать приятное Родни.

— О, я обожаю верховые прогулки, — оживился тот. — А здесь можно достать лошадь? Ах, что я говорю! Я же не захватил с собой костюма. Не представляю, от кого вы могли узнать, что я люблю ездить верхом?

Честно говоря, этот вопрос и для Генри был непростым: он не хотел упоминать Кэтрин, а потому ответил довольно уклончиво, что, мол, давно слышал о том, что Родни отличный наездник. На самом же деле он мало о нем слышал, знал только, что этот персонаж вечно маячит на заднем плане в тетушкином доме и непонятно с какой стати стал женихом его кузины.

— Я не очень люблю охоту, — продолжал Родни, — но что делать: приходится, так сказать, держать марку. Осмелюсь заметить, здесь есть очень живописные места. Как-то я гостил в Болем-Холле. Вы ведь знакомы с младшим Грэнторпом, не так ли? Он женат на дочери старого лорда Болема. Очень приятные люди.

— Я не вхож в это общество, — заметил Генри довольно резко.

Но Родни, нащупав приятную тему, все не мог остановиться. Он мнил себя человеком, который без труда станет своим в любом обществе, но при этом достаточно повидал свет и знает ему цену.

— О, так вам непременно следует познакомиться, — не унимался он. — Раз в год по меньшей мере там стоит побывать. Они такие внимательные, а женщины — само очарование.

«И он еще говорит о женщинах! — подумал Генри брезгливо. — Да какая женщина на тебя польстится?» Похоже, чаша терпения его вот-вот переполнится, и все же Родни ему нравился — вот что странно, поскольку Генри был весьма щепетилен и облил бы презрением всякого, кто осмелился бы при нем говорить такое. Просто ему стало любопытно, что за птица этот новоиспеченный жених его кузины. И каким характером надо обладать, чтобы так беззастенчиво выставлять на всеобщее обозрение свое тщеславие?

— Я не думаю, что мне удастся найти с ними общий язык, — ответил он. — Даже не знаю, о чем я стал бы разговаривать с леди Роуз, если бы встретил ее.

— А, ерунда, я вас научу, — хохотнул Родни. — Поговорите о детях, если у них есть дети, об их успехах — в рисовании, садоводстве, поэзии, — увидите, как они будут тронуты. Знаете ли, я правда считаю, что мнение женщины о стихах стоит выслушать. Не просите ничего объяснять, просто спросите, какие чувства они вызывают. Кстати о чувствах. Кэтрин, к примеру…

— Кэтрин, — быстро перебил его Генри, как будто само упоминание ее имени в устах Родни было для него оскорбительно, — Кэтрин не такая, как остальные женщины.

— Разумеется, — согласился Родни. — Она… — Ему хотелось поговорить о ней, но он запнулся, подбирая слова. — Она очень хороша собой, — сказал он, но как-то неуверенно, совсем не таким тоном, как раньше.

Генри едва заметно кивнул.

— Однако члены вашей семьи... подвержены перепадам настроения, как я понимаю?

— Только не Кэтрин, — уверенно сказал Генри.

— Только не Кэтрин, — повторил Родни, словно взвешивая эти слова. — Может, вы и правы. Но после помолвки она сильно изменилась. Разумеется, — добавил он, — этого следовало ожидать.

Он, видимо, ждал, что Генри согласится с ним, но тот помалкивал.

— У Кэтрин была в некотором смысле нелегкая жизнь, — продолжал Родни. — Я надеюсь, замужество пойдет ей на пользу. У нее большие способности.

— Да, — согласился Генри.

— Но как вы полагаете, в каком направлении они будут развиваться?

Родни перестал изображать из себя светского щеголя и, похоже, просил у Генри совета в том, что его всерьез волнует.

— Ну, не знаю... — осторожно ответил Генри.

— Как вы думаете, может, дети, хозяйство и всякое такое — может, ей будет этого достаточно? Учтите, я целыми днями на службе...

— Уверен, она справится.

— В том, что она справится, я не сомневаюсь, — сказал Родни. — Но... я не мыслю жизни без поэзии. А Кэтрин этого не дано. Она восхищается моими стихами, кстати сказать, но будет ли этого достаточно для нее?

— Нет, — ответил Генри. Он помолчал немного и добавил, словно подводя итог своим размышлениям: — Думаю, вы правы. Кэтрин еще не нашла себя. Она все еще живет в вымышленном мире... Порой мне кажется...

— Что? — быстро спросил Родни, надеясь услышать что-то важное. Но поскольку Генри молчал, Родни продолжил: — Вот почему я... — Однако договорить не успел, потому что дверь распахнулась — это был Гилберт, младший брат Генри.

С его приходом мужчинам пришлось прервать разговор, чему Генри был даже очень рад, поскольку и так сказал больше, чем ему бы хотелось.

ГЛАВА XVII

Когда проглядывало солнце, а в ту рождественскую неделю оно сияло с необычайной яркостью, сильнее бросалось в глаза все то, что поблекло, потерлось и вообще страдало от недостатка ухода как в Стогдон-Хаусе, так и в усадьбе с тем же названием. Сэр Френсис после индийской гражданской службы вышел в отставку с пенсией, по его мнению, далеко не достаточной для жизни и совершенно не соответствующей его чаяниям. Его карьера сложилась не очень удачно, и, хотя это был милейший пожилой джентльмен, с седыми усами на смуглом лице, на редкость начитанный и знающий множество занятных историй, нетрудно было догадаться, что произошло некое ужасное событие, помешавшее его честолюбивым планам: он был раздражителен и склонен лелеять прежние обиды. Обиды эти относились к середине прошлого столетия, когда в результате неких подковерных интриг его обошли — и то, что по заслугам полагалось ему, самым обидным образом досталось другому, младше его по чину.

Его жена и дети точно не помнят, кто был прав и виноват в этой истории — если допустить, что там вообще были правые и виноватые, — однако та давняя обида наложила отпечаток на жизнь всей семьи. Она отравила существование сэра Френсиса точно так же, как, принято считать, любовное разочарование отрав-

236

ляет жизнь женщины. Долгие размышления о причинах того ужасного провала, привычка вновь и вновь перебирать в памяти все свои надежды и неудачи сделали сэра Френсиса, что называется, эгоистом, а после отставки его характер стал еще более сложным и тяжелым.

Жена почти не могла противостоять его дурному настроению, и потому он не видел в ней проку. Своим доверенным лицом он сделал дочь, Эвфимию*, и его ничуть не смущало, что на потакание его прихотям уходят лучшие годы ее жизни. Ей он диктовал мемуары, которые, по замыслу, должны были стать отмщением прошлому, ей же приходилось вновь и вновь заверять его в том, что с ним обошлись бесчестно. В тридцать пять лет щеки ее были почти такими же бледными, как у ее матушки, только в прошлом у нее не было ни солнечной Индии, ни плача младенца в детской. Ей было практически не о чем думать, когда она садилась с вязанием — вот как сейчас леди Отуэй с мотком белой шерсти — и неотрывно глядела все на ту же вышитую птичку все на том же каминном экране. Только леди Отуэй принадлежала к тем людям, для кого была придумана великая британская воображаемая игра в светскую жизнь. Большую часть времени она тратила на то, чтобы казаться соседям и себе самой достойной, важной и занятой дамой, состоятельной и занимающей видное место в обществе. Учитывая реальное положение вещей, такая игра требовала изрядного мастерства. Сейчас — а было ей около шестидесяти — она играла роль скорее для самообмана, нежели ради того, чтобы ввести в заблуждение окружающих. Броня ее истончилась; она все чаще забывала поддерживать образ.

---

* В авторском тексте В. Вулф старшая дочь Отуэев только в этом месте названа Эвфимией, ранее упоминалась Элеонора.

На коврах виднелись проплешины, обои в гостиной выцвели, а на стульях мягкую обивку не обновляли уже несколько лет. И виной тому была не только крохотная пенсия, но и необходимость одеть и обуть двенадцать детей, из которых восемь были мальчики. Как обычно случается в таких больших семьях, по мере появления потомства где-то посередине этого процесса четко обозначился водораздел: денег на обучение оставалось все меньше, и в результате шестеро младших детей росли в условиях куда более строгой экономии, нежели старшие. Если сыновья были умны, они получали стипендию; если же умом не отличались, то могли рассчитывать только на семейные связи. Девочки время от времени устраивались на службу, но дома постоянно жили двое или трое дочерей. Они выхаживали больных животных, разводили шелковичных червей или играли на флейте у себя в комнате.

Разница между старшими и младшими детьми была почти такой же, как и между высшим и средним классом. Младшие, с их бессистемным образованием и скромными средствами, развивали свои таланты, заводили друзей и любовались пейзажами — то есть получали то, что почти невозможно было найти в стенах частной школы или правительственного учреждения. Группы враждовали: старшие пытались наставлять молодежь, младшие упорно не желали их уважать. Однако одно объединяло их всех и тотчас же заделывало любую наметившуюся брешь: общая вера в превосходство их семьи над всеми остальными. Генри был самым старшим среди детей, их предводителем. Он покупал странные книги и состоял в диковинных обществах, ходил без галстука круглый год и купил шесть рубашек черной фланели. Он много раз отказывался от места в бюро судоходства и на чайном складе. Назло порицающим его дядюшкам и тетушкам он упорно занимался игрой на скрипке и на фортепиано, хотя нельзя сказать, что в обоих занятиях добился профессионального успеха. И в самом деле, к тридцати двум годам ему нечего было предъявить миру, кроме рукописной партитуры с половиной оперы. Кэтрин всегда принимала его сторону в спорах со взрослыми, а поскольку она считалась девушкой весьма разумной и одевалась слишком хорошо, чтобы выглядеть экстравагантной, то он находил ее поддержку весьма полезной. Естественно, приезжая к ним на Рождество, Кэтрин проводила немало времени в беседах с Генри и Кассандрой — младшей из дочерей, той самой, что разводила шелковичных червей. У младшего поколения Кэтрин пользовалась репутацией чрезвычайно здравомыслящего человека. У нее было свойство, которое они презирали, но втайне уважали и называли знанием жизни — то есть жизни почтенных и уважаемых людей, заседающих в клубах и обедающих с министрами. Не раз она играла роль посредницы между леди Отуэй и ее детьми. Например, несчастная леди спросила у нее совета, когда в один прекрасный день из любопытства заглянула в спальню Кассандры и обнаружила, что потолок увешан листьями шелковицы, окна не видно из-за садков, а столы заставлены самодельными приспособлениями для изготовления шелковых платьев.

— Надеюсь, ты сможешь заинтересовать ее чем-нибудь, что интересно другим людям, — печально заметила она, закончив перечень жалоб. — Во всем виноват Генри, он поощряет ее любовь к этим отвратительным насекомым. Но это вовсе не значит, что женщина может делать все то же, что и мужчина.

Утро было ясным, и кресла и диваны в личной гостиной леди Отуэй выглядели еще более потертыми, чем обычно. Доблестные джентльмены, ее родные и двоюродные братья, защищавшие империю и сложившие головы на разных ее рубежах, казалось, смотрят на мир сквозь золотистый флер, который рассветное солнце набросило на их фотографии. Леди Отуэй вздохнула — возможно, о выцветших реликвиях — и покорно вернулась к моткам шерсти, не сливочно-белого, но, что примечательно, грязноватого серо-желтого цвета. Она позвала племянницу, чтобы немного поболтать. Леди Отуэй всегда доверяла Кэтрин, а сейчас, после помолвки с Родни, — больше, чем обычно. Партия казалась ей очень подходящей: каждая мать желала бы такого для своей дочери. Кэтрин невольно подтвердила свою репутацию разумной особы, попросив пару вязальных спиц.

— Так приятно вязать, пока кто-то разговаривает, — заметила леди Отуэй. — А теперь, милая Кэтрин, расскажи о своих планах.

Волнения прошлой ночи, заставившие ее не сомкнуть глаз до рассвета, не прошли бесследно: Кэтрин чувствовала себя измученной, а потому более деловитой и прозаичной, чем обычно. Она еще могла обсуждать свои планы — меблировку дома и арендную плату, прислугу и бюджет, — но делала это так, словно они не имеют к ней никакого отношения. Во время разговора она не переставала вязать. Леди Отуэй с одобрением отметила рассудительность племянницы, которой перспектива скорого замужества придала степенности, что весьма похвально для невесты, хотя в наши дни это такая редкость. Да, после помолвки Кэтрин немного изменилась.

«Вот идеальная дочь — или невестка», — думала она и невольно сравнивала ее с Кассандрой, окруженной в спальне бессчетными полчищами шелковичных червей.

— Да, — продолжила она, глянув на племянницу круглыми зеленоватыми глазами, невыразительными, как мраморные шарики, — Кэтрин, ты похожа на девушек времен моей юности. Мы всегда серьезно относились к серьезным вещам.

Но пока она утешалась этой мыслью и готовилась продемонстрировать кое-что из арсенала накопленной за годы мудрости, которая — увы! — не нужна была ни единой из ее дочерей, — дверь распахнулась, и вошла миссис Хилбери. Точнее, не вошла, а замерла на пороге и улыбнулась, очевидно ошибившись комнатой.

— Никогда я не выучу, где что в этом доме! — воскликнула она. — Я шла в библиотеку и совсем не хотела вам мешать. Вы ведь с Кэтрин беседовали?

Появление невестки слегка смутило леди Отуэй. Ну как она могла продолжить этот разговор в присутствии Мэгги? Ведь с ней она за все эти годы ни разу на подобные темы не заговаривала.

— Я давала Кэтрин кое-какие советы относительно брака, — сообщила она с улыбкой. — Разве никто из моих детей тебя не ищет, Мэгги?

— Брак, — проговорила миссис Хилбери, входя в комнату. — Я всегда говорила, что брак — это как школа. Не пойдешь в школу — не получишь награду. Вот Шарлотта получила все награды, — добавила она, слегка хлопнув по плечу свою золовку, из-за чего та почувствовала себя еще более не в своей тарелке. Миссис Хилбери усмехнулась, что-то пробормотала и вздохнула.

— Тетя Шарлотта говорит, что не стоит выходить замуж, если не готова подчиняться мужу, — сказала Кэтрин, более точно сформулировав сказанное тетушкой. И, как ни странно, в ее устах это звучало ничуть не старомодно.

Леди Отуэй взглянула на нее и на мгновение задумалась.

— Я действительно не советую женщине, которая хочет жить своим умом, выходить замуж, — сказала она, начиная новый ряд вязанья.

Миссис Хилбери немного представляла обстоятельства, которые, как ей казалось, стали причиной такого высказывания. Теперь в ее глазах было сочувствие, и она попыталась выразить его как умела.

— Какой позор! — воскликнула она, как обычно забыв о том, что нить ее рассуждений не очевидна слушателям. — Но, Шарлотта, было бы гораздо хуже, если бы Фрэнк как-нибудь себя скомпрометировал. Главное не то, чего наши мужья добиваются, главное — какие они. Я тоже мечтала о белоснежных лошадях и паланкинах, но сейчас мне куда больше нравятся чернильницы. И — кто знает, — добавила она, взглянув на Кэтрин, — может, завтра твой отец станет баронетом.

Леди Отуэй приходилась сестрой мистеру Хилбери и знала, что между собой чета Хилбери называет сэра Френсиса «старый турок», и, хотя не смогла проследить за потоком мыслей миссис Хилбери, догадывалась, чем они вызваны.

— Но если ты сумеешь быть покорной мужу, — обратилась она к Кэтрин, словно между ними существовало некое тайное понимание, — то счастливый брак — самое большое счастье для женщины.

— Да, — сказала Кэтрин, — но…

Ей не хотелось заканчивать фразу. Она хотела, чтобы мать и тетя продолжили рассуждать о браке: она чувствовала, что посторонние люди могли бы ей помочь. Она продолжала вязать, но ее пальцы двигались с решимостью, до странного непохожей на мягкие и неспешные движения полных рук леди Отуэй. Кэтрин бросала быстрые взгляды то на мать, то на тетушку. Миссис Хилбери держала в руке книгу — как догадалась Кэтрин, она направлялась в библиотеку, чтобы добавить еще один фрагмент к собранию разрозненных абзацев, составлявших «Жизнь Ричарда Алардайса». Обычно в таких случаях Кэтрин поторопила бы миссис Хилбери и проследила за тем, чтобы ее матушку больше ничто не отвлекало от занятий. Однако ее отношение к жизнеописанию поэта в последнее время переменилось вместе со всем остальным, так что она махнула рукой на прежний распорядок дня. Миссис Хилбери втайне обрадовалась, это было видно по робким, признательным взглядам, которые она искоса бросала на дочь. То, что ей дали поблажку, привело ее в восторженное состояние духа. Может, ей позволено будет посидеть здесь еще немного и поболтать?

Сидеть в уютной комнате, набитой множеством интереснейших вещей, которые она не видела больше года, намного приятнее, чем выискивать по справочникам разночтения в датах.

— У нас у обеих прекрасные мужья, — заключила она, прощая сэру Френсису разом все его прегрешения. — На самом деле я не считаю, что мужчина виноват в своем плохом характере. То есть не в плохом... — поправилась она, очевидно имея в виду сэра Френсиса. — Мне следовало сказать «в порывистом». У большинства, а на самом деле у *всех* великих людей был ужасный характер — кроме твоего дедушки, Кэтрин.

Тут она вздохнула и робко заметила, что, наверное, ей пора спуститься в библиотеку.

— Но разве в обычном браке необходимо во всем уступать мужу? — спросила Кэтрин, не обращая внимания на слова о библиотеке, не замечая даже печали, охватившей миссис Хилбери при мысли о собственной неминуемой смерти.

— Разумеется, мне следует сказать «да», — сказала леди Отуэй с несвойственной ей твердостью.

— Тогда нужно быть готовой к этому, прежде чем выйдешь замуж, — задумчиво промолвила Кэтрин, обращаясь скорее к себе самой.

Миссис Хилбери больше не интересовали эти разговоры, становившиеся все более тоскливыми. Чтобы развеять грусть, она прибегла к испытанному средству: поглядела в окно.

— Вы только посмотрите на эту чудесную синенькую птичку! — воскликнула она, с удовольствием рассматривая небо, кусты, видневшиеся за кустами поля и голые ветви дерева, на котором сидела крохотная синичка. Она ужасно любила природу.

— Большинство женщин инстинктивно чувствуют, способны они на это или нет, — быстро и негромко проговорила леди Отуэй, пытаясь высказаться, воспользовавшись тем, что ее невестка отвлеклась от беседы. — А если нет, то мой совет: никакого замужества.

— Но ведь брак — самое счастливое время в жизни женщины! — воскликнула миссис Хилбери, уловив только последнее слово «замужество». — Это самое *интересное* время, — поправилась она и взглянула на дочь с чувством смутной тревоги.

Казалось, глядя на дочь, на самом деле она видит саму себя. Она была не совсем довольна, но не хотела ей ничего навязывать, ведь сдержанность — именно то ценное качество, которое ее особенно восхищало в дочери. Однако когда мать сказала, что брак — самое интересное время, Кэтрин почувствовала — как бывало порой, безо всякой причины, — что они поняли друг друга, при том что ни в чем не были похожи. Мудрость старых скорее относится к чувствам, свойственным всем людям вообще, а не конкретному человеку, и Кэтрин подозревала, что даже среди ровесников миссис Хилбери лишь немногие с ней согласятся. Обеим дамам так мало нужно для счастья, подумала она, но в данный момент она не взялась бы утверждать, что их представление о браке — неправильное. Пока она была в Лондоне, такое сдержанное отношение к собственному супружеству казалось ей естественным. Что же изменилось? Что ее гнетет? Ей никогда не приходило в голову, что ее собственное поведение может быть для матери загадкой или что молодые люди могут повлиять на взрослых так же сильно, как те на молодых. И все же любовь — страсть — как ни называй это чувство — действительно играла незначительную роль в жизни миссис Хилбери. Намного меньшую, чем можно было предположить, зная ее пылкий и восторженный характер. Ее всегда больше интересовали другие вещи. Как ни странно, но леди Отуэй понимала, что творится в душе у Кэтрин, лучше, чем ее мать.

— Ах, почему мы все не живем в деревне? — воскликнула миссис Хилбери, вновь выглянув в окно. — Мне кажется, у тех, кто живет на природе, мысли должны быть чистые и прекрасные! Никаких тебе ужасных трущоб, ни трамваев, ни автомобилей, и люди все такие гладкие и румяные! Ты не знаешь, Шарлотта, можно ли найти поблизости маленький коттедж — для нас, ну и еще пусть там будет несколько свободных комнат, где гости могли бы переночевать? И мы сэкономим столько денег, что сможем путешествовать…

— Да, неделю-другую вам все будет здесь нравиться, не сомневаюсь, — ответила леди Отуэй. — К какому часу вам сегодня понадобится экипаж? — И она потянулась к колокольчику.

— Пусть решает Кэтрин, — сказала миссис Хилбери. — Я как раз хотела тебе сказать, Кэтрин, что, когда я проснулась сегодня утром, все в голове сложилось в ясную картинку, и будь у меня карандаш, я бы сразу написала очень-очень длинную главу. Когда поедем, я присмотрю нам домик. Среди деревьев, с садиком, пруд с утками-мандаринками, кабинет для твоего отца, кабинет для меня и отдельная гостиная для Кэтрин, потому что она будет уже замужней дамой.

Кэтрин поежилась, придвинулась к огню и стала греть руки над высокой горкой углей; ей хотелось снова поговорить о замужестве, чтобы еще послушать, что скажет об этом тетя Шарлотта: вот только как это сделать?

— Можно взглянуть на ваше обручальное кольцо, тетя Шарлотта? — спросила она.

Кэтрин взяла кольцо с зелеными камешками и крутила его в руках так и эдак, не зная, что бы еще сказать.

— Я ужасно разочаровалась, когда впервые увидела это старое, невзрачное колечко, — задумчиво произнесла леди Отуэй. — На самом деле я хотела кольцо с бриллиантами, но не могла же я сказать об этом Фрэнку! А это он купил в Симле*.

Кэтрин еще немного покрутила на пальце колечко и молча вернула его тетушке. Губы ее сжались в тонкую линию, она поняла, что сможет вести себя с Уильямом так, как эти женщины вели себя со своими мужьями; она будет притворяться, что ей нравятся изумруды, хотя любит бриллианты. Надев кольцо, леди Отуэй заметила, что на улице морозно — впрочем, чего еще ожидать в это время года, скажем спасибо, что хоть солнце выглядывает; и она посоветовала обеим одеться в дорогу потеплее. Тетушкины банальности, как иногда подозревала Кэтрин, призваны были заполнить тишину и имели очень мало общего с тем, о чем та в действительности думает. Но сейчас мысли леди Отуэй совпадали с ее собственными, так что Кэтрин вновь принялась за вязание и внимательно слушала, стараясь уверить себя в том, что помолвка с кем-то, кого не любишь, — это неизбежность в мире, где страсть — не более чем байка заезжего путешественника о чем-то, виденном в далеких джунглях, и никто давно в такие вещи не верит. Она старалась слушать мать, которая спрашивала, есть ли новости от Джона, и тетю, подробно рассказывающую о помолвке Хильды с офицером индийской армии, но мысли ее были далеко и блуждали по лесным тропинкам среди цветов, похожих на звезды, и по страницам,

---

* Симла — город на севере Индии, в предгорьях Гималаев.

исписанным четкими математическими значками. И как только ее размышления свернули в этом направлении, замужество стало представляться ей чем-то вроде длинной и узкой арки, под которой нужно пройти, чтобы получить желаемое. В такие минуты, казалось, все ее мысли с силой устремляются в некий узкий и глубокий тоннель, а чувства окружающих становятся пугающе незначительными.

Когда две старшие дамы закончили разбирать семейные перспективы и леди Отуэй уже не без основания опасалась, что теперь невестка перейдет к вечным вопросам жизни и смерти, в комнату ворвалась Кассандра с сообщением, что карета подана.

— Почему же Эндрюс сам об этом не доложил? — недовольно заметила леди Отуэй: она всегда очень огорчалась, если слуги вели себя не так, как положено.

Когда миссис Хилбери и Кэтрин спустились в холл, одетые для прогулки, общество уже горячо обсуждало планы на остаток дня. Открывались и закрывались многочисленные двери, два или три домочадца нерешительно топтались на лестнице, то поднимаясь на пару ступенек, то спускаясь; сам сэр Френсис с «Таймс» под мышкой вышел из кабинета, недовольный шумом и сквозняком от открытой двери, и по-своему навел порядок: тех, кто не хотел ехать, выставил во двор, а тех, кто как раз собирался, загнал в комнаты. Решено было, что миссис Хилбери, Кэтрин, Родни и Генри отправятся в Линкольн с кучером, а те, кто пожелает присоединиться к экскурсии, могут ехать следом на велосипедах или на тележке, запряженной пони. Всех приезжавших в Стогдон-Хаус следовало отправлять на прогулку в Линкольн — это соответствовало представлениям миссис Отуэй о правильном развлечении гостей, которое она вычитала из модных журналов; именно так развлекались на рождественских приемах у герцогов.

Лошади, запряженные в карету, были старые и толстые, однако же им удалось сдвинуть ее с места. Сам экипаж оказался тряским и неудобным, но на дверцах красовался чуть облупившийся герб семейства Отуэй. Леди Отуэй, стоя на верхней ступеньке крыльца и кутаясь в белую шаль, долго махала отъезжающим, пока они не скрылись из виду за густыми кустами лавра. Затем она вернулась в дом, довольная тем, как справилась со своей ролью, и вздыхая оттого, что никто из ее детей не желал играть своей.

Экипаж плавно катил по дороге, уходящей вдаль извилистой лентой. Миссис Хилбери пришла в приятное и рассеянное расположение духа: она смотрела на бегущие полосы зеленых изгородей, на взбухшие от влаги пашни, на нежно-голубое небо, и уже через пять минут пейзаж превратился в чудную пасторальную декорацию к драме человеческой жизни; затем она стала думать о садике возле сельского дома, с бледно-желтыми нарциссами над синей водой, и за этими разнообразными размышлениями и попытками сформулировать для себя две-три прелестные фразы она не заметила, что молодые люди едут почти в полном молчании. Разумеется, Генри взяли в компанию вопреки его воле, и он в отместку глядел на Кэтрин и Родни как человек, избавившийся от иллюзий; Кэтрин выглядела мрачной и подавленной. Когда Родни обращался к ней, она или хмыкала в ответ, или так вяло соглашалась, что следующее замечание Родни приходилось адресовать уже ее матери. Миссис Хилбери нравилась его почтительность, его манеры она считала образцовыми; и, когда показались колокольни и заводские трубы городка, она приободрилась и вспомнила ясное лето 1853 года, которое полностью соответствовало ее мечтам о счастливом будущем.

ГЛАВА XVIII

Тем временем другие путешественники приближались к Линкольну пешком. Раз или два в неделю в этот провинциальный городок стекаются обитатели всех окрестных ферм, придорожных домишек и домиков священнослужителей, и сегодня среди путников были Ральф Денем и Мэри Датчет. Не признавая торных дорог, они шли через поля, вовсе не думая о том, будет ли этот путь долгим или утомительным. Покинув дом приходского священника, они затеяли спор, под который так хорошо шагалось, что они без труда делали по четыре с лишним мили в час, и хотя в окрестном пейзаже присутствовали и ленты живых изгородей, и взбухшие от влаги поля, и нежно-голубое небо, ничего этого они не замечали. Потому что перед глазами у них были здания парламента и Уайтхолла*. Оба они принадлежали к классу, который утратил первородное право на эти великие институты и пытался выстроить для себя другие, согласно собственным представлениям о законе и гражданском управлении. Мэри, возможно, даже нарочно не соглашалась с Ральфом: ей нравилось спорить с ним, зная при этом, что он, хоть и мужчина, не делает ни малейших скидок на ее женский ум. Он спорил с ней так, как спорил бы, на-

---

* Уайтхолл — улица в центре Лондона, название которой стало нарицательным обозначением британского правительства.

верное, с братом. Однако в одном они были похожи: оба верили, что именно им надлежит взять на себя переустройство Англии. Оба полагали, что природа не слишком щедро одарила умом их нынешних наставников. И разумеется, им обоим нравилось вот так шагать по раскисшему полю, сосредоточенно щурясь от напора мыслей. Но в конце концов они дружно вздохнули, отправили все дальнейшие аргументы вольно парить в эмпиреях, где им самое место, и, опершись на калитку, впервые огляделись по сторонам. Ноги от долгой ходьбы гудели, но оба ощущали необычайную легкость и раскрепощенность, и Мэри, поддавшись внезапному приступу легкомыслия, подумала вдруг, что ей уже не важно, что будет дальше. Настолько не важно, что в следующий момент она вполне могла бы сказать Ральфу: «Я вас люблю, и это навсегда. Можете жениться на мне, можете меня бросить, думайте обо мне что угодно — я все приму с радостью». Однако в эту минуту и слова, и молчание принадлежали иному, нематериальному миру — поэтому она лишь сильнее сжала руки, глядя на бурый, словно тронутый ржавчиной лес в отдаленье, на голубеющие и зеленеющие просторы, подернутые бледной дымкой от ее разгоряченного дыхания. И это было как подбросить монетку и смотреть, что выпадет: сказать ли «Я люблю вас», или же «Я люблю этот зимний лес», или просто «Люблю! Я люблю…»

— Знаете, Мэри, — неожиданно нарушил ее размышления Ральф, — я решился.

Вероятно, ее беспечность была несколько преувеличенной, потому что после этих его слов от нее не осталось и следа. Все деревья разом исчезли, и, пока он продолжал, она отчетливо видела лишь собственную руку, лежавшую на верхней перекладине калитки.

— Я решился бросить работу и поселиться в этих краях. Надеюсь, вы расскажете мне о домике, о котором давеча упоминали. Полагаю, коттедж здесь найти нетрудно? — Все это он произносил нарочито беспечно, будто ждал, что она начнет его отговаривать.

Но она по-прежнему молчала, словно ожидала продолжения: ей казалось, что вот так, окольным путем, он подбирается к предложению руки и сердца.

— У меня больше нет сил сидеть в конторе, — добавил он. — Не знаю, что скажут домашние, но только я уверен, что прав. А вы как думаете?

— И вы будете здесь совсем один? — спросила она.

— Ну, может, приглашу какую-нибудь старушку за мной присматривать, — ответил он. — Я так устал от всего этого, — продолжал он, рывком открывая калитку. И они пошли рядом по мерзлому полю. — Знаете, Мэри, как это ужасно: изо дня в день делать то, что никому, абсолютно никому не нужно. Восемь лет я тянул эту лямку, но больше не намерен. Хотя вам, наверно, все это кажется чистым безумием?

Мэри взяла себя в руки.

— Отчего же. Я подозревала, что вы не очень счастливы, — произнесла она.

— Как вы догадались? — удивился он.

— Помните то утро на Линкольнз-Инн-Филдс? — сказала она.

— Да, — ответил Ральф, невольно замедляя шаг и вспоминая Кэтрин и известие о ее помолвке, багряные листья на парковой дорожке, бумаги на столе, ослепительно-белые под электрической лампой, ощущение полной безнадежности. — Вы правы, Мэри, — сказал он, делая над собой усилие, — хотя решительно не понимаю, как вы догадались.

Мэри молчала, надеясь, что он все же назовет ей причину своего горя, — она не поверила его отговорке.

— Я был несчастлив — очень несчастлив, — повторил он.

Шесть недель теперь отделяли его от того злополучного дня, когда он сидел один на набережной, глядя на тающее в туманной дали видение, а внизу катила воды темная река — и это воспоминание заставило его содрогнуться. Черная тоска, нахлынувшая в те минуты, до сих пор не отпускает его. Но теперь он наконец может справиться с ней, просто обязан это сделать, потому что к этому времени от нее остался, как он понимал, всего лишь сентиментальный фантом, который лучше всего изгнать, представив на обозрение такого трезвомыслящего человека, как Мэри, иначе он будет вечно маячить бледной тенью на фоне всех его мыслей и дел, как это было с тех самых пор, как он впервые увидел Кэтрин Хилбери, разливающую чай. Однако для начала он должен назвать ее имя, что для него было решительно невозможно. Поэтому он убедил себя в том, что может честно рассказать обо всем, не упоминая о ней, что его гнетущее чувство теперь почти не имеет к Кэтрин отношения.

— Несчастье — это такое состояние, — сказал он, — то есть, я хочу сказать, у него вовсе не обязательно должна быть какая-то конкретная причина.

Это довольно неуклюжее начало ему самому ужасно не понравилось, и становилось все очевидней, что, как ни уверяй он себя в обратном, главная причина его несчастья конечно же Кэтрин Хилбери.

— Знаете, я постепенно разочаровался в жизни, — снова начал Ральф. — Я понял, что жизнь бессмысленна. — Он помолчал немного и понял: да, на этот раз он говорит чистую правду и может продолжать дальше. — Зарабатывать деньги, просиживать в конторе по десять часов — но ради чего все это? В юности мечтаешь о стольких вещах, что почти не важно, чем ты занимаешься. И если ты амбициозен — тем лучше, значит, у тебя есть цель и смысл жизни. Однако в последнее время я разочаровался в своих целях.

А может, их просто не было. Сейчас я даже почти уверен, что не было. (Да и вообще, у всего ли есть цели и смысл?) Но в какой-то момент уже невозможно более себя обманывать. И я понял, что мною двигало. — Да, наконец-то он нашел убедительную причину. — Я хотел стать спасителем своей семьи, так сказать. Хотел, чтобы они жили достойно. Чтобы заняли достойное место в обществе. Это было заблуждение, разумеется, — и вдобавок льстило моему самолюбию. Как и многие другие, наверное, я жил мечтами, а теперь наступило мучительное прозрение. Я хочу поверить в новую мечту, чтобы идти дальше. Вот отчего я несчастлив, Мэри.

Во время его взволнованной речи Мэри молчала и озабоченно хмурилась. Во-первых, Ральф ни слова не сказал о женитьбе, во-вторых, он не сказал правды.

— Думаю, найти домик будет нетрудно, — сказала она с бодрой решительностью, как будто не слышала его последней пространной тирады. — У вас же есть небольшая сумма денег, как я понимаю? Да, — продолжила она, — я думаю, это очень разумный план.

В полном молчании они дошли до конца поля. Ральфа удивило и даже немного обидело ее замечание, но в общем он был доволен. Он говорил себе, что невозможно честно рассказать Мэри о его переживаниях, и втайне был рад, что не выдал ей свою мечту. Он привык видеть в ней надежного друга и мудрого советчика, доверял ей и мог рассчитывать на ее сочувствие — при условии, что он будет держаться в определенных границах. И вот теперь эти границы наконец четко обозначились, только и всего.

Когда они миновали очередную изгородь, Мэри сказала:

— Да, Ральф, вам пора сделать перерыв. Я и сама пришла к такой же мысли. Только в моем случае это будет не сельский домик, это будет Америка. Америка! —

воскликнула она. — Вот это место как раз по мне! Там меня научат, как организовать здесь гражданское движение, и я вернусь и покажу вам, как это делается.

Если она надеялась, что эта заманчивая картина затмит в его воображении сельскую идиллию, то она ошиблась: Ральф был настроен весьма серьезно. Но теперь он лучше понял ее. Она шла по черной пашне, чуть опережая его, и впервые за это утро он посмотрел на нее не через призму своих страданий по Кэтрин. Она бодро, хоть и немного неуклюже, вышагивала впереди, такая сильная и независимая — ее отвага восхищала его.

— Не уезжайте, Мэри! — воскликнул он и застыл на месте, не в силах двинуться.

— Вы уже это говорили, Ральф, — ответила она, даже не оглянувшись. — Сами собираетесь уехать, а меня отпускать не хотите. Не очень-то логично, вам не кажется?

— Мэри! — воскликнул он, внезапно поняв, что был к ней чудовищно несправедлив и слишком многого требовал. — Простите меня. Я вел себя как последняя скотина.

Она едва сдерживалась, чтобы не разрыдаться, чуть не сказала, что прощает его, раз уж ему так хочется. Не сделала же она этого только потому, что иначе не могла бы себя уважать: это упрямое чувство собственного достоинства не позволяло ей сдаваться даже в минуты самых сильных страстей. Вот и сейчас, когда вокруг ярится буря и дыбятся волны, она помнит про спасительный берег, где безмятежное солнце сияет над итальянской грамматикой и аккуратными папками подшитых бумаг. Однако мертвенная бледность тех крепких и надежных скал не оставляла никаких сомнений: жизнь ее там будет невыносимо сурова — и бесконечно одинока. Тем не менее она не сбавляла шага и по-прежнему уверенно шла впереди.

Путь их лежал мимо рощицы — узкой полоски леса на краю обрыва, за которым шла низина. За редкими стволами Ральф разглядел у подножия холма идеально ровный зеленый луг, а на нем серый усадебный дом с прудами и террасами, аккуратно подстриженные кусты, сбоку что-то вроде хозяйственной постройки, позади щетка из высоких елей, — этакий отгороженный от мира уголок, уютный и самодостаточный. За домом местность снова резко повышалась, так что роща на дальнем холме словно парила в небе, сиявшем чистой лазурью меж голых стволов. Тут его мысли почему-то опять вернулись к Кэтрин, и он вдруг явственно, почти физически ощутил ее присутствие — как будто и серый дом в низине, и лазурное небо были неразрывно связаны с ней и невольно вызвали в его сердце ее образ. Он без сил прислонился к стволу, и с губ само собой слетело ее имя.

— Кэтрин, Кэтрин! — твердил он и, лишь поняв, что, вероятно, произнес это вслух, огляделся вокруг.

Мэри не спеша шла вдоль опушки, целиком поглощенная новым занятием: она тянула за собой, сдирая с дерева, тонкую длинную плеть вьюнка. И это зрелище так разительно отличалось от образа, стоявшего перед его мысленным взором, что он поспешил отмахнуться от него. «Кэтрин, Кэтрин», — твердил он как зачарованный, и казалось, эти слова волшебным образом приближают его к ней. В этот миг он забыл обо всем вокруг: все, что в мире было важного, — время суток, его планы и намерения, присутствие других людей, в здравомыслии которых он рассчитывал обрести поддержку, — все в этот момент перестало для него существовать. Как будто земля вдруг ушла у него из-под ног, и он погрузился в сверкающую синеву, где самый воздух сгущался, пронизанный присутствием одной-единственной женщины. Пение малиновки, усевшейся на ветке прямо у него над головой, вернуло его к реальности, правда, возвращение это сопровождалось печальным вздохом. Вот мир, в котором он обречен существовать: голое поле, унылая, пустынная дорога за ним и Мэри, сдирающая плющ с деревьев…

Нагнав девушку, он взял ее под руку и сказал:

— Так что там насчет Америки, Мэри?

В его голосе слышалось почти братское участие, что стало для нее приятной неожиданностью, после того как он оборвал свои признания и совершенно не заинтересовался ее планом. Она постаралась так и эдак намекнуть ему, что рассчитывает получить пользу от заокеанского путешествия, не упомянув лишь об одном и самом важном обстоятельстве, подтолкнувшем ее к этому решению. Он слушал со вниманием и не пытался ее отговорить. На самом деле ему очень хотелось убедиться, что это действительно здравая мысль, и потому он с радостью выслушивал каждое новое тому подтверждение, как будто это помогало ему самому на что-то решиться. Она уже забыла о недавней обиде, и так хорошо было шагать рядом с ним, опираясь на его руку, что она чувствовала себя почти счастливой. И это ощущение было тем более приятным, что казалось достойной наградой за ее решение держаться с ним просто и естественно, оставив все попытки казаться не той, какая она на самом деле. Вместо того чтобы изображать интерес к поэзии, она теперь старалась избегать этой темы и больше напирала на практическую сторону своих талантов.

И вот, держась этой практической линии, она и завела разговор о сельском домике — хотя Ральф о нем едва ли думал всерьез, — обращая его внимание на подробности, о которых он не имел ни малейшего представления.

— Первым делом нужно убедиться, что там есть вода, — говорила она так, словно это было самым важным.

Она не спрашивала его, что он собирается делать в сельской глуши, и в конце концов, когда все мелочи перебрали, ее терпение было вознаграждено, потому что он произнес, очень доверительно.

— В одной из комнат, — сказал он, — будет мой кабинет, потому что, знаете ли, Мэри, я собираюсь писать книгу. — С этими словами он высвободил руку, раскурил трубку, и они зашагали рядом как добрые товарищи, с чувством спокойного молчаливого взаимопонимания, какого еще не было между ними за всю их долгую дружбу.

— А о чем будет ваша книга? — спросила она отважно, как будто тема книг ничуть ее не пугала.

Он с готовностью поведал ей о том, что хочет написать труд по истории английской деревни от саксонских времен до наших дней. На самом деле он давно уже подумывал о чем-то в этом роде, но только теперь, когда внезапно решил отказаться от своей профессии, эта зачаточная идея за какие-то двадцать минут окрепла и расцвела пышным цветом. Он и сам подивился тому, как уверенно говорит об этом. То же самое происходило и с домиком. Он тоже вдруг обозначился четко и зримо, притом в совершенно не романтическом виде: этакий беленький кубик у столбовой дороги и конечно же сосед с поросенком и дюжиной вопящих ребятишек мал мала меньше — ибо эти планы для него были настолько лишены всяческой романтики, что получать от них удовольствие он мог, лишь перебирая самые прозаические детали. Так умный человек, которому не досталось по наследству прекрасное имение, меряет шагами свой убогий надел и уверяет себя, что жизнь хороша и на этом пятачке, а вместо дынь и гранатов вполне можно выращивать капусту и репу. Ральф даже гордился тем, как удачно вывернулся, и то, что Мэри поверила ему, прибавляло ему уверенности. Мэри меж тем ловко обвивала плющом самодельный ясеневый посох. Впервые за много дней она не чувствовала неловкости наедине с Ральфом, не думала о том, что лучше сказать и как себя вести, и просто наслаждалась безоблачным счастьем.

Так, за мирной беседой, когда равно легко и говорить и молчать, лишь изредка останавливаясь полюбоваться красивыми видами, открывающимися поверх зеленой изгороди, или чтобы разглядеть, что там за серенькая птичка скачет в ветвях, они вскоре добрались до Линкольна. Там, прогулявшись из конца в конец по центральной улице, они заметили трактир, арочное окно которого явно указывало на солидность заведения, и не ошиблись в выборе. И действительно, на протяжении последних полутора веков, а то и больше многие поколения сельских джентльменов подкрепляли здесь свои силы доброй порцией жаркого с картошкой и прочими овощами, а также яблочным пудингом, так что теперь Ральф и Мэри, усевшись за столик возле эркерного окна, присоединились к этому непреходящему пиршеству. Посреди обеда, поглядывая на Ральфа поверх тарелки, Мэри подумала: сможет ли он стать хоть немного похожим на остальных — тех, кто сидит в этом зале? Будет ли он когданибудь не столь разительно выделяться на фоне круглолицых румяных селян в костюмах в черно-белую клетку и лоснящихся кожаных крагах для верховой езды? Верилось с трудом, потому что, как ей казалось, он видит себя другим. А ей бы не хотелось, чтобы он слишком уж отличался от остальных. От прогулки на свежем воздухе его лицо раскраснелось, во взгляде была такая уверенность и прямота, от которой простому крестьянину станет не по себе, а истинный служитель веры, пожалуй, даже заподозрит насмешку над религиозными чувствами. Ей нравился его высокий, словно утес, лоб — как у юного древнегреческого возницы, который так туго натягивает поводья, что чуть не весь запрокинулся назад. Он был словно всадник на норовистом скакуне. И то, что она рядом с ним, добавляло остроты ее ощущениям, потому что он был непредсказуем. И теперь, сидя против него за столиком в оконной нише, она почувствовала себя так легко и свободно, как это уже было с ней недавно у калитки, однако на сей раз это сопровождалось приятным сознанием того, что все делается правильно, потому что — она это знала точно — их обоих объединяло чувство, которое не требовалось облекать в слова. Как красноречиво было его молчание! Время от времени он подпирал голову рукой, затем смотрел невидящим взором на двух мужчин за соседним столиком, сидевших к ним спиной, и делал это так естественно, что она почти видела, как в его голове одна мысль сменяется другой, — она была уверена, что проследит за ходом его мыслей, даже если прикроет глаза ладонью, — и уже предчувствовала миг, когда он подведет итог долгим размышлениям и, повернувшись к ней, скажет: «Ну что, Мэри?» — приглашая ее подхватить нить его мысли.

И в тот же миг он обернулся к ней и сказал:

— Ну что, Мэри? — со странной робостью, которая так ей нравилась.

Она рассмеялась и, понимая, что не стоит смеяться в самый ответственный момент, поспешила объяснить: ее позабавили люди на улице. Действительно, под окном остановился автомобиль с пожилой дамой, закутанной в голубые шали, и служанкой на сиденье напротив, державшей на руках той-спаниеля; прямо посреди дороги женщина, с виду крестьянка, катила тележку с хворостом, и какой-то бейлиф* в крагах обсуждал состояние рынка домашнего скота со священником, а тот с ним не соглашался.

---

* Судебный пристав.

Она перечислила их всех — сейчас она готова была нести любую чушь, и пусть он сочтет ее глупой. И в самом деле, то ли от жары в помещении, то ли от хорошо прожаренного ростбифа, а может, оттого, что Ральф, что называется, «принял решение», но он, похоже, перестал искать в ее словах здравый смысл, логику и прочие признаки большого ума. Мысли его, громоздясь одна на другую, образовывали сейчас некое шаткое и причудливое сооружение вроде китайской пагоды, состоящее наполовину из фраз, оброненных селянами в крагах, наполовину из обрывков собственных мыслей: что-то об утиной охоте, что-то о римском завоевании Линкольна и об отношении сельских джентльменов к своим женам, — но внезапно из этого несвязного вздора вынырнула одна мысль: ему следует жениться на Мэри. Эта мысль была такой неожиданной, что, казалось, появилась сама собой. И в этот момент он повернулся, и с языка слетела привычная фраза:

— Ну что, Мэри?..

Эта идея, как он ее себе поначалу представлял, была такой новой и интересной, что он почти решился сразу же рассказать о ней Мэри. Однако старая привычка делить все свои мысли на две группы, прежде чем обращаться к ней, пересилила. Но пока она смотрела в окно и описывала ему пожилую даму в голубом, тетку с коляской, бейлифа и спорщика-священника, его глаза невольно наполнились слезами. О, если бы можно было положить голову ей на плечо и выплакаться всласть, а она бы нежно гладила его по волосам, приговаривая: «Ну-ну, успокойся! Расскажи лучше, кто тебя обидел…» — и они бы сидели, тесно прижавшись друг к другу, и она обнимала бы его, как обнимала когда-то матушка. Он понял, что страшно одинок и что боится людей в этом зале.

— Как все это гадко! — вырвалось у него вдруг.

— О чем это вы? — спросила она без особого интереса, пристально глядя в окно.

Почему-то ее безразличие возмутило его, хотя что толку возмущаться, ведь она, считай, на полпути в Америку...

— Мэри, — сказал он, — мне надо с вами поговорить. Мы ведь уже поели, почему же не уносят тарелки?

Мэри, даже не глядя на него, поняла, что он волнуется, и, похоже, догадывалась, что он хочет ей сказать.

— Заберут еще, всему свое время, — сказала она, и, желая показать, что она-то совершенно спокойна, приподняла солонку и смела крошки в кучку.

— Я должен извиниться, — продолжал Ральф, еще не зная толком, что скажет: странно, но он чувствовал, что должен сейчас же довериться ей решительно и бесповоротно, пока не исчез этот удивительный момент близости. — Я понимаю, что очень дурно с вами обошелся. То есть я хочу сказать, что я вам солгал. Вы ведь догадывались, что все это ложь? И тогда, на Линкольнз-Инн-Филдс, и сегодня во время нашей прогулки. Я обманщик, Мэри. Знали вы об этом, Мэри? И вообще, хорошо ли вы меня знаете?

— Думаю, да, — ответила она.

В этот момент официант забрал у них тарелки.

— Правда то, что я не хочу отпускать вас в Америку, — сказал он, не сводя глаз с солонки. — На самом деле то, что я к вам чувствую, ужасно и даже оскорбительно. — Он говорил негромко, стараясь сдержать волнение. — Если бы я не был таким самонадеянным идиотом, я бы посоветовал вам держаться от меня подальше. И все же, Мэри, несмотря на то что у меня относительно себя нет иллюзий, я все равно считаю, что нам стоит получше узнать друг друга, — такова жизнь, не правда ли? — Он кивком указал на присутствующих в зале. — Потому что, разумеется, в идеале, и даже в более приличном окружении, вам точно не следовало бы связываться со мной — всерьез, я имею в виду.

— Но ведь и я тоже не идеальный человек, — сказала Мэри тихо и раздумчиво, но, хотя говорила она еле слышно, за столиком воцарилось такое напряжение, что другие посетители трактира почувствовали это и уже поглядывали на них со смешанным чувством жалости, умиления и любопытства. — Я очень эгоистична — больше, чем вы думаете, и я гораздо более прозаична. Мне нравится командовать — вероятно, это самый большой мой недостаток. И, в отличие от вас, у меня нет этой беззаветной любви… — тут она вдруг запнулась и, мельком глянув на него, словно желая уточнить, о какой именно любви идет речь, — …к истине, — договорила она, как будто нашла наконец то, что искала.

— Я уже говорил вам, что я лжец, — упрямо повторил Ральф.

— Да, но только в мелочах, — возразила она нетерпеливо. — Не в серьезных делах, вот что важно. Смею предположить, в мелочах я честнее вас. И все же я бы не смогла любить, — она сама удивилась, что произнесла это слово, хотя было непросто, — того, кто лжет в главном. Я ценю правду, и очень даже, но не так, как вы. — Ее голос становился все тише и тише и, наконец, дрогнул, прервавшись: она едва удерживалась от рыданий.

«Боже мой! Она меня любит! — догадался вдруг Ральф. — Как же я раньше этого не замечал? Она вот-вот расплачется!»

Эта догадка поразила его; кровь бросилась ему в голову, и, хотя минуту назад он чуть было не попросил ее руки, мысль о том, что она его любит, казалось, все изменила, и теперь он уже не мог этого сделать.

Он не осмеливался даже смотреть на нее. Если бы она заплакала, он не знал бы, чем ее утешить. Ему казалось, что произошло нечто ужасное, непоправимое. Официант снова переменил тарелки.

В волнении Ральф встал и, отвернувшись от Мэри, уставился в окно. Люди на улице казались ему распадающимися и складывающимися вновь фрагментами головоломки, это было очень похоже на картину его собственных мыслей и чувств, точно так же возникавших и распадавшихся в его голове. То он бурно радовался тому, что Мэри его любит, а в следующий миг ему казалось, что он ничего к ней не чувствует, и более того, ее любовь была ему неприятна. То ему хотелось тотчас жениться на ней, то бежать без оглядки и больше никогда ее не видеть. Чтобы как-то обуздать эти беспорядочно скачущие мысли, он заставил себя прочесть надпись на витрине аптеки прямо напротив, затем рассмотрел склянки под стеклом, затем обратил взор на небольшую группу женщин, разглядывающих большую витрину мануфактурного магазина. Кое-как ему удалось взять себя в руки, и он уже собрался было обернуться и попросить у официанта счет, как вдруг заметил высокую фигуру, быстро движущуюся по другой стороне тротуара, — высокую, стройную, с горделивой осанкой, и так странно было видеть ее в этом непривычном окружении. В левой руке она держала перчатки. Все это Ральф заметил и узнал даже раньше, чем всплыло имя, давшее всему этому название: Кэтрин Хилбери. Казалось, она ищет кого-то. И действительно, она оглядывалась по сторонам, и в какой-то миг ее взгляд скользнул по эркерному окну, за которым стоял Ральф, но она тотчас отвернулась, так что ему оставалось лишь гадать, заметила она его или нет. Это нежданное видение произвело на него сильное впечатление. Словно он узрел некий образ, вызванный к жизни одной силой мысли и сотканный из мечты, а не живую женщину из плоти из крови, спешащую куда-то по другой стороне улицы. Но при этом он вовсе не думал о ней. Впечатление было настолько сильным, что он не мог от него ни отмахнуться, ни даже разобраться, действительно ли ее он видел или то было наваждение.

Ральф опустился на стул и сказал отрывисто, обращаясь скорее к себе самому, а не к Мэри:

— Это была Кэтрин Хилбери.

— Кэтрин Хилбери? О чем это вы? — спросила она, поскольку не поняла, что он говорит об увиденном за окном.

— Кэтрин Хилбери, — повторил он. — Но ее уже нет.

— Кэтрин Хилбери! — Ужасная догадка мелькнула в ее голове. — Я всегда знала, что это Кэтрин Хилбери! — Теперь ей все стало ясно.

После минутного молчания она подняла взгляд на Ральфа: он смотрел затуманенным взором прямо перед собой, но его взгляд был устремлен туда, где ничто не напоминало о том, где они сейчас, в такую даль, которая за все годы их знакомства так и осталась для нее недосягаемой. Весь его облик — чуть приоткрытые губы, непроизвольно сжатые руки — говорил о том, что он целиком погружен в радостное созерцание, ей казалось, что между ними пала невидимая завеса, разом отгородившая его от нее. Она все это видела ясно, и, даже если б он изменился до неузнаваемости, она и это приняла бы как должное тоже, потому что чувствовала: только так — собирая один за другим все факты и складывая их вместе — она еще может продержаться, не рассыпаться в прах, а по-прежнему сидеть за этим столом, как будто ничего не случилось. Истина была ей поддержкой; она даже подумала вдруг, глядя на его лицо, что свет истины сияет не в нем, а где-то далеко за ним, — свет истины, повторила она про себя, поднимаясь, сияет над миром не для того, чтобы мы тревожили его нашими личными бедами.

Ральф подал ей пальто и посох. Она застегнула пальто на все пуговицы, крепко стиснула ясеневую палку. Ее все еще обвивал вьюнок; и тогда, видимо решив, что может позволить себе некоторую сентиментальность, она оторвала два листочка, положила в карман, а потом убрала с посоха плющ. Перехватила палку посредине, посильнее надвинула на лоб меховую шляпку, как будто за окном ярилась буря и ей предстоял долгий и трудный путь. Выйдя на улицу, Мэри встала прямо посреди дороги, достала из сумочки бумажку и зачитала вслух список вещей, которые ей поручили купить: там были фрукты, сливочное масло, бечевка и так далее и тому подобное — и за все это время даже не взглянула на Ральфа.

Ральф слышал, как она отдает распоряжения услужливым розовощеким приказчикам в белых фартуках, и, хотя его мысли были заняты другим, отметил решительную манеру, с которой она высказывала им свои пожелания. И невольно начал снова мысленно перебирать ее достоинства.

Так он стоял, наблюдая за происходящим и от нечего делать ковыряя носком ботинка опилки, которыми был посыпан пол в лавке, как вдруг позади послышался мелодичный знакомый голос, и кто-то тронул его за плечо.

— Я не ошиблась? Это же правда вы, мистер Денем? Я еще издали через стекло заметила ваше пальто и сразу его узнала. Вы не видели Кэтрин или Уильяма? Я весь Линкольн обошла, с ног сбилась, но так и не поняла, где же здесь руины.

Конечно же это была миссис Хилбери. С ее появлением все в лавке оживились, многие покупатели с любопытством поглядывали на нее.

— Для начала объясните мне, где я, — начала она требовательно, но, перехватив взгляд услужливого приказчика, обратилась к нему. — Я говорю о руинах — там вся наша компания, возле этих руин, они меня ждут. Это такие римские развалины — или греческие, мистер Денем? В этом городке столько всего чудесного, вот только, на мой взгляд, руин многовато. Ой, какие миленькие горшочки с медом, в жизни ничего прелестнее не видела — это все делают ваши собственные пчелы? Умоляю, дайте мне один из этих прелестных горшочков, а потом расскажите, как мне добраться до руин... А теперь, — продолжала она, получив ответ на свой вопрос, а заодно и горшочек меда, познакомившись с Мэри и попросив проводить ее до руин, поскольку в этом городе столько поворотов и такие восхитительные виды, такие прелестные полуголые мальчуганы возятся в лужах, такие венецианские каналы, такие чашечки старинного синего фарфора в антикварных лавках, что в одиночку просто невозможно найти дорогу к руинам. — А теперь, — воскликнула она, — расскажите, как вы здесь оказались, мистер Денем, — потому что вы ведь мистер Денем, я не ошиблась? — переспросила она на всякий случай, вдруг усомнившись в том, что правильно все запомнила. — Блестящий молодой человек, который пишет статьи для «Обозрения»? Только вчера муж говорил мне, что считает вас одним из умнейших людей, с какими ему доводилось встречаться. И конечно же вы мне посланы самим Провидением, потому что, если бы вас не заметила, я бы ни за что на свете не отыскала эти руины.

Тем временем они дошли до римской арки, и миссис Хилбери увидела наконец остальных путешественников — они, как часовые, стояли на улице, поглядывая в оба ее конца, чтобы вовремя перехватить миссис Хилбери, пока она опять не скрылась в очередной лавке.

— Я нашла кое-что получше, чем руины! — воскликнула она. — Я нашла двух друзей, которые рассказали мне, как вас найти, и не знаю вообще, что бы я без них делала. Надо обязательно пригласить их к нам на чай. Какая жалость, что мы недавно отобедали. И нельзя ли как-нибудь сделать так, чтобы это было не в счет?

Кэтрин, которая стояла на той же улице чуть дальше и рассматривала витрину скобяной лавки, как будто ее матушка могла спрятаться где-нибудь среди газонокосилок и садовых ножниц, обернулась на ее голос и направилась к ним. Увидев Денема и Мэри Датчет, она очень удивилась. Может быть, сердечность, с которой она их поприветствовала, всегда бывает в тех случаях, когда неожиданно встречаешь в деревенской глуши знакомых, а может, она была просто рада их видеть — так или иначе, пожимая им руки, она воскликнула с довольной улыбкой:

— А я и не знала, что вы здесь живете! Что же вы мне не сказали — мы могли бы повидаться. А вы остановились у Мэри? — продолжала она, обращаясь к Ральфу. — Какая жалость, что мы раньше не встретились.

Но теперь, когда всего несколько футов отделяло его от женщины, о которой он так долго и мучительно мечтал, Ральф смутился и не мог вымолвить ни слова; он попытался взять себя в руки, но то бледнел, то краснел, однако наконец решился взглянуть на нее, чтобы увидеть в холодном свете дня, есть ли хоть малая доля правды в придуманном им образе, что так долго преследовал его. Но по-прежнему не мог сказать ни слова. На помощь пришла Мэри, ответив за них обоих. Его поразило, что эта Кэтрин сильно отличается от той, что сохранилась в его памяти, это было странно, и ему пришлось отказаться от прежнего образа и привыкать к новому. Легкий малиновый шарф, наброшенный поверх шляпки, трепетал на ветру, наполовину скрывая ее лицо, одна прядь волос выбилась из прически и свисала полураспущенным локоном возле огромных и темных глаз, которые он называл печальными, но теперь эти глаза сияли, как море, пронзенное солнечным лучом, и вся она была — порыв, незавершенность, вся — стремление в неведомую даль. Он вдруг вспомнил, что ни разу еще не видел ее при свете дня.

Тем временем было решено, что искать руины, как предполагалось сначала, уже слишком поздно, и вся компания двинулась не спеша к конюшне, где они оставили карету.

— Знаете, — сказала Кэтрин, шагая чуть впереди остальных вместе с Ральфом, — кажется, я видела вас утром, вы стояли у окна. Но потом подумала: да этого быть не может. Но это были вы...

— Да, мне тоже показалось, что я вас видел — но это были не вы, — ответил он.

Это его замечание, сделанное с излишней даже категоричностью, напомнило ей другие мучительные разговоры и гневные отповеди, как будто она опять оказалась в лондонской гостиной, среди семейных реликвий, за чайным столом, и в то же время она вспомнила, что между ними осталось что-то недоговоренное — то ли она не успела ему сказать, то ли недослушала, но что именно — этого она не помнила.

— Думаю все же, это была я, — ответила она. — Искала матушку. Вот так каждый раз бывает, стоит нам оказаться в Линкольне. На самом деле я не знаю другого такого семейства, которое было бы столь же беспомощным. Но это, в общем, не важно, потому что кто-то всегда оказывается рядом и мигом вызволяет нас из беды. Когда я была ребенком, меня однажды забыли одну в поле с быком... но где же мы оставили карету? На этой улице или, может, на следующей?

Скорее всего, на следующей. — Оглянувшись, она увидела, что остальные следуют за ней, выслушивая воспоминания о Линкольне, которыми миссис Хилбери сочла необходимым с ними поделиться. — Но что вы здесь делаете? — спросила Кэтрин.

— Покупаю коттедж. Я намерен жить здесь — как только найду подходящий, а Мэри говорит, особых трудностей с этим не будет.

— Так, значит, — воскликнула она, — вы оставите адвокатуру? — У нее вдруг мелькнула догадка, что он, должно быть, уже помолвлен с Мэри.

— Контору стряпчих, вы имеете в виду? Да. Оттуда я намерен уйти.

— Но почему? — спросила она. И сама же сразу ответила, совсем другим тоном, задумчиво и грустно: — Думаю, вы правильно поступаете. Вы станете намного счастливее.

В этот самый момент, когда ее слова, казалось, подсказали ему, что надо делать, они вошли в ворота постоялого двора и увидели там фамильную карету Отуэев, в которую была уже запряжена одна холеная, лоснящаяся лошадь, а другую как раз вели с конюшни.

— Не знаю, что люди имеют в виду, когда говорят о счастье, — резко ответил он, отступая в сторону и пропуская грума с ведром. — И почему вы думаете, что я непременно буду счастлив? Сам я ничего такого не жду. Я бы сказал, что так я буду гораздо менее несчастлив. Писать ученый труд да с экономкой браниться — если в том заключается счастье. А вы как думаете?

Она не смогла ответить, потому что их сразу же окружила вся компания — миссис Хилбери, и Мэри, и Генри Отуэй, и Уильям.

Родни тотчас подошел к Кэтрин:

— Генри собирается ехать домой с твоей мамой, и я предложил им высадить нас на полпути — а дальше мы дойдем пешком.

Кэтрин странно покосилась на него, но кивнула.

— К сожалению, нам в разные стороны, а то бы мы вас подвезли, — продолжил он, обращаясь к Денему.

Родни вел себя на редкость вызывающе, словно хотел поскорее распрощаться, и Кэтрин пару раз, как отметил Денем, взглянула на него то ли с удивлением, то ли с досадой. Она помогла матери надеть накидку и сказала Мэри:

— Надеюсь увидеться с вами. Вы возвращаетесь сразу в Лондон? Я вам напишу. — Она едва заметно улыбнулась Ральфу, но видно было, что думает о чем-то своем, — а несколько минут спустя карета Отуэев выехала со двора конюшни и свернула на широкую дорогу, ведущую к Лампшеру.

На обратном пути все молчали, совсем как по дороге в Линкольн в то утро: миссис Хилбери сидела, откинувшись назад и закрыв глаза, в своем углу — спала или притворялась спящей, как обычно делала в перерывах между периодами напряженной деятельности, а может, мысленно продолжала историю, которую начала сама себе рассказывать еще утром.

Милях в двух от Лампшера дорога проходила мимо округлой вершины поросшего вереском холма — бесприютное место, отмеченное гранитным обелиском, на котором были начертаны слова благодарности некой знатной дамы восемнадцатого столетия, подвергшейся в этом самом месте нападению разбойников и вырванной из лап смерти в минуту, когда уже и не надеялась на спасение. Летом здесь было довольно приятно: по обе стороны дороги тихо шелестели зеленые рощи, а вереск, густо разросшийся вокруг гранитного обелиска, источал сладкий аромат, волнами разливавшийся в воздухе; зимой же деревья глухо роптали, качая ветвями, а вереск был пепельно-серым и таким же унылым, как одиноко бегущие в небе облака.

Здесь-то Родни и попросил остановить карету и помог Кэтрин выйти. Генри тоже подал ей руку, и, как ему показалось, она слегка сжала ее на прощанье, словно хотела этим что-то сказать. Но карета сразу же покатила дальше, миссис Хилбери так и не проснулась, а молодая пара осталась у обелиска. То, что Родни злится на нее и попытается объясниться с ней, Кэтрин прекрасно понимала, но ей было все равно, к тому же она не знала, чего ожидать, и потому молчала. Карета в вечернем полумраке стала совсем крошечной, но Родни все не начинал разговора. Может, подумалось ей, он ждет, когда экипаж окончательно исчезнет за поворотом и они будут совсем одни? Чтобы скрасить тягостное молчание, она принялась читать надпись на обелиске, для этого ей пришлось обойти его кругом. Родни подошел к ней, когда она, бормоча, пыталась разобрать благодарственные слова набожной дамы. И они молча пошли по проселочной дороге, что тянулась вдоль опушки.

Родни очень хотелось начать разговор, но он не знал, как это лучше сделать. В присутствии посторонних подступиться к Кэтрин было куда проще; когда же они остались вдвоем, ее упорное молчание обезоруживало. Он был уверен, что она вела себя по отношению к нему возмутительно, но все примеры ее недостойного поведения теперь казались слишком мелкими и незначительными, чтобы с них можно было начать упреки.

— Не беги так! — взмолился он наконец.

Она тотчас замедлила шаг, но пошла чересчур медленно, что тоже его не устраивало. В отчаянии он сказал первое, что пришло в голову, причем весьма капризным тоном и без торжественного вступления, которое долго готовил:

— Мне не понравился отпуск.

— Нет?

— Нет. И я рад, что скоро смогу вернуться к работе.

— Суббота, воскресенье, понедельник — значит, еще целых три дня, — подсчитала она.

— А кому понравится, когда его все время выставляют на посмешище! — выпалил он, настолько возмущенный ее ответом, что забыл о своем благоговении перед ней.

— Это относится ко мне, полагаю, — спокойно сказала она.

— Каждый день с тех пор, как мы здесь, ты делаешь все, чтобы поставить меня в дурацкое положение, — продолжал он. — Конечно, если это тебя забавляет, я не против, но не забывай, что нам всю жизнь придется прожить вместе. Вот взять, к примеру, хотя бы это утро, когда я попросил тебя погулять со мной по саду. Я ждал десять минут, а ты не пришла. Все видели, что я жду. Конюхи таращились на меня. Я со стыда готов был сквозь землю провалиться. А потом, в карете, ты упорно отмалчивалась, что бы я ни сказал. Генри это заметил. Все заметили... Однако с Генри ты почему-то болтаешь охотно.

Она решила не отвечать на его жалобы, хотя последнее замечание ее порядком рассердило. Но ей хотелось понять, насколько серьезно он огорчен.

— Все, о чем ты говоришь, пустяки и не заслуживает внимания, — сказала она.

— Отлично. Тогда мне лучше помолчать, — буркнул он.

— Да, не заслуживает внимания, — поправилась она, — но если это тебя обижает, тогда, конечно, это не пустяки.

Он не ожидал такого участия и растрогался. Какое-то время они шли молча.

— А ведь мы могли быть так счастливы, Кэтрин! — воскликнул он в порыве чувств и попытался взять ее под руку.

Она сразу же отдернула руку.

— Пока ты так настроен, мы никогда не будем счастливы, — сказала она довольно резко.

Уильям нервно повел плечами и погрузился в молчание. Подобная резкость и непонятная холодность и отчужденность в последние несколько дней огорчали его, причем это всегда случалось при посторонних. В ответ на это он пытался хорохориться, отчего, насколько понимал, еще больше попадал в зависимость от нее. Теперь, когда они остались одни, можно было не скрывать своих чувств. Собравшись с силами, он все же заставил себя смолчать и попытался сообразить, какая часть его страданий есть результат тщеславия, а какая — уверенности, что девушка с любящим сердцем ни за что не стала бы говорить с ним таким тоном.

«Что же на самом деле для меня Кэтрин?» — размышлял он. Совершенно ясно, что она самая желанная и удивительная, владычица его маленького мира; кроме того, она яркая личность, можно сказать, вершительница судеб, ее суждения четки и безошибочны, чего ему, при всей его начитанности, не дано. И кроме того, каждый раз, когда она входила в комнату, ему представлялись развевающиеся одежды, белопенное весеннее цветение, лиловые волны моря — все прекрасное и спокойное, и в то же время полное внутренней страсти.

«Если бы она все время грубо вела себя и выставляла меня на посмешище, я бы так ее не любил, — размышлял он. — Я ведь не дурак в конце-то концов. Не мог же я заблуждаться все эти годы. Да, но как она со мной обращается! Значит, — решил он, — мои недостатки настолько смешны и нелепы, что ко мне нельзя относиться иначе. Кэтрин совершенно права. Но на самом деле я всерьез так не думаю и не чувствую, и ей это прекрасно известно. И что я должен в себе изменить? Что сделать, чтобы она прониклась ко мне симпатией?»

В этот момент ему очень захотелось спросить у Кэтрин, что ему сделать, чтобы понравиться ей, но вместо этого утешился тем, что принялся мысленно перебирать все свои достоинства: знаток древнегреческого и латыни, хорошо разбирается в искусстве и литературе, виртуозно владеет стихотворными размерами, родовит, наконец. И в то же время его не покидало ощущение, которое сильно его озадачило и заставляло хранить молчание: уверенность, что он любит Кэтрин так искренне и нежно, как только возможно. И все равно она к нему холодна! Пребывая в некотором замешательстве, он уже не хотел ни о чем таком говорить и с радостью продолжил бы разговор на любую другую тему, если бы Кэтрин ее предложила. Однако она этого не сделала.

Он украдкой посмотрел на нее: вдруг что-нибудь в ее лице подскажет ему, что с ней происходит? Как обычно, она ускорила шаг и теперь шла, чуть опережая его; и все же ему кое-что удалось узнать по ее глазам, хотя она упорно смотрела на вереск, и озабоченности, о которой говорили сдвинутые брови. Но было невыносимо сознавать, что он утратил с ней связь и не имеет ни малейшего представления, о чем она сейчас думает, поэтому он снова, хотя и без особой убедительности, завел речь о своих переживаниях:

— Если у тебя ко мне нет никаких чувств, не лучше ли сказать это мне наедине, а не при всех…

— Боже мой, Уильям, — встрепенулась она, как будто он оторвал ее от важной мысли, — опять ты о чувствах! Может, лучше не сотрясать зря воздух и не тревожиться понапрасну из-за того, что не имеет никакого значения?

— В том-то все и дело! — воскликнул он. — Я как раз и хотел от тебя услышать, что это не имеет значения. Потому что иногда мне кажется, что тебе ни до чего дела нет. Да, я тщеславен, у меня тысяча недостатков, но ты-то знаешь, это не главное, — ты знаешь, как ты мне дорога.

— А если я скажу, что и ты мне по-своему дорог, ты мне поверишь?

— Так скажи это, Кэтрин! Скажи это, чтобы я поверил. Дай мне почувствовать, что я действительно тебе не безразличен!

Но она молчала. Вокруг заросли вереска таяли в сумеречной мгле, горизонт заволокло туманом. Ожидать от нее страстных чувств или определенности — все равно что ждать от этих волглых далей жарких огненных сполохов, а от тусклого небосвода — прозрачной июньской синевы.

Теперь он заговорил о своей любви, и его пылкие признания — этого она при всем своем недоверии не могла отрицать — звучали довольно убедительно, хоть ничуть ее не трогали, и наконец, когда они дошли до старой калитки с тугими заржавелыми петлями и он, по-прежнему продолжая говорить и как бы между делом, резко распахнул ее, надавив плечом, — этот чисто мужской жест поразил ее, хотя обычно она не обращала внимания на то, легко или нет открывать ворота. Конечно, физическая сила ничто в сравнении с силой чувств, но — мелькнула мысль — какая мощь тратится впустую ради нее, и ей вдруг захотелось подчинить себе эту мощь, показавшуюся вдруг странно притягательной.

Может, проще сказать ему правду — что она приняла его предложение в некоем помрачении рассудка? Печально, конечно, но в здравом уме ни о каком замужестве не могло быть и речи. Она вообще не хочет замуж. А хочет уехать далеко-далеко, одна, в край северных бледных пустошей, и заниматься там математикой и астрономией. Двадцати слов хватило бы ей, чтобы объяснить ему что к чему. Но он умолк: он уже сказал ей еще раз, как он любит ее и за что. Набравшись смелости и не отводя глаз от расщепленного молнией ясеня, она заговорила, как будто читала начертанное на корявом стволе:

— Напрасно я согласилась на нашу помолвку. Со мной тебе не будет счастья. Я тебя никогда не любила.

— Но, Кэтрин!.. — воскликнул Родни.

— Никогда, — упрямо повторила она. — Или не так, как должна была. Разве неясно? Я не понимала, что делаю.

— Ты любишь другого? — перебил он ее.

— Вовсе нет.

— Генри? — допытывался он.

— Генри? Вот уж не ожидала, Уильям, что даже ты…

— Но кто-то же есть, — не унимался он. — Ты так изменилась за последние недели. Ты должна быть со мной откровенна, Кэтрин.

— Я и пытаюсь...

— Но тогда почему ты приняла мое предложение? — возмутился он.

И в самом деле, почему? Что было причиной: внезапная тоска, когда жизнь кажется бессмысленной и беспросветной? утрата иллюзии, позволяющей юности парить между небом и землей? отчаянная попытка примириться с реальностью? Кэтрин могла только вспомнить ту минуту, как вспоминаешь о чем-то, что было с тобой во сне, и теперь это казалось ей минутой поражения. Но разве может это быть достаточным объяснением тому, что она сделала? И вместо ответа она лишь печально покачала головой.

— Но ведь ты не дитя и не капризная девица, — не отступал Родни. — Ты бы не согласилась, если бы не любила меня! — вскричал он.

И при мысли о собственной низости — а ведь раньше она об этом предпочитала не думать, подмечая в основном его недостатки, — ее захлестнула волна жгучего стыда. Ведь что такое его недостатки, когда он так беззаветно ей предан? И что такое ее достоинства, если она не может ответить ему взаимностью! Внезапная уверенность, что отсутствие взаимности и есть величайший из грехов, овладела ею безраздельно: теперь ей никогда не смыть этого позорного клейма.

Он взял ее за руку, крепко сжал, и она не могла противостоять его властной силе. Ладно, она подчинится, как, вероятно, подчинились ее мать, и тетушка, и большинство женщин, и все же она знала, что каждый момент этого подчинения его силе будет моментом предательства по отношению к нему.

— Я сказала, что выйду за тебя, но это было ошибкой, — она все же заставила себя произнести эти слова, и ее рука, которую он сжимал, застыла от напряжения: даже такой малый физический знак подчинения был сейчас для нее невыносим, — потому что я не люблю тебя, Уильям. Ты сам это заметил, и все заметили, к чему дальше притворяться? Когда я говорила, что люблю тебя, это было ошибкой. Я знала, что это неправда.

И поскольку она не находила правильных слов, которые могли бы точно передать ее чувства, то повторяла их снова и снова с еще большей убедительностью, совсем не думая о том, какое впечатление они произведут на любящего мужчину. И для нее стало полной неожиданностью, когда он, со странно исказившимся лицом, вдруг выпустил ее руку. Неужели смеется? — мелькнула мысль, но в следующий миг она увидела слезы в его глазах. Она изумилась. В полном отчаянии, желая хоть как-то прекратить этот кошмар, она шагнула к нему, обняла — он покорно склонил голову ей на плечо — и повела за собой, что-то нашептывая, утешая. Наконец он вздохнул. Он шли молча, прижавшись друг к другу, и у нее по щекам тоже катились слезы. Заметив, что каждый шаг дается ему с трудом и ощущая странную тяжесть в теле, она предложила ему отдохнуть — нашлось и подходящее место под дубом, где курчавились бурые листья папоротника. Он согласился. Еще раз глубоко вздохнул, трогательным жестом, совсем как ребенок, утер слезы, и, когда он заговорил с ней, в его голосе не было и тени упрека. «Мы как дети из сказки, заблудившиеся в дремучем лесу», — подумала она, глядя на высокие кучи осенних листьев, наметенных ветром.

— Когда ты это впервые почувствовала, Кэтрин? — спросил он. — Потому что не может быть, чтобы так было всегда. Признаю, я погорячился в первый вечер, когда забыли твой сундук. Но разве это такая уж большая вина? Я обещаю, что больше ни слова не скажу о твоих платьях. Конечно, я разозлился, когда застал тебя наверху с Генри. Может, я повел себя не так, как надо. Но это же естественно, когда люди помолвлены. Твоя мать это подтвердит. А теперь это ужасное признание… — У него от волнения перехватило горло, но он продолжал: — Ты говоришь, что все поняла и решила — но ты с кем-нибудь об этом говорила? С матерью, например, или с Генри?

— Да нет же, конечно, нет, — сказала она, ероша сухие листья. — Но кажется, ты меня не понимаешь, Уильям...

— Так помоги понять…

— Я имею в виду: ты не знаешь, что на самом деле со мной происходит, да это и неудивительно, я и сама только начинаю понимать. Но только я уверена: без этого — без любви то есть, хотя точно не знаю, как назвать, — теперь она смотрела куда-то вдаль, на затуманенный горизонт, — в общем, без этого наш брак — сплошной фарс…

278

— Почему фарс? — спросил он. — Ты пытаешься все разложить по полочкам и только все портишь.

— Мне раньше надо было это сделать, — мрачно сказала она.

— Ты приписываешь себе то, чего нет, — продолжал он, жестикулируя, по своему обыкновению. — Поверь мне, Кэтрин, до того как мы приехали сюда, мы были совершенно счастливы. У тебя было столько планов о том, как украсить наш дом, — ты еще хотела чехлы для кресел, помнишь? — как всякая нормальная девушка, когда собирается замуж. И теперь, ни с того ни с сего, начинаешь придираться к чувствам — к своим, к моим, — и получается то же, что и всегда. Уверяю тебя, Кэтрин, я сам через все это прошел. Одно время я тоже задавал себе нелепейшие вопросы, из которых ровно ничего не следовало. И знаешь, когда накатит такое, на самом деле единственное, что нужно, — какое-то занятие, чтобы отвлечься. Если бы не моя поэзия, уверяю тебя, я бы сам умер от тоски. Открою секрет, — произнес он с усмешкой, которая на сей раз звучала немного странно. — Нередко после встреч с тобой я возвращался домой такой взвинченный, что приходилось по две-три страницы исписывать, иначе никак не удавалось выкинуть тебя из головы. Спроси хоть Денема, он расскажет, как он встретил меня однажды вечером, расскажет, в каком я был состоянии.

Кэтрин вздрогнула при упоминании фамилии Ральфа. Мысль о том, что Родни мог обсуждать ее с Ральфом, была крайне неприятна, но ей показалось, сейчас она не имеет права упрекать его, поскольку сама кругом перед ним виновата. Но Денем! Она так и видела его в роли судьи. Вот он с мрачным видом обдумывает все случаи ее ветрености на этом мужском суде женской нравственности и выносит страшный приговор ей и ее семейству одной фразой, исполненной тайного сарказма, которая, как ей теперь казалось, станет для нее вечным клеймом. Поскольку она совсем недавно с ним виделась, ей нетрудно было представить эту картину. Все это были мысли не очень приятные для гордой женщины, однако нужно учиться смирению. Кэтрин сидела насупившись, опустив глаза — пусть Уильям видит, как она умеет переносить обиду. Он и раньше любил ее не без опаски, к которой примешивался порой даже страх, а после помолвки он с удивлением стал замечать, что это ощущение страха даже усилилось. За ее спокойствием чувствовалась глубоко затаенная страсть, которая теперь казалась ему то загадочной, а то и вовсе непознаваемой, и на самом деле он даже предпочел бы ровное здравомыслие, которым всегда были отмечены их отношения. Но в ней была страстность, этого он не мог отрицать и потому заранее пытался найти для нее место в их будущей совместной жизни — например, лучше всего было бы направить ее на детей, которые у них родятся.

«Она будет замечательной матерью... сыновей», — думал он, но теперь, когда она сидела, замкнувшись в молчании, он уже и в этом не был так уверен. «Фарс. Она сказала, что наш брак был бы фарсом», — вспомнил он и вдруг увидел, что они сидят на пожухлой траве, среди опавших листьев, в каких-нибудь пятидесяти ярдах от проезжей дороги, так что любой прохожий может их заметить и узнать. Он постарался придать своему лицу такое выражение, чтобы никто не догадался, какую бурю эмоций он только что пережил. Но куда больше его беспокоила Кэтрин, которая по-прежнему сидела, уставившись в землю: что-то неправильное было в этой ее отрешенности. Как светский человек, он был весьма чуток к приличиям, касавшимся женщин, особенно если эти женщины имели какое-то отношение к нему. От его взгляда не укрылся и длинный черный локон, упавший ей на плечо, и несколько сухих листьев, приставших к одежде, но сейчас говорить ей об этом было бессмысленно. Казалось, для нее ничего вокруг не существует. Он подозревал, что она молчит, потому что ее мучат угрызения совести, но все же ему хотелось, чтобы она подумала и о прическе, и о налипших листьях. И действительно, эти пустяки, как ни странно, отвлекли его от собственных смутных переживаний, ибо облегчение, смешавшись с горечью, породило в его груди странное волнение, почти полностью заглушив терзавшее его прежде чувство сильнейшего разочарования. И чтобы унять беспокойство и положить конец этой нелепой и неподобающей сцене, он резко встал и помог Кэтрин подняться. Она едва заметно улыбнулась в ответ на старание, с которым он помогал ей приводить в порядок прическу и платье, но, когда он стал один за другим снимать со своего пальто сухие листья, вздрогнула, увидев в этом жесте трогательную беззащитность одинокого человека.

— Уильям, — сказала она, — я стану твоей женой. Я постараюсь сделать тебя счастливым.

ГЛАВА XIX

Уже смеркалось, когда двое других путников, Мэри и Ральф Денем, вышли на проезжую дорогу на окраине Линкольна. Они решили, что назад лучше возвращаться по большаку, а не напрямик по бездорожью, и первые пару миль почти не разговаривали. Ральф мысленно следовал по вересковым пустошам за экипажем семьи Отуэй; затем возвращался к тем пяти — десяти минутам, проведенным с Кэтрин, перебирая каждое слово с прилежанием ученика, корпеющего над латынью. Он полагал, что эта удивительная, яркая, окрашенная романтическими красками встреча никогда не станет для него всего лишь заурядным событием прошлого. Мэри же большей частью помалкивала, но то было не глубокомысленное молчание: голова ее была так же свободна от мыслей, как сердце — от чувств. Она понимала, что лишь присутствие Ральфа позволяет ей сдерживаться, и уже предвидела минуты одиночества, когда тысячи терзаний накинутся на нее и затянут в свой страшный круговорот. А пока ей надо было сохранить хотя бы малую долю самоуважения, сильно пошатнувшегося после того, как она случайным всплеском эмоций дала Ральфу понять, что влюблена в него. Вообще-то это было не так уж важно, однако она привыкла обращать внимание на то, как выглядит в собственных глазах, — на самом деле так безотчетно делают многие, — и ей казалось, что своим признанием она невольно унизила себя. Она приветствовала спускавшиеся на землю серые сумерки, окутавшие мглой поля и леса, — как все-таки хорошо, что скоро, очень скоро, уже в ближайшие дни, все пройдет, ей нужно только побыть в полном одиночестве, посидеть на опушке под деревом — и она успокоится. В синеватой дали она уже приметила тот самый холм и то самое дерево.

Когда Ральф вдруг заговорил, Мэри даже вздрогнула от неожиданности:

— Давеча за обедом нас прервали, а я как раз собирался сказать, что, если вы поедете в Америку, я тоже поеду. Заработать на жизнь там наверняка не сложнее, чем здесь. Дело в том, Мэри, что я хочу жениться на вас. Что скажете?

Он говорил уверенно и, не дожидаясь ответа, взял ее за руку.

— Вы обо мне теперь все знаете: и хорошее, и дурное, — продолжал он. — Вы знаете мой характер. Я постарался рассказать о своих недостатках. Так что скажете, Мэри?

Она не ответила, но, казалось, это не смутило его.

— По крайней мере, как вы сказали, мы знаем друг о друге самое главное, и взгляды наши во многом сходятся. Я уверен, вы единственный в мире человек, с кем я могу быть счастлив. Если вы чувствуете то же, что и я — а это ведь так, Мэри? — мы можем быть счастливы вместе.

Он замолчал, он не торопил ее с ответом и, казалось, погрузился в раздумья.

— Боюсь, я не могу этого сделать, — наконец сказала Мэри.

Она произнесла это совершенно обыденным тоном и с излишней поспешностью, и эта интонация, и ее слова, прямо противоположные тому, что он ожидал услышать, настолько его поразили, что он отпустил ее руку.

— Не можете?.. — спросил он.

— Нет, я не могу выйти за вас замуж, — ответила она.

— Я вам безразличен?

Она промолчала.

— Что ж, я, должно быть, просто глупец, поскольку думал иначе, — произнес он со странным смешком.

Пару минут они шли в молчании. Затем он вдруг повернулся к ней и воскликнул:

— Я вам не верю! Вы обманываете меня.

— Я слишком устала, чтобы спорить, Ральф, — ответила она, отворачиваясь. — Пожалуйста, просто поверьте тому, что я сказала. Я не могу, не хочу выходить за вас замуж.

Ее голос был исполнен бесконечной муки. Когда Мэри умолкла, он взял себя в руки и подумал, что, вероятно, она сказала правду, он был слишком самоуверен — и неудивительно, что она ему отказала. Уныние Ральфа сменилось полным отчаянием. Вся его жизнь была провалом. Он потерпел неудачу с Кэтрин, а теперь и с Мэри. Вспомнив о Кэтрин, он вдруг воспрял духом и порадовался свободе, но тут же одернул себя. Он никогда не видел от Кэтрин ничего хорошего; все, что их связывало, существовало лишь в его воображении, и при мысли о полной беспочвенности этих фантазий он начал винить в нынешней катастрофе собственные мечты.

«И зачем только я думал о Кэтрин, когда был рядом с Мэри? Я полюбил бы Мэри, если б не эти мои идиотские мечтания. Наверняка она меня любила, но своим легкомыслием я заставил ее страдать и оборвал последнюю нить надежды — теперь она ни за что не решится выйти за меня. Я сам разрушил свою жизнь, теперь она пуста».

Звук их шагов по высохшей дороге вторил его мыслям: пуста, пуста, пуста. Мэри решила, что, раз он молчит, значит, ему полегчало: его огорчили, как она думала, встреча и расставание с Кэтрин, которая осталась с Уильямом Родни. Она не могла осуждать его за чувства к Кэтрин, но то, что он осмелился сделать ей предложение, тогда как на самом деле любил другую, — это было жесточайшим предательством. Их старая дружба, основанная на взаимном уважении, была разрушена. Собственное прошлое казалось ей одной большой глупостью, сама она была слабой и легковерной, Ральф же только притворялся честным человеком. Прошлое — так много в нем было связано с Ральфом, что обернулось ложью и фальшью, — оказалось на поверку совсем не таким, каким она его себе представляла. Она попыталась вспомнить фразу, которая нынче днем помогла ей прийти в себя, пока Ральф расплачивался с официантом; но она отчетливо видела его лицо в тот момент — и не могла вспомнить слова. Что-то насчет истины, и что она дает нам надежду...

— Если вы не хотите выходить за меня замуж, — Ральф заговорил вновь, но уже не так уверенно, скорее даже робко, — это ведь не значит, что мы не можем видеться, верно? Или вы предпочли бы в будущем избегать встреч?

— Избегать? Не знаю... Мне нужно подумать.

— Только скажите мне, Мэри, — продолжил он, — не сделал ли я что-нибудь, что изменило ваше мнение обо мне?

Задумчивый и печальный тон его голоса чуть не заставил ее довериться ему, как прежде, — рассказать, что любит его и почему все стало так невозможно. То, что она все еще сердится на него, — это ничего, она смогла бы перебороть обиду, однако уверенность в том, что он не любит ее, которую только укрепила та деловитость, с которой он сделал ей предложение, мешала всякой искренности. И что бы он сейчас ни сказал, ей нечего ему ответить — нет сил, — и это так мучительно, что лучше бы он оставил ее в покое. Конечно, более покладистая женщина на ее месте воспользовалась бы этой возможностью объясниться, не думая о последствиях; но для девушки с таким твердым и непреклонным характером, как у Мэри, сама эта мысль была равнозначна падению; даже в момент наивысшего накала чувств она не могла забыть о том, что считала единственно правильным. Ее молчание не давало покоя Ральфу. Он напрягал память, пытаясь вспомнить слова или поступки, которые могли разочаровать ее в нем. Примеры не заставили себя ждать, и наихудшим было последнее доказательство его низости: то, что он просил ее руки так самоуверенно и хладнокровно.

— Можете не отвечать, — мрачно проговорил он. — Я знаю, причин много. Но, Мэри, неужели это разрушит нашу дружбу? Позвольте мне сохранить хотя бы ее.

«Увы, — подумала она, и боль вдруг нахлынула на нее, грозя уничтожить остатки самоуважения, — вот к чему мы пришли, а ведь я могла отдать ему все, все!»

— Да, мы можем остаться друзьями, — сказала она так твердо, как только смогла.

— Я хочу, чтобы мы остались друзьями. Пожалуйста, позвольте мне видеть вас, когда сочтете возможным, — добавил он. — Чем чаще, тем лучше. Мне понадобится ваша помощь.

Она пообещала, и они продолжили спокойную беседу о вещах, которые не имели никакого отношения к их чувствам, — тягостную, принужденную беседу, которая была бесконечно горька им обоим.

Еще один раз они вернулись к тому, что произошло между ними, — вечером, когда Элизабет удалилась на свою половину, а братья, проведя целый день на охоте, легли пораньше и спали как убитые.

Мэри придвинула стул ближе к огню, поскольку поленья почти прогорели, а в этот ночной час не хотелось идти за новыми. Ральф взял книгу, но она заметила, что его взгляд, вместо того чтобы скользить по строчкам, устремлялся в одну точку — мрачный и почти ощутимо тяжелый, он словно пригвождал к земле все ее мысли. Она не переменила своего решения отказать ему, поскольку размышления лишь укрепили ее горькую уверенность в том, что это было бы ее, но не его желание. Но ему незачем страдать, если причина страданий — ее излишняя сдержанность. Поэтому она заговорила, хотя это было для нее нелегко.

— Вы спрашивали меня, не изменила ли я мнение о вас, Ральф, — сказала она. — Дело вот в чем: когда вы предложили мне выйти за вас замуж, это было неискренне. Из-за этого я и рассердилась тогда. До этого вы всегда говорили правду.

Книга, которую Ральф читал, соскользнула на колени и упала на пол. Подперев голову ладонью, он неотрывно смотрел на огонь. Он пытался вспомнить, в каких именно выражениях он сделал Мэри предложение.

— Я никогда не говорил, что люблю вас, — проговорил он наконец.

Мэри вздрогнула; однако она была благодарна ему за откровенность, ведь, в конце концов, это тоже было правдой, в которой она поклялась жить.

— А для меня брак без любви немыслим, — ответила она.

— Что ж, Мэри, я не буду настаивать, — сказал он. — Я вижу, что вы не хотите стать моей женой. Но любовь — не слишком ли много мы о ней говорим, и все пустое? Что это слово значит? Вы мне не безразличны, и уверен, девять из десяти мужчин меньше дорожат женщинами, в которых они якобы влюблены. Это просто сказка, один человек придумывает ее про другого, хотя сам понимает, что это неправда. Разумеется, все это понимают; иначе им не пришлось бы затрачивать столько усилий, чтобы, не дай Бог, не разрушить свою иллюзию. Не видеть предмет обожания слишком часто, не оставаться с ним наедине слишком долго… Это прекрасные фантазии, но если задуматься о рисках, которые поджидают людей в любом браке, то риск женитьбы на том, кого любишь, кажется мне слишком большим.

— Я не верю ни единому вашему слову — а главное, вы сами себе не верите, — гневно ответила Мэри. — В любом случае наши взгляды на брак различны, и я только хотела, чтобы вы это поняли.

Она привстала, словно собираясь уходить. Желая задержать ее, Ральф вскочил и принялся расхаживать по кухне, где, кроме них двоих, никого не было, и каждый раз, доходя до двери, с трудом преодолевал искушение распахнуть ее и выбежать в сад. Моралист не преминул бы заметить, что, верно, в этот момент его мучила совесть из-за того, что он причинил Мэри столько страданий. На самом же деле, напротив, Ральф разозлился; то была смешная и бессильная злость человека, который обнаружил, что запутался окончательно и бесповоротно. Нелогичность человеческой жизни загнала его в ловушку. И хотя препятствия на пути к его мечте казались ему наносными, тем не менее он не видел способа их обойти. Его раздражало все, что говорила Мэри, и даже самый звук ее голоса, потому что она ничем не могла ему помочь. Она была частью той безумно хаотичной массы, которая лишь осложняет рассудочную жизнь. О, с каким наслаждением он хлопнул бы сейчас дверью или сломал ножки стула, как будто они и были теми нелепыми препятствиями, которые ему так досаждали.

— Я не уверен, может ли вообще одно человеческое существо понять другое, — сказал он, прекратив расхаживать по кухне. Он остановился перед Мэри и продолжил: — Раз мы все такие лжецы, едва ли это возможно. Но почему бы не попытаться? Не желаете выходить за меня — не надо; но вы твердите о любви, запрещаете нам видеться — не слишком ли это сентиментально? Вы думаете, я ужасно себя веду, — сказал он, не дождавшись ее ответа. — Разумеется, я веду себя отвратительно, но нельзя судить людей по поступкам. Нельзя прожить жизнь, измеряя хорошее и дурное карманной линейкой. Вот что вы всегда делаете, Мэри, и сейчас тоже.

Она представила себя в конторе суфражисток, где она вершит суд, что хорошо, а что плохо, — и ей показалось, что в этом обвинении есть доля истины, хотя в целом он ее не переубедил.

— Я не сержусь на вас, — сказала она очень спокойно и взвешенно. — Я буду видеться с вами, как и обещала.

Она действительно именно это уже обещала ему, и он едва ли мог объяснить, чего же еще хочет — какой-то близости, какой-то помощи в борьбе с призраком Кэтрин, возможно, чего-то, чего, как он понимал, у него нет права просить; и наконец, опустившись в кресло и вновь посмотрев на гаснувший огонь, он понял, что побежден: не Мэри, но самой жизнью. Он чувствовал, что отброшен вновь в самое начало, где всего еще предстоит добиться; но в ранней юности по неведению питаешь надежду. Он уже не был уверен, что победит.

ГЛАВА XX

К счастью для Мэри Датчет, вернувшись в контору, она узнала, что из-за неких малопонятных маневров в парламенте на голосовании вновь обошли вопрос участия женщин в выборах. Миссис Сил пребывала в состоянии, близком к помешательству. Двуличность министров, вероломство мужчин, оскорбление женского сообщества, шаг назад для всей цивилизации, попрание дела ее жизни, которому она, как истинная дочь своего отца, посвятила всю себя без остатка, — обо всем этом говорилось постоянно, и контора была завалена газетными вырезками, испещренными жирными синими знаками ее недовольства. Оказалось, миссис Сил неверно оценивала человеческую природу.

— Простая элементарная справедливость, — сказала она, махнув рукой в сторону окна и указывая на пешеходов и омнибусы, движущиеся по дальней стороне Расселл-сквер, — сейчас так же далека от них, как и всегда. Так что теперь, Мэри, мы смело можем назвать себя первопроходцами в диких прериях. Мы можем лишь терпеливо указывать им, где правда. И дело не в «них», — продолжала она, черпая уверенность в созерцании толпы, — а в их лидерах. Это джентльмены, заседающие в парламенте и отбирающие у народа по четыре сотни в год. Если бы мы могли показать людям, что мы делаем, очень скоро справедливость бы восторжествовала. Я всегда верила в людей, и сейчас верю. Но... — Она покачала головой и заявила, что готова дать людям второй шанс; но если они им не воспользуются, то за последствия она не отвечает.

Отношение мистера Клактона было более философским и подтверждалось статистикой. Он вошел в комнату сразу после бурной речи миссис Сил и доказал на исторических примерах, что подобные повороты были характерны для любой политической кампании, на любом уровне. Так или иначе, катастрофа только укрепила его дух. Враг, сказал он, перешел в наступление, и теперь задача Общества — перехитрить противников. Он поведал Мэри, что, зная их коварство, уже принял некие ответные меры и направил свой разум в русло задачи, которая, насколько она могла судить, зависела единственно от него. Задача эта состояла, как объяснил он ей, пригласив в свой кабинет для личной беседы, в систематическом пересмотре картотеки в поисках материалов для совершенно новых лимонно-желтых листовок, в которых факты будут вновь выстроены в некоей поразительной последовательности, а также в том, чтобы повесить для наглядности крупномасштабную карту Англии, утыканную булавочками с разноцветными флажками-кисточками, в зависимости от их географического расположения. По новой системе каждому району полагались собственный цветной флажок, своя бутылочка чернил, отдельная папка с бумагами и полка в шкафу для отзывов; так что под буквой М или С, в случае необходимости, можно будет найти все данные об организациях суфражисток данного графства. Разумеется, для этого нужно будет проделать огромную работу.

— Мы должны постараться лучше узнать друг друга с помощью телефонии, мисс Датчет, — сказал он и, упиваясь мысленной картиной, продолжил: — Мы будем все обсуждать с помощью гигантской системы проводов, соединяющей нас с каждым уголком страны. Нам следует держать руку на пульсе общества; мы хотим знать, о чем думают люди по всей Англии; мы хотим объяснить им, о чем следует думать.

Разумеется, эта система пока существовала только в виде наброска — ее приблизительное описание было сделано на коленке за время рождественских каникул.

— ...В то время как вы должны были отдыхать, мистер Клактон, — почтительно напомнила Мэри, однако голос ее звучал равнодушно и устало.

— Мы научились работать без выходных, мисс Датчет, — сказал мистер Клактон, его глаза блестели от удовольствия.

Он непременно хотел знать ее мнение о лимонно-желтых листовках. Согласно плану, их следовало распространить немедленно и в огромных количествах, чтобы генерировать и стимулировать, генерировать и стимулировать, повторил он, правильные настроения в стране до того, как начнутся парламентские слушания.

— Мы должны застать противника врасплох, — заявил он. — Враг не дремлет. Вы читали обращение Бингема к избирателям? Вот пример того, с чем нам предстоит столкнуться, мисс Датчет.

Он вручил ей огромную папку газетных вырезок и, попросив высказать свои пожелания относительно лимонно-желтых листовок еще до обеда, поспешил вернуться к собственным бумажкам и бутылочкам чернил.

Мэри закрыла дверь, положила документы на стол и села, подперев голову руками. В голове ни единой мысли. Она прислушалась — как будто надеялась, что это поможет ей настроиться на рабочий лад. Из соседнего кабинета доносился быстрый и неровный стук клавиш печатной машинки миссис Сил; можно было не сомневаться, что она уже трудится на благо английского народа, то есть, как сформулировал мистер Клактон, «генерирует и стимулирует» — так он выразился. Боролась с врагом, который конечно же не дремлет. Слова мистера Клактона никак не шли у Мэри из головы. Она отпихнула бумаги на дальний край стола. Все было без толку: с ее головой что-то случилось, словно изменился фокус и близкие вещи стали точно в тумане. Она вспомнила, что такое уже произошло с ней однажды, после того как она встретила Ральфа в парке на Линкольнз-Инн-Филдс. Тогда на заседании комитета она долго грезила о воробьях и цветах, пока, уже под конец заседания, к ней не вернулось привычное мироощущение. Но вернулось только потому, подумала она с насмешкой над собственной слабостью, что собиралась направить его на борьбу против Ральфа. И, честно говоря, не было никакого «мироощущения». Как ни старалась, она не могла представить мир разделенным на две части — хороших людей и плохих, и не было у нее такой уж уверенности в правоте собственных взглядов — во всяком случае, не настолько, чтобы склонять на свою сторону все население Британских островов. Она посмотрела на лимонно-желтые листовки и чуть ли не с завистью подумала о том, какая нужна слепая вера, чтобы находить утешение в изготовлении таких бумажек; что же касается ее, она вполне могла бы провести остаток дней в полном молчании, имей она хоть толику личного счастья. Мэри читала отчет мистера Клактона со странным двойственным чувством: с одной стороны, она ясно видела его вялое и напыщенное многословие, с другой — понимала, что вера, возможно даже в иллюзию, но в любом случае вера во что-то, была тем самым даром, которому можно было лишь позавидовать. И конечно же это была иллюзия. Она с любопытством оглядела окружающую ее конторскую мебель, разное оборудование — предмет ее гордости — и очень удивилась, обнаружив вдруг, что копировальные машины, картотека, папки с документами вдруг словно окутались дымкой, придававшей им некую цельность и значительность независимо от их назначения. Ее поразила уродливая громоздкость этой мебели. Так сидела она в грусти и апатии, как вдруг машинка в соседней комнате смолкла. Мэри тотчас подобралась, положила руки на запечатанные конверты и постаралась придать своему лицу выражение, которое не позволило бы миссис Сил догадаться, о чем она думает. Но внутренний голос подсказывал ей, что, если она хочет сохранить лицо, лучше сделать так, чтобы миссис Сил ее лица вовсе не видела.

Прикрыв глаза ладонью, Мэри смотрела, как миссис Сил выдвигает один ящик за другим в поисках какого-то конверта или листовки. Ей очень хотелось убрать руку от лица и воскликнуть: «Сядьте, Салли, сядьте и расскажите мне, как вам это удается — как вы умудряетесь так суетиться в полной уверенности, что ваши дела настолько важны, а мне они кажутся бесполезными, словно жужжание осенних мух?» Впрочем, она ничего такого вслух не сказала и принялась машинально перебирать бумаги, так что справилась со своей утренней порцией дел почти как обычно. В час дня она с удивлением обнаружила, что весьма успешно завершила все утренние задания. Надев шляпку, Мэри решила перекусить в кафе на Стрэнде, чтобы пробудить к жизни и вторую половину себя — свое тело. С исправно работающими умом и телом можно и дальше шагать в ногу с толпой и не думать о том, что все это пустое и что этому отлаженному механизму не хватает самого главного, чего-то, что она видела раньше, а теперь не видит.

Она разбирала свой случай, пока шла по Черинг-Кросс-роуд. И задала себе несколько вопросов. Например, что, если ее задавит насмерть проезжающий мимо омнибус? Нет, этого ей совсем не хотелось. Или пристанет вон тот хмурый мужчина, отирающийся у входа на станцию подземки? Нет, она не чувствовала ни страха, ни возбуждения. Пугает ли ее страдание в любой форме? Нет. Страдание не привлекало и не отталкивало. А как же то — главное? В глазах каждого прохожего она замечала некий огонек, словно от всего, с чем они сталкивались во внешнем мире, в сознании зарождалась живительная искра, побуждавшая их к действию. Девушки, разглядывающие витрины модисток, — у них был этот огонек в глазах; пожилые мужчины, роющиеся в книгах букинистической лавки и терпеливо выжидающие, пока назовут цену — минимальную цену, — и у них он тоже был. Но ее совершенно не волновали ни наряды, ни деньги. Книги были ей не нужны, потому что слишком уж были связаны с Ральфом. Она решительно шла сквозь толпу, настолько чуждая ей, что прохожие невольно чувствовали это и расступались перед ней.

Какие странные мысли рождаются, когда идешь в толпе без всякой цели, смутно улавливая доносящиеся откуда-то обрывки мелодий, и в голове возникают самые разные образы, картины, выводы. От четкого осознания себя как личности Мэри перешла к миропорядку в целом, к которому она, как человек разумный, имела отношение. Это возникло точно смутное видение: оно замаячило на границе сознания, затем растаяло бесследно. Ах, если б у нее были карандаш и бумага, тогда бы она могла записать эту мысль, что так естественно, будто сама собой, появилась, пока она шла по Черинг-Кросс-роуд. Но если она заговорит с кем-то, то потеряет нить рассуждения. То, что открылось ей, показывало ее жизненный путь с нынешнего момента и до самой смерти, причем настолько убедительно, что лучшего и желать нельзя. Всего-то и нужно было побродить в толпе, среди шума и музыки — странно, но это помогало ей сосредоточиться, — чтобы воспарить над мирской суетой и понять это раз и навсегда. Ее личные страдания уже позади. И все то время, пока в ее голове с молниеносной быстротой сменялись, тесня друг друга, все новые образы, пока она с неимоверным трудом восходила то к одной вершине мысли, то к другой, пока пыталась сформулировать новое понимание жизни, ее губы отчетливо продолжали шептать только два слова: «Не — счастье, не — счастье». Мэри села на скамью перед статуей одного из лондонских героев на набережной и повторила вслух эти слова. Они были для нее как редкий цветок или осколок камня, принесенный скалолазом в доказательство того, что он хоть краткий миг, но стоял на заоблачной горной вершине. Вот и она побывала там и видела мир, распростершийся перед ней до самого горизонта. Теперь, с учетом новых знаний, ей следовало спуститься в мир и найти себе там новое место. Ее уделом будет одна из тех уязвимых и независимых позиций, которых, естественно, избегают счастливые люди. И она стала мысленно перебирать детали нового плана, даже с каким-то мрачным удовлетворением.

«Теперь, — сказала она себе, вставая, — я подумаю о Ральфе».

Какую роль отвести ему в ее новой жизни? Поначалу, воодушевившись, она полагала, что легко с этим справится. Но вскоре с ужасом обнаружила, что чувства вырвались из узды сразу после того, как она позволила себе подумать о нем. Она то пыталась поставить себя на место Ральфа и представить ход его мыслей; затем вдруг ополчалась против него и упрекала в жестокости и бездушии.

— Но я не хочу, не хочу ни на кого держать зла, — сказала она вслух; выбрала минуту, чтобы осторожно перейти улицу, и десять минут спустя уже обедала на Стрэнде, слишком яростно нарезая мясо на мелкие кусочки, но не давая соседям по столу другого повода заподозрить ее в эксцентричности.

Ее внутренний монолог распался на отдельные фразы, внезапно всплывающие из бурного потока мыслей, — особенно когда ей нужно было заставить себя что-либо сделать: двигаться, считать деньги или смотреть, куда свернуть на перекрестке. «Знать правду — принимать без горечи» — единственное, что можно было понять из ее сбивчивого монолога, произнесенного перед статуей Френсиса, герцога Бедфорда*, — разве что имя Ральфа мелькало порой в самом неожиданном контексте, как будто, в очередной раз повторив его, она спохватывалась и спешила добавить к нему любую нелепицу, дабы лишить это упоминание всякого смысла.

Однако великие поборники прав женщин — мистер Клактон и миссис Сил — не заметили ничего необычного в поведении Мэри, кроме того, что она вернулась в контору с ланча почти на полчаса позже. К счастью, они были слишком заняты собственными делами и поэтому не докучали ей. Если б они застали ее врасплох, то увидели бы, с каким восторгом она рассматривает большой отель на другой стороне площади; ручка, написав несколько слов, лежала на бумаге, а мысли витали среди позлащенных солнцем окон и султанов сиреневатого дыма. Но конечно же этот заоконный пейзаж никоим образом не соответствовал ее размышлениям. Ее взгляд скользил дальше, не останавливаясь на проблемах, что были на переднем

---

* Френсис (1765–1802), пятый герцог Бедфорд, занимался обустройством лондонского квартала Блумсбери, где в его честь названы площадь и улица.

плане, более того, сейчас она даже не замечала их — после того как отреклась от собственных притязаний — и теперь могла охватить взглядом весь горизонт, разделяя мечты и страдания со всем человечеством. Действительность слишком поздно и слишком грубо вторглась в ее жизнь, и нельзя сказать, что самоотречение доставило ей чистую радость; однако она была довольна хотя бы тем, что после отказа от всего, что делало ее жизнь такой простой, счастливой, прекрасной и необыкновенной, осталась суровая реальность, не замутненная личными тревогами, — далекая, как звезды, и, как звезды, неисчерпаемая.

Пока мысли Мэри Датчет причудливым образом переходили от частного к общему, миссис Сил вспомнила о своих обязанностях и занялась приготовлением чая. Увидев, что Мэри передвинула свой стул к окну, она немного удивилась и, включив газ и дождавшись ровного пламени, выпрямилась и взглянула на девушку. По всей вероятности, секретарша плохо себя чувствует, но Мэри, поднявшись с заметным усилием, ответила, что она не больна.

— Я почему-то ужасно ленивая сегодня, — добавила она, взглянув на стол. — Салли, вам лучше нанять другую секретаршу.

Эти слова были сказаны вроде бы в шутку, но что-то в том, как они были сказаны, вызвало в миссис Сил чувство зависти, смешанное со страхом. Она ужасно боялась, что однажды Мэри — молодая женщина, олицетворявшая собой столько сентиментальных и одновременно восторженных идей, совсем как юная святая, в белом, с букетиком лилий в руке, — вдруг весело сообщит, что собралась замуж.

— Вы же не хотите сказать, что собираетесь уйти от нас? — сказала она.

— Я еще ничего не решила, — ответила Мэри уклончиво.

Миссис Сил достала из буфета чашки и поставила их на стол.

— Но ведь вы собираетесь замуж, не правда ли? — спросила она, зачастив от волнения.

— Почему вы сегодня задаете такие странные вопросы, Салли? — раздраженно сказала Мэри. — Неужели мы все должны обязательно выйти замуж?

Странная усмешка тронула губы миссис Сил. Казалось, она на мгновение соприкоснулась с той ужасной стороной бытия, которая была связана с чувствами, с личной жизнью, с разницей полов, но поспешила как можно скорее укрыться от нее под сенью собственной трепетной девственности. Разговор принял настолько неприятный ей оборот, что она с головой нырнула в буфет, сделав вид, будто ищет среди фарфора некий недостающий предмет.

— У нас есть наша работа, — сказала она наконец, вытащив из недр буфета голову — румянец на ее щеках был ярче обычного, — и решительно поставила на стол вазочку с вареньем.

Казалось, за этим должна была последовать очередная сбивчивая, но вдохновенная тирада на ее любимую тему — о свободе, демократии, правах человека и продажных политиках. Но что-то ей мешало: может быть, какие-то воспоминания о собственном прошлом или о прошлом женщин вообще. Миссис Сил украдкой взглянула на Мэри, которая по-прежнему сидела у окна, положив руку на подоконник. Она еще так молода, отметила миссис Сил, и полна пробуждающейся женственности! То, что она увидела, весьма смутило ее, и она судорожно переставила чашку с одного блюдца на другое.

— Да, работы хватит до конца жизни, — сказала Мэри, как бы завершая некий мысленный монолог.

Миссис Сил мгновенно повеселела. Посетовав на пробелы в собственном образовании и на отсутствие логического мышления, она тотчас с жаром заговорила о текущих и перспективных задачах, напирая на их важность и неотложность. Она разразилась речью, в которой задавала множество риторических вопросов и сама же отвечала на них, постукивая кулачками для пущей убедительности.

— До конца жизни? Дорогая моя, да тут хватит работы на несколько жизней! Один падет, но на его место встанут другие! Мой отец, первопроходец в своем поколении… и я, как его верная дочь, делаю все, что в моих силах. Но, увы, наши возможности не безграничны! И теперь вы, юные женщины, — теперь ваш черед, мы смотрим на вас, будущее смотрит на вас! Ах, дорогая, проживи я тысячу жизней, я их все отдала бы на благо нашего дела. Проблема женщин, вы говорите? Нет, проблема всего человечества! Но есть некоторые, — она свирепо глянула в окно, — кто этого не понимает! Есть еще те, кого устраивает нынешнее положение дел, кто год за годом отказывается взглянуть правде в лицо. И мы, те, кто знает правду… что, чайник уже закипел? Нет, я за ним слежу… так вот, мы знаем правду! — продолжала она, жонглируя чайником с кипятком и заварочным чайником. Отвлекшись на эти манипуляции, она, похоже, потеряла нить размышлений и яростно закончила: — Все так просто!

И миссис Сил заговорила о том, что всегда вызывало у нее возмущенное недоумение: почему в мире, где добро так четко и безошибочно отделено от зла, люди не в силах отличить одно от другого и утвердить идеи справедливости в нескольких простых и четких парламентских актах, которые в самом скором времени должны будут полностью изменить судьбу человечества.

— Казалось бы, — задумчиво произнесла она, — люди с университетским образованием, вроде мистера Асквита, — они должны внять разумным доводам.

Но доводы — что такое доводы, не подкрепленные реальностью?

Для большей убедительности она торжественно повторила последнюю фразу — ее-то и услышал мистер Клактон, появившись из своего кабинета; он повторил эту фразу в третий раз, придав ей, как он обыкновенно делал с сентенциями миссис Сил, оттенок мрачного юмора. Впрочем, он был полностью доволен окружающим миром и даже заметил, что эти слова следовало бы напечатать крупными буквами в заголовке листовки.

— Но, миссис Сил, мы должны стремиться к разумному сочетанию того и другого, — важно добавил он, чтобы умерить ее кипучий энтузиазм. — Реальность следует подкрепить доводами, иначе ее не заметят. Самое слабое место во всех подобных движениях, мисс Датчет, — продолжил он, занимая место за столом и обращаясь к Мэри, как делал всегда, когда собирался поделиться своими глубокими наблюдениями, — что им недостает интеллектуальных обоснований. И на мой взгляд, это серьезная ошибка. Британской публике нравится ложка здравого смысла в бочке красноречия — камешек реальности в пироге сентиментальности, — сказал он, придав своим словам больше литературности и точности.

С какой-то прямо отеческой гордостью он остановил взгляд на желтой листовке, которую держала в руке Мэри. Девушка встала, пересела на свое место во главе стола, налила коллегам чаю и сказала, что она думает о листовке. Уже, наверное, тысячу раз она вот так же разливала чай и так же критиковала листовки мистера Клактона, но теперь все будет иначе; тогда она была добровольцем, сейчас же ее призвали в ряды. Она отреклась от чего-то и теперь, если можно так выразиться, в авангарде жизни. О мистере Клактоне и миссис Сил она и раньше знала, что они не в авангарде: через разделяющую их пропасть она смотрела на них, и ей казалось, что это какие-то люди-тени, мечущиеся по жизни, — чудаковатые, не слишком умные и в чем-то ограниченные. Но сегодня эта мысль особенно поразила ее, после того как она поняла, что ничем не лучше их и что ее место отныне среди таких, как они. Когда часть мира погрузилась во мрак, человек более темпераментный, попереживав, вполне мог бы попытаться повернуть его к себе другой, возможно более светлой и радостной, стороной. Но нет, говорила себе Мэри, не в силах отказаться от того, что считала единственно правильным взглядом на вещи, даже если я утратила право на все лучшее, я не стану притворяться, что есть какая-то еще точка зрения. Что бы ни случилось, я все приму как должное. И эти слова отдавались в ней почти физической болью. К тайному ликованию миссис Сил, правило, согласно которому говорить о делах за столом строго запрещалось, было на некоторое время забыто. Мэри и мистер Клактон принялись ожесточенно спорить, так что миссис Сил почувствовала, что происходит нечто очень важное, только не понимала, что именно. Она еще больше разволновалась, цепочки с крестиками окончательно перепутались у нее на груди, и она чуть не продырявила стол карандашом, акцентируя самые важные моменты обсуждения, ведь ясно было, что никакой кабинет министров не может устоять перед такими железными доводами.

За всеми этими разговорами миссис Сил чуть не забыла о своем личном орудии справедливости — пишущей машинке. Зазвонил телефон, она кинулась отвечать на звонок, который сам по себе был важным знаком, и слушала голос в трубке так, как будто именно здесь, в этой точке земного шара, сошлись сейчас все подземные провода мысли и прогресса. Когда она вернулась к столу передать сообщение от печатника, то увидела, что Мэри надевает шляпку; в ее манерах чувствовалась какая-то новая властность и решительность.

— Смотрите, Салли, — сказала она. — С этих писем нужно снять копии. Эти я не просматривала. К вопросу новой переписи следует подойти очень серьезно. А я сейчас иду домой. Спокойной ночи, мистер Клактон; спокойной ночи, Салли.

— Нам очень повезло с секретаршей, мистер Клактон, — сказала миссис Сил, положив руку на стопку бумаг, когда дверь за Мэри закрылась.

Мистер Клактон тоже был приятно удивлен поведением Мэри. Он даже подумал, что когда-нибудь придется сказать ей: в одной конторе двум хозяевам не бывать, — но она способная, чрезвычайно способная, и водит знакомство с очень умными молодыми людьми. Несомненно, это они подсказали ей некоторые новые идеи.

Он согласился с миссис Сил, но, бросив взгляд на часы, показывавшие только половину шестого, заметил:

— Если бы она относилась к работе серьезно… однако это как раз то, чего многие ваши ученые юные леди не делают.

С этими словами он прошествовал в свой кабинет, а миссис Сил, после минутного колебания, поспешила вернуться к работе.

ГЛАВА XXI

Мэри дошла до ближайшей станции и на удивление быстро добралась до дома, поездка заняла ровно столько времени, чтобы осмысленно прочесть свежие мировые новости по версии «Вестминстерской газеты»*. А переступив порог своей квартиры, через пару минут уже была готова к новым вечерним подвигам. Она отперла ящик конторки и извлекла оттуда рукопись в несколько страниц, на которой четким почерком было написано: «Некоторые аспекты демократического государства». Часть аспектов была вымарана прямо посреди неоконченной фразы, словно автора в этот момент прервали или же он, занеся перо над бумагой, вдруг усомнился в полезности своего труда. Ах да, как раз в эту минуту пришел Ральф. Сильно исчеркав этот лист, она взяла новый и начала довольно бодро излагать общие взгляды на структуру человеческого общества, и это получалось у нее куда лучше, чем обычно. Ральф как-то сказал, что она плохо излагает свои мысли на бумаге: то и дело правит, одно вычеркнет, другое добавит, — но все это в прошлом, и с этой мыслью она продолжила работу, почти

---

* «Вестминстерская газета» (Westminster Gazette) — влиятельная еженедельная газета либерального направления, выходившая в Лондоне с 1893 по 1928 г. В ней, в частности, публиковались очерки и рассказы Р. Чандлера, Д. Г. Лоуренса, К. Мэнсфилд и путевые очерки Р. Брука.

не думая над словами, записывая все, что приходило в голову, и в результате довольно быстро набросала полстраницы общих фраз, после чего можно было со спокойной совестью передохнуть. И как только ее рука замерла над строчками, мысли тоже замерли, и она вся превратилась в слух. Под окнами внизу что-то выкрикивал мальчишка-газетчик, омнибус затормозил и снова пустился в путь, нагруженный очередной ношей, все звуки были чуть приглушенными — наверное, с тех пор как она вернулась домой, на город опустился туман, но это, конечно, если считать, что туман может гасить звуки, в чем она в данный момент не была уверена. Такие вещи обычно Ральф знает. Так или иначе, это ее не касается, и она уже обмакнула перо в чернила, как вдруг уловила новый звук: кто-то поднимался по гулкой каменной лестнице. Вот этот кто-то миновал квартиру мистера Чиппена, потом мистера Гибсона и мистера Тернера — значит, к ней. Почтальон, прачка, реклама, счета — она перебрала все вероятные варианты, но тут же их отмела. Шаги замедлились, как бывает в конце крутого лестничного марша, — Мэри вслушивалась в эти звуки, ощущая, как ее все сильнее охватывает необычное волнение. Она оперлась о стол, стук сердца гулкими толчками отдавался во всем теле — но ведь не подобает благовоспитанной женщине доводить себя до такого нервозного состояния. Дикие фантазии полезли ей в голову. Она тут одна, под самой крышей дома, а незнакомец все ближе и ближе — куда бежать? Некуда бежать. Она даже не знает, как выбраться на крышу, — может, вон тот прямоугольник на потолке и есть люк? А если и выберется, дальше-то что? До спасительного тротуара футов шестьдесят высоты, если не больше. Тем не менее Мэри никуда не побежала, а когда в дверь постучали, сразу же встала и пошла открывать. Из полумрака надвинулась темная высокая фигура, было в ней что-то мрачное, зловещее…

— Чего вам угодно? — спросила Мэри, в тусклом коридорном свете не разглядев лица.

— Мэри? Это я, Кэтрин Хилбери!

Она тотчас опомнилась, взяла себя в руки, и даже немного перестаралась, потому что приветствовала гостью подчеркнуто холодно, словно в отместку за то, что та доставила ей столько напрасных волнений. Затем переставила лампу с зеленым абажуром на другой стол и прикрыла «Некоторые аспекты демократического государства» листом промокательной бумаги.

«И когда же они оставят меня в покое?!» — подумала она, мысленно объединяя Кэтрин и Ральфа, словно они пытались отнять у нее даже этот час уединенных занятий, даже последнюю слабую защиту от ужасного враждебного мира. И, разглаживая промокашку поверх рукописи, она приготовилась дать отпор Кэтрин, присутствие которой не просто подавляло ее — в нем была скрытая угроза.

— Вы работаете? — осторожно поинтересовалась Кэтрин, догадавшись, что она здесь не самая желанная гостья.

— Да так, ничего особо важного, — ответила Мэри. Она придвинула к камину свои лучшие кресла и, взяв кочергу, пошевелила угли.

— Не знала, что вам приходится работать по вечерам, — заметила Кэтрин как бы мимоходом, впрочем, она действительно думала о другом.

После полудня они с матушкой ездили по гостям, а между визитами миссис Хилбери рыскала по магазинам, делая приятные закупки: бювары, наволочки для думочек и прочее, под удобным предлогом, что надо же кому-нибудь позаботиться об убранстве дома для молодых. У Кэтрин было такое чувство, будто ее

306

снаряжают в дальний поход. В конце концов она покинула матушку — она обещала Родни, что заглянет к нему на ужин. Но Родни ждал ее только к семи вечера, и впереди у нее уйма времени, можно даже при желании пройтись пешком от Бонд-стрит до Темпла. Мелькание лиц в толпе навевало уныние, которое еще усугубляла перспектива весь ближайший вечер смотреть на Родни. Они снова друзья — даже больше, чем прежде, во всяком случае, так ей казалось. Его страсть обнаружила много такого, чего она никогда в нем не замечала: силу, преданность, чуткость. Она помнила об этом, но смотрела на лица прохожих и невольно думала: они все так похожи и при этом так далеки друг от друга, и все до единого, как и она сама, ровно ничего не чувствуют; даже самых близких, казалось ей, разделяют огромные расстояния, и хуже такой близости нет ничего. Потому что, Боже мой, думала она, глядя на витрину табачной лавки, ведь я к этим людям ровно ничего не испытываю, и к Уильяму тоже, но ведь все уверяют: это самое главное, а я не понимаю, что они имеют в виду.

В отчаянии она глядела на лоснящиеся курительные трубки и думала, как быть: идти дальше по Стрэнду или по набережной? Не такой простой вопрос, как может показаться на первый взгляд, поскольку относится он не столько к разным улицам, сколько к разным умонастроениям. Если она продолжит прогулку по Стрэнду, то сможет подумать о планах на будущее или заняться решением какой-нибудь математической задачи, а если вдоль реки — в голову опять полезут всякие фантазии, ничего общего не имеющие с реальностью: волшебный лес, волны, набегающие на песчаный берег, блаженное одиночество под пологом листвы и благородный герой. Но нет, нет! Тысячу раз нет! Так не годится, как-то неловко сейчас об этом думать, лучше она подумает о чем-нибудь другом, ах как жаль, что она сейчас не в настроении... Затем она вспомнила о Мэри, и мысль эта придала ей уверенности, хотя и окрашенной грустью, как будто триумф Ральфа и Мэри доказывал, что причину ее поражения следует искать в ней самой, а не в превратностях жизни. Смутное предположение, что встреча с Мэри, которой она бесспорно доверяла, сможет ей как-то помочь, навело ее на мысль: а не навестить ли ее сейчас; и действительно, раз она ей симпатизирует, наверно, и Мэри к ней хорошо относится. После минутного колебания она решила, хотя редко действовала по наитию, так и поступить на сей раз, а потому свернула в переулок и отыскала дверь Мэри. Однако встреча ее обескуражила: Мэри не обрадовалась ее приходу, не изъявила готовности помочь, отчего Кэтрин сразу же расхотелось с ней откровенничать. Ее даже позабавило, что она могла обмануться в своих ожиданиях, и она сидела, небрежно помахивая перчатками, будто заглянула просто так и через пару минут уйдет. А пока эти минуты еще не истекли, можно поинтересоваться, как продвигается билль об избирательном праве, или поделиться собственным, не лишенным резонов, видением ситуации. Но видимо, было что-то такое в ее голосе или в самих высказываниях, а может, во взмахе перчаток — что-то обидное для мисс Датчет, потому что в поведении хозяйки вдруг стала заметна резкость и даже неприязнь. Ей казалось, Кэтрин не понимает до конца важность задачи, а берется рассуждать о ней с таким видом, как будто она сама, а не Мэри принесла на этот алтарь столько жертв. Наконец помахивание перчатками прекратилось, и через десять минут Кэтрин дала хозяйке понять, что собирается уходить. Но почему-то у Мэри вдруг возникло желание — в этот вечер она все ощущала особенно отчетливо, — не отпускать Кэтрин вот так, не дать ей уйти и затеряться в беззаботном, счастливом мире безответственных индивидов. Надо хотя бы дать ей понять — дать ей почувствовать.

— Вообще, не понимаю, — сказал она, словно Кэтрин бросила ей серьезный упрек, — как можно не видеть того, что происходит, и оставаться в стороне!

— А что происходит?

Мэри торжествующе поджала губы: теперь Кэтрин в ее власти, теперь, если захочет, она обрушит на ее голову груду неопровержимых фактов, показывающих исключительную особенность ситуации и неизвестных непосвященным, простым, циничным обывателям, наблюдающим со стороны. Но пока не решалась. Как всегда в беседе с Кэтрин, она не могла выбрать линию поведения, ощущения были самые разные и подчас диаметрально противоположные — так стрелы чувств пробивают оболочку характера, казалось бы надежно отгораживающую нас от наших ближних. Как она холодна и надменна! И все же не только ее слова, но, возможно, даже голос, выражение лица, отношение к собеседнику давали возможность предположить, что за этой светской оболочкой скрывается нежная, ранимая душа, а за ее мыслями и поступками стоят искренние, свежие чувства, придающие ее манерам неповторимую мягкость. Доводы и фразы мистера Клактона разбивались об эту броню.

— Вот выйдете замуж, и у вас будет много других забот, — сказала она без всякой видимой связи, несколько покровительственным тоном.

Кэтрин не стоит знать, она не расскажет ей о том, что познала сама ценой жестоких потерь. Нет. Пусть Кэтрин будет счастлива, пусть остается в блаженном неведении, Мэри не поделится с ней своим знанием о холодном, отстраненном, внеличностном существовании. При воспоминании об утреннем отречении ей стало совестно и захотелось еще раз вернуться в то возвышенное состояние, где нет никаких мук. Нужно получше следить за собой, если она не хочет снова стать обычным человеком, желания которого вступают в противоречие с желаниями других. Она пожалела о своей резкости.

Кэтрин все же собралась уйти, надела перчатку и огляделась вокруг, явно подыскивая какую-нибудь банальную фразу в завершение беседы. Нет ли здесь достойной внимания картины, настенных часов или комода, чтобы можно было свернуть на нейтральную тему и мирно закончить этот неприятный разговор? В углу лампа с зеленым абажуром бросала мягкий свет на книги, ручки и писчую бумагу. И при виде этого уютного уголка ей в голову пришла новая мысль: в такой обстановке вполне можно почувствовать себя свободной, здесь можно работать — можно жить собственной жизнью.

— Мне кажется, вам очень повезло, — заметила она. — Я вам завидую: живете одна, можете делать что хотите...

«И с женихом у вас удивительные, высокие отношения, без всяких торжественных объявлений и обручальных колец», — мысленно добавила она.

У Мэри от удивления вытянулось лицо: чему тут можно позавидовать? Ведь судя по всему, Кэтрин говорит искренне.

— Мне кажется, у вас нет никаких причин завидовать мне, — сказала она.

— Вероятно, людям вообще свойственно завидовать, — ответила Кэтрин туманно.

— Да, но у вас есть все, о чем можно только мечтать.

Кэтрин промолчала. Странно притихшая, она не сводила глаз с камина, от ее прежней самоуверенности не осталось и следа. Тон Мэри уже не казался ей враждебным, и она забыла, что собиралась немедленно уйти.

— Наверное, — сказала она после долгой паузы. — И все же иногда мне кажется… — и снова умолкла, подыскивая нужные слова. — Вот как на днях в подземке, — продолжила она, улыбнувшись. — Что заставляет этих людей идти в одну сторону, а не в другую? Не любовь, не разум, а, должно быть, некая идея. Кто знает, Мэри, может, наши чувства — отголосок некой идеи? А может, и нет никаких чувств — вообще нет… — Последнюю фразу она произнесла с горькой усмешкой, и вопрос, который она даже не сформулировала толком, был явно адресован не Мэри и вообще никому конкретно.

Однако эти слова показались Мэри Датчет пустыми и даже циничными. Вся ее душа восставала против подобной мысли.

— Лично я придерживаюсь противоположной точки зрения, — сказала она.

— Да, знаю, — отмахнулась Кэтрин, готовясь перейти к чему-то более важному.

На этот раз Мэри показалось, что Кэтрин настроена серьезно.

— Я думаю, что чувства — это и есть реальность, причем единственная, — сказала она.

— Да, — ответила Кэтрин с легкой грустью. Она понимала, что Мэри в этот момент подумала о Ральфе и нелепо ждать от нее других откровений об этих удивительных отношениях, и да, она согласна, в некоторых случаях, хотя очень редко, жизнь принимает и такой оборот.

Она встала. Но Мэри с жаром воскликнула: «Нет, постойте, куда же вы!» — и добавила, что они так редко видятся, ей давно хотелось с ней поговорить… Кэтрин удивила такая непосредственность. Ей показалось, что, пожалуй, не будет большой бестактностью с ее стороны упомянуть теперь о Ральфе.

И, милостиво согласившись посидеть еще «хотя бы десять минут», она заговорила снова:

— Кстати, мистер Денем сказал мне, что собирается уйти из адвокатуры и поселиться за городом. Он уже уволился? Он собирался мне сказать об этом сам, но нас прервали.

— Он об этом думает, — коротко ответила Мэри. Лицо ее залил румянец.

— Это очень хорошо, — сказала Кэтрин решительно.

— Вы так считаете?

— Да, потому что тогда он сможет сделать что-то стоящее: напишет книгу. Мой отец всегда говорил, что это самый способный из всех молодых людей, пишущих для его обзора.

Мэри, склонившись над камином, принялась ворошить угли, тыча кочергой сквозь прутья решетки. Когда зашла речь о Ральфе, ей очень хотелось честно рассказать все Кэтрин, объяснить, какие на самом деле у них с Ральфом отношения. Судя по тону Кэтрин, та вовсе не собиралась выведывать у Мэри ее секреты, как и не строила догадок на этот счет. Более того, Кэтрин ей нравилась, этой женщине следовало доверять, и ее было за что уважать. Первый шаг к сближению был удачным, во время разговора с Кэтрин стало понятно, что дальше будет непросто, и все же Мэри чувствовала, что должна быть с ней откровенна — Кэтрин следует знать то, о чем она, судя по всему, пока даже не подозревает, — она должна рассказать Кэтрин, что Ральф в нее влюблен.

— Честно говоря, я не знаю, какие у него сейчас планы, — быстро заговорила она, спеша высказать все, пока не передумала, — мы ведь с ним не виделись с самого Рождества.

Странно, удивилась Кэтрин, но, может, она не до конца поняла ситуацию. Она знала за собой этот недостаток: ей всегда недостает проницательности, когда речь заходит о тонких оттенках чувств, — вот лишнее доказательство ее приземленности. С таким практическим складом ума лучше иметь дело с абстракциями, с числами и цифрами, а не с женскими и мужскими чувствами. Во всяком случае, так бы сказал Уильям Родни.

— А теперь… — начала она.

— О нет, постойте, прошу вас! — воскликнула Мэри, пытаясь остановить гостью.

Едва Кэтрин направилась к двери, Мэри поняла с предельной ясностью: ее нельзя отпускать. Если Кэтрин уйдет, она потеряет единственную возможность объясниться, единственную возможность сказать что-то очень важное. Пяти-шести слов ей хватило, чтобы задержать Кэтрин, но на этом силы покинули ее. Слова, которые она собиралась сказать, застывали где-то у самых губ, комом стояли в горле. И в конце концов, почему обязательно нужно все рассказывать? Потому что так правильно, подсказывал внутренний голос, будь откровенна с другими, пусть они видят, что у тебя на душе. От этой мысли она поморщилась: не слишком ли сурово, ведь ее и так обобрали до нитки? Может же она оставить себе хоть самую малость?! Но если она и впрямь что-то себе оставит? И сразу же ей представилась одинокая жизнь в замурованном пространстве — в кольце глухих стен, бесконечно долгая, с одними и теми же чувствами, которые не притупятся и не исчезнут, сколько ни бейся о каменную толщу. Ее пугала перспектива такого одиночества, но заговорить сейчас — а значит, отказаться от одиночества, даже привычного, — было выше ее сил.

Она случайно коснулась рукой меховой опушки на юбке Кэтрин и наклонилась, чтобы получше рассмотреть фасон.

— Мне нравится этот мех, — сказала она. — Мне нравится, как вы одеваетесь. И вы не должны думать, что я собираюсь замуж за Ральфа, — продолжала она с такой же интонацией, — потому что он меня вовсе не любит. Он любит не меня... — произнесла она, не поднимая головы, судорожно сжимая мех.

— Обычное платье, — сказала Кэтрин, но по тому, как она напряглась, можно было догадаться, что она поняла Мэри.

— Ничего, что я вам это рассказываю? — спросила Мэри.

— Нет, что вы, — ответила Кэтрин, — но вы ведь ошибаетесь, не так ли? — Ей и правда стало ужасно неловко. Ей совсем не нравилось, что дело принимает такой оборот. Мало того что ситуация малоприличная, главное — ее поразило страдание, звучавшее в голосе Мэри.

Полная странных догадок, на всякий случай она еще раз внимательно поглядела на Мэри. Однако напрасно она надеялась найти подтверждение тому, что все это было сказано не всерьез, — сомнений быть не могло. Мэри сидела, устало откинувшись в кресле, с таким видом, как будто за все время, пока длилось ее мучительное признание, миновали не краткие минуты, а пятнадцать долгих лет жизни.

— Не правда ли, есть такие вещи, в которых невозможно ошибиться? — сказала Мэри тихо. — И это удивительнее всего... я имею в виду, когда любишь кого-то. Я всегда считала себя человеком здравомыслящим, и даже гордилась этим, — добавила она. — И совершенно не ожидала, что со мной такое случится... то есть я хочу сказать, когда другой этого не чувствует. И вот что было глупо: я стала притворяться. — Она помолчала. — Потому что, понимаете, — быстро продолжила она с жаром, подавшись вперед, — это любовь. Сомнений быть не может… Я его по-настоящему люблю… Ральфа. — Энергичный кивок, выбившаяся прядь волос, пылающее от волнения лицо — все это придавало ей вид гордый и вместе с тем вызывающий.

«Значит, вот как это бывает», — думала Кэтрин, глядя на нее. Помедлив в нерешительности, поскольку не была уверена, что ее слова будут уместными, она все же произнесла едва слышно:

— Значит, вы любите?

— Да, — сказала Мэри. — Люблю. О, если бы только я могла — не любить!.. Но дело не в этом, просто вам следует знать... Есть еще одно, что я хотела вам сказать. — Она помолчала немного. — Конечно, он не просил меня говорить вам об этом, но я уверена: он вас любит.

Кэтрин еще раз внимательно посмотрела на нее: наверное, Мэри слишком возбуждена, что-то напутала и вообще все это какой-то бред. Но нет, Мэри сосредоточенно хмурила брови, будто пыталась найти аргумент в трудном споре, и все же больше была похожа на человека рассудительного, а не на того, кого переполняют чувства.

— И это доказывает, что вы ошибаетесь, все совершенно не так, — сказала Кэтрин, пытаясь рассуждать здраво.

Можно даже не обращаться за подтверждениями к собственным воспоминаниям, потому что и без того было ясно: если Ральф и испытывал к ней какие-то чувства, то этими чувствами были — скепсис и неприязнь. Тут и думать нечего, а Мэри, хоть и уверяла в обратном, даже не пыталась ничего доказать, лишь объясняла, скорее себе, чем Кэтрин, что позволило ей прийти к такому выводу.

И она заставила себя сделать то, что требовал от нее ее внутренний голос, — и ее подхватило и понесло, как на гребне гигантской волны, против которой она бессильна.

— Я сказала это вам, — говорила она, — потому что надеюсь, вы мне поможете. Я не хочу ревновать. А ведь я ужасно ревную. И я решила: единственный выход — открыться вам. — Она помедлила в нерешительности, пытаясь, видимо, прояснить для себя, что же на самом деле чувствует. — Если я вам откроюсь, тогда мы сможем об этом поговорить, и, если начну ревновать, я сразу вам скажу. И если почувствую искушение сделать что-нибудь ужасно гадкое, я тоже вам расскажу — так будет правильно. Оказалось, это нелегко, но одиночество меня пугает. Я могла бы замкнуться и жить дальше с этим. Да, именно этого я и боюсь. Если думать о чем-то всю жизнь — ничего не изменится. Но так трудно что-то в себе изменить. Когда я думаю о чем-то, что это плохо, то так и продолжаю думать, и теперь я понимаю, что Ральф был прав, утверждая, что нельзя делить все на только хорошее и только плохое, то есть, я хочу сказать, нельзя никого осуждать...

— Ральф Денем так сказал? — возмутилась Кэтрин.

Каким же черствым и бессердечным надо быть, чтобы заставить бедняжку Мэри так страдать, подумала она. Перечеркнул дружбу, когда в ней отпала необходимость, и что еще хуже — подвел под это дело философскую теорию, насквозь фальшивую.

Она уже собиралась сказать об этом, как Мэри ее опередила.

— Нет-нет, вы не поняли, — сказала она. — Если в этом искать виноватых, то виновата я одна. В конце концов, я же знала, на что иду, это был сознательный риск... — и неожиданно замолчала.

Ее вдруг осенило, что, рискнув, она лишилась приза, причем окончательно, и уже не имеет права, говоря о Ральфе, утверждать, что знает его лучше, чем другие. И любовь к нему тоже теперь не ее исключительная собственность, раз он не разделяет это чувство; и в довершение всего новая ясная и прекрасная картина жизни стала вдруг дробиться и туманиться, стоило ее доверить другому. А прежняя неразделенная любовь, теперь, увы, утраченная, была так хороша! И чтобы скрыть навернувшиеся слезы, она поднялась, подошла к окну, раздвинула занавески и встала там, пытаясь успокоиться. Не то чтобы она стыдилась своей печали, горше всего было то, что она решилась на предательский шаг по отношению к себе самой. Загнанная, обманутая, ограбленная — сначала Ральфом, затем Кэтрин, она вся растворилась в этом унижении, ничего не осталось ей такого, что она могла бы назвать своим. Слезы бессилия застилали глаза и катились по ее щекам. Но по крайней мере, со слезами она еще могла справиться и немедленно привела себя в порядок, после чего повернулась к Кэтрин и собрала по кусочкам остатки храбрости.

Кэтрин не шелохнулась: она сидела в кресле, чуть подавшись вперед, и глядела на огонь. Чемто это напомнило Мэри Ральфа. Так и он, бывало, сидит, подавшись вперед, и смотрит в одну точку перед собой, а сам витает где-то далеко-далеко, открывает неизведанные земли, размышляет о важном и вечном, а потом вдруг очнется и скажет вдруг: «Ну что, Мэри?» — и молчание, исполненное для нее такой романтики, уступает место приятнейшей из всех бесед.

Однако в этой молчаливой фигуре было что-то незнакомое — тихое, торжественное, значительное, — даже дух захватывало. Мэри не спешила. Горькие мысли ушли, и она ощущала теперь удивительное спокойствие и уверенность. Она молча отошла от окна и снова села рядом с Кэтрин. Говорить не хотелось. Однако Мэри уже не была одинока, она стала сразу и жертвой, и гонителем, она была счастливее, чем когда-либо, и обделеннее, чем раньше, она была отвергнутой и бесконечно любимой. Нечего было даже пытаться выразить эти ощущения, более того, возникла уверенность, что ее понимают без слов. Так они сидели рядом в тишине, и Мэри осторожно поглаживала мех на юбке старенького платья Кэтрин.

ГЛАВА XXII

Кэтрин почти бежала по Стрэнду, и не только потому, что могла опоздать на свидание с Уильямом. Чтобы успеть туда вовремя, она могла бы взять кеб, — но была еще одна причина: ей требовался свежий воздух, чтобы раздуть в сердце пламя, зароненное словами Мэри. Потому что из всех впечатлений, оставшихся после недавнего разговора, одно стало для нее настоящим откровением, затмившим собой все остальное. Так говорит, так выглядит любовь.

«Она выпрямилась в кресле, посмотрела на меня и сказала: я люблю», — думала Кэтрин, пытаясь представить ту знаменательную сцену. Сцена эта была до того поразительной, что, вспоминая о ней, она — вот странно — не чувствовала ни капли жалости; то было пламя, вспыхнувшее во тьме; в его свете Кэтрин поняла, и поняла слишком ясно для собственного спокойствия, всю незначительность и фальшь собственных чувств — неудачное и жалкое подобие того, что чувствовала Мэри. Нужно было поскорей воспользоваться этим новым знанием — и еще раз обдумать сцену среди вереска, когда она сдалась, Бог знает почему, по причинам, которые теперь представлялись абсолютно несущественными. Так при свете дня человек спешит увидеть место, где накануне долго блуждал в тумане.

«Все просто, — сказала она себе. — Сомнений быть не может. Теперь остается только заговорить.

Только заговорить», — повторяла она в такт собственным шагам и совсем забыла про Мэри Датчет.

Уильям Родни вернулся из присутствия раньше, чем предполагал, и сел за пианино — подбирать мелодии из «Волшебной флейты». Кэтрин опаздывала, как частенько случалось, но, поскольку она не большая любительница музыки, а у него сегодня музыкальное настроение, это и к лучшему. Данный недостаток Кэтрин был тем более странным, что женщины в ее семье, как правило, были удивительно музыкальны. Например, ее кузина Кассандра Отуэй обладает очень тонким музыкальным вкусом, и ему до сих пор вспоминается восхитительная картина — как она нежно играет на флейте в утренней гостиной в Стогдон-Хаусе. Он с удовольствием вспомнил, как забавно ее носик, длинный, как у всех Отуэев, нависал над флейтой, — словно она была непревзойденной, невероятно привлекательной музыкальной птичкой. Этот образ как нельзя лучше соответствовал ее мягкому и необычному характеру. Энтузиазм безукоризненно воспитанной юной девицы привлекал Уильяма и подсказывал тысячи способов быть ей полезным своими навыками и талантами. Ей надо послушать хорошую музыку так, как ее играют те, кто унаследовал великую традицию. Более того, по одной-двум фразам, оброненным во время разговора, он понял, что у нее, возможно, есть то, чего, как утверждала Кэтрин, нет у нее самой, — врожденная пылкая страсть к литературе. Он дал ей почитать свою пьесу. Тем временем Кэтрин задерживалась, а «Волшебная флейта» без голоса — совсем не то, так что он подумал: не написать ли, пока есть время, Кассандре ответ — посоветовать ей побольше читать Поупа*, а не Достоевского, поскольку именно такое чтение помогает получить пра-

---

* Александр Поуп (1688–1744) — поэт, крупнейший представитель английского классицизма.

вильное представление о композиции. И только он принялся обдумывать, как бы изложить эту мысль получше и поизящнее, не затрагивая при этом ничего личного, как вдруг услышал шаги Кэтрин на лестнице. Мгновение спустя он понял, что ошибся: это была не Кэтрин, но он уже не смог заставить себя вернуться к письму. Чувство эстетического удовольствия — весьма и весьма приятного — сменилось тревожным ожиданием. Был подан ужин, который, впрочем, пришлось поставить на огонь, чтобы не остыл. Прошло уже четверть часа, а Кэтрин все не появлялась. Вспомнилась некстати одна неважная новость, не дававшая ему покоя все утро: из-за болезни одного из клерков он, похоже, не сможет уйти в отпуск до конца года, а следовательно, свадьба откладывается. Однако этот факт был все же не так неприятен, как то, что с каждой минутой становилось все вероятнее: Кэтрин вообще забыла о свидании. После Рождества такое с ней редко случалось, но если все вернется на круги своя? Что, если их брак обернется, как она сказала, фарсом? Едва ли она специально решила ему досадить, просто у нее такой характер — ей ничего не стоит обидеть человека ни за что ни про что. Можно ли ее назвать холодной? Эгоцентричной? Он поразмыслил немного и был вынужден признать, что эта женщина остается · для него загадкой.

«Многих вещей она просто не понимает», — думал он, поглядывая на отложенное письмо к Кассандре. Что помешало ему дописать это письмо, за которое он взялся с таким удовольствием? Причина в том, что в любую минуту в комнату могла войти Кэтрин. И то, что они связаны некими обязательствами, сейчас воспринималось как досадная помеха. Он решил оставить письмо на виду, пусть Кэтрин сама увидит, а он при случае честно расскажет, что давал Кассандре свою пьесу в надежде узнать ее мнение. Возможно —

но совершенно необязательно, — она рассердится; и, как только он пришел к этой неутешительной мысли, в дверь постучали: явилась Кэтрин. Они холодно поцеловались; она не извинилась за опоздание. И все же ее присутствие его странно растрогало — однако он твердо решил не сдаваться и по возможности держаться с ней строго. Предоставив ей возможность самой снять пальто, он принялся хлопотать у стола.

— У меня для тебя есть новость, Кэтрин, — начал он торопливо, как только они сели ужинать. — Мне не удастся взять отпуск в апреле, свадьбу придется на какое-то время отложить.

Кэтрин чуть вздрогнула, словно очнувшись от собственных мыслей.

— Ничего страшного. Я хочу сказать, мы же не договорились о сроках аренды дома, — ответила она. — Но почему? Что случилось?

Оказалось, один из его коллег серьезно захворал и, вероятно, будет отсутствовать на службе несколько месяцев, если не полгода, и в таком случае им придется серьезно пересмотреть планы. Он говорил самым обыденным тоном, как бы между прочим, и это показалось ей странным. Она пригляделась к нему, но того, что он устал от нее, не заметила. Может, она недостаточно хорошо одета? Нет, тут придраться вроде бы не к чему. Или это из-за ее опоздания? Она взглянула на часы.

— Хорошо, что мы еще не сняли дом, — задумчиво сказала она.

— Да, я тоже так думаю; боюсь, теперь у меня будет меньше свободного времени, чем раньше.

Что ж, подумала она, может, это и к лучшему, хотя почему к лучшему — было пока неясно. Однако огонек, чуть затеплившийся, пока она шла сюда, заметно поутих: причиной была не столько сама новость, сколько поведение Родни. Она готовилась встретить сопротивление, с которым легче справиться, нежели... но она не могла бы сказать, с чем ей нужно справляться. За едой они говорили о разных незначащих вещах — негромко и сдержанно. Она не особенно разбиралась в музыке, но ей нравилось слушать, как он рассказывает, и, пока он говорил, представляла себе тихие семейные вечера у камина, которые будут проходить вот так же, за разговорами — или за книгой, потому что тогда она будет много читать, каждой незанятой клеточкой разума жадно впитывая знания, которых ей так не хватало. И наконец она совсем успокоилась. Но вдруг Уильям не выдержал. Она подняла на него недоумевающий взгляд, поскольку настроилась на приятные размышления.

— Куда мне адресовать письмо для Кассандры? — спросил он. Теперь сомнений быть не могло: с ним действительно сегодня что-то не то. — Потому что мы подружились, — добавил он.

— Она дома, где же ей еще быть? — ответила Кэтрин.

— И очень жаль, что она сидит там безвылазно, — сказал Уильям. — Почему бы тебе не пригласить ее в гости — повидать свет, послушать хорошую музыку? Я сейчас закончу письмо, если ты не возражаешь, так как меня очень беспокоит то, что она услышит завтра.

Кэтрин вжалась в спинку кресла, Родни меж тем положил письмо на колени и продолжил:

— Стиль, как ты знаешь, это то, чем мы склонны пренебрегать… — рассуждал он, чувствуя на себе взгляд Кэтрин, только вот какой — недовольный или безразличный, — он не мог понять.

На самом деле она чувствовала себя загнанной в ловушку — и это раздражало Кэтрин, поскольку нарушило все ее планы. Теперешнее равнодушие, если не сказать враждебность, со стороны Уильяма давало возможность разойтись без ссоры, раз и навсегда.

Мэри и то было легче, думала она, там требовалось сделать один простой шаг — и все. На самом деле она подозревала, что вся эта хваленая утонченность, сдержанность и деликатность, которой отличались ее родные и близкие, объясняется неким изъяном характера. К примеру, хотя ей очень нравилась Кассандра, ее бесшабашный образ жизни поражал Кэтрин полнейшим легкомыслием: сперва та увлекалась социализмом, затем шелковичными червями, а теперь вот музыкой; последнее увлечение, как она подозревала, и вызвало внезапный интерес к ней Уильяма. Раньше Уильям, оставаясь с ней наедине, никогда не отвлекался на писание каких-то писем.

И постепенно пришла ясность — как будто за тучами вдруг открылось окошко, — что, возможно — нет, не возможно, а даже наверняка, — привязанность, которую она раньше принимала как должное, оказалась не так уж сильна или вообще прошла. Она внимательно посмотрела на него, словно ожидала увидеть в его лице признаки своего нового открытия. Весь его облик был исполнен внутреннего благородства, интеллекта и душевной чуткости, что было прекрасно, вне сомнений, но только все эти достойные качества сейчас, казалось, принадлежали постороннему. Поглощенный своим делом, Уильям показался ей чужим и отстраненным, — так бывает, когда смотришь на человека, беседующего за стеклянной стеной.

Он продолжал писать, не поднимая глаз. А она не решалась спросить его о чувствах, на которые не имела права. Уверенность в том, что он отдалился от нее, наполняла ее отчаянием — что ж, вот вам лучшее доказательство того, что человек бесконечно одинок! — сейчас Кэтрин поняла это с предельной ясностью. Она отвернулась к камину — казалось, даже физически они слишком далеко друг от друга, чтобы заговорить, духовно же ей не от кого было ждать понимания, все мечты ее подвели, и во всей Вселенной не осталось ничего настоящего, во что можно было бы верить, кроме абстрактных идей — цифр, законов, звезд, фактов, — но опорой ей они быть не могли, поскольку она не обладала достаточными знаниями и к тому же робела.

Поняв, что неловкое молчание затянулось по его вине, Родни оторвался от бумаг, надеясь сгладить все доброй шуткой или даже попросить прощения, однако увиденное повергло его в замешательство. Кэтрин, казалось, никак не оценивает его поведения — ей было безразлично. Судя по выражению лица, она думала о чем-то своем. Из-за ее равнодушия, свойственного в такой ситуации скорее мужчинам, нежели женщинам, у него исчезло желание сгладить неловкость и вновь вернулось ощущение полной беспомощности. Он невольно сравнивал Кэтрин с Кассандрой, какой он ее запомнил: живой, энергичной, взбалмошной. Кэтрин была сдержанной, холодной, молчаливой, отличие разительное, но все же она много значила для него, и ему было не все равно, как он выглядит в ее глазах.

Минуту спустя она странно поглядела на него, как будто только что заметила его присутствие.

— Ты закончил письмо? — спросила она весело, как показалось ему, без тени ревности.

— Нет, отложу до лучших времен, — ответил он. — Сегодня я почему-то не в настроении. Не могу найти нужные слова, получается как-то нескладно.

— Да ведь Кассандра не заметит, складно ты напишешь или нескладно, — сказала Кэтрин.

— Я в этом не уверен. Осмелюсь заметить, у нее неплохое литературное чутье.

— Возможно, — равнодушно произнесла Кэтрин. — Кстати, в последнее время ты стал пренебрегать моим образованием. Может, ты почитаешь мне что-нибудь? Позволь, я выберу книгу.

С этими словами она подошла к книжным полкам и принялась оглядывать ряды книг. Все лучше, думала она, чем ссора или тягостное молчание, которое все больше и больше отдаляет их друг от друга. Перебирая книги одну за другой, она с горькой иронией думала о том, как самонадеянна была всего лишь час назад, пытаясь спланировать их жизненный путь и при этом не имея ни малейшего представления о том, где они находятся, что чувствуют и даже любит ее Уильям или нет. Позиция Мэри казалась ей правильной и даже завидной — если, конечно, она ее правильно поняла, — и впрямь в жизни женщины все может быть так просто.

— Свифт, — сказала она наконец, вытащив том наугад, чтобы покончить хотя бы с этим вопросом. — Давай почитаем Свифта.

Родни взял у нее книгу, заложил пальцем страницу, но по-прежнему молчал. Лицо его было задумчиво, словно он мысленно взвешивал что-то, но пока не мог сказать ничего определенного.

Кэтрин, усаживаясь рядом с ним, бросила на него настороженный взгляд. На что она надеялась или чего страшилась — этого она не могла бы объяснить; главным, пожалуй, было совершенно непонятное и непозволительное желание убедиться, что он ее по-прежнему любит. Придирки, жалобы, мелочные расспросы — ко всему такому она давно привыкла, но эта погруженность в себя, за которой угадывалась внутренняя сила, была ей внове. Она не знала, чего ждать.

Наконец Уильям заговорил.

— Это немного странно, тебе не кажется? — Он попытался рассуждать. — Я хочу сказать, большинство людей сильно огорчились бы, узнав, что их свадьба на полгода откладывается. А вот мы — нет; чем ты это объясняешь?

Он говорил тоном беспристрастного судьи.

— Я объяснил бы это тем, — продолжил он, не дожидаясь ответа, — что наши отношения начисто лишены романтики. Отчасти это, конечно, из-за того, что мы давно знаем друг друга; но я думаю, тут не только это. Мне кажется, все дело в несходстве темпераментов: ты, на мой взгляд, немного холодна, а я, подозреваю, несколько эгоцентричен. И потому у нас нет ни малейших иллюзий относительно друг друга, хотя это и странно. Не стану отрицать: большинство удачных браков как раз и держатся на таком взаимопонимании. Но сегодня утром меня это поразило, и я подумал: действительно странно, когда Уилсон заметил, что я не слишком расстроен. К слову сказать, ты уверена, что мы еще не давали согласия на аренду того дома?

— У меня сохранились письма, и завтра я их просмотрю, но, полагаю, там все в порядке.

— Благодарю. А насчет психологической проблемы, — сказал он, словно продолжая некое исследование, не имеющее к нему самому ни малейшего отношения, — бесспорно, каждый из нас способен на чувство... назовем его для простоты романтической увлеченностью... к третьим лицам, во всяком случае, относительно себя я почти не сомневаюсь.

Пожалуй, впервые за все время их знакомства Уильям так взвешенно и совершенно спокойно говорил о собственных чувствах. Обычно он избегал подобных откровений — отшучивался или менял тему беседы, впрочем, так обычно и поступают мужчины, вернее, джентльмены, когда находят предмет разговора недостойным или сомнительным. И то, что он вдруг решил объясниться, ее заинтриговало, заставив забыть об уязвленной гордости. Почему-то ей тоже стало с ним значительно проще: может, потому, что они теперь на равных? — задумалась она. Его слова были интересны ей, поскольку помогали понять собственные проблемы.

— Что такое романтика? — задумчиво проговорила она.

— Хороший вопрос. Я ни разу не встречал определения, которое меня бы устроило, но попадались и очень неплохие. — И он бросил взгляд в сторону книг.

— Это подразумевает не знание другого человека, а скорее полное незнание, — решилась она предположить.

— Некоторые считают, что в литературе романтика — это вопрос дистанции, то есть…

— В искусстве — возможно. Но для людей, наверное…

— У тебя ведь нет личного опыта? — спросил он, задержав на ней взгляд.

— Мне кажется, я нахожусь под сильным романтическим влиянием, — произнесла она задумчиво. — Но кажется, в моей жизни ей почти нет места, — добавила она.

Кэтрин представила свои будни: как ей постоянно приходится быть рассудительной, собранной, правильной — в доме, где властвует ее романтичная мать. Да, но ее романтика — не *та* романтика. Это мечта, эхо, отзвук; можно облечь ее в форму и цвет, услышать в мелодических нотах, но только не в словах; нет, только не в словах. Она вздохнула.

— Разве не странно, — закончил свою речь Уильям, — что ни ты ко мне, ни я к тебе этого не чувствуем?

Кэтрин согласилась, что странно — очень; но куда более странно то, что она вообще обсуждает это с Уильямом. Неужели между ними возможны совершенно новые взаимоотношения? Ей казалось, Уильям помогает ей понять то, чего она никогда раньше не понимала; и вместе с благодарностью возникло почти сестринское желание помочь и ему тоже — да, почти сестринское, поскольку все же было немного обидно, что его отношение к ней лишено романтики.

— Мне кажется, если б ты так полюбил кого-то, то был бы с ней очень счастлив, — сказала она.

— Ты полагаешь, романтика может пережить близкое знакомство с предметом любви? — спросил он с легкой иронией, как будто интересуется так, вообще.

Уильям хотел избежать откровенности, которой очень боялся. Требовалась большая осмотрительность, чтобы не вышло чего-нибудь вроде той безобразной сцены, о которой он не мог вспомнить без стыда, — среди вереска и опавших листьев. И все же каждая фраза приносила ему облегчение. Он начинал понимать кое-что о собственных желаниях, до сих пор неясных ему самому, и о причинах трудностей с Кэтрин. Он начинал этот разговор с явным желанием задеть ее, наказать, но это мстительное чувство прошло, более того, теперь ему казалось, что только с помощью Кэтрин он все узнает наверняка. Главное теперь — не спешить. На свете множество вещей, о которых ему трудно говорить, — например, это имя: Кассандра. Как трудно оторвать взгляд от той пылающей угольной долины среди высоких гор, в самом центре камина. О, пусть Кэтрин еще что-нибудь скажет! Она ведь сказала, что он может быть счастлив, если так полюбит…

— Не исключаю, что с тобой такое может случиться, — ответила она на его риторический вопрос, — я даже представляю девушку определенного типа… — и запнулась, заметив, что он внимательно слушает ее, пытаясь скрыть сильнейшее волнение. Значит, все же есть кто-то — какая-то девушка… Кассандра? Да, возможно.

— Девушку, — продолжала она самым будничным тоном, какой только могла изобразить, — вроде Кассандры Отуэй например. Кассандра — самая интересная из Отуэев, не считая Генри, конечно. Но Кассандра мне даже больше нравится. Она не просто умна, у нее есть характер; она — личность.

— Но эти кошмарные червяки! — воскликнул Уильям с нервным смешком; он чуть вздрогнул, и Кэтрин это заметила.

Да, значит, Кассандра. Она машинально и меланхолично продолжила:

— Ты мог бы уговорить ее заняться... чем-то еще. Ей нравится музыка, кажется, она пишет стихи, и, несомненно, в ней есть какое-то обаяние...

Она помедлила, будто пытаясь сформулировать, в чем именно заключается обаяние кузины.

Мгновение спустя Уильям воскликнул:

— Она ведь добрая?

— Ужасно. Она обожает Генри. Если при этом учесть, где они живут — дядя Френсис с его перепадами настроения...

— О Боже... — прошептал Уильям.

— И у вас так много общего.

— Дорогая Кэтрин! — опомнился Уильям, он наконец оторвал взгляд от камина и выпрямился в кресле. — Я, право же, не понимаю, о чем мы говорим. Уверяю тебя... — Он был очень смущен.

Вспомнив о книге, которую все это время так и держал в руке, он открыл «Путешествия Гулливера» и уставился на оглавление, как бы пытаясь выбрать главу, наиболее подходящую для чтения вслух. Кэтрин наблюдала за ним — похоже, его волнение передалось и ей. В то же время она понимала, что стоит ему найти нужную страницу, взять очки, откашляться и начать чтение — и они оба навсегда упустят возможность, которая, может, никогда больше не повторится.

— Мы говорим о том, что чрезвычайно интересно нам обоим, — сказала она. — Нельзя ли продолжить разговор, а Свифта отложить на другой раз? У меня для Свифта неподходящее настроение, и в таком состоянии я не знаю, стоит ли вообще кого-нибудь читать — тем более Свифта.

Доводы, ловко привязанные к литературе, на него подействовали. Он пошел ставить книгу на место в шкаф и, повернувшись к Кэтрин спиной, постарался собраться с мыслями.

Однако попытка самоанализа дала тревожный результат: его внутренний мир при ближайшем рассмотрении оказался, так сказать, неизведанной территорией. Иными словами, в нем обнаружились чувства, которых он раньше за собой не замечал, и сам себя увидел не таким, каким привык видеть, — его унесло и закружило море неведомых и волнующих возможностей. Он пару раз прошелся по комнате и наконец плюхнулся в кресло рядом с Кэтрин. Никогда еще не чувствовал он ничего подобного. Надо ей довериться — и будь что будет. Он снимает с себя всякую ответственность. В смятении он чуть было не крикнул ей: «Ты, ты одна разбередила все эти подлые и низменные чувства, так теперь и разбирайся с ними!»

Однако ее присутствие успокоило его, буря чуть поутихла, и осталась только твердая уверенность, что рядом с ней он — в безопасности, она видит его насквозь и найдет, что ему нужно, и сама же вручит ему.

— Я сделаю все, что скажешь, — вымолвил он. — Я весь в твоей власти, Кэтрин.

— Тогда попытайся описать, что ты чувствуешь, — потребовала она.

— Но, Боже, я чувствую тысячи вещей каждую секунду. Я даже сам не знаю, что чувствую. Это было тогда, на вересковой пустоши… тогда… — Уильям замолчал; он не сказал ей, что случилось тогда. — Ты, как всегда, взывала к разуму, и это, как всегда, меня убедило — на время, — но где правда теперь, я не знаю, видит Бог! — воскликнул он.

— Может быть, правда, что ты влюбился — или почти влюбился — в Кассандру? — осторожно спросила Кэтрин.

Уильям опустил голову. После минутного молчания он прошептал:

— Думаю, ты права, Кэтрин.

Она вздохнула. Все это время она надеялась, вопреки всему и с каждой минутой все сильнее цепляясь за эту надежду, что не так закончится их разговор. Поборов минутную вспышку гнева — нежданную и нежеланную, — она собрала остаток сил, чтобы сказать, что поможет ему, насколько это возможно, и только начала облекать эту мысль в слова, как в дверь постучали — и оба испуганно вздрогнули, до того они были напряжены.

— Кэтрин, я преклоняюсь перед тобой, — выдохнул он полушепотом.

— Да, — сказала она, резко отстраняясь, — однако надо открыть дверь.

ГЛАВА XXIII

Когда Ральф Денем вошел в комнату и увидел Кэтрин — она сидела к нему спиной, — его словно обдало жаром — так иногда путник после захода солнца, спустившись с ветреного холма, вдруг из промозглого холода попадает в волны тепла, накопленного за день землей и напоенного сладким ароматом луговых трав, — словно солнце вновь пригревает, хотя на небе уже светит луна. Он робел, он трепетал, но твердым шагом подошел к окну и положил пальто. Старательно пристроил трость в складках шторы. Он так был занят собственными ощущениями и этими приготовлениями, что не успел присмотреться к присутствующим в комнате и понять, в каком они настроении. Заметил лишь, что оба взволнованы (о чем говорили и блеск глаз, и разрумянившиеся лица) — как и положено действующим лицам этой прекрасной драмы, что составляет суть жизни Кэтрин Хилбери. «Красота и страсть — ее родная стихия», — подумал он.

Она едва обратила на него внимание, а может, обратила и потому старалась быть невозмутимой, хотя на самом деле на душе у нее было тревожно. Уильям, однако, не мог так быстро справиться с волнением, и тогда она решила подбодрить его, сказав несколько фраз о возрасте здания и об архитекторе. Приняв ее подсказку, он принялся рыться в шкафу и наконец извлек на свет и выложил на стол для всеобщего обозрения какие-то чертежи.

То ли увлекшись разглядыванием чертежей, то ли еще по какой причине, только никто из них в первые минуты не решался заговорить. Однако многолетний опыт хозяйки салона не прошел даром, и Кэтрин все же произнесла что-то подходящее случаю и тут же убрала руку со стола: ей показалось, что он качается. Уильям с радостью подхватил спасительную тему, сказав, что и он того же мнения, Денем поддержал его, тоже чуть громче, чем следовало бы, — после чего они отодвинули чертежи и пересели поближе к камину.

— Мне здесь нравится — это, наверно, единственное место в Лондоне, где я хотел бы жить, — заметил Денем.

«А мне негде жить», — подумала Кэтрин, но кивнула, давая понять, что согласна с ним.

— Я уверен, при желании вы могли бы снять здесь квартиру, — сказал Родни.

— Нет, я навсегда покидаю Лондон — я снял коттедж, о котором вам тогда рассказывал.

Но, похоже, его собеседники не придали этим словам большого значения.

— Неужели? Как жаль… Вы должны мне сообщить свой новый адрес. Но вы же, конечно, не хотите сказать, что все бросаете?..

— Полагаю, вы тоже вскоре переедете, — заметил Денем.

Уильям так смутился, не зная, что сказать, что Кэтрин опять пришла ему на выручку.

— А где находится этот ваш коттедж? — спросила она.

Денем повернулся к ней — их взгляды встретились, и только тогда Кэтрин наконец поняла, что говорит с тем самым Ральфом Денемом, о котором недавно шла речь, — и хотя не помнила всех подробностей, но только доверять ему не стоило. Это следовало из слов Мэри, хотя в чем там дело, сейчас не время разбираться — все это было где-то далеко, на том берегу сознания. От волнения все смешалось в памяти — ладно, она подумает об этом потом, в спокойной обстановке, а сейчас придется действовать по ситуации. И она заставила себя слушать то, что говорит Ральф. Он меж тем рассказывал, что снял коттедж в Норфолке, а она ответила, что ей знакомы — или не знакомы? — те места. Но уже в следующую минуту ее мысли обратились к Родни, и — странно, что это случилось именно сейчас, — он стал для нее таким близким, родным, казалось, с ним не нужны слова — они и без слов понимают друг друга. И лишь присутствие Ральфа не позволило ей поддаться искушению и взять Уильяма за руку, притянуть к себе, погладить по голове, потому что именно этого сейчас ей хотелось больше всего на свете, — или нет, больше всего на свете ей хочется остаться одной, — да, именно так. Как устала она от всех этих разговоров! Смертельно устала, так что едва может следить за ходом беседы. Ее о чем-то спросили, но она не расслышала, и за нее ответил Уильям.

— Но чем вы собираетесь заниматься в деревне? — сказала она первое, что пришло в голову, вмешиваясь в их беседу, которую слышала только наполовину, отчего мужчины посмотрели на нее с удивлением.

И как только она включилась в разговор, Уильям погрузился в молчание. Он перестал следить за репликами, хотя в паузах нервно вставлял «да-да». Время шло, и присутствие Ральфа все более тяготило его, потому что ему так много всего нужно сказать Кэтрин; каждая минута, когда он не мог говорить с ней, была мучением, накапливались сомнения, вопросы оставались без ответов — а ведь все это нужно было рассказать Кэтрин, потому что только она могла ему помочь. Если он не поговорит с ней наедине, то не сможет спокойно спать, он так и не поймет, что же наговорил в минуту безумия — или не совсем безумия — или что там на него нашло? Он кивал и нервно бормотал «да-да» и смотрел на Кэтрин — прекрасную, единственную, восхитительную. Но что-то новое появилось в выражении ее глаз, чего он раньше не замечал. И пока он придумывал поводы, чтобы остаться с ней наедине, она поднялась — это было для него неожиданностью, поскольку он рассчитывал, что Денема удастся выпроводить раньше. Ему оставалось теперь лишь одно: напроситься в провожатые.

Однако пока он подыскивал нужные слова — что оказалось непросто, поскольку мысли и чувства его находились в страшном раздоре, — случилось нечто непредвиденное.

Денем поднялся, взглянул на Кэтрин и сказал:

— Мне тоже пора. Может, пойдем вместе?

И прежде чем Уильям попытался задержать его — или лучше было задержать Кэтрин? — Денем подхватил шляпу, трость и уже открывал перед Кэтрин дверь. Уильяму осталось лишь выйти на лестницу и пожелать им доброй ночи. Он не посмел навязываться им в попутчики. Он не посмел просить ее остаться. Он лишь смотрел ей вслед, пока она медленно и осторожно спускалась по ступенькам, — лестница почти не освещалась, — и когда в последний раз мелькнули внизу два силуэта, два светлых профиля на фоне темной стены — Кэтрин и Денема, он ощутил такой приступ ревности, что, если б не был в домашних туфлях, бросился бы следом или крикнул бы вслед: «Погоди!» Но он не мог двинуться с места. На площадке Кэтрин обернулась, словно скрепляя напоследок их дружбу. Он метнул в нее взгляд, полный бешенства.

На мгновение Кэтрин замерла, а затем медленно вышла во двор. Она посмотрела направо, налево и даже на миг подняла глаза к небу. Денема она воспринимала исключительно как помеху собственным мыслям. Она думала, сколько ей предстоит пройти прежде, чем она окажется одна. Но когда они вышли на Стрэнд и не увидели ни одного кеба, Денем сказал:

— Пока подвозить нас некому, предлагаю немного пройтись.

— Да-да, — ответила она машинально, глядя мимо него.

Догадавшись, что ей не до разговоров, а может, отвлекшись на собственные переживания, Ральф больше ничего не сказал, и какое-то время они шли по Стрэнду в молчании. Ральф пытался привести в порядок мысли, чтобы, когда придет время, сказать что-то весомое и убедительное, но оттягивал этот момент, поскольку нужные слова не находились, да и место казалось неподходящим. На Стрэнде было людно. К тому же в любую минуту могло подъехать пустое такси. Ни слова не говоря, он свернул налево, на одну из боковых улочек, ведущих к реке. Ни в коем случае они не должны расстаться, прежде чем он объяснится, вот что главное. Он все заранее продумал, знал даже, с чего начнет и как продолжит мысль. Однако теперь, когда они остались одни, он никак не мог заставить себя с ней заговорить и даже в сердцах подумал, что она нарочно чинит ему препоны — зная ее чары, это нетрудно было предположить. Он собирался выложить ей все начистоту — и тогда они вместе решат, как быть дальше: оставаться ли ему навсегда ее пленником или освободиться раз и навсегда. Но минута за минутой проходили в молчании, и ровно ничего не происходило, хотя она была рядом — так явно, так зримо. Развевались шелка, трепетали перья на шляпке, она то шла чуть впереди, то отставала, и тогда он ее поджидал.

Молчание затягивалось, наконец Кэтрин обратила на него внимание. Вначале она досадовала на то, что, как назло, нет ни одного кеба, который освободил бы ее от нежеланного спутника, затем попыталась вспомнить, что именно говорила ей Мэри и почему из этого следовало, что он дурной человек, и, разумеется, не вспомнила, однако все это вместе с решительными манерами — зачем, например, он так поспешно свернул в переулок? — наводило на мысль, что она имеет дело с личностью сильной, хотя и малоприятной. Кэтрин остановилась и, поглядев по сторонам в поисках кеба, наконец заметила один — вдали.

— Не возражаете, если мы еще немного пройдемся? — предложил он. — Я хотел бы вам кое-что сказать.

— Хорошо, — ответила она, полагая, что его просьба имеет какое-то отношение к Мэри Датчет.

— У реки не так шумно, — сказал он и быстро перевел ее на другую сторону улицы. — На самом деле я просто хотел спросить... — начал он, но последовавшая за этим пауза оказалась такой долгой, что она успела рассмотреть его бледный профиль на фоне вечернего неба, узкие скулы, нос с горбинкой. И во время этой заминки к нему пришли совсем другие слова, не те, что он собирался произнести.

— Вы стали для меня идеалом с той самой минуты, как я впервые увидел вас. Я мечтал о вас, я не мог думать ни о ком, кроме вас, вы были смыслом моей жизни.

Эти слова, произнесенные странным сдавленным голосом, прозвучали так, словно он обращался к кому-то другому — не к девушке, которая стоит перед ним, а к некой фигуре, маячившей вдали.

— Да, я совсем потерял голову и понял, что должен объясниться с вами, иначе сойду с ума. Для меня вы самое прекрасное, самое настоящее, что есть в мире, — восторженно продолжал он, уже не выбирая слов, потому что все, что он хотел сказать, вдруг открылось ему с предельной ясностью. — Я вижу ваш образ всюду: в сиянии звезд, в речных волнах — во всем, что существует в мире, и это правда. И более того, я уверен, жизнь без вас невозможна. А сейчас я хочу…

До сих пор она слушала его с таким чувством, будто пропустила какое-то простое и весомое слово, без которого все сказанное теряло всякий смысл. Здесь какая-то ошибка, и надо немедленно остановить этот бессвязный поток, но как? Ей казалось, все сказанное предназначается не ей, а другой и к ней не имеет никакого отношения.

— Не понимаю, — сказала она. — Вы говорите то, чего на самом деле не думаете.

— Я отвечаю за каждое свое слово, — ответил он твердо и пристально посмотрел на нее.

И наконец в памяти всплыла фраза, которую она так долго пыталась вспомнить. «Ральф Денем любит вас» — вот что сказала Мэри Датчет. Глаза Кэтрин гневно сверкнули.

— Сегодня днем я виделась с Мэри Датчет! — воскликнула она.

Он вздрогнул от неожиданности, но тут же ответил:

— Полагаю, она рассказала вам, что я просил ее выйти за меня замуж?

— Нет.

— Тем не менее я сделал это. В тот день, когда встретил вас в Линкольне, — продолжал он. — Я собирался просить ее руки, но затем увидел за окном вас. После этого думать о женитьбе было уже невозможно. И все же я сделал это, но она знала, что я лгу, и ответила отказом. Тогда я думал — я и сейчас так думаю, — что я ей небезразличен. Я поступил очень дурно. И мне нечего сказать в свое оправдание.

— Да, — сказала Кэтрин. — Я тоже не вижу, что можно сказать в оправдание. Это было жестоко. — Но столь категоричным тоном она хотела убедить себя, не его. — Мне кажется, — продолжала она так же уверенно, — что надо быть честным. Такому поступку нет оправдания. — Она увидела перед собой грустное лицо Мэри Датчет.

После минутной паузы он сказал:

— Я не хочу сказать, что люблю вас. Я вас не люблю.

— Это я и так поняла, — ответила она в замешательстве.

— Я лишь хотел честно сказать о том, что не дает мне покоя, — добавил он.

— Ну так говорите, — помедлив секунду, сказала она.

Оба, как по команде, разом остановились и, опершись на парапет, стали смотреть на маслянистую серую воду.

— Вы сказали, надо быть честным, — начал Ральф. — Хорошо. Я попытаюсь изложить вам факты; но предупреждаю, вы сочтете меня безумцем. С тех пор как я впервые встретил вас четыре или пять месяцев назад, вы стали для меня, как это ни глупо звучит, идеалом — и это факт. Стыдно признаться, до чего я докатился. Это стало смыслом моей жизни. — Он оборвал себя. — Не зная о вас ничего, кроме того, что вы прекрасны, я начал думать, что между нами что-то есть, что у нас есть общие взгляды на некоторые вещи... Я часто думал о вас, представлял, что сказали бы вы или сделали, бродил по улицам и беседовал с вами — мечтал о вас. Это всего лишь вредная привычка, привычка школяра, глупый бред — так часто бывает, половина моих приятелей пережили подобное. Вот, теперь вы все знаете.

Они отошли от парапета и медленно направились вдоль набережной — рядом, едва не касаясь друг друга плечами.

— Если бы вы узнали меня получше, то ничего бы такого не случилось, — сказала она. — Но у нас не было такой возможности — нам все время кто-то мешал... В тот день, когда пришли мои тетушки, вы хотели все мне рассказать? — спросила она.

Он кивнул:

— Именно тогда вы рассказали мне о своей помолвке...

Ну да, теперь на помолвке можно поставить крест, с горечью подумала она.

— Я не верю, что перестану так о вас думать, если узнаю лучше, — продолжал он. — У меня лишь появится больше причин так думать. Мне не стоило беспокоить вас всей этой чепухой, что я сегодня наговорил... Но это не чепуха. Это правда, — упрямо произнес он. — Это очень важно. Вы скажете: то был плод воспаленной фантазии, что-то вроде галлюцинации, но ведь таковы все наши чувства. Лучшее из того, что у нас есть, отчасти иллюзорно. И все же, — добавил он, словно споря с собой, — если бы мои чувства не были настоящими, я не стал бы менять свою жизнь из-за вас.

— Что вы хотите сказать? — спросила она.

— Я говорил вам. Я снял коттедж и бросаю службу.

— Из-за меня? — спросила она с удивлением.

— Да, из-за вас, — коротко ответил он.

— Но я ничего о вас не знаю, не знаю, какие у вас могут быть обстоятельства, — сказала она наконец, поскольку он молчал.

— У вас нет никакого мнения обо мне?

— Да нет, мнение у меня есть... — не очень уверенно произнесла она.

Ему хотелось попросить ее объясниться, но он не посмел, и к его удовольствию она продолжила, словно прочитав его мысли:

— Мне казалось, вы меня невзлюбили за что-то, и, наверное, не без причины. Я подумала: вот человек принципа...

— Нет, я человек чувства, — сказал он тихо.

— Тогда скажите мне, зачем вы это делаете? — спросила она после паузы.

И он начал спокойно — не зря же готовился — излагать все по порядку: как заботится о братьях и сестрах, и что сказала его мать, и о чем умолчала сестра Джоан, и какая сумма внесена в банк на его имя, и что брат решил податься на заработки в Америку, и какая часть дохода идет на оплату жилья, и прочие подробности. Она слушала его и все запоминала — так что к моменту, когда вдали показался мост Ватерлоо, могла бы повторить все это как на экзамене — но ее мысли были заняты этим не больше, чем подсчетом булыжников на мостовой. Она была счастлива как никогда в жизни. Если бы Денем знал, что, пока они шагают по набережной, перед глазами у нее мелькают книги, испещренные математическими значками, страницы, заполненные точками, черточками и кривыми линиями, его тайная радость от того, что она так внимательно слушает, заметно бы поубавилась. Она говорила: «Да, понимаю... Но чем это вам поможет?.. Ваш брат сдал экзамен?» — с таким участием, что он поминутно одергивал себя, убеждаясь, что это не сон, — и все это время она мысленно разглядывала в телескоп туманные белые диски далеких миров, пока не почувствовала, что раздвоилась: идет вдоль реки с Денемом и в то же время сосредоточенно изучает серебристый шар, парящий в густой синеве над пенными облаками, укрывающими весь видимый мир. Кэтрин посмотрела на небо: ни одна звезда не могла пробиться к ним сквозь завесу низких туч, гонимых по небу западным ветром. Она поспешно опустила взгляд. И ведь нет никакой причины, думала она, для этого счастья: она не свободна, и не одна, множество нитей по-прежнему связывают ее с землей, и с каждым шагом она все ближе к дому. Но все равно она радовалась, как не радовалась никогда в жизни. Воздух был чище, огни ярче, а холодный камень парапета холоднее и тверже, когда она — случайно или намеренно — коснулась его рукой. Вся ее неприязнь к Денему исчезла как по волшебству, ведь он не мог помешать ей, куда бы она ни пожелала направиться — к звездам или домой, но что это ее состояние как-то связано с ним — об этом она не задумывалась.

Теперь они видели густой поток авто и омнибусов, спешащих с суррейского берега реки на этот и обратно, все слышнее были грохот колес, гудки автомобилей, звяканье трамвайных колокольчиков — и по мере того как этот гул нарастал, их разговор постепенно стихал и наконец вовсе иссяк. Оба непроизвольно замедлили шаг, как будто хотели еще хоть немного продлить это блаженное время нежданной и странной близости. От радости Ральф не мог даже думать о том, что будет потом — всего через несколько шагов, — когда она его покинет. Он не собирался тратить последние мгновения их дружеского общения на то, чтобы уточнить что-то, добавить к сказанному ранее. Когда их разговор прервался, она опять стала для него не столько реальной девушкой, сколько девушкой его мечты, но его одинокие мечтания не доставляли ему таких острых ощущений, как то, что он чувствовал в ее присутствии. Странно, но он и сам стал другим: теперь ему все по силам. Впервые он ощутил себя хозяином своей судьбы. Будущее, открывшееся перед ним, было бесконечно. Но это настроение не имело ничего общего с беспечностью гедониста, спешащего добавить к старым удовольствиям новые, хотя ею до сих пор были отмечены — и подпорчены — его самые восторженные мечты. При этом он ясно видел, что происходит вокруг, поэтому разглядел направлявшееся к ним такси, которое Кэтрин, конечно, тоже заметила и, обернувшись, следила за его приближением. Они остановились у обочины, понимая неизбежность расставания, — и одновременно махнули рукой, подзывая водителя.

— Так, значит, в ближайшее время вы дадите мне знать о своем решении? — спросил он, придерживая дверцу машины.

Кэтрин на миг остановилась. Она не могла сразу сообразить, о каком решении идет речь.

— Я напишу вам, — сказала она неуверенно. — Нет, — добавила она через секунду, представив, как трудно будет написать что-то в ответ на вопрос, который она пропустила мимо ушей, — это не очень удобно…

Она все смотрела на Денема, стоя одной ногой на ступеньке автомобиля. Он догадался, в чем дело: вероятно, она ничего не слышала, и ее смущение было ему понятно.

— Есть одно место, где мы можем спокойно поговорить, — быстро произнес он. — Это Кью*.

— Кью?

— Кью, — повторил он решительно.

Ральф закрыл дверцу и назвал водителю ее адрес. Автомобиль тронулся и влился в густой поток машин, на каждой горел огонек, и все они были неотличимы друг от друга. Он постоял, глядя ей вслед, затем, словно подхваченный резким порывом ветра, развернулся, стремительно пересек улицу и исчез.

---

* Королевский ботанический сад Кью, основанный в 1759 г. Находится в западной части Лондона.

Необычайно возбужденный, Ральф вышел на узкую улицу, в этот час свободную от транспорта и пешеходов. Окна магазинов были наглухо закрыты ставнями, а под ногами мягко серебрилась полоска деревянной мостовой; буря чувств, бушевавшая в его душе, постепенно утихла, и наконец он совсем успокоился. Он стал размышлять о потерях, которые следуют за любым открытием: он ведь действительно утратил что-то, поговорив с Кэтрин, — ведь, в конце концов, Кэтрин, которую он так любил, была ли она настоящей Кэтрин? В какие-то моменты настоящая Кэтрин казалась неизмеримо лучше: развевались одежды, трепетали перья, голос звучал, — да, но как ужасна порой пауза между голосом мечты и голосом самого предмета желаний! Он ощущал смесь жалости и отвращения к тому образу, который создают люди, когда пытаются воплотить в жизнь то, что себе навоображали. Какими ничтожными оба — он и Кэтрин — оказались вдруг, стоило им вырваться из окутывающего их облака грез! Он вспомнил невыразительные, банальные слова, которыми они пытались объясниться; повторил их про себя. Произнося мысленно слова Кэтрин, он в какой-то момент ощутил ее присутствие настолько сильно, что больше чем когда-либо возжелал ее. Но она чужая невеста, вспомнил он. Он вдруг понял, как сильно любит ее, и его охватила слепая ярость. Ральф вспомнил Родни — некрасивого и убогого. И этот краснолицый коротышка-танцмейстер женится на Кэтрин? Этот бормочущий невразумительный вздор болван с лицом мартышки? Этот напыщенный, самовлюбленный, гротескный хлыщ? С его трагедиями и комедиями, с его бесконечным раздражением, и гордыней, и мелочностью? О Господи! Замуж за Родни! Тогда она, наверное, еще глупее его. Расстроенный, он забился в угол вагона подземки, насупившись и отгородившись от мира. Вернувшись

345

домой, он сразу же сел писать Кэтрин дикое, длинное, безумное письмо, заклиная ее ради них обоих порвать с Родни, умоляя не делать страшного шага, который навсегда погубит единственную красоту, единственную истину, единственную надежду, — не предавать, не покидать, поскольку, если она это сделает... и далее уверял: впрочем, все, что она сделает или не сделает, будет правильным решением, которое он примет от нее с благодарностью. Так он исписывал страницу за страницей, и лишь когда за окном загромыхали первые утренние телеги, направлявшиеся в Лондон, только тогда он пошел спать.

ГЛАВА XXIV

Первые признаки весны, что становятся заметны к середине февраля, — не только белые и фиолетовые цветочки, появляющиеся в самых укромных уголках рощ и парков, это пробуждающиеся в женщинах и мужчинах желания и мысли, похожие на бледные душистые лепестки. Жизнь, скованная временем настолько, что настоящее представляется застывшей субстанцией, тусклой и бесплодной, в это время года вновь обретает нежность и текучесть и отражает образы и краски настоящего так же, как и образы и краски прошлого. Миссис Хилбери первые весенние дни доставляли немало беспокойства, поскольку многократно обостряли ее эмоции, которые, по крайней мере по отношению к славному прошлому, никогда не отличались вялостью. Но весной ее жажда самовыражения неизменно возрастала. Ее преследовали фразы. Она испытывала почти чувственное наслаждение от сочетания слов. Она выискивала их на страницах любимых авторов. Записывала их на клочках бумаги и обкатывала на языке, когда, казалось бы, не было ни малейшего повода для подобного красноречия. Во время подобных экскурсов ее поддерживала уверенность в том, что ни один язык недостоин светлой памяти ее отца, и, хотя ее старания никак не ускоряли завершение его биографии, в эти моменты она чувствовала себя ближе к своему великому родителю, нежели в остальное время. Никому не дано устоять перед силой речи, а уж тем более это касается тех англичан, кто, подобно миссис Хилбери, с детских лет играет то саксонской простотой, то латинской роскошью и хранит в памяти воспоминания о поэтах прошлого, язык которых отличался бесконечным изобилием вокабул. Даже на Кэтрин подействовал материнский энтузиазм. Хотя и не настолько, чтобы согласиться с тем, что подробное изучение сонетов Шекспира совершенно необходимо для подготовки пятой главы дедушкиной биографии. Миссис Хилбери создала теорию, начавшуюся с несколько фривольной шутки, согласно которой Энн Хатауэй* помимо всего прочего могла быть автором сонетов Шекспира. Эта идея, появившаяся на свет ради оживления беседы собравшихся за столом профессоров, которые затем прислали ей несколько самостоятельно изданных просветительских брошюр, погрузила ее в пучину елизаветинской литературы; она уже сама почти поверила в свою шутку, которая, как она заметила, была ничем не хуже прочих теорий, и сейчас все ее воображение было направлено на Стратфорд-на-Эйвоне. И когда наутро после прогулки у реки Кэтрин вошла в кабинет несколько позже обычного, миссис Хилбери сообщила ей, что собирается посетить могилу Шекспира. Все связанное с этим поэтом интересовало ее куда более, чем любые посулы настоящего, а мысль о том, что где-то в Англии есть клочок земли, на который ступал поэт и где под ногами до сих пор покоится его прах, так захватила ее, что она встретила дочь восклицанием:

— Думаешь, он когда-нибудь проходил мимо нашего дома?

В первую секунду Кэтрин решила, что мать спрашивает о Ральфе Денеме.

---

* Жена Уильяма Шекспира.

— Я хочу сказать, по пути в Блэкфрайерз*, — продолжала миссис Хилбери, — потому что ты же знаешь о последнем открытии — оказывается, у него был там дом.

Кэтрин все еще смотрела на нее с недоумением, и миссис Хилбери добавила:

— Это доказывает, что он вовсе не бедняк, как иногда говорят. Мне приятнее думать, что он был достаточно состоятельным человеком, хотя, конечно, я совсем не хочу, чтобы он оказался богачом.

Заметив растерянность дочери, она расхохоталась:

— Дорогая, я вовсе не о твоем Уильяме, хотя это лишний повод его любить. Я говорю — думаю — мечтаю о моем Уильяме — Уильяме Шекспире, разумеется. Не странно ли, — задумчиво произнесла она, стоя у окна и тихонько постукивая пальцем по стеклу, — что вон та старушка в синей шляпке, с корзинкой в руке, которая сейчас переходит дорогу, судя по всему, даже не слышала о существовании этого человека? Но жизнь продолжается — юристы спешат на службу, таксисты ругаются из-за мелочи, мальчишки гоняют обруч, а девочки кормят хлебом чаек, как будто и не было на свете никакого Шекспира. Я готова с утра до вечера стоять на перекрестке и кричать: «Люди! Читайте Шекспира!»

Кэтрин села за свой стол и открыла длинный пыльный конверт. Автор письма упоминал о Шелли как о ныне живущем человеке, а следовательно, его послание имело ценность. Прежде всего ей надо решить, печатать ли письмо целиком или только ту его часть, где говорится о Шелли, — и она потянулась за пером, намереваясь решить судьбу бумажки. Однако перо застыло в воздухе. Украдкой она придвинула к себе чистый лист, и ее рука принялась чертить на бу-

---

* В марте 1613 г. Шекспир купил за 140 фунтов дом в районе Блэкфрайерз, в восточной части Лондона, неподалеку от театра «Блэкфрайерз».

маге квадраты, рассекая их вдоль и поперек, а затем и круги, которые подверглись такой же участи.

— Кэтрин! У меня родилась гениальная идея! — воскликнула миссис Хилбери. — Выложить сотню фунтов или около того за сборники Шекспира — и раздать их рабочим! Кто-нибудь из твоих умных друзей, которые устраивают собрания, мог бы нам с этим помочь. И в результате получится театр, в котором мы все сможем играть. Ты будешь Розалиндой — хотя в тебе есть что-то от старой нянюшки. Твой отец — Гамлет, правда достигший зрелости, а я — во мне есть понемногу от каждого из них; больше всего от шута, но ведь у Шекспира шуты всегда говорят мудрые вещи. Ну а кто у нас Уильям? Герой? Готспер? Генрих Пятый? Нет, в Уильяме тоже есть что-то от Гамлета. Я даже представляю, как он разговаривает сам с собой, когда остается один. Ах, Кэтрин, вы наверняка наедине говорите друг другу прекрасные слова, — добавила она, вопросительно взглянув на дочь, которая ничего не рассказала ей о том, как прошел вчерашний ужин.

— О, мы говорим много чепухи, — сказала Кэтрин и, когда мать подошла к ней, быстро сунула изрисованный листок под ветхое письмо, где упоминался Шелли.

— Через десять лет это уже не покажется тебе чепухой, — возразила миссис Хилбери. — Поверь, Кэтрин, ты еще вспомнишь эти дни, вспомнишь все глупости, которые говорила, и поймешь, что на них основана вся твоя жизнь. Все лучшее в жизни построено на том, что мы говорим, когда влюблены. Это не чепуха, Кэтрин, — серьезно сказала она, — это истина, единственная истина.

Кэтрин чуть было не прервала ее — ей вдруг захотелось довериться матери: между ними иногда случались моменты близости. Но пока она собиралась и раздумывала, как бы поделикатнее рассказать о том, что произошло, ее мать снова обратилась к Шекспиру и листала страницу за страницей в надежде найти цитату, которая скажет о любви куда лучше, чем она сама. Кэтрин не оставалось ничего, кроме как закрашивать очередной кружочек черным карандашом. Однако на середине этого занятия зазвонил телефон, и она вышла, чтобы ответить на звонок.

Когда она вернулась, миссис Хилбери нашла отрывок, правда не тот, который искала, а другой, исключительно прелестный, и на секунду оторвалась от него, чтобы спросить у дочери, кто это был.

— Мэри Датчет, — кратко ответила Кэтрин.

— Ах… Я бы хотела назвать тебя Мэри, хорошее имя, но только оно не сочетается с «Хилбери» и совсем не подходит к «Родни». Хотя это не та цитата, которую я искала. Никогда не могу найти то, что надо… Но здесь и весна, и нарциссы, и зеленые поля, и птицы.

Цитату прервал еще один настойчивый телефонный звонок. И вновь Кэтрин вышла из комнаты.

— Дитя мое, какой же мерзкий звук у торжества науки! — заметила миссис Хилбери, когда Кэтрин вернулась. — А потом они соединят нас с Луной… Кто это был?

— Уильям, — еще более кратко ответила Кэтрин.

— Уильяму я готова простить все, что угодно, тем более я уверена — на Луне Уильямов нет. Надеюсь, он придет на ланч?

— Он придет на чай.

— Что ж, это лучше, чем ничего, и обещаю, что оставлю вас наедине.

— В этом совершенно нет нужды, — сказала Кэтрин.

Она провела рукой по выцветшей странице и ниже склонилась над столом, решив больше не тратить времени попусту. Мать заметила этот жест, свидетельствующий о некой суровости и непреклонности в характере дочери. Это пугало миссис Хилбери — как пугали нищета, или пьянство, или жестокая логика, с помощью которой мистер Хилбери по доброте душевной пытался рассеять ее страх перед наступавшим тысячелетием.

Она вернулась за свой стол, надела очки с комичным выражением тихой покорности и впервые за это утро обратилась к своей непосредственной задаче. Черствость мира подействовала на нее отрезвляюще. На этот раз она проявила даже больше усердия, нежели дочь. Кэтрин, например, не могла бы свести мир исключительно к такой перспективе, при которой Гарриет Мартино* была бы фигурой первостепенной важности и имела бы прямое отношение к той или иной личности или дате. Странно то, что резкий звук телефонного звонка до сих пор стоял у нее в ушах; она все еще была напряжена, словно в любую минуту готовилась услышать еще один сигнал, призывающий ее к чему-то новому и куда более важному, чем весь девятнадцатый век, вместе взятый. Она не знала точно, чего ждет, но когда все время прислушиваешься, то делаешь это даже помимо воли, и таким образом Кэтрин большую часть утра внимала разнообразным звукам задворок Челси. Пожалуй, впервые в жизни ей хотелось, чтобы миссис Хилбери не так старательно работала. Какая-нибудь цитата из Шекспира сейчас вполне пришлась бы к месту. Порой от стола, за которым сидела миссис Хилбери, доносился вздох, но более ничто не выдавало ее присутствия, и Кэтрин была почти уверена, что мать ее не замечает, и даже с радостью отложила бы ручку и рассказала ей о причинах своего беспокойства. Единственным текстом, кото-

* Гарриет Мартино (1802–1876) — английский экономист и социолог.

рый она смогла завершить в такое утро, было письмо к кузине Кассандре Отуэй — бессвязное, длинное и нежное письмо, шутливое и серьезное одновременно. Она умоляла Кассандру оставить своих мелких тварей на попечение конюха и приехать к ней в гости на недельку. Они вдвоем сходят куда-нибудь, послушают хорошую музыку. Нелюбовь Кассандры к светскому обществу, писала она, — блажь, грозящая перерасти в предубеждение, которое впоследствии может отдалить ее от всех интересных людей и занятий. Кэтрин дописывала страницу, когда звук, которого она ждала все это время, наконец достиг ее ушей. Она тут же вскочила и хлопнула дверью. Миссис Хилбери не поняла, куда побежала дочь: она была так поглощена своими мыслями, что не слышала звонка.

Нишу на лестничной площадке, где находился телефон, скрывал от посторонних глаз занавес пурпурного бархата. Она служила хранилищем ненужных вещей — подобные закоулки часто бывают в домах, где хранят обломки прошлого сразу трех поколений. Гравюры с портретами двоюродных дедушек, доблестно сражавшихся на восточных границах империи, висели над фарфоровыми чайниками с золотистыми блестками на округлых боках, другие ценные чайники разместились на книжных полках, где приютились полные собрания сочинений Уильяма Купера* и сэра Вальтера Скотта. Звук в телефоне всегда неотделим от окружения, в котором его слушаешь, — по крайней мере, так казалось Кэтрин. Чей голос сейчас сольется с обстановкой этого закутка — или прозвучит диссонансом?

«Чей голос?» — думала она, слушая, как мужчина настойчиво называет телефонистке ее номер. Незнакомый голос спросил мисс Хилбери. Из всего сумбура

---

* Уильям Купер (1731–1800) — английский поэт.

голосов, звучащих на том конце провода, из огромного множества вероятностей, — чей это был голос? — спросила себя Кэтрин. Через мгновение она получила ответ.

— Я смотрел расписание поездов… Удобнее всего мне будет приехать в субботу сразу после полудня… Это Ральф Денем… Но я напишу…

С чувством, словно балансирует на острие клинка, Кэтрин ответила:

— Думаю, я смогу прийти. Сейчас проверю, нет ли у меня визитов… Не вешайте трубку.

Выпустив трубку, она посмотрела на портрет двоюродного деда, снисходительно поглядывавшего на мир, в котором не было никаких признаков индийского восстания*. И медленно покачивался у стены, в черной трубке, голос, не имевший отношения ни к дядюшке Джеймсу, ни к заварочным чайникам, ни к бархатным красным занавесам. Она следила за покачиванием трубки и то же время слышала, ощущала буквально все, что окружало ее в этом доме, в этом месте, где она сейчас стояла: приглушенные звуки на лестнице и в комнатах над головой и — сквозь стену — движение в соседнем доме. Она не слишком четко представляла самого Денема, когда поднесла трубку к губам и ответила, что суббота ей вполне подходит. Она надеялась, что он не попрощается сразу, хотя особо не вникала в смысл его слов: он еще говорил, а она уже думала о своей комнате наверху — о книгах и бумажках, заложенных меж страниц словарей, и о том, что надо бы прибраться на столе перед работой. Она задумчиво положила трубку, успокоилась, закончила письмо к Кассандре, надписала конверт и наклеила марку.

Когда они отобедали, внимание миссис Хилбери привлек букет анемонов. Ваза, синяя с белым и алым,

---

* Имеется в виду восстание сипаев — знаменитый мятеж 1857 г.

стояла в пятне света на полированном чиппендейлов-ском столике у окна гостиной, и она застыла на месте, ахнув от восхищения.

— Кто сейчас лежит прикованный к постели, Кэт-рин? — спросила она. — Кого из наших друзей нужно подбодрить? Кто чувствует себя забытым и заброшен-ным? У кого плата за воду просрочена, а строптивая кухарка ушла, не дождавшись жалованья? Кажется, я знаю такого… — продолжила она, но имя нужного знакомого вылетело у нее из головы. Наиболее под-ходящим кандидатом на роль несчастного, чью жизнь могла скрасить ваза с анемонами, была, по мнению Кэтрин, вдова генерала, обитавшая на Кромвель-роуд. При отсутствии настоящих бедняков и голодающих, которые гораздо больше устроили бы миссис Хилбе-ри, ей все же пришлось смириться с этой кандидату-рой, хотя генеральша была на редкость глупая и не-красивая особа, имевшая весьма отдаленное отноше-ние к литературе, однажды она чуть не расплакалась от счастья, когда ее навестили.

Но оказалось, миссис Хилбери должна в это вре-мя присутствовать где-то еще, и относить цветы на Кромвель-роуд было поручено Кэтрин. Она взяла с собой письмо для Кассандры, чтобы бросить его в первый попавшийся почтовый ящик. На улице по-чтовые тумбы со всех сторон подставляли алые рты, готовясь принять письмо, но она все не решалась. И каждый раз придумывала нелепейшие оправдания: якобы ей не хочется переходить улицу или дальше по пути будет центральное почтовое отделение. Чем дольше она держала в руке письмо, тем настойчивее преследовали ее вопросы, словно многоголосый хор, звенящий над головой. Эти невидимки хотели знать, помолвлена она все еще с Уильямом Родни или по-молвка расторгнута? Правильно ли, спрашивали они, приглашать Кассандру в гости и действительно ли

Уильям в нее влюблен — или «вероятно, влюблен»? На миг голоса умолкли, а потом зазвучали вновь, словно хотели узнать кое-что еще. Что хотел сказать Ральф Денем вчерашним признанием? Думаешь, он правда в тебя влюблен? Не слишком ли неосмотрительно было отправляться на прогулку с ним наедине и какой совет на будущее ты ему дашь? Есть ли у Уильяма Родни причина для ревности и как быть с Мэри Датчет? Что ты будешь делать? А чувство собственного достоинства? — твердили они наперебой.

«Ах, Боже мой! — воскликнула Кэтрин, послушав этот назойливый хор. — Похоже, я должна принять решение».

Но все это было конечно же не всерьез — так, игра фантазии во время передышки. Как и все люди, воспитанные в традициях, Кэтрин была способна — минут за десять — свести любые этические проблемы к их традиционным формам и подобрать к ним традиционные же решения. Книга мудрости лежала открытой если не на коленях ее матери, то на коленях множества ее тетушек и дядюшек. Стоит лишь спросить их, и они тут же отыщут нужную страницу и прочитают ответ, идеально подходящий к ситуации. Правила поведения для незамужних девиц написаны красными чернилами и выбиты в мраморе на случай, если по странному капризу природы у незамужней девицы не окажется такой надписи, вырезанной прямо поперек сердца. Она допускала, что есть счастливчики, которым нетрудно подчинить или изменить свою жизнь по первому же требованию блюстителей традиции, им можно только позавидовать; но в ее случае вопросы отпадали сами собой, как только она всерьез бралась искать ответы, а это доказывало, что традиционный ответ для нее лично будет бесполезен. Хотя многим он подходит, думала она, разглядывая дома по обеим сторонам улицы, где живут семьи с доходом от тысячи до полутора тысяч в год: они держат не больше трех слуг, а окна закрывают плотными шторами, по большей части грязными, и правильно делают, думала она, ведь если в комнате нечем полюбоваться, кроме зеркала над сервантом да блюда с яблоками, то для чего вам свет? Но тут же отвернулась: нет, не годится, этак я ни к чему не приду.

Единственное, что она могла узнать, была правда о ее собственных чувствах — хрупкий лучик в сравнении с ярким снопом света, струящимся из глаз всех, кто смотрит на все согласно, — но, поскольку она отмахнулась от всезнающих голосов, ей остается только этот путеводный луч среди навалившейся на нее темной массы. И она попыталась последовать за этим лучом, и ее лицо, на взгляд случайного прохожего, говорило о полном и глубоком безразличии ко всему, что ее окружает. С таким видом, решил бы прохожий, и до безрассудства недалеко. Но ее красота хранила ее от худшей участи: на нее хоть и поглядывали, но не смеялись. Ей хотелось отыскать настоящее чувство среди множества вялых эмоций и безразличия, опознать его, когда найдет, и понять, что даст ей это открытие, — вот почему хмурился лоб, а глаза сверкали лихорадочным блеском, — это желание то смущало, то унижало, то возвышало ее, и, как вскоре обнаружила Кэтрин, ее открытия также оказывались то неловкими, то стыдными, то окрыляюще радостными. Многое зависело от интерпретации слова «любовь», которое всплывало снова и снова, когда она размышляла о Родни, Денеме, Мэри Датчет и о себе, — и каждый раз звучало по-разному, и каждый раз означало что-то свое, по-своему важное. Потому что чем больше она всматривалась в путаницу судеб, которые, вместо того чтобы идти параллельно, пересекались в самых неожиданных местах, тем больше убеждалась, что невозможно смотреть на них иначе как в этой причудливой иллюминации, и нет иного пути, кроме того, на который указывают эти разрозненные лучи. Ее слепота по отношению к Родни, ее попытки ответить своими фальшивыми чувствами на его истинные чувства, такому проступку нет прощения, единственное, что она могла сделать, — оставить его черной вехой на жизненном горизонте, не предавая забвению и не пытаясь оправдаться.

Но помимо унижений в этом открытии была и радость. Она вспоминала три разные сцены; вот Мэри сидит, прямая как струнка, и говорит: «Я люблю. Я влюблена», а вот Родни, среди вороха сухих листьев, растерявшийся и лепечущий, как дитя, вот Денем, склонившись над каменным парапетом, обращается с речью к далеким небесам, как безумный. Так, переходя от Мэри к Денему, от Уильяма к Кассандре и от Денема к себе самой (допуская, что душевное состояние Денема имело к ней отношение, в чем она сомневалась), она словно рисовала линии симметричного узора, некой схемы жизни, которая делала если не ее, то остальных интересными и наделяла их своеобразной трагической красотой. Кэтрин представила фантастическую картину: каждый из них держал на плечах блистающий дворец. Они все были канделябрами, рассеянными в толпе, чьи огни образовывали узор, исчезающий, вновь возникающий, складывающийся в новый рисунок. Такие вот странные мысли приходили ей в голову, пока она шагала по скучным улочкам Южного Кенсингтона, и, хотя многое еще оставалось неясным, очевидно было одно: ее задача — помочь Мэри, Денему, Уильяму и Кассандре. Но как это сделать? Ни один поступок не казался ей бесспорно правильным. Единственный вывод, к которому она пришла после долгих размышлений: в данном случае стоит рискнуть. Не устанавливать правил ни для себя, ни для остальных — и пусть неразрешимые проблемы накапливаются, а ситуации разверзают свой зев, — она не дрогнет и сохранит полную, абсолютную независимость. Так она лучше поможет тем, кто любит.

В свете этих возвышенных чувств слова, которые мать написала на карточке, прикрепленной к букетику анемонов, приобрели для Кэтрин новый смысл. Дверь дома на Кромвель-роуд открылась, явив мрачную перспективу коридора и лестницы, где единственным светлым пятном был серебряный поднос с визитными карточками, черные кромки которых позволяли предположить, что все знакомые безутешной вдовы тоже скорбят об утрате. Горничная едва ли смогла оценить всю глубину печали, с которой юная леди предъявила цветы — с любовью от миссис Хилбери: приняв подношение, служанка захлопнула дверь.

Лицо в дверях, звук захлопнутой двери подействовали отрезвляюще, и, возвращаясь пешком в Челси, Кэтрин стала сомневаться, получится ли что-нибудь путное из ее намерений. Однако если нельзя доверять людям, тогда следует держаться поближе к цифрам, и так или иначе ее раздумья о собственных проблемах, как всегда, перетекли в размышления о жизни ее знакомых. К чаю она опоздала.

На старинном голландском сундуке в прихожей она заметила пару шляп, пальто и трости, а из-за двери гостиной доносился гул голосов. По легкому восклицанию матери, которым та встретила ее приход, Кэтрин поняла, что явилась слишком поздно, что чашки и молочники точно сговорились не слушаться и что она должна немедленно занять полагающееся ей место во главе стола и разливать гостям чай. Автор дневников Огастус Пелем любил спокойную атмосферу, любил быть в центре внимания и развлекал публику коротенькими рассказами, а для пополнения своего дневника выведывал у своих выдающихся современников вроде миссис Хилбери любопытные подробности о великих людях прошлого — ради этой цели он старался не пропускать ни одного чаепития и за год поглощал неимоверное количество гренков с маслом. Появление Кэтрин он встретил с облегчением, она успела только пожать руку Родни и поприветствовать американскую даму, желавшую посмотреть на реликвии, как разговор вновь вернулся в прежнее русло воспоминаний и обсуждений, так хорошо ей знакомых.

И все же, даже несмотря на разделявшую их плотную завесу, она нет-нет да и поглядывала на Родни, будто надеялась по каким-то внешним признакам понять, что случилось с ним со времени их свидания. Но бесполезно. Его костюм, даже белая манишка и жемчужина на галстуке, словно ставили перед ее быстрым взглядом глухой заслон, отражая любые попытки разузнать что-либо об этом приличном и благовоспитанном джентльмене, который так изящно держит чашку и аккуратно кладет кусочек хлеба с маслом на край блюдца. Родни не обращал на нее никакого внимания, вероятно, потому, что был слишком занят американской гостьей, передавая ей приборы и угощение и учтиво отвечая на ее вопросы. Зрелище, способное охладить любого, кто переполнен разными теориями о любви. Голоса невидимых собеседников звучали с необычайной самоуверенностью, словно подкрепленной мудростью двадцати поколений, а также сиюминутным одобрением присутствующих здесь мистера Огастуса Пелема, миссис Вермонт-Бэнкс, Уильяма Родни и, возможно, самой миссис Хилбери. Кэтрин стиснула зубы, и не только в переносном смысле: повинуясь внутреннему голосу, требующему конкретных действий, она решительно положила на стол конверт, который весь день по забывчивости так и носила с собой. Сверху был написан адрес, и минуту спустя Уильям задержал на нем взгляд, когда привстал, передавая кому-то тарелку. Его лицо изменилось. Он опустился на стул, а затем растерянно посмотрел на Кэтрин — и сразу стало ясно, что его невозмутимость была лишь маской. На минуту-другую он, похоже, напрочь забыл о своей соседке миссис Вермонт-Бэнкс, и миссис Хилбери, чуткая к любой заминке в общем разговоре, спросила, не желает ли та посмотреть «наши вещи».

Кэтрин послушно встала и направилась в небольшую комнату с картинами и книгами. Миссис Бэнкс и Родни последовали за ней.

Она зажгла свет и без предисловий начала рассказ:

— Перед вами письменный стол моего дедушки. За этим столом написана большая часть стихотворений позднего периода. А вот его перо — последнее, которым он пользовался. — Она подняла перо, подержала его несколько секунд. — А это, — продолжала она тихо, нараспев, — авторская рукопись «Оды зиме». В ранних рукописях меньше исправлений, чем в поздних, в чем вы сами можете убедиться… О да, разумеется, можно потрогать, — ответила она миссис Бэнкс, робко испросившей на это дозволения и уже расстегивающей белые лайковые перчатки.

— Вы поразительно похожи на вашего дедушку, мисс Хилбери, — заметила американка, переводя взгляд с Кэтрин на портрет, — глаза точно такие же… И дайте угадаю — наверняка она тоже пишет стихи? — кокетливо спросила гостья, обернувшись к Уильяму. — Вот идеал поэта, не правда ли, мистер Родни? Не могу выразить, какое это счастье, какая честь для меня — стоять на этом месте рядом с внучкой великого поэта. Знаете, мы в Америке очень ценим творчество вашего дедушки, мисс Хилбери. У нас есть общества, где на собраниях читают его стихи. О нет, неужели это туфли, которые носил сам Ричард Алардайс?! — Отложив рукопись, она схватила старые туфли и погрузилась в немое созерцание.

Пока Кэтрин невозмутимо продолжала роль экскурсовода, Родни разглядывал маленькие карандашные наброски, в которых давно знал каждый завиток. Они сулили ему передышку — так бурный вихрь заставляет человека искать любого укрытия, где можно привести себя в порядок и поправить разметавшуюся одежду. Его спокойствие всего лишь видимое, и он это прекрасно понимал: за внешней оболочкой — галстуком, жилетом и крахмальной манишкой — покоя не было.

Поднявшись с постели в это утро, он решил не обращать внимания на сказанное накануне. Убедившись при встрече с Денемом, что страстно влюблен в Кэтрин, и разговаривая с ней утром по телефону, он надеялся, что она поймет по его голосу, веселому и одновременно решительному, что они по-прежнему жених и невеста и ничего страшного не произошло. Но стоило ему прийти в присутствие — и начались мучения. Его поджидало письмо от Кассандры. Она прочла его пьесу и воспользовалась первой же возможностью сообщить ему, что она о ней думает. Конечно же она понимает, что ее похвала ровно ничего не значит, однако всю ночь не смыкала глаз и все размышляла о пьесе. Ее письмо было полно восторгов, местами чересчур напыщенных, но в целом польстивших тщеславию Уильяма. Кассандра была достаточно умна, чтобы подметить правильные вещи или, что еще приятнее, намекнуть на них. Во всем остальном письмо было очень милым. Она рассказывала ему о своих занятиях музыкой и о собрании суфражисток, куда ее сводил Генри, и игриво добавила, что учила греческий алфавит и находит его «очаровательным». Это слово было подчеркнуто. Смеялась ли она, проводя эту черту? И можно ли вообще воспринимать все это всерьез? Разве ее письмо не причудливая смесь восторгов, вымыслов и наблюдений, оживленных игривой девичьей фантазий, что, как блуждающие огоньки на далеком горизонте, манили его в последующие утренние часы? И он не удержался и сразу же сел писать ей ответ. Оказалось, это так упоительно — оттачивать стиль, который позволил бы выразить все эти поклоны и расшаркивания, шассе и пируэты и прочие изящные па, относящиеся к одному из миллионов способов общения между мужчиной и женщиной. Кэтрин никогда этого не ценила, невольно думал он, Кэтрин — Кассандра, Кассандра — Кэтрин — так они целый день и сменяли друг друга в его мыслях. Конечно, совсем нетрудно одеться с иголочки, сделать непроницаемое лицо и отправиться в половине пятого на Чейни-Уок пить чай, но один только Бог знает, что из этого выйдет, и, когда Кэтрин, просидев какое-то время каменным изваянием, неожиданно извлекла из кармана и положила прямо у него перед носом письмо, адресованное Кассандре и написанное ею собственноручно, от его невозмутимости не осталось и следа. Что она хотела этим ему сказать?

Глядя на зарисовки, он украдкой следил за Кэтрин. Она довольно бесцеремонно выпроваживала американскую даму. Конечно, ее жертва и сама должна понимать, как глупо выглядят ее восторги и придыхания в глазах внучки поэта. Кэтрин никогда не щадила чувств других людей, думал он, и, поскольку атмосфера явно становилась натянутой, он прервал этот перечень аукциониста, который Кэтрин продолжала выпаливать равнодушной скороговоркой, и взял миссис Вермонт-Бэнкс, к которой испытывал сочувствие как к товарищу по несчастью, под свою опеку.

Но уже через несколько минут американская гостья закончила инспекцию, почтительно кивнув на прощание великому поэту и его домашним туфлям, и Родни повел ее вниз. Кэтрин осталась в маленькой комнате одна. Церемония поклонения предку сегодня подействовала на нее особенно угнетающе. Более того, в комнате почти не осталось свободного места. Только в это утро один австралийский коллекционер прислал, со всеми возможными предосторожностями, лист гранок, позволяющий проследить, как изменялось отношение поэта к одной очень знаменитой фразе, а следовательно, заслуживающий того, чтобы поместить его в рамочку под стекло и выставить на всеобщее обозрение. Но где найти место? Может, повесить его на лестнице или потеснить ради него другую какую реликвию? Не в силах решить этот вопрос, Кэтрин глянула на дедушкин портрет, словно спрашивая у него совета. Художник, автор портрета, давно уже пребывал в забвении, и обычно, показывая картину посетителям, Кэтрин не видела в ней ничего, кроме нежного облака розовато-коричневатых мазков, окруженных круглым венком из позолоченных листьев лавра. Молодой человек, дед Кэтрин, смотрел куда-то поверх ее головы. Чувственные губы были чуть-чуть приоткрыты, что придавало лицу такое выражение, будто он увидел что-то чудесное или прекрасное, тающее или зарождающееся где-то вдали. Странным образом это выражение повторилось и на лице Кэтрин, когда она подняла на него глаза. Они были ровесники или примерно одного возраста. Интересно, на что он так смотрит: может, и для него бились о берег волны и скакали под пологом леса всадники на быстрых конях? Впервые в жизни она подумала о нем как о мужчине, молодом, несчастном, своенравном, у которого были свои желания и свои недостатки, впервые в жизни она поняла его сама, а не по воспоминаниям матери. Он вполне мог быть ей братом. Как будто есть некое сродство — тайные узы крови, позволяющие живым представить, что хотят сказать глаза умерших, или даже предположить, что они вместе с нами смотрят на сегодняшние наши радости и горести. Он бы понял, подумала она вдруг — и вместо того чтобы положить на его могилку очередной увядший букетик, принесла ему свои печали и заботы, а это, вероятно, куда более ценный дар (если мертвые способны оценивать дары), чем цветы, благовония и немое поклонение. Сомнения, неуверенность, смятение, сквозившие в ее взгляде, когда она подняла глаза, наверняка были ему куда ближе и понятнее, чем привычное почитание, и едва ли он счел бы для себя обременительным, если бы она к тому же поделилась с ним своими страданиями и успехами. Никогда еще не чувствовала она такой гордости и любви, как в момент, когда поняла, что мертвым не нужно ни цветов, ни сожалений, а нужно место в жизни, которую они ей подарили и которую прожили вместе с ней.

Когда минуту спустя вернулся Родни, она все еще сидела перед дедовским портретом. Указав ему на соседний стул, попросила:

— Посиди со мной, Уильям. Как я рада, что ты здесь. Мне кажется, я очень резкая сегодня.

— Тебе никогда не удавалось скрывать свои чувства, — сухо ответил он.

— О, не смейся надо мной — у меня был ужасный день.

И она рассказала ему, как относила цветы миссис Маккормик и как поразил ее Южный Кенсингтон, показавшийся ей заповедником для офицерских вдов. Она рассказала ему, как перед ней распахнулась дверь и какие за ней открылись унылые ряды бюстов, пальм и зонтиков. Она говорила об этом легко и беззаботно, и этот беззаботный тон на него подействовал, так что он немного успокоился и даже повеселел. Теперь было бы естественно попросить у нее помощи или совета или рассказать без утайки, что у него на душе. Письмо от Кассандры лежало в его кармане тяжким грузом. Но было и другое письмо, к Кассандре, лежавшее на столе в соседней комнате. Дух Кассандры витал в комнате. Однако пока Кэтрин сама не заведет разговор на эту тему, он об этом не смеет даже обмолвиться — должен делать вид, будто ничего не произошло, как джентльмен, он должен сохранять лицо — и в данном случае, насколько он мог судить, это было лицо верного влюбленного. Время от времени он лишь тяжко вздыхал. Уильям заговорил, хотя слишком торопливо, о том, что, вероятно, летом можно будет послушать некоторые оперы Моцарта. Ему прислали программку, сказал он, с готовностью достал портмоне, набитое бумажками, и принялся искать среди них нужную. Потянул за край пухлого конверта, как будто программка оперного театра могла к нему каким-то образом прикрепиться.

— Письмо от Кассандры? — произнесла Кэтрин невиннейшим тоном, заглядывая ему через плечо. — Я только что написала ей и попросила приехать, но вот забыла отправить.

Он молча передал ей конверт. Она взяла конверт, достала листы и стала читать.

Родни ждал, ему казалось, она читает целую вечность.

— Да, — заметила она наконец, — довольно милое письмо.

Он отвернулся, видимо, чтобы скрыть смущение. Глядя на него, она чуть не расхохоталась. Но снова продолжила чтение.

— Я не вижу ничего плохого, — выпалил Родни, — в том, чтобы помочь ей — с греческим, например, если она действительно интересуется такими вещами.

— В самом деле, почему бы ей не интересоваться, — сказала Кэтрин, снова заглянув в письмо. — И правда — а, вот оно — «греческий алфавит абсолютно *очарователен*». Ясно, интересуется.

— Ну ладно, может, греческий слишком сложно. Я больше думал об английском. Ее критический разбор моей пьесы, конечно, чересчур великодушный и незрелый — ей ведь не больше двадцати двух, я полагаю? — в нем есть все, что нужно: настоящее чувство поэзии, понимание ее сути; разумеется, формулировать она еще не умеет, но чутье есть, а это основа основ. Не будет большой беды, если я дам ей почитать книги?

— Нет, конечно.

— Но если в результате всего этого... хм-м... завяжется переписка? Не подумай, Кэтрин, я говорю вообще, не вдаваясь в подробности, которые меня немного пугают, я хочу сказать, — быстро и сбивчиво произнес он, — как ты на это посмотришь? Не будет ли тебе это неприятно? Если да, только скажи, я выброшу это из головы. Навсегда.

Кэтрин сама удивилась, как цепко ухватилась за эту последнюю фразу — вот и хорошо, пусть выбрасывает. Потому что в тот миг ей казалось невозможным отказаться от этой близости, пусть не любовной, но истинно дружеской, и передать ее в руки другой женщины — кто бы она ни была. Кассандра никогда не поймет его — она для него недостаточно хороша. Письмо показалось ей льстивым — оно было обращено к его слабостям, и обиднее всего было думать, что эти слабости видят другие. На самом деле он не был слабым, его сила, его редкий дар в том, что он умеет держать слово: стоит ей только попросить, и он никогда больше не заговорит о Кассандре.

Кэтрин молчала. Родни мог только догадываться почему. Он был потрясен.

«Она меня любит!» — подумал он. Женщина, которой он восхищался больше всех на свете, оказывается, любит его — а ведь он оставил последнюю надежду на взаимность. Но теперь, когда он впервые убедился, что она к нему неравнодушна, он возмутился. Для него это стало путами, обузой, чем-то, что делало их обоих, его в особенности, жалкими и смешными. Он был всецело в ее власти, но у него открылись глаза, и он больше не раб ей и не даст больше себя дурачить. Отныне она будет ему повиноваться. Молчание затягивалось: Кэтрин хотелось сказать что-нибудь, чтобы Уильям остался с ней навеки, так сильно было искушение сказать слово, которого он так долго и тщетно вымаливал у нее и которое она почти готова была произнести. Она сжимала в руке письмо. И молчала.

В эту минуту в соседней комнате послышался шум и голоса: миссис Хилбери говорила что-то о гранках, чудесным образом выуженных волей Провидения из расходных книг австралийской мясной лавки; портьеры, отделяющие комнаты, раздвинулись, и в дверях появились миссис Хилбери и мистер Огастус Пелем. Миссис Хилбери замерла. Она смотрела на дочь и на мужчину, который вскоре станет ее мужем, со странной улыбкой, доброжелательной и в то же время почти насмешливой.

— Вот мое главное сокровище, мистер Пелем! — воскликнула она. — Нет-нет, не вставай, Кэтрин, и вы тоже, Уильям. Мистер Пелем в другой день зайдет.

Мистер Пелем улыбнулся и удалился следом за хозяйкой дома. Кто-то из них задернул за собой портьеру.

Однако слова матери решили дело. Кэтрин больше не сомневалась.

— Как я уже говорила вчера вечером, — сказала она, — я считаю, что, если ты хоть немного думаешь о Кассандре, твой долг сейчас — выяснить, насколько серьезны твои чувства к ней. Это твой долг перед ней и передо мной. Но мы должны рассказать матушке. Нельзя дальше притворяться.

— Разумеется, я на тебя в этом полностью полагаюсь, — произнес Родни вежливо, но довольно сухо.

— Очень хорошо, — сказала Кэтрин.

Когда он уйдет, она тотчас же отправится к матери и объяснит ей, что их помолвка расторгнута, — или им лучше пойти вместе?

— Но, Кэтрин, — начал Родни, нервно пытаясь засунуть многостраничное письмо Кассандры обратно в конверт, — если Кассандра... ты же просила Кассандру погостить у вас...

— Да, но я не отправила письмо.

Наступила пауза. От смущения он закинул ногу на ногу. Согласно его кодексу чести, он не имел права просить у женщины, с которой только что разорвал помолвку, помощи в амурных делах с другой женщиной. После объявления о расторжении помолвки им придется надолго расстаться, в таких обстоятельствах письма и подарки обычно возвращают, и пройдет еще несколько лет, прежде чем они смогут увидеться, вероятно, на каком-нибудь чаепитии, и неловко пожать друг другу руки, обменявшись парой незначащих слов. Он станет изгоем, придется призвать на помощь всю свою выдержку. Он никогда больше не посмеет упомянуть при Кэтрин имя Кассандры; долгие месяцы, а то и годы он не сможет видеть Кэтрин; мало ли что может случиться с ней в его отсутствие.

Кэтрин находилась почти в таком же затруднении. Она знала, как разрешить ситуацию наиболее деликатным образом, но ее гордость этому воспротивилась — мысль о том, чтобы, оставаясь невестой Родни, прикрывать его похождения, болезненно задевала не только тщеславие, но и более возвышенные струны ее души.

«Мне придется отказаться от свободы на некоторое время, — думала она, — чтобы Уильям мог спокойно видеться здесь с Кассандрой. У него недостанет смелости обойтись без моей помощи — он так труслив, что даже не смеет открыто сказать мне, чего хочет. Мысль о публичном разрыве пугает его. Он хочет сохранить нас обеих».

Но тут Родни спрятал письмо в карман и демонстративно посмотрел на часы. Хотя этот жест должен был означать, что он добровольно отказывается от Кассандры — он сознавал свою беспомощность, и не доверял себе, и потерял Кэтрин, которую все же любил, хоть и недостаточно, — на самом деле он чувствовал, что выбора у него нет. Он вынужден уйти, предоставить Кэтрин свободу, как и обещал, рассказать ее матери, что между ними все кончено. Но сделать то, что диктует благородному человеку элементарный долг чести, — требовало неимоверных усилий: два дна назад он и представить себе не мог, как это будет непросто. Если бы позавчера ему сказали, что между ним и Кэтрин возможны отношения, о которых он раньше не смел и мечтать, он бы первый не поверил. Теперь все изменилось: отношения изменились, чувства изменились, у него появилась новая цель, новые возможности, и устоять было невозможно. Но жизненный опыт тридцати пяти лет не прошел даром: он сможет защитить себя, он сумеет сохранить уважение к себе; Родни поднялся, решив, что пора проститься раз и навсегда.

— Значит, я сейчас пойду, — произнес он, подавая на прощание руку, он побледнел, но старался держаться с достоинством, — и расскажу твоей матушке, что наша помолвка расторгнута с твоего согласия.

Кэтрин задержала его руку в своей.

— Ты мне не доверяешь? — спросила она.

— Отчего же? Целиком и полностью доверяю, — ответил он.

— Нет. Ты не веришь, что я могу помочь тебе… Могу я помочь?

— Да как ты не понимаешь, что и без твоей помощи все ужасно! — горестно воскликнул он, резко отдергивая руку и отворачиваясь. Когда же вновь посмотрел на нее, ей показалось, она впервые видит его настоящее лицо. — Нет смысла притворяться, будто я не понял, что ты мне предлагаешь, Кэтрин. Прекрасно понял. И если честно, сейчас мне кажется, я и правда люблю твою кузину, и, вероятно, с твоей помощью, я мог бы… Но нет! — вскричал он. — Это неправильно, так не должно быть! И как я вообще мог допустить такое? Нет мне прощения.

— Иди сюда, сядь рядом. Посмотрим на вещи здраво…

— Твое здравомыслие нас погубит, — простонал он.

— Я беру всю ответственность на себя.

— Да, но могу ли я тебе это позволить! — воскликнул он. — Это будет низко. Давай так, Кэтрин: положим, мы оба делаем вид, что помолвлены — чисто формально, при этом, разумеется, ты будешь абсолютно свободна.

— Ты тоже.

— Да, мы оба будем свободны. Теперь, положим, я повидаюсь с Кассандрой раз, другой, третий, и, если, как мне хочется верить, все это окажется не пустой звук, мы сразу расскажем все твоей матери. Так почему бы не сказать ей сейчас, попросив сохранить это в тайне?

— Почему? Да потому, что через десять минут об этом узнает весь Лондон, кроме того, она никогда этого не поймет.

— Тогда, может, отцу? Таиться от всех — так низко, бесчестно.

— Отец поймет даже меньше, чем мать.

— Боже мой, кто же тогда поймет?.. — простонал Родни. — Но давай посмотрим на это с твоей точки зрения. Мало того что жестоко требовать от тебя такого, это ставит тебя в положение... в общем, лично мне было бы неприятно видеть свою сестру в такой ситуации.

— Мы с тобой не брат и сестра, — сказала Кэтрин нетерпеливо, — и, если мы не решимся, за нас этого никто не сделает. Я вполне серьезно, — продолжала она. — Я долго обдумывала это со всех возможных точек зрения и пришла к выводу, что мы должны рискнуть — как бы это ни было больно и неприятно.

— Ты в самом деле так считаешь? Но тебе будет нелегко.

— Ничего, — решительно сказала она. — Конечно, нелегко, но я к этому готова. Я выдержу, потому что вы мне в этом поможете. Вы оба мне поможете. На самом деле мы все друг другу поможем. И это будет по-христиански.

— По мне, звучит как варварство какое-то, — буркнул Родни, представляя, чем обернется для него ее христианская идея.

Но все равно ему стало значительно легче, этого он не мог отрицать, а будущее, окрашенное ранее в унылый свинцовый цвет, заиграло тысячью веселых и радостных оттенков. Значит, вскоре он увидит Кассандру — через неделю или даже раньше, и теперь ему очень хотелось знать точную дату ее приезда, в чем он почти не смел себе признаться. Конечно, с его стороны низко мечтать, как бы поскорее заполучить плод исключительного великодушия Кэтрин и собственной постыдной беспечности. Но хоть он и повторял это себе без конца, на самом деле он так не чувствовал. Его поступок ничуть не умалил его в собственных глазах, а что до благодарности Кэтрин, то ведь они с ней партнеры, заговорщики, преследующие одну и ту же цель, а называть исключительным великодушием чье-то стремление к цели по меньшей мере бессмысленно.

Он взял ее руку и крепко сжал — это был не знак признательности, а крепкое дружеское рукопожатие.

— Мы поможем друг другу, — сказал он, повторяя ее слова и заглядывая ей в глаза в надежде увидеть огонек азарта или дружеской симпатии.

Но ее темные глаза смотрели на него серьезно и грустно. «Он не здесь, не со мной, — подумала Кэтрин, — а где-то далеко, и уже не думает обо мне». И ей показалось вдруг, что, пока они сидят тут рядом, рука в руке, если прислушаться, можно услышать шорох земли, сыплющейся с высоты и возводящей меж ними преграду, и с каждой секундой все выше поднимается глухая стена. И когда эта невидимая стена, казалось, навеки отделила ее от человека, который был ей дороже всех, они расцепили пальцы.

Родни коснулся губами ее руки. В ту же секунду портьеры раздвинулись, в щель заглянула миссис Хилбери и с благожелательной и чуть ироничной улыбкой поинтересовалась, не помнит ли Кэтрин, какой нынче день недели — вторник или среда, и успела ли она перекусить в Вестминстере?

— Уильям, дорогой мой, — сказала она и помедлила, словно не смогла отказать себе в удовольствии хоть на миг насладиться этим упоительным миром любви и романтики. — Дорогие мои дети, — проговорила она и тут же скрылась, словно опустив занавес над сценой, которую было так соблазнительно, но негоже прерывать.

ГЛАВА XXV

В следующее воскресенье, в четверть четвертого пополудни, Ральф Денем сидел на берегу озера в парке Кью, водя пальцем по циферблату наручных часов. Беспристрастность и неумолимость самого времени читались на его лице — будто он сочинял гимн неспешной и неотвратимой поступи этого божества. Казалось, он ведет счет промежуткам, отделяющим минуты одна от другой, со стоическим смирением перед неизбежностью такого порядка вещей. Выражение его лица, суровое, отрешенное и застывшее, заставляло предположить, что для него этот уходящий час исполнен величия, поскольку его не омрачали даже тени обычных тревог и забот, хотя утекающее время понемногу уносило с собой его самые сокровенные надежды.

И это действительно было так. Он пребывал сейчас в таком возвышенном состоянии, что едва ли мог обращать внимание на мелочи жизни. И тот факт, что дама опаздывает на пятнадцать минут, он готов был воспринимать ни много ни мало как крах всей своей жизни. Поглядывая на часы, он словно прозревал истоки человеческого существования и в свете увиденного изменял свой курс — ближе к северу и к полуночи… И нужно найти в себе силы и проделать этот трудный путь, в полном одиночестве, через льды и черные полыньи… — да, но к какой цели? Тут он коснулся пальцем получасовой отметки и решил, что, как только минутная стрелка доберется до этого места, он встанет и уйдет, и одновременно ответил на вопрос одного из множества внутренних голосов, что конечно же есть цель, но движение к ней требует немалой выдержки и упорства. Спокойно, спокойно, все идет своим чередом, словно говорила ему тикающая секундная стрелка, главное — сохранять достоинство, решительно отметая негодное, не поддаваться, не идти на компромисс. Часы меж тем показывали уже двадцать пять минут четвертого. Раз Кэтрин Хилбери на полчаса опаздывает, весь мир, казалось, погрузился в мрак беспросветности: не будет ему ни счастья, ни покоя, ни уверенности. И хоть с самого начала все пошло не так, самой непростительной его ошибкой было — надеяться. На миг оторвавшись от созерцания циферблата, он посмотрел на противоположный берег — с ностальгической грустью, как будто увиденное все еще причиняло ему боль. И вдруг ощутил себя на вершине блаженства, хотя в тот момент боялся пошевельнуться. Он увидел даму, которая быстро, правда, не очень уверенно, приближалась к нему по широкой травянистой аллее. Она его не видела. Издали она казалась необычайно высокой, а пурпурно-красный шарф, трепещущий на ветру и волнами окутавший плечи, придавал всему ее облику ореол романтичности.

«Вот она идет, как каравелла на всех парусах», — подумал он, смутно припоминая строчку из пьесы или поэмы, где явление героини вот так же сопровождается колыханием перьев и ликованием небес. Кусты и деревья будто ждали ее прихода и выстроились вдоль дорожки, как часовые. Он встал, тогда она заметила его, и он догадался по ее негромкому восклицанию, что она рада его видеть и сожалеет о своем опоздании.

— Почему вы не рассказали раньше про это место? Я и не подозревала, что здесь такое есть... — восхищенно произнесла она, имея в виду озеро, и зеленые просторы, и стройные ряды аллей, и золотистую рябь Темзы в отдаленье, и герцогский замок среди лужаек. Герцогский геральдический лев с негнущимся хвостом почему-то показался ей ужасно смешным.

— Вы никогда раньше не были в Кью? — удивился Денем.

Но оказалось, она была здесь однажды, в раннем детстве, когда пейзаж был совсем не такой, как сейчас, а из животных запомнила только фламинго и вроде бы верблюдов. Они пошли по дорожке, пытаясь представить, каким был когда-то этот легендарный парк. Денем чувствовал, что ей приятно бродить не спеша, подмечая что-нибудь необычное — то куст, то сторожа, то пестрого гуся, — такая прогулка действовала на нее успокаивающе. Было тепло — первый теплый день весны, и когда они вышли на поляну в окружении буков, где от садовой скамейки во все стороны разбегались зеленые тропки, то решили посидеть тут немного.

— Как здесь тихо! — заметила Кэтрин, оглядываясь.

Вокруг не было ни души, и шелест ветра в ветвях — звук, почти незнакомый лондонцам, — казалось ей, доносит неизъяснимые ароматы далеких бездонных пространств.

Она жадно вдыхала эти запахи, блаженно глядя по сторонам, а Денем тем временем нашел себе занятие: кончиком трости поддевая прелые листья, освобождал из-под зимнего гнета пучки зеленых ростков. И делал это с трогательной увлеченностью ботаника-натуралиста. Указав ей на зеленое растеньице — обычный цветок, знакомый даже жителям Челси, — он назвал его по латыни, на что она откликнулась радостно-удивленным восклицанием: надо же, он и это знает! А вот у нее по этой части большие пробелы, призналась она. Как, например, называется вон то дерево, прямо напротив, если спуститься с высот науки и сказать его обычное название? Ясень, вяз или платан? Оказалось, это дуб, о чем свидетельствовала форма сухого листа, а внимательно посмотрев на рисунок, который Денем набросал для нее на обороте конверта, Кэтрин вскоре узнала, по каким признакам можно отличить разные деревья, растущие в Британии. Потом она попросила рассказать ей о цветах. Для нее это были просто по-разному окрашенные лепестки, держащиеся, в разное время года, на совершенно одинаковых зеленых стебельках, для него же это в первую очередь были луковички или семена, затем — живые организмы, наделенные половыми признаками и чувствительностью, которые с помощью разнообразных хитроумных устройств приспособились к выживанию и продолжению рода и могут становиться короткими или длинными, огненно-яркими или бледными, гладкими или пятнистыми в результате определенного процесса, приоткрывающего и некие секреты человеческого существования. Денем увлеченно рассказывал ей о своем хобби, которое долго держал втайне от всех. И все, что он говорил, было музыкой для Кэтрин. Ничего приятней она не слышала за последние месяцы. Его слова находили отклик в самых дальних уголках ее души, где давно и прочно поселилось глухое одиночество.

Она готова была целую вечность слушать его рассказы о растениях и о том, что наука, оказывается, совсем не слепа к законам, управляющим их бесконечными вариациями. Сама идея такого закона, непостижимого и притом всесильного, ее заинтересовала, потому что в человеческом обществе ничего ·подобного она не замечала. Ей, как и многим женщинам в расцвете юности, уже случалось задумываться над теми областями жизни, которые явно не поддаются упорядочиванию, — учитывать оттенки настроений и желания, степень приязни и неприязни и то, как это отражается на судьбе ее близких; она не позволяла себе размышлять о другой части жизни, где мысль формирует судьбу, независимую от других людей. И пока Денем говорил, она слушала его слова и вдумывалась в их смысл с живым интересом. Деревья и зелень, переходящая вдали в синеву, стали для нее символом огромного внешнего мира, которому нет дела до счастья, несчастья, до женитьбы и смерти отдельных индивидов. Чтобы пояснить свои слова примерами, Денем повел ее сначала в альпинарий, а затем в Дом орхидей.

Кода разговор зашел о растениях, Денем почувствовал себя увереннее. Не исключено, что его увлеченность объяснялась чем-то более личным, нежели чисто научным интересом, однако внешне это никак не проявлялось, и ему было нетрудно поддерживать ученую беседу — растолковывать и объяснять. Тем не менее стоило ему увидеть Кэтрин в окружении орхидей — странным образом эти диковинные растения подчеркивали ее красоту, и, казалось, все это собрание пестрых капюшончиков и мясистых граммофончиков смотрит на нее в немом изумлении, — как вся его страсть к ботанике пропала, ее сменило более сложное чувство. Она молчала. Орхидеи словно поглощали мысли. И вдруг, хотя вообще-то это не разрешалось, она коснулась цветка. На пальце сверкнули рубины — он вздрогнул и отвернулся. Но в следующую минуту взял себя в руки. Она рассматривала один причудливый лепесток за другим, задумчиво и невозмутимо, словно пыталась разглядеть что-то другое, далекое и важное. Ее взгляд был почти отрешенным, Денему даже показалось, что она в этот миг забыла о нем. Конечно, он мог напомнить о себе словом или жестом — но стоит ли? Так она гораздо счастливее. Ей не нужно от него ничего такого, что он мог бы ей дать. И может быть, для него лучший выход — держаться в стороне, знать, что она есть, и стараться сохранить хотя бы то, что он уже имеет, — целое, нерастраченное, неразбитое. Более того, застывшая среди орхидей в напоенном жаркой влагой воздухе, она странным образом напомнила ему об одной сцене, которую он представлял дома, сидя у себя в комнате. Это минутное видение, слившееся с воспоминанием, сковало его немотой, и, когда они снова вышли на дорожку парка, закрыв за собой дверь оранжереи, он по-прежнему молчал.

Но хотя Денем не пытался заговорить, у Кэтрин возникло неловкое чувство, что с ее стороны молчать было бы эгоистично. Как и продолжать столь полюбившийся ей разговор о предметах, имеющих весьма косвенное отношение к человеческим существам. Она задумалась о том, в какой части изменчивой карты эмоций они сейчас находятся. Ах да, вспомнила: она хотела узнать, собирается ли Ральф Денем поселиться в деревне и писать книгу, но уже начало смеркаться, нельзя терять ни минуты, к ужину приедет Кассандра... Она повела плечами, вся подобралась и вдруг обнаружила, что ей чего-то не хватает — того, что раньше у нее было в руках, а теперь нет. Она растерянно развела руками:

— Я где-то оставила сумочку — но где?

В этом саду, насколько ей было известно, нет указателей сторон света, по которым можно было бы ориентироваться. Она почти все время шла по траве — вот и все, что она помнит. Даже дорожка в Дом орхидей теперь разделилась на три. Но в Доме орхидей сумочки не оказалось. Стало быть, она ее забыла на скамейке. Они повернули обратно с озабоченным видом людей, которые что-то потеряли. Как выглядела ее сумочка? Что в ней было?

— Кошелек — билет — пачка писем — бумаги, — взволнованно перечисляла Кэтрин.

Денем быстро пошел вперед, и она еще не успела дойти до скамейки, как он издали крикнул ей: «Нашел!» Дабы убедиться, что все в целости и сохранности, она разложила вещи у себя на коленях. Странная коллекция, подумал Денем, разглядывая ее с живейшим интересом. Золотые монеты запутались в ленте узкого кружева, были там письма, судя по всему, личного свойства, пара-тройка ключей и список дел, через раз помеченных крестиками. Но успокоилась она, только когда убедилась в целости одной бумажки, настолько старательно сложенной, что о содержании ее Денему оставалось лишь гадать. Кэтрин была рада и так благодарна ему, что сразу же призналась: она долго думала над тем, что он говорил ей относительно своих планов.

Но он прервал ее:

— Давайте не будем об этом, все это довольно скучно.

— Но я полагала…

— Скучно и неинтересно. Мне не следовало бы вас беспокоить…

— Так, значит, вы решились?

Он нетерпеливо вздохнул:

— На самом деле это уже не важно!

— Вот как? — произнесла она, не зная, как реагировать на подобное заявление.

— Я хочу сказать, что это важно для меня, но больше никому не интересно. Во всяком случае, — добавил он чуть мягче, — по-моему, вам совершенно ни к чему вникать в чужие неприятности.

Должно быть, она слишком явно дала ему понять, что ей этого хватает с избытком, спохватилась она.

— Мне, право, неловко, что я такая рассеянная, — начала она, вспомнив, как часто Уильям упрекал ее в этом.

— Это и неудивительно, ведь у вас столько других забот, — заметил он.

— Да, — машинально кивнула она и залилась румянцем, смутившись. — Нет, — поправилась тотчас, — то есть ничего особенного. Я просто думала о разном. Но вообще, мне здесь было так хорошо! Я даже не припомню прогулки приятней. Но я хочу знать, что вы решили, если вы не против поделиться со мной.

— О, все уже решено, — ответил он. — Я еду в этот медвежий угол, чтобы заняться там бесполезным бумагомаранием.

— Как я вам завидую! — сказала она совершенно искренне.

— Ну да, коттедж можно снять за пятнадцать шиллингов в неделю.

— Коттедж можно снять… это да, — ответила она. — Вопрос только в том… — Она умолкла. — Мне хватило бы двух комнат, — продолжила она, — одна для еды, другая для сна. Да, но лучше пусть будет еще одна, просторная, под самой крышей, и садик, где можно выращивать цветы. И чтобы там тропинка — к реке или к лесу, и море невдалеке, чтобы слушать по ночам шум прибоя. Корабли, исчезающие за горизонтом… — Она остановилась. — Вы будете жить возле моря?

— Полное счастье в моем представлении, — начал он, не отвечая на ее вопрос, — жить так, как вы сказали.

— Ну так теперь вы это сможете. Вы будете работать, я полагаю, — сказала она, — работать все утро, и затем после чая, и, может быть, даже по вечерам. И никто вам не будет мешать.

— Но долго ли можно выдержать в одиночестве? — спросил он. — Вы никогда не пытались?

— Однажды, и это продолжалось три недели, — ответила она. — Родители были в Италии, и так случилось, что я не могла поехать с ними. И целых три недели я была целиком предоставлена самой себе, единственный, с кем я говорила за это время, был бородатый мужчина в кафе, куда я заглянула днем, чтобы перекусить. Потом я возвращалась домой и… ну, в общем, делала что хотела. Понимаю, это не очень приятная черта характера, но я терпеть не могу, когда рядом люди. Бородатый мужчина, которого встречаешь время от времени, куда интересней — он со мной никак не связан, не мешает мне идти своей дорогой, и мы оба понимаем, что, вероятно, больше никогда не встретимся. Следовательно, мы оба можем быть искренними, что совершенно невозможно с друзьями.

— Чушь, — сказал на это Денем.

— Почему чушь? — удивилась она.

— Потому что вы сами не верите тому, что говорите, — возразил он.

— Вы такой правильный, — сказала она, поглядев на него с улыбкой. Как он категорично, непререкаемо судит обо всем и какой вспыльчивый! Сначала приглашает ее в Кью — якобы ему нужен ее совет, затем заявляет, что все уже сам решил, а потом ее же еще и упрекает! Полная противоположность Уильяму Родни, подумала она: небрежно одетый, в поношенном, плохо сшитом костюме, не избалованный мелкими жизненными удобствами, он был до такой степени неловок и косноязычен, что почти невозможно было понять, что он за человек. То умолкал, то вдруг принимался с жаром поучать — и все не к месту. И все же он ей нравился. — Значит, я не верю тому, что говорю, — продолжала она добродушно, — и что из этого следует?

— Сомневаюсь, что вы искренни, когда говорите о своих предпочтениях, — ответил он серьезно.

Кэтрин вспыхнула. Он сразу нашел ее слабое место — ее помолвку, и в его словах была доля истины. Но в любом случае он не имеет права ее упрекать — эта мысль ее немного утешила, однако нельзя же сказать ему прямо, как обстоят дела, и придется терпеть его гневные выпады, хотя в устах человека, который сам вел себя не лучшим образом, они вовсе не так обидны.

Тем не менее все сказанное задело ее, отчасти потому, что он, судя по всему, забыл о собственном промахе с Мэри Датчет, что было странно, поскольку говорил он всегда очень внушительно, почему — она пока толком не понимала.

— Быть до конца искренним — трудно, не правда ли? — Голос ее звучал иронично.

— Говорят, некоторые на это способны, — ответил он.

Он стыдился своих чувств: ему очень хотелось сказать ей что-нибудь обидное, не для того, чтобы причинить боль ей, недосягаемой для его выпадов, но чтобы побороть желание поддаться настроению, от которого хотелось порой бежать куда глаза глядят, хоть на край света. Она волновала его даже больше, чем он мог вообразить в самых дерзких мечтах. Ему показалось, за этой ее тихой и сдержанной манерой, которая при ближайшем рассмотрении оказалась даже трогательной и вовсе не чуждой всех тех тривиальных мелочей, из которых состоит наша повседневная жизнь, тлеет некий огонь, который она сдерживает или притушила по какой-то причине — то ли от одиночества, то ли — если такое возможно — от любви. Дано ли Родни увидеть ее без маски, беззаботной, естественной, не думающей постоянно об обязанностях — невероятно страстной и внутренне свободной? Нет, в это верилось с трудом. Только в одиночестве Кэтрин чувствовала себя ничем не связанной. «Я возвращалась домой и… делала что хотела». Она сама ему в этом призналась, и этим признанием как бы желала сказать, что, возможно, и даже скорее всего, именно он тот человек, с которым она готова разделить свое одиночество, и от одного этого намека его сердце начинало учащенно биться и голова шла кругом. Но он обуздал свои мечты самым жестоким образом. Он заметил, что она покраснела, а в ее ироничном тоне звучала обида.

Он решил убрать серебряные часы в карман — вдруг это как-то поможет ему вернуть то безмятежное и совершенно необыкновенное состояние, в котором он пребывал, пока сидел на берегу озера и смотрел на циферблат, — потому что именно в таком духе, как бы это ни было тяжело, он и должен общаться с Кэтрин. И признался: он уже написал в письме, которое так и не отослал, что с радостью примет любое ее решение и теперь постарается доказать это.

Выслушав его, она тем не менее попыталась уточнить свою точку зрения. Ей хотелось, чтобы Денем понял.

— Разве не ясно, что, если вы никак не связаны с людьми, с ними проще быть честными? — настаивала она. — Вот что я имела в виду. Им не нужно угождать, вы им ничем не обязаны. Наверняка вы по собственному опыту знаете, что с домашними порой невозможно говорить о том, что важно для вас, потому что, когда вы все вместе, это как заговор, все должны быть заодно, и это неправильно… — Она не закончила свои рассуждения, потому что тема была непростая, а она поймала себя на мысли, что не знает, есть ли у Денема семья. Денем согласился с ее мнением о разрушительном действии семьи, но не хотел обсуждать сейчас эту проблему.

И обратился к теме, намного более интересной для него лично.

— Я убежден, — сказал он, — есть случаи, когда предельная искренность возможна — это в тех случаях, когда нет родственных связей, при том что люди живут вместе, так сказать, но каждый из них свободен, у них нет никаких обязательств друг перед другом.

— Какое-то время — возможно, — с легкой грустью согласилась она. — Но все равно появляются обязательства. И с чувствами тоже приходится считаться. Люди не такие простые, и, даже если они стараются действовать разумно, все кончается... — «состоянием, в котором я сейчас нахожусь», хотела она сказать, но лишь добавила, после некоторой заминки: — Неразберихой.

— Это потому, — сказал Денем, — что они с самого начала не прояснили, чего друг от друга хотят. Я вот, например, — продолжил он невозмутимо, что делало честь его выдержке, — могу предложить условия для дружбы, которая будет абсолютно честной, без всяких оговорок.

То, что он говорил, было очень любопытно, но, помимо того что эта тема была чревата опасностями, больше известными ей, нежели ему, тон его голоса напомнил ей его странное заявление на набережной. Все, что хотя бы намекало на любовь, в данный момент ее пугало, это было все равно что бередить незажившую рану.

Но он продолжил, не дожидаясь ответа.

— Для начала, такая дружба должна быть лишена эмоций, — многозначительно произнес он. — По крайней мере, обе стороны должны понимать, что, если кто из них влюбится, то делает это на свой страх и риск. Никто из них ничем другому не обязан. Они вольны расторгнуть дружбу или изменить условия в любой момент. Им будет позволено высказывать все, что хотят сказать. Обо всем этом они не должны забывать.

— А что хорошего они получат взамен? — спросила она.

— Всегда есть риск, — ответил он.

«Риск» — это слово она часто повторяла в последнее время, когда мысленно спорила сама с собой.

— Но другого пути нет, если вы рассчитываете на честную дружбу, — закончил он.

— Наверно, на таких условиях это возможно, — задумчиво произнесла она.

— Итак, — сказал он, — вот условия для дружбы, которую я намерен вам предложить.

Она ожидала чего-то в этом роде и все равно изумилась: предложение было лестным, но что-то ее насторожило.

— Я бы с радостью, — начала она, — но…

— Родни будет против?

— Нет-нет, — поспешила ответить она, — дело не в этом. — И снова замолчала.

Ее глубоко тронула непосредственность и вместе с тем торжественность, с какой он огласил условия их возможной дружбы, но, даже если он сделал это из самых благородных побуждений, ей тем более следовало проявить осмотрительность. Могут возникнуть непредвиденные трудности, предположила она. И попыталась представить некую реальную катастрофу, которая их, возможно, ждет на этом пути. Но ничего такого в голову не приходило. Может, подобные катастрофы и вовсе надуманные, ведь жизнь идет своим чередом — и жизнь совсем не такая, какой ее рисуют люди. Она больше не находила отговорок, более того, все они вдруг показались ей несерьезными. Ведь действительно, если кто и может позаботиться о себе, то Ральф Денем точно мог; к тому же он сам сказал, что не любит ее. И более того, думала она, шагая по тропинке под ясенями и помахивая зонтиком, если в мыслях она привыкла давать себе полную волю, почему в обычной жизни так требовательна к своему поведению? К чему, размышляла она, это вечное несоответствие между мыслью и действием, между полным одиночеством и жизнью в обществе, зачем эта бездонная пропасть, по одну сторону которой — живое движение и сияние дня, по другую — пассивное созерцание и мрак ночи? Неужели нельзя перешагнуть бездну и выстоять, не измениться при этом? Может, именно такую возможность он сейчас ей и предлагает — редкую и удивительную возможность дружбы? В любом случае, сказала она Денему с нетерпеливым и радостным, как ему показалось, вздохом, она согласна: она думает, он прав; она принимает его условия дружбы.

— А теперь, — заключила она, — пойдемте пить чай.

Договорившись, оба почувствовали себя легко и беззаботно. Как будто уладили наконец нечто необычайно важное для себя и теперь с полным правом могут наслаждаться жизнью — пить чай или просто гулять по парку. Они бродили от теплицы к теплице, любовались водяными лилиями, дышали ароматом тысяч гвоздик и сравнивали впечатления, рассказывая, кому какое дерево или озеро больше понравились и почему. Так они запросто беседовали обо всем, что видели вокруг, не заботясь о том, что их подслушают, и оба чувствовали, что их уговор обретает все большую силу, а люди проходят мимо и не подозревают об этом. О коттедже для Ральфа и о будущем никто из них больше не упоминал.

ГЛАВА XXVI

Хотя давно ушли в прошлое старые каретные вагоны с яркими панелями, звуком сигнального рожка и превратностями дороги, сохранившись лишь на страницах романов, поездка в Лондон на экспрессе по-прежнему могла обернуться приятным и романтическим приключением. Кассандра Отуэй, двадцати двух лет, находила, что на свете мало найдется вещей приятнее. Человеку, пресыщенному, подобно ей, созерцанием зеленых полей, первые ряды новых жилых домов в лондонских предместьях показались чрезвычайно солидными, и этот пейзаж добавлял значительности соседям по вагону, казалось, сам поезд бежит быстрее, а гудок паровоза звучит требовательно и важно. Они направлялись в Лондон и имели все преимущества перед теми, кто ехал куда-то еще. Каждого, кто сходил на платформу «Ливерпуль-стрит», ожидала чудесная перемена: ему предстояло стать одним из занятых и суетливых горожан, которых ждут бесчисленные такси, омнибусы и поезда подземки. Она тоже старалась выглядеть важной и деловитой, но по мере того как автомобиль с пугающей неотвратимостью резво уносил ее прочь, любопытство заставило ее на время забыть о своем новом положении горожанки, и она жадно приникала то к правому, то к левому окошку, подмечая там здание, тут необычную уличную сценку. При этом все увиденное казалось ей значительным и не совсем реальным: толпы людей, государственные здания, людские волны, омывающие подножия огромных стеклянных витрин, — все производило впечатление грандиозного, небывалого спектакля.

Впечатление это подкреплялось — и отчасти было вызвано — тем, что путешествие привело ее прямо в центр романтических фантазий. Тысячу раз среди пасторального пейзажа ее мысли устремлялись именно сюда, проникали в дом на определенной улице в Челси и поднимались в комнату Кэтрин, дабы в полной мере насладиться видом ее прелестной и загадочной хозяйки. Кассандра обожала свою кузину, обожание это могло бы показаться глупым, если б не было таким очаровательным, чему немало способствовала увлекающаяся и переменчивая натура самой Кассандры. На протяжении всех двадцати двух лет своей жизни Кассандра увлекалась многим и многими, приводя наставников то в восторг, то в отчаяние. Она обожала музыку и архитектуру, биологию и гуманитарные науки, литературу и изобразительное искусство; но каждый раз на пике энтузиазма, сопровождавшегося блестящими успехами, она внезапно меняла планы и тайком покупала другой учебник. Ужасные последствия подобной растраты умственных сил, которые пророчила еще гувернантка, наконец дали о себе знать: Кассандре исполнилось двадцать два, она не сдала ни одного экзамена и с каждым днем все меньше хотела их сдавать. Также сбылось и еще одно, более суровое предсказание: она не умела заработать на жизнь. Но из всех этих кусочков самых разных успехов получилась определенная жизненная позиция, которую некоторые люди, не отрицая, впрочем, ее бесполезности, находили достаточно живой и самобытной. Кэтрин, например, считала ее идеальной спутницей. Вместе девушки представляли собой сочетание таких достоинств, которые никогда не бывают сосредоточены в одном человеке, разве что в полудюжине. Там, где Кэтрин была простой, Кассандра была сложной; где Кэтрин была цельной и прямолинейной, Кассандра была рассеянной и уклончивой. Короче говоря, они служили прекрасным воплощением мужественных и женственных сторон женской натуры, кроме того, их объединяло и кровное родство. Если Кассандра обожала Кэтрин, что не исключало насмешливо-ироничных выпадов, без которых восторги обречены на угасание, то Кэтрин ее смех доставлял не меньше удовольствия, чем уважение.

В настоящий момент главным чувством в душе Кассандры было уважение. Помолвка Кэтрин подействовала на ее воображение, как подействовала бы на воображение любого другого ровесника, это было нечто торжественное, прекрасное, загадочное, придававшее обеим сторонам ореол причастности к некоему ритуалу, который для остальных все еще оставался тайной. Ради Кэтрин Кассандра и Уильяма готова была считать выдающимся и интересным человеком и сначала охотно беседовала с ним, а затем взяла его рукопись в знак дружбы, льстившей ее самолюбию.

Когда Кассандра приехала на Чейни-Уок, Кэтрин еще не вернулась домой. Поздоровавшись с тетей и дядей и, как обычно, приняв пару соверенов «на такси и булавки» от дяди Тревора, у которого она была любимой племянницей, она переоделась и отправилась в комнату Кэтрин, чтобы там ее дожидаться. Какое прекрасное у Кэтрин зеркало, думала она, и как аккуратно разложено все на туалетном столике, не то что у нее дома. Оглядываясь вокруг, она заметила счета, насаженные на спицу и торчавшие вместо украшения над каминной доской, — да, это в духе Кэтрин, подумала она. Однако фотографии Уильяма нигде видно не было. В роскошной и в то же время полупустой комнате с шелковыми пеньюарами и алыми домашними туфлями, вытертым ковром и голыми стенами все напоминало о Кэтрин, и Кассандра, стоя посреди комнаты, наслаждалась этим ощущением; затем, желая прикоснуться к тому, до чего обычно дотрагивалась ее кузина, она начала перебирать книги, стоявшие в ряд на полочке над кроватью. В обычных домах на такой полке хранят последние атрибуты веры, как будто ночью, оставшись одни, дневные скептики вынуждены обращаться к древним заклинаниям, дабы рассеять печали и страхи, которые вылезают из черных щелей, чтобы наброситься на них с наступлением ночи. Однако на этой полке не было ни одного сборника церковных гимнов. Глядя на потрепанные томики с непонятными текстами, Кассандра решила, что это учебники дяди Тревора, которые почтительно — хотя и непонятно зачем — хранит его дочь. Кэтрин, подумала она, кого угодно удивит. В свое время она и сама увлекалась геометрией и, сейчас пристроившись поверх лоскутного одеяла на кровати Кэтрин, попыталась вспомнить хоть что-нибудь из того, что когда-то учила. За этим занятием и застала ее вернувшаяся через некоторое время Кэтрин.

— Ах, дорогая, — воскликнула Кассандра, потрясая в воздухе книжкой, — с этой минуты вся жизнь моя переменилась! Надо срочно записать фамилию этого человека, пока не забыла…

Какого человека и что за книга так на нее подействовала, спросила Кэтрин, принимаясь меж тем поспешно раздеваться, потому что сильно опоздала.

— Можно мне остаться? — спросила Кассандра, закрывая книгу. — Я ведь уже собралась.

— О, ты правда готова? — сказала Кэтрин, оборачиваясь к Кассандре, которая все еще сидела на краешке кровати, обхватив колени руками. — За ужином ожидается небольшое общество.

Кэтрин внимательно поглядела на Кассандру, поскольку давно не видела ее. Обратила внимание на странное очарование небольшого личика с тонким и длинным носом и ясными миндалевидными глазами. Прическа была не слишком удачной — волосы топорщились над лбом, однако хороший парикмахер и умелая модистка вполне могли бы сделать из этой угловатой фигурки образ, напоминающий французскую знатную даму восемнадцатого века.

— И кто же там будет? — спросила Кассандра, заранее предвкушая удовольствие от новых знакомств.

— Уильям и, возможно, тетя Элинор и дядя Обри.

— Как хорошо, что Уильям придет! Он говорил тебе, что прислал мне свою рукопись? Мне кажется, она прекрасна, и вообще он даже почти достоин тебя, Кэтрин.

— Сядешь рядом с ним и расскажешь ему все, что о нем думаешь.

— О нет, мне будет неловко, — возразила Кассандра.

— Почему? Ты же не боишься его, верно?

— Немного боюсь. Он ведь твой поклонник.

Кэтрин улыбнулась:

— Хоть я и не сомневаюсь в твоих добрых чувствах, но, если ты побудешь у нас хотя бы полмесяца, я уверена, что еще до твоего отъезда у тебя не останется относительно меня никаких иллюзий. Даю тебе неделю, Кассандра. А моя власть будет таять с каждым днем. Сейчас она еще в силе, но уже завтра начнет убывать. Что бы надеть?.. Кассандра, найди мне синее платье, оно должно быть там, в большом шкафу.

Она говорила отрывисто, приглаживая волосы гребнем и щеткой, выдвигая один за другим ящички туалетного столика и оставляя их открытыми. Кассандра, сидя на кровати за ее спиной, видела кузину в зеркале. Лицо в зеркале казалось серьезным и озабоченным, словно Кэтрин занимали мысли о чем-то еще кроме ровного пробора, который, впрочем, на ее темных волосах получился идеально прямым, как древнеримская дорога. Кассандра вновь поразилась тому, какая Кэтрин взрослая, и, когда та надела синее платье, залившее все пространство зеркала синим сиянием и превратившее его в раму картины, заключавшей в себе не только чуть заметно колеблющийся образ красавицы, но также предметы, отражавшиеся на заднем плане, Кассандра подумала, что в жизни не видела ничего более романтичного. Романтичности добавляли и сама комната, и дом, и город вокруг, потому что Кассандра все еще с непривычки прислушивалась к отдаленному уличному шуму.

Они спустились к ужину с некоторым опозданием, хотя Кэтрин собралась необычайно быстро. Гул голосов в гостиной напомнил Кассандре звук оркестра перед концертом, когда артисты настраивают каждый свой инструмент. Ей представлялось, что там множество людей и все они ей незнакомы, прекрасны и модно одеты, — но оказалось, что это в основном ее родственники, и на взгляд стороннего наблюдателя изысканность нарядов сводилась всего лишь к белому жилету Родни. Гости одновременно поднялись, что само по себе было зрелищем внушительным, и громко заговорили, и стали пожимать руки; ее представили мистеру Пейтону, дверь распахнулась, объявили, что ужин подан, и, когда все парами направились к столу, Уильям Родни, в черном фраке, предложил ей руку, чего ей втайне очень хотелось. В общем, для нее это было сказкой. Стол украшали ряды суповых тарелок, накрахмаленные салфетки лежали подле каждой тарелки словно белые лилии, хлебные палочки, перевязанные розовой ленточкой, серебряные блюда и бокалы для шампанского цвета аквамарина на тонких ножках с золотистыми крапинками — все эти детали вместе с неожиданно стойким запахом лайковых перчаток радовали ее, впрочем, радость эту следовало сдерживать, поскольку она уже взрослая и окружающий мир больше не должен ее изумлять.

Действительно, мир больше не должен был ее изумлять; но в нем жили другие люди, и в каждом было то, что Кассандра называла «настоящим». Это был дар, которым они могли поделиться, если их попросить, а потому ни один ужин просто не может быть скучным, и низенький мистер Пейтон справа, и Уильям Родни слева в равной степени наделены этим качеством, в существовании которого она ничуть не сомневалась и считала столь драгоценным, что было даже удивительно, почему другие не догадываются потребовать своей доли. На самом деле она едва ли понимала, с кем говорит — с мистером Пейтоном или с Уильямом Родни. Но своему собеседнику, пожилому человеку с усиками, она рассказала, как приехала в Лондон сегодня днем, как наняла такси и ехала по улицам. Мистер Пейтон, редактор пятидесяти лет от роду, кивал лысой головой, словно разделял ее чувства. По крайней мере, он понимал, что она молода и прелестна и видел, что она в восторге, хотя ни ее слова, ни его жизненный опыт не давали ему ни малейшей подсказки, чем тут можно восхищаться.

— А на деревьях уже были листочки? — спросил он. — По какой железной дороге вы ехали?

Но она прервала его любезные расспросы, пожелав узнать, относит ли он себя к тем, кто читает в дороге, или же к тем, кто смотрит в окно. Мистер Пейтон не знал, что на это ответить. Наверное, предположил он, ему нравится и то и другое. Кассандра сказала, что он только что сделал рискованное признание и она может угадать, кто он, по одному этому факту. Он поймал ее на слове, и она заявила, что он — член Либеральной партии парламента.

Уильям, который все это время вежливо поддерживал довольно бессвязный разговор с тетей Элинор, слышал каждое слово и, воспользовавшись тем, что пожилые дамы не слишком словоохотливы, по крайней мере с теми, к кому благоволят в силу пола и возраста, наконец дал о себе знать весьма нервным смешком.

Кассандра тотчас обернулась к нему, польщенная тем, что еще один из этих изумительных сказочных персонажей снизошел до нее, чтобы поделиться с ней частью своих несказанных сокровищ.

— Я совершенно точно знаю, чем вы заняты в поезде, Уильям, — сказала она, с удовольствием назвав его по имени. — Вы ни разу не посмотрите в окно, вы все время читаете.

— И какие выводы вы из этого делаете? — спросил мистер Пейтон.

— Такие, что он — поэт, — сказала Кассандра. — Но вообще-то я знала об этом и раньше, так что получилось нечестно. У меня с собой ваша рукопись, — продолжала она, бессовестно игнорируя мистера Пейтона. — И я о многом хотела бы вас расспросить.

Уильям наклонил голову, чтобы не было видно, как ему приятны слова Кассандры. Однако удовольствие слегка омрачали опасения. Как бы ни был Уильям падок на лесть, он не вынес бы похвалы от тех, кто судит поверхностно и не обладает достаточно тонким вкусом, так что, если Кассандра не заметила главного, того, что он считал существенным в своей работе, он сразу даст ей это понять, поморщившись или всплеснув руками, и на этом закончит разговор.

— Для начала, — сказала она, — скажите, почему вы решили написать пьесу?

— О, вы хотите сказать, что моему сочинению не хватает драматичности?

— Я хочу сказать, что не уверена, станет ли оно лучше, когда его поставят на сцене. Но впрочем, становится ли лучше от этого Шекспир? Мы с Генри вечно спорим насчет Шекспира. Я точно знаю, что Генри неправ, но не могу доказать, потому что видела постановку Шекспира только один раз в Линкольне. Но я совершенно уверена, что Шекспир писал для сцены.

— Вы абсолютно правы! — воскликнул Родни. — Я надеялся, что вы разделяете именно эту точку зрения. Генри неправ, совершенно неправ. Разумеется, я не справился, как и многие мои современники. Боже мой, как жаль, что я прежде не посоветовался с вами!

И с этого момента они перешли к подробному, насколько позволяла память, обсуждению драмы Уильяма. Она не сделала ни одного замечания, которое бы его покоробило, а ее неискушенность так окрыляла знатока, что Родни часто замирал с вилкой на весу, увлекшись изложением очередного основополагающего принципа искусства. Миссис Хилбери отметила, что никогда еще Уильям не был таким интересным, да, что-то в нем переменилось: он напомнил ей кого-то, кого уже давно нет в этом мире, кого-то очень известного, вот только она забыла фамилию.

Голос Кассандры звенел от волнения.

— Как, вы не читали «Идиота»? — воскликнула она.

— Зато я прочел «Войну и мир», — ответил Уильям несколько раздраженно.

— «Войну и мир»?! — повторила она насмешливо.

— Должен признаться, я не понимаю этих русских.

— Вашу руку, вашу руку! — пробасил с дальнего конца стола дядя Обри. — И я тоже. Уверен, что они и сами не понимают.

Этот пожилой джентльмен в свое время управлял изрядной частью британских владений в Индии, но любил говорить, что предпочел бы вместо этого написать все то, что написал Диккенс. И разговор за столом переключился на более близкий ему предмет. Тетя Элинор, судя по всему, тоже решила сказать слово. Хотя двадцать пять лет филантропических занятий несколько притупили ее эстетический вкус, она сохранила природное чутье, позволявшее ей безошибочно отличать новое дарование от пустышки, и совершенно точно знала, какой должна и какой не должна быть литература. Она была рождена для этого знания и едва ли не гордилась этим.

— Помешательство — неподходящий сюжет для литературы, — авторитетно заявила она.

— Но как же Гамлет? — спокойно и слегка насмешливо заметил мистер Хилбери.

— Да, но поэзия — это другое, Тревор, — сказала тетя Элинор так, словно имела все полномочия говорить от лица Шекспира. — Это совершенно другое дело. И по-моему, Гамлет вовсе не так безумен, как принято считать. — И поскольку среди собравшихся присутствовал истинный служитель литературы в лице редактора уважаемого обозрения, она предложила ему высказаться: — А что вы об этом думаете, мистер Пейтон?

Мистер Пейтон слегка откинулся на стуле, склонил голову набок и сообщил, что на этот вопрос он никогда не мог ответить так, чтобы ответ удовлетворил его самого. Есть много доводов за и против каждой позиции... но, пока он размышлял вслух, какой же из сторон отдать свой голос, его задумчивый речитатив прервала миссис Хилбери.

— Милая, прелестная Офелия! — воскликнула она. — Какая же это великая сила — поэзия! Я просыпаюсь утром вся разбитая, снаружи желтый смог, Эмили приносит утренний чай, зажигает электрические лампы и говорит: «Мадам, вода в баке замерзла, а кухарка порезала палец до кости». И тогда я открываю маленькую книжицу в зеленой обложке — и вокруг щебечут птицы, и сияют звезды, и распускаются цветы... — Она посмотрела по сторонам, словно все это происходило у нее на глазах прямо сейчас, вокруг обеденного стола.

— И что, сильно кухарка порезала палец? — поинтересовалась тетя Элинор. Конечно, она задала этот вопрос Кэтрин.

— О, это я просто для примера так выразилась, — сказала миссис Хилбери. — Но даже если б она отрезала руку, Кэтрин сумела бы пришить ее обратно, — добавила она, бросив нежный взгляд на дочь, которая, как ей показалось, выглядела сегодня немного грустной. — Однако это все ужасно, — продолжила она, откладывая салфетку и отодвигая стул. — Давайте лучше придумаем для беседы наверху тему повеселее.

Наверху в гостиной Кассандру ожидали новые источники радости: изысканность и уют комнаты, возможность испытать свою волшебную палочку на новых человеческих существах. Но приглушенные голоса и задумчивое молчание женщин, красота, сиявшая — для Кассандры, по крайней мере — даже в черном атласе платьев и снизках крупного янтаря на морщинистых шеях, заставили ее передумать и предпочесть веселой болтовне разговор полушепотом и наблюдение за окружающими. Она с удовольствием окунулась в атмосферу, где взрослые дамы могли свободно обсуждать личные вопросы, — и эти дамы отныне приняли ее в свой круг. Ее настроение переменилось: здесь она стала нежной и благожелательной, словно так же, как они, преисполнилась заботы о мире, который, судя по всему, требовал неусыпного внимания, мудрого руководства и чуткой критики тети Мэгги и тети Элинор. Через некоторое время она заметила, что Кэтрин не принимает участие в разговоре, и, разом отбросив мудрость, нежность и чуткость, принялась хохотать.

— Над чем ты смеешься? — спросила Кэтрин.

Шутка была такой глупой и непочтительной, что не стоило объяснять.

— Ни над чем — совершенно идиотская шутка, но если ты чуть прикроешь глаза и посмотришь вон туда…

Кэтрин прищурила глаза и посмотрела, но не в том направлении, и Кассандра засмеялась еще громче и шепотом пояснила, что сквозь ресницы тетя Элинор — вылитый попугай, который живет у них в клетке в Стогдон-Хаусе, но тут вошли джентльмены, и Родни направился прямиком к дамам и пожелал узнать, над чем они смеются.

— Нет, даже не упрашивайте, я решительно отказываюсь отвечать! — сказала Кассандра и, сложив руки на груди, повернулась к нему.

Ему и в голову не пришло, что она смеется над ним. Конечно же нет, она смеется просто потому, что мир такой восхитительный, такой чудесный!

— Это было жестоко — дать мне прочувствовать варварскую сущность моего пола, — ответил он, сделав вид, что придерживает воображаемый котелок или трость. — Мы обсудили все, что есть в мире скучного, а теперь я никогда не смогу узнать то, что мне интереснее более всего на свете!

— Нет-нет, вы нас не обманете! — воскликнула Кассандра. — Мы обе знаем, что вы прекрасно провели время. Верно, Кэтрин?

— Нет, — ответила та. — Думаю, он говорит правду. Он не слишком любит политику.

Уильям мигом перестал паясничать и серьезно заметил:

— Терпеть не могу политику.

— А мне кажется, ни один мужчина не вправе так говорить, — строго сказала Кассандра.

— Согласен. Я хотел сказать, что терпеть не могу политиков, — быстро поправился он.

— Думаю, Кассандра относится к так называемым феминисткам, — сказала Кэтрин. — Или, вернее, относилась к ним полгода назад, и я не поручусь, что она и сейчас придерживается тех же взглядов. И в этом секрет ее очарования: никогда не угадаешь.

И Кэтрин улыбнулась ей, как могла бы улыбнуться старшая сестра.

— Кэтрин, рядом с тобой я чувствую себя совсем ребенком! — воскликнула Кассандра.

— Нет-нет, она совсем не это хотела сказать, — возразил Родни. — Мне кажется, у женщин перед нами есть в этом смысле огромное преимущество. Пытаясь как следует разобраться в чем-то одном, мы упускаем из виду множество важных вещей.

— Уильям отлично знает греческий, — заметила Кэтрин. — А еще он неплохо разбирается в живописи и превосходно — в музыке. Прекрасно образован — пожалуй, самый образованный человек из всех моих знакомых.

— И еще он поэт, — добавила Кассандра.

— Ах да, про пьесу я забыла, — ответила Кэтрин. Она отвернулась, словно увидев в дальнем углу комнаты нечто достойное ее внимания, и отошла, оставив их наедине.

Наступила минутная пауза: Кассандра молча смотрела вслед Кэтрин. А затем произнесла:

— Генри сказал бы, что сцена должна быть не больше этой гостиной. Он хочет, чтобы на сцене одновременно и пели, и плясали, и играли — полная противоположность Вагнеру, понимаете?

Они сели рядом. Кэтрин, дойдя до окна, обернулась — Уильям и Кассандра о чем-то оживленно беседовали.

Дело, ради которого Кэтрин подошла к окну — поправить ли занавеску или передвинуть кресло, — забылось или в нем вовсе не было необходимости, и она осталась бесцельно стоять у окна. Старшее поколение собралось у камина: самодостаточное общество людей средних лет, занятых собственными проблемами. Они прекрасно рассказывали истории и благосклонно их выслушивали, но ей с ними было скучно.

«Если кто-нибудь спросит, я скажу, что смотрю на реку», — подумала Кэтрин: как было принято в семье, она всегда была готова заплатить за каждый свой проступок правдоподобной ложью. Она раздвинула жалюзи и посмотрела на реку. Однако ночь выдалась темной, и реки почти не было видно. По улице ехали машины, медленно прогуливались парочки, держась как можно ближе к ограде, хотя деревья стояли еще без листьев и не отбрасывали тени, в которой можно было укрыться. Кэтрин остро почувствовала свое одиночество. Мучительный день с каждой минутой все больше убеждал ее в том, что все произойдет именно так, как она и предполагала. Ее преследовали интонации, жесты, взгляды — даже не оборачиваясь в ту сторону, она знала, что Уильям в эти минуты приятно проводит время в обществе Кассандры и они все больше и больше проникаются симпатией друг к другу. Кэтрин глядела в окно, изо всех сил желая забыть личные неудачи, вообще забыть о себе. Она смотрела в темное небо и слышала шум голосов за спиной. Она слышала их, как слышала бы голоса людей из другого мира, мира, бывшего здесь прежде ее собственного, мира-прелюдии, мира, предваряющего реальность, — словно мертвая слушала голоса живых. Никогда еще ей не казалась такой очевидной зыбкая природа реальности, никогда еще жизнь так явно не сводилась к четырем стенам, меж которых все сущее было лишь игрой света и тени, а вовне не было ничего — или же ничего, кроме тьмы. Ей казалось, что она вышла из круга, в границах которого свет иллюзий делал притягательным желание и любовь — и продолжает делать для кого-то, не для нее. Но эти грустные размышления не принесли ей спокойствия. Она по-прежнему слышала голоса в комнате. Ее по-прежнему томили желания. Нужно избавиться от них. Ей хотелось то мчаться по улице, не важно куда, то вдруг хотелось, чтобы рядом был кто-то, а в следующее мгновение этот кто-то превратился в Мэри Датчет. Она задернула шторы с такой силой, что они схлестнулись посреди окна.

— А, вот она где, — сказал мистер Хилбери, который, переваливаясь с пятки на носок, стоял спиной к камину. — Иди сюда, Кэтрин. Я не заметил, куда ты пропала. От наших детей, — шутливо произнес он, — должна быть польза. Так вот, я хочу, чтобы ты сходила в мой кабинет — третий шкаф справа от двери. Достань воспоминания Трелони* о Шелли и принеси мне. И тогда, Пейтон, вам придется признать при всех, что вы ошибались.

— Воспоминания Трелони о Шелли. Третий шкаф справа от двери, — повторила Кэтрин.

По дороге к выходу она прошла мимо Уильяма и Кассандры. В конце концов, пусть дети играют и строят волшебные замки, не будем им мешать, думала она.

— Постой, Кэтрин, — сказал Уильям, когда она проходила мимо, — позволь я схожу.

---

* Эдвард Джон Трелони (1792–1881) — английский мемуарист, известный прежде всего своей дружбой с Байроном и Шелли. Вероятно, имеется в виду книга «Воспоминания о последних днях Шелли и Байрона» («Recollections of the Last Days of Shelley and Byron»), опубликованная в 1858 г.

Секунду поколебавшись, он поднялся и вышел, и она поняла, что это стоило ему немалых усилий. Опершись коленом о диван возле Кассандры, она поглядела на ее лицо, разгоряченное после недавнего разговора.

— Ты — счастлива? — спросила она.

— Нет слов! — воскликнула Кассандра. — Конечно, мы по-разному думаем почти обо всем на свете, но мне кажется, он самый умный мужчина из всех, кого я знаю… А ты — самая красивая из женщин, — добавила она, глядя на Кэтрин, и, пока она смотрела, лицо ее утрачивало живость и наконец стало почти печальным — словно примеривая на себя меланхолию Кэтрин, самую утонченную черту ее образа.

— О, сейчас еще только десять, — мрачно произнесла Кэтрин.

— Так поздно! И?.. — Она не поняла.

— В полночь мои кони превратятся в крыс, и я убегу. Иллюзия растает. Но я покорна судьбе. Надо ковать железо, пока горячо.

Кассандра смотрела на нее с веселым недоумением.

— Кэтрин говорит о крысах, и о железе, и всяких странных вещах, — сказала она, когда вернулся Уильям. Кстати, вернулся он очень быстро. — Вы ее понимаете?

Уильям промолчал, и, судя по тому, как он нахмурился, было ясно, что он не расположен сейчас ломать над этим голову. Кэтрин тотчас выпрямилась и сказала уже серьезно:

— И все же я убегаю. Надеюсь, вы все объясните остальным, если будут спрашивать. Постараюсь не опаздывать — мне надо кое с кем встретиться.

— Ночью? — воскликнула Кассандра.

— С кем встретиться? — насторожился Уильям.

— С другом, — бросила она, отворачиваясь.

Она знала: он хочет, чтобы она осталась, — разумеется, не с ним, но рядом, на всякий случай.

— У Кэтрин множество друзей, — произнес Уильям с запинкой, когда она вышла, и снова сел на диван.

Вскоре Кэтрин уже быстро мчалась на такси — как ей и хотелось — по освещенным улицам. Ей нравились свет, и скорость, и чувство одиночества вне дома, было приятно знать, что в конце концов она приедет к Мэри, в ее одинокую квартирку под самой крышей. Она взбежала по каменным ступеням, мельком заметив, как странно выглядят ее синяя шелковая юбка и синие туфли на фоне грязного камня, в дрожавшем неверном свете газовых рожков.

А через секунду Мэри уже открывала дверь. Увидев Кэтрин, она не удивилась, но слегка растерялась, однако радушно приветствовала гостью. Чтобы не тратить время на объяснения, Кэтрин сразу прошла в гостиную, где и увидела юношу — тот полулежал в кресле, держа какую-то бумажку в руке, в которую он поглядывал, явно намереваясь продолжить свою речь, прерванную приходом Кэтрин.

Явление незнакомой дамы в роскошном вечернем платье смутило его: он вытащил трубку изо рта и неуклюже привстал, но тут же сел обратно.

— Вы ужинали в городе? — спросила Мэри.

— Вы работали? — спросила Кэтрин одновременно с ней.

Молодой человек покачал головой, словно желая показать, что он здесь ни при чем.

— Не совсем, — ответила Мэри. — Мистер Баснетт принес бумаги, и мы их просматривали, но уже почти закончили... Расскажите про ваш вечер.

Прическа Мэри была немного растрепана, словно во время разговора она теребила волосы, ее костюм чем-то напоминал платье русской крестьянки. Она вновь опустилась в кресло, с которого, похоже, не вставала последние несколько часов: в блюдце на подлокотнике скопилась целая куча окурков. Мистер Баснетт, совсем еще молоденький юноша со здоровым цветом лица, выпуклым лбом и гладко зачесанными назад волосами, относился к тем «очень способным молодым людям», которые, как правильно предположил мистер Клактон, влияют на Мэри Датчет. Он не так давно закончил университет и увлекся идеей реформации общества. Вместе с другими очень способными молодыми людьми он составил проект создания школ для рабочих, слияния рабочего и среднего класса, а также совместной борьбы этих двух сил, объединенных в общество просвещенной демократии, против капитала. Проект уже достиг стадии аренды офиса и найма секретаря, и мистера Баснетта отрядили к Мэри, чтобы изложить ей идею и предложить должность секретарши, к которой, разумеется, по чисто принципиальным соображениям, прилагалось мизерное жалованье. С семи вечера он зачитывал ей вслух бумаги, в которых пространно излагались основные догматы новых реформаторов, но чтение так часто прерывалось обсуждением и так часто требовалось сообщить Мэри на условиях строжайшей секретности подробности об отдельных личностях и дьявольских кознях, что они едва добрались до середины рукописи. Оба не заметили, что беседа длилась более трех часов. Они были настолько поглощены разговором, что забыли подложить дров в камин, и все же мистер Баснетт со своим рассказом и Мэри со своими вопросами старались держаться в формальных рамках, направляя ход беседы в нужное русло и не давая мысли отвлекаться. Почти все ее вопросы начинались с «правильно ли я поняла, что...», а его ответы неизменно представляли точку зрения некоего «мы».

Мистер Баснетт уже почти успел убедить Мэри в том, что и она тоже относится к этому «мы» и разделяет «наши» взгляды и представления о «нашем» обществе и политике, разительно отличающемся от общества в целом, в высшем смысле, конечно.

Появление Кэтрин было абсолютно неуместным и напомнило Мэри о таких вещах, о которых она предпочла бы не вспоминать.

— Так вы ужинали в городе? — спросила она вновь, с легкой улыбкой рассматривая синий шелк платья и туфельки, расшитые жемчугом.

— Нет, дома. Вы начинаете новое дело? — нерешительно спросила Кэтрин, глядя на бумаги.

— *Мы* начинаем, — ответил мистер Баснетт.

— Я подумываю о том, чтобы уйти с Расселл-сквер, — пояснила Мэри.

— Понятно. Вы будете работать где-то еще?

— Что ж, боюсь, мне нравится работать, — сказала Мэри.

— Боитесь! — вставил мистер Баснетт, давая понять, что ни один разумный человек не может бояться своей любви к работе.

— Да, — сказала Кэтрин, словно в ответ на его мысль. — Я бы тоже хотела чем-нибудь заняться — чем-нибудь таким, что мне будет интересно.

— Да, это самое главное, — сказал мистер Баснетт. Он внимательно посмотрел на нее и принялся набивать трубку.

— Но вам будет не хватать времени, — заметила Мэри. — Я хочу сказать, есть разная работа. Никто не работает так много, как мать с маленькими детьми.

— О да! — сказал мистер Баснетт. — Именно женщин с младенцами мы и собираемся охватить.

Он взглянул на свой листок, скатал его в трубочку и уставился на огонь. Кэтрин поняла, что в его присутствии нужно говорить прямо, сдержанно и конкретно, иначе ее просто не поймут, а о чем-то придется умолчать. Но мистер Баснетт лишь с виду такой сухарь, решила она, потому что у него очень умный и понимающий взгляд. Это ей понравилось.

— И когда все узнают? — спросила она.

— Что вы имеете в виду — о нас? — переспросил он с улыбкой.

— Это зависит от многих вещей, — сказала Мэри.

Похоже, конспираторы обрадовались, что кто-то всерьез заинтересовался их планами.

— Создавая общество вроде того, которое хотели бы создать, а пока ничего более мы сказать вам не можем, — начал мистер Баснетт, слегка вздернув подбородок, — следует помнить о двух вещах: о прессе и о народе. Прочие общества, которые называть не стоит, канули в Лету, потому что адресовались исключительно ко всяким чудакам. Если вам не нужно общество взаимных восторгов, которое умирает, как только его члены обнаружат недостатки друг друга, следует привлечь на свою сторону прессу. И обратиться к народу.

— В этом и сложность, — задумчиво произнесла Мэри.

— И тогда за дело примется она, — сказал мистер Баснетт, кивая в сторону Мэри. — Из всех нас только она — капиталист. Она может посвятить этой работе все свое время. Я служу в конторе и могу заниматься проектом только в свободное время. Вы, случайно, не ищете работу? — спросил он Кэтрин со странной смесью уважения и недоверия.

— В ближайшее время ее работой будет замужество, — ответила за нее Мэри.

— А, понятно, — сказал мистер Баснетт.

Он допускал такую возможность: и он, и его друзья уже обдумали женский вопрос, как и многие другие, и определили ему почетное место в своей схеме мироустройства. Несмотря на грубость его манер, Кэтрин почувствовала это — мир, на страже которого будут стоять Мэри Датчет и мистер Баснетт, показался ей правильным, хотя вовсе не красивым и отнюдь не романтичным — или, образно говоря, таким, где на горизонте тянутся ряды деревьев, связанные полосами синего тумана. Потому что на долю секунды в его лице, обращенном к огню, она увидела лицо настоящего мужчины, которого сегодня еще можно встретить, хотя чаще попадаются на глаза служащий, адвокат, правительственный чиновник или рабочий. Не то чтобы в мистере Баснетте, дни свои отдававшем торговле, а вечера — благу общества, осталось много от того идеала; но в этот миг его юность и пыл — пусть умозрительный, пусть ограниченный — превознесли его над прочими людьми. Перебрав в уме те крохи обрывочных сведений, что ей довелось услышать, Кэтрин задалась вопросом: какую цель может преследовать такое общество? Затем вспомнила, что своим приходом помешала им заниматься делом, и поднялась — и, все еще размышляя об этом обществе, сказала мистеру Баснетту:

— Что ж, надеюсь, вы меня позовете, когда придет время.

Он кивнул и вынул трубку изо рта, но, не найдя, что сказать, опять закурил. Впрочем, он был бы рад, если б Кэтрин осталась.

Мэри пришлось проводить гостью вниз, и, поскольку не было видно ни одного такси, они постояли некоторое время, глядя по сторонам.

— Возвращайтесь, — посоветовала Кэтрин, вспомнив о мистере Баснетте и его бумагах.

— Вам не стоит бродить по улице одной в таком платье, — сказала Мэри.

Однако на самом деле она стояла рядом с Кэтрин не потому, что хотела поймать такси. К несчастью, мистер Баснетт и его бумаги были не главным в ее жизни, а только давали возможность отвлечься от чего-то более важного, и это особенно ясно стало теперь, когда они с Кэтрин остались на улице одни. Обе они — женщины.

— Вы виделись с Ральфом? — вдруг спросила она.

— Да, — ответила Кэтрин, но не смогла вспомнить, где и когда она его видела. И не сразу поняла, почему Мэри спрашивает ее о Ральфе.

— Наверное, я ревную, — сказала Мэри.

— Но это нелепо, — сказала Кэтрин, взяла Мэри под руку, и они медленно направились в сторону проспекта. — Дайте-ка вспомню: мы с ним ездили в Кью и решили, что будем дружить. Вот, собственно, и все.

Мэри надеялась, что Кэтрин расскажет что-нибудь еще. Но Кэтрин молчала.

— При чем здесь дружба! — воскликнула наконец Мэри. Неожиданно для себя она начала злиться. — Вы же сами знаете, что не в этом дело. Какая дружба? Я, конечно, не имею права вмешиваться… — Она умолкла. — Но только я не хочу, чтобы Ральф страдал.

— Мне кажется, он в состоянии сам о себе позаботиться, — заметила Кэтрин.

Сами того не желая, теперь они стали соперницами.

— Думаете, стоит рискнуть? — помолчав немного, сказала Мэри.

— Как знать, — ответила Кэтрин.

— Вы хоть когда-нибудь думали о других? — в сердцах воскликнула Мэри.

— Я не могу бродить с вами по Лондону, обсуждая свои чувства. А вот и такси... Нет, там кто-то есть.

— Давайте не будем ссориться, — сказала Мэри.

— По-вашему, я должна была сказать ему, что не хочу быть ему другом? — спросила Кэтрин. — Сказать ему об этом теперь? Но как я ему это объясню?

— Разумеется, вы не должны ничего такого ему говорить, — ответила Мэри, немного успокоившись.

— Но наверное, мне все же следует это сделать.

— Кэтрин, я сказала так сгоряча. Мне не стоило говорить вам это.

— Все это ерунда, — ответила Кэтрин. — Я уверена. Не стоит об этом думать.

Она говорила слишком резко, однако это не касалось Мэри Датчет. Былая враждебность прошла, но теперь мрачная тень трудностей закрывала им горизонты будущего, в котором каждой из них предстояло найти свой собственный путь.

— Нет, нет, не стоит, — повторила Кэтрин. — Представим, что вы правы и что о дружбе речи быть не может. Положим, он влюблен в меня. Мне этого не нужно. И все же мне кажется, вы преувеличиваете, — добавила она. — Любовь — это еще не все, и брак — это одна из тех вещей…

Тем временем они вышли на главную улицу и стояли, глядя на омнибусы и на прохожих, которые в этот момент были лучшей иллюстрацией слов Кэтрин о многообразии человеческих устремлений. Обе чувствовали себя странно далекими от всего этого — это была минута полной отчужденности, когда даже счастье и обычная жизнь кажутся лишней обузой. Им ничего этого уже не надо — пусть придут и все заберут — им уже все равно.

— Я не собираюсь вас учить, — сказала Мэри, первой очнувшись и нарушив молчание после долгой паузы, когда Кэтрин не смогла дать определение браку. — Я это вот к чему: мне кажется, следует точно знать, чего вы хотите. Хотя, — добавила она, — я не сомневаюсь, что вы и так знаете.

На самом деле она вовсе не была в этом уверена, и смущало ее не только то, что она знала о предстоящем замужестве Кэтрин, ее смущала сама эта девушка, которая шла сейчас рядом, держа ее под руку, загадочная и непостижимая.

Они пошли обратно и вскоре стояли у каменной лестницы, ведущей в квартиру Мэри. Несколько мгновений обе молчали.

— Вам пора. Он ждет вас, чтобы продолжить чтение, — сказала Кэтрин.

Она взглянула на освещенное окно под самой крышей; они обе молча смотрели на него минуты две. Ряд полукруглых ступеней исчезал в темноте холла.

Мэри поднялась на несколько ступенек и замерла, глядя на Кэтрин сверху вниз.

— Мне кажется, вы недооцениваете силу этого чувства, — проговорила она медленно и чуть смущенно. Она поднялась еще на ступеньку и вновь взглянула на фигуру на границе света и тени, с обращенным вверх бледным лицом. Пока Мэри медлила, подъехало такси, Кэтрин обернулась, остановила его и проговорила, открывая дверцу:

— Не забудьте, я тоже хочу вступить в ваше общество. Не забудьте, — добавила она чуть громче и захлопнула дверцу.

Мэри шаг за шагом поднималась по лестнице, с усилием, будто преодолевая необыкновенно крутой подъем. Ей было трудно расстаться с Кэтрин, и каждый шаг был победой. Мэри принуждала и подбадривала себя, словно восходила на горную вершину. Она понимала, что мистер Баснетт, сидевший где-то там наверху со стопкой документов, протянет ей руку помощи — если только она сумеет до нее дотянуться. Это придало ей сил.

Когда она распахнула дверь, мистер Баснетт поднял глаза.

— Я продолжу с места, на котором остановился, — сказал он. — Если что-то будет непонятно — спрашивайте.

Дожидаясь ее, он перечитал документ, делая карандашом пометки на полях, и теперь продолжил чтение так, словно никто их не прерывал. Мэри села в глубокое кресло, закурила сигарету и, нахмурившись, слушала, как он читает.

Кэтрин уютно устроилась в углу машины, которая увозила ее в Челси, она чувствовала усталость, но в то же время ей было приятно вспоминать о деловитой, трезвой рациональности, которой недавно стала свидетелем. Это успокаивало. В дом она постаралась войти как можно тише, надеясь, что прислуга уже легла спать. Но, оказалось, ее путешествие заняло не так много времени: судя по звукам, веселье было еще в разгаре. Где-то наверху открылась дверь, и она юркнула в нижнюю комнату на случай, если это означает, что мистер Пейтон уходит. С места, где она стояла, были видны ступеньки, но сама она оставалась невидимой. Кто-то спускался: это был Уильям Родни. Он выглядел странно, двигался как лунатик: беззвучно шевелил губами, словно разучивал роль. Медленно, шаг за шагом, он спускался вниз, опираясь рукой о перила. Родни был явно не в себе, и ей стало неловко оттого, что она за ним подглядывала. Не смея больше прятаться, она вышла в холл. Он вздрогнул и застыл на месте.

— Кэтрин! — воскликнул он. — Ты выходила?

— Да. Они все еще наверху?

Он не ответил и вместе с ней прошел в комнату, где она только что пряталась, — дверь была открыта.

— Это было так прекрасно, что не могу описать, — сказал он. — Я безумно счастлив…

Едва ли он обращался к ней, поэтому она ничего не ответила. С минуту они молча стояли друг против друга по разные стороны стола. Затем Родни спросил, порывисто и быстро:

— Но скажи мне, что ты об этом думаешь? Как ты полагаешь, Кэтрин, есть ли надежда, что я ей нравлюсь? Скажи, Кэтрин!

Но она не успела ответить: им помешали. Наверху над лестницей распахнулась дверь, и Уильям вздрогнул. Затем он быстро вышел в холл и произнес бодро и неестественно громко:

— Доброй ночи, Кэтрин. Иди спать. Увидимся завтра. Надеюсь, я смогу завтра прийти.

И вышел на улицу. Кэтрин стала подниматься наверх и увидела на лестничной площадке Кассандру. В руках у нее были две или три книги, и она наклонилась, разглядывая корешки томов, стоявших в низеньком шкафчике. Никогда не знаешь заранее, сказала она, что захочется почитать перед сном: поэзию, прозу, метафизику или мемуары.

— А ты что читаешь в постели, Кэтрин? — спросила она, пока они плечо к плечу шли по лестнице.

— То одно, то другое, — уклончиво ответила Кэтрин.

Кассандра взглянула на нее.

— Знаешь, ты очень странная, — сказала она. — Но мне все кажутся немного странными. Думаю, это потому что я в Лондоне.

— И Уильям тоже странный? — спросила Кэтрин.

— Наверное... немного, — ответила Кассандра. — Странный, но совершенно замечательный. Сегодня вечером я буду читать Мильтона. Это был один из самых счастливых вечеров в моей жизни, Кэтрин, — добавила она, глядя с застенчивым обожанием на красивое лицо кузины.

ГЛАВА XXVII

В Лондоне в первые дни весны наступает пора цветения: бутоны, словно соревнуясь, расправляют трепещущие лепестки — белые, лиловые, розовые, — эти цветы земли так и манят пройтись по Бонд-стрит и окрестностям: там посмотреть на картину, здесь послушать симфонию или просто потолкаться в шумной разномастной толпе возбужденных, ярко одетых людей. Но вся эта пышность ничто в сравнении с медленной, но мощной тягой к жизни более прозаических плодов земли. И не важно, служит ли причиной благородное стремление поделиться с миром или же подобное оживление скорее результат бездушного нетерпения и суеты, только полученный эффект, покуда он длится, заставляет всех тех, кто еще молод и неопытен, смотреть на мир как на огромный восточный базар с развевающимися флажками и прилавками, на которых высятся горы всякого заморского добра, свезенного с четырех частей света исключительно ради их удовольствия.

Пока Кассандра Отуэй порхала по Лондону, запасшись шиллингами, открывающими турникеты, или белыми карточками*, позволяющими не замечать турникетов, город представлялся ей одним потрясающе изобильным и гостеприимным домом. Побывав

---

* Имеются в виду визитные карточки.

в Национальной галерее или Хертфорд-хаусе* или послушав Брамса или Бетховена у «Бехштейна»**, она возвращалась на Чейни-Уок, предвкушая новую встречу с кем-нибудь из тех, кто был в ее представлении духовно причастен к чему-то несоизмеримо высокому, которое она называла одним словом: «настоящее». О Хилбери говорили, что «они знают всех», и это чересчур смелое утверждение поддерживалось в нескольких домах в пределах небольшого радиуса, где примерно раз в месяц по вечерам зажигались парадные люстры, после трех часов дня распахивались двери, а их хозяева готовились встретить Хилбери в своих гостиных. Обитатели этих домов отличались некой свободой и властностью манер, указывающей на то, что все, что связано с изящными искусствами, музыкой или государственным управлением, находится исключительно в их ведении и в этих стенах, и с легкой снисходительной улыбкой смотрели на все остальное человечество, вынужденное топтаться у ворот и предъявлять общую плату за вход. И вдруг эти двери распахнулись перед Кассандрой. Естественно, она подвергала критике то, что происходит внутри, и не раз ей приходили на память слова Генри, однако нередко она находила что возразить брату в его отсутствие и охотно приписывала словам соседа по столу или рассказам доброй пожилой дамы, которая знавала еще ее бабушку, некий глубокий смысл. Ради блеска пытливых глаз ей готовы были простить и грубова-

---

* В фамильном особняке Хертфордов находится собрание Уоллеса — одно из ценнейших частных художественных собраний в Англии. В 1900 г. музей был открыт для публики бесплатно. Р. Уоллес приобретал в основном произведения французского искусства XVIII в.

** Лондонский камерный концертный зал. Открыт в 1901 г. основателем немецкой фабрики по производству фортепиано «Бехштейн», после Первой мировой войны экспроприирован и переименован в Уигмор-Холл.

тость речи, и некоторую сумбурность. Было совершенно очевидно, что через год-другой, набравшись опыта, побывав у хороших модисток и огражденная от дурного влияния, она станет бесценным приобретением. Пожилые дамы, которые сидят обычно в уголке бальной залы, пытливо изучают человеческие экземпляры и дышат так ровно, что ожерелья, вздымающиеся и опадающие у них на груди, кажутся проявлением некой природной силы, словно волны, набегающие на океан человечества, заключили с улыбкой, что у нее получится. Имея в виду, что она, по всей вероятности, выйдет за одного из молодых людей, мать которого пользовалась у них уважением.

Уильям Родни не уставал придумывать все новые занятия. Он знал все о маленьких галереях, концертах для избранных и закрытых спектаклях и находил время водить туда Кэтрин и Кассандру, а после поил их чаем или угощал ужином у себя в квартире. Таким образом, каждый из четырнадцати дней в Лондоне обещал быть по-своему ярким на фоне обычных городских будней. Но приближалось воскресенье — день, который традиционно посвящался вылазкам на природу. И погода тому благоприятствовала. Но Кассандра отвергла Хэмптон-Корт, Гринвич, Ричмонд, а также Кью ради Зоологического сада. Когда-то она интересовалась психологией животных и до сих пор помнила кое-что о врожденных инстинктах. Итак, в воскресное утро Кэтрин, Кассандра и Уильям Родни отправились в зоосад. Когда машина подъезжала к воротам, Кэтрин высунулась и помахала рукой молодому человеку, быстро шагавшему в том же направлении.

— Это Ральф Денем! — воскликнула она. — Я попросила его встретить нас здесь.

Оказалось, она и о билете для него позаботилась заранее — так что Уильям, возразивший было, что его не пустят, вынужден был примолкнуть. Но по взглядам, которыми обменялись мужчины, было понятно, что произойдет дальше. К тому времени, когда они подходили к большому вольеру посмотреть на птиц, Уильям и Кассандра уже сильно отстали, а Ральф с Кэтрин ушли далеко вперед. Все это было частью плана, в разработке которого Уильям тоже принимал участие, но все равно сердце у него было не на месте. Кэтрин все же могла бы предупредить, что пригласила на прогулку и Денема.

— Один из приятелей Кэтрин, — буркнул он недовольно.

Он был встревожен, и Кассандра это заметила. Они вдвоем стояли у вольера с дикой свиньей, привезенной откуда-то с Востока, Кассандра тихонько тыкала в чудище кончиком зонтика, и постепенно каким-то образом тысячи мелких наблюдений свелись к одной догадке. Счастливы ли те двое? — подумала Кассандра, но тотчас же устыдилась этого вопроса: ну не глупо ли с ее стороны подходить с банальными мерками к редким и возвышенным чувствам, связывающим такую исключительную пару. Тем не менее ее манера поведения изменилась, как будто женское чутье подсказало, что Уильям, возможно, захочет ей довериться. Она уже не вспоминала о врожденных инстинктах и о чередовании голубых глаз с карими и целиком отдалась своей новой роли — женщины-утешительницы, желая лишь одного: только бы Кэтрин и Денем подольше не приближались! Так ребенок, играющий во взрослую жизнь, хочет, чтобы мама подольше не возвращалась и не портила игру. Но может, она как раз и перестала играть во взрослую женщину, с испугом поняв, что действительно повзрослела?

Кэтрин и Денем молчали, разглядывая обитателей клеток: какое-то время это заменяло им разговор.

— Что вы делали со времени нашей последней встречи? — наконец спросил Ральф.

— Что делала? — Она задумалась. — Ходила туда-сюда, от одного дома к другому. Интересно, эти звери — они счастливы? — произнесла она, остановившись перед бурым медведем, меланхолично игравшим кисточкой, вероятно, от дамского солнечного зонтика.

— Боюсь, Родни не очень доволен, что я пришел, — заметил Ральф.

— Ничего, он скоро успокоится, — ответила Кэтрин. Она произнесла это с вызовом, и Ральф удивился. Потом, наверное, она объяснит ему, что имела в виду, но он не будет настаивать. Сейчас казалось, что каждое мгновенье само по себе бесценно и ни к чему добавлять новые краски объяснениями — хоть мрачные, хоть светлые, одалживаясь у будущего.

— Медведи, похоже, счастливы, — сказал он. — Однако надо их чем-нибудь угостить. Вон продают булочки. Давайте купим и принесем сюда.

И они пошли к прилавку, на котором лежали бумажные пакетики, набитые съестным, достали по шиллингу и протянули молодой женщине, которая сначала не поняла, кто покупатель: юная леди или джентльмен, но, чуть подумав, все же решила, что платит мужчина.

— Я заплачу, — безапелляционно произнес Ральф, отказавшись взять предложенную Кэтрин монету. — У меня есть на это причины, — добавил он, заметив ее улыбку.

— Полагаю, у вас на все есть причины, — согласилась она, разламывая булочку и бросая куски в медвежьи пасти, — но мне не кажется, что на этот раз вы хорошо подумали. Так что за причина?

Он не стал отвечать. Не мог же он объяснить ей, что сознательно отдает в ее руки свое счастье и, даже понимая, что это нелепо, готов высыпать на этот пылающий жертвенник все, что имеет, не только золото и серебро. Ему хотелось сохранить дистанцию между ними — дистанцию, которая отделяет верного служителя от образа, помещенного в святилище.

Благодаря случаю это оказалось сделать легче, чем если бы они сидели, например, в гостиной и их разделял чайный поднос. Он видел ее на фоне бледных гротов и узких нор, верблюды косились на нее из-под тяжелых век, придирчиво глядели меланхоличные жирафы, слоны хоботами в розоватых морщинках брали кусочки булки из ее протянутых рук. Потом были террариумы. Он смотрел, как она склоняется над питоном, кольцами свернувшимся на песке, или рассматривает коричневую скалу над затхлой водой крокодильего пруда, или изучает крошечный участок тропического леса, пытаясь различить золотистый глаз ящерки или колышущиеся бока голубых лягушек. И особенно ясно видел он ее на фоне темно-зеленой воды, где эскадры серебристых рыбок безостановочно носились туда-сюда и какая-нибудь застывала на миг, прижавшись к стеклу искривленным ртом, тараща глаза и пошевеливая султанами плавников. А потом был инсектарий, где она поднимала жалюзи на маленьких оконцах и с восхищением показывала на яркие, в малиновых кругах, крылья недавно появившейся на свет и еще полусонной бабочки, или на неподвижных гусениц, похожих на узловатую веточку дерева с бледной корой, или на юрких зеленых змей, трогающих стекло дрожащими раздвоенными языками. Жаркий воздух и тяжкий, густой запах цветов, плавающих на поверхности воды или торчащих из огромных терракотовых ваз, разнообразие причудливых узоров и странных очертаний — все это создавало атмосферу, в которой человек бледнел и умолкал.

Открыв дверь павильона, откуда доносился передразнивающий и вовсе не веселый смех обезьянок, они обнаружили там Уильяма и Кассандру. Уильям пытался заставить одну упрямую зверушку спуститься с верхней жердочки и взять у него половинку яблока. Кассандра своим довольно тонким и звонким голосом зачитывала информацию на табличке о том, что это животное скрытное и ведет преимущественно ночной образ жизни. Увидев Кэтрин, она воскликнула:

— Ну наконец-то! Скажи, пожалуйста, Уильяму, чтобы он перестал мучить эту несчастную мадагаскарскую руконожку.

— А мы думаем: куда вы пропали? — сказал Уильям.

Он придирчивым взглядом окинул вошедших, отметил немодный костюм Денема, но, не найдя других поводов для упреков, промолчал. Однако Кэтрин успела заметить и этот взгляд, и слегка скривившиеся в усмешке губы.

— Уильям не слишком любит животных, — сказала она. — Он не знает, что им нравится, а что нет.

— Зато вы, Денем, в таких делах специалист, насколько я знаю, — сказал Родни, но все же убрал подальше от клетки руку с яблоком.

— Тут главное — знать, как их успокоить, — ответил Денем.

— А где можно посмотреть на рептилий? — спросила у него Кассандра, но не оттого, что ей так уж нужны были эти рептилии: она почувствовала, что пора переменить тему.

Денем стал объяснять ей дорогу, а Кэтрин с Уильямом пошли вдоль клеток.

— Надеюсь, ты неплохо проводишь время, — сказал Уильям.

— Мне нравится Ральф Денем, — ответила она.

— Ça se voit*, — ответил Уильям с наигранной светской небрежностью.

Его следовало бы поставить на место, и в другое время Кэтрин не замедлила бы это сделать, но сейчас ей не хотелось ссориться, поэтому она лишь поинтересовалась:

— К чаю вернетесь?

— Мы с Кассандрой думали выпить чаю в маленьком кафе в Портленд-Плейс, — ответил он. — Не знаю, захотите ли вы с Денемом к нам присоединиться.

— Я спрошу его, — сказала она и обернулась к Денему. Но он и Кассандра уже вновь приникли к вольеру с обезьянкой.

Какое-то время Уильям и Кэтрин наблюдали за ними, каждый удивляясь выбору другого. Но, остановив потом взгляд на Кассандре, чью элегантность теперь подчеркивала работа лондонских модисток, Уильям резко сказал:

— Если ты пойдешь, то, надеюсь, постараешься меня не высмеивать.

— Раз ты этого боишься, я, разумеется, не пойду, — ответила Кэтрин.

Они глядели на огромный главный вольер с обезьянами, и в эту минуту, обиженная на Уильяма, она мысленно сравнила его с вон той несчастной обезьянкой-мизантропом на дальней жердочке, которая была похожа на скомканную старую шаль и подозрительно косилась на своих товарок. Чаша терпения грозила вот-вот переполниться. События последней недели забрали у нее остатки сил. На нее вдруг нахлынуло чувство, которое, вероятно, испытывают представители обоего пола, когда близкий тебе человек вдруг предстает в самом черном свете и связь ним, в

---

* Так бывает (*фр.*).

такие минуты кажущаяся особенно тягостной и унизительной, душит, как петля на шее. Суровые требования Уильяма вместе с его ревностью сбросили ее в такую пучину собственного «я», где все еще кипит первобытная борьба между мужчиной и женщиной.

— Тебе, наверно, нравится меня мучить, — продолжал Уильям. — Ну к чему было говорить, что я не люблю животных? — При этом он водил тросточкой по прутьям клетки, и противное металлическое бряканье, словно аккомпанемент его словам, было особенно неприятно для раздраженных нервов Кэтрин.

— Но это правда. Ты никогда не замечаешь, что чувствуют другие, — сказала она. — Ты ни о ком не думаешь, кроме себя.

— Это неправда, — сказал Уильям.

Звон железных прутьев между тем переполошил обезьянок. То ли чтобы их успокоить, то ли жалея их, он протянул им все ту же половинку яблока.

Этот комичный жест, за которым явно угадывалось желание подольститься, до того соответствовал его образу, который в последнее время рисовала себе Кэтрин, что она засмеялась. Уильям побагровел. Если бы она рассердилась, он еще мог бы стерпеть, но этот смех... И самое ужасное не то, что она над ним смеялась, а — как смеялась: будто он ей совсем чужой.

— Не понимаю, что тут смешного, — проворчал он и, обернувшись, увидел, что к ним подошла другая пара.

Компания вновь разделилась, Кэтрин и Денем не стали задерживаться у клеток и направились к выходу. Денем чувствовал, что Кэтрин не хочет здесь дольше оставаться, и поспешил ее увести. В ней явно произошла какая-то перемена. И случилось это после того, как она поговорила с Родни: самого разговора он не слышал, но она смеялась. И теперь ему показалось, что она за что-то сердится на него. Она поддерживала беседу, но как-то вяло и, похоже, совсем не слушала, что он отвечал ей. Эта резкая смена настроения поначалу ему не понравилась, но в конце концов он решил, что, может, это и к лучшему. Небо было хмурым, моросил мелкий дождик — сама природа навевала уныние. Все радостное очарование этого дня, все это сказочное волшебство моментально рассеялось. Из всего сонма чувств осталось лишь уважение, которое испытываешь к другу, и он даже обрадовался, когда заметил, что уже предвкушает тот час, когда останется наконец вечером один, в своей комнате. Дивясь столь резкой перемене и радуясь относительной свободе, он придумал дерзкий план, который изгонит навязчивый образ Кэтрин быстрее и надежнее, нежели воздержание. Он пригласит ее к себе домой на чай. Заставит ее пройти сквозь горнило его семейного быта, направит на нее слепящий обличительный свет. Домашние не станут ею восхищаться, и она, в чем он не сомневался, обольет их всех презрением, что тоже пойдет ему на пользу. Ральф решил не церемониться с Кэтрин. Только такие крайние меры, думал он, могут положить конец нелепой страсти, причины напрасных мук. И наверняка со временем его опыт, его открытие, его добытая с боем победа сослужат добрую службу его младшим братьям, окажись они в подобной западне. Он посмотрел на часы и сказал, что сад скоро закрывается.

— Во всяком случае, — добавил он, — я думаю, мы много всего повидали, на сегодня достаточно. Но где же остальные? — И оглянулся через плечо: позади никого не было видно. — Предлагаю их не ждать, — сказал он. — Обойдемся без них. Не поехать ли теперь ко мне, выпьем чаю?

— А почему не ко мне? — спросила она.

— Потому что отсюда рукой подать до Хайгейта, — не задумываясь ответил он.

Она согласилась, хотя не имела ни малейшего понятия, далеко Хайгейт от Риджентс-парка или близко. Она рада была отложить на час-другой собственное появление за чайным столом в Челси. И оба решительно зашагали по извилистым дорожкам Риджентс-парка и далее по оживленным воскресным улочкам к ближайшей станции подземки. Не зная дороги, она следовала за ним, а его молчание было для нее как нельзя кстати, поскольку она все еще злилась на Родни.

Когда они вышли из поезда в еще более серый сумрак Хайгейта, она в первый раз задумалась: а куда, собственно, он ее ведет? Есть ли у него семья или он живет один? Скорее всего, он единственный сын у старой и, вероятно, тяжело больной матери, так ей казалось. И где-то на горизонте, в конце безликой серой улицы, по которой они шли, она представила беленький домик и дряхлую трясущуюся старушку, которая привстанет за столом и залепечет дрожащим голосом что-то насчет «друзей моего сына», и уже готова была спросить у Ральфа, к чему ей готовиться, но он вдруг распахнул одну из бесчисленных деревянных калиток и повел ее по плитчатой дорожке к крыльцу дома в альпийском стиле. И, слушая позвякивание колокольчика за дверью, она, как ни старалась, не могла представить ничего на месте прежней, теперь порушенной, картины.

— Будьте готовы к тому, что все семейство в сборе, — сказал Ральф. — Они по воскресеньям обычно дома. Но потом мы можем пойти в мою комнату.

— Много у вас братьев и сестер? — насторожилась она.

— Шесть или семь, — мрачно ответил он, но в следующую секунду дверь открылась.

Пока Ральф снимал пальто, она разглядела и папоротники в горшках, и фотографии, и портьеры и уловила гул или, скорее, клокотание — судя по звуку, люди говорили наперебой, не слушая друг друга. Ее охватила странная робость. Стараясь держаться позади Денема, она, робея, проследовала за ним в ярко освещенную залу, где в резком, ярком свете газовых ламп сидели за неприбранным столом люди разного возраста. Ральф сразу направился к дальнему концу стола.

— Мама, это мисс Хилбери, — сказал он.

Полная пожилая дама, склонившаяся над едва теплившейся спиртовкой, глянула довольно хмуро и заметила:

— Прошу прощения. Я приняла вас за одну из моих девочек. Дороти, — не меняя интонации, окликнула она прислугу, — нам понадобится еще немного денатурата, если эта штука вообще работает. Вот бы кто-нибудь из вас изобрел хорошую спиртовку… — Она вздохнула, глянула куда-то поверх стола и стала искать среди составленных перед ней приборов две чистые чашки для Денема и Кэтрин.

В ярком свете убожество обстановки особенно бросалось в глаза. Кэтрин поразилась, как в одной комнате можно было собрать столько некрасивых вещей: за огромными складками бурого плюша, с петлями и фестонами, помпончиками и оборочками, видны были книжные полки, забитые учебниками в черных обложках. Тускло-зеленую стену украшали деревянные скрещенные ножны, и всюду, на любом возвышении, торчал из горшка или треснутой чашки какой-нибудь папоротник или дыбился бронзовый конь, сохранявший равновесие только потому, что его круп опирался о пенек. Казалось, воды семейной жизни поднялись и сомкнулись над ее головой, и она погрузилась в молчание.

Наконец миссис Денем отвлеклась от своих чашек и сказала:

— Видите ли, мисс Хилбери, мои дети приходят в разное время, и всем хочется разного. Джонни, если ты поел, отнеси поднос наверх. Чарльз сегодня не встает с постели, сильно простудился. Но что вы хотите? Мальчик вымок до нитки на футбольной площадке. Мы пытались накрыть стол для чая в гостиной, но не вышло...

Мальчик лет шестнадцати, это и был Джонни, при упоминании о чае в гостиной и о необходимости отнести поднос брату насмешливо фыркнул. Но после строгого материнского «Думай, как себя ведешь», — встал и вышел, хлопнув дверью.

— Вот так лучше, — сказала Кэтрин, нарезая свой кусок пирога мелкими ломтиками: ей дали слишком большую порцию.

Она знала, что миссис Денем почувствовала ее критическое отношение. Знала, что, нарезая пирог, лишь подтверждает ее худшие опасения. Судя по тому, как миссис Денем поглядывала на нее, было ясно, что она недоумевает: кто эта молодая женщина и почему Ральф пригласил ее к ним на чай? Напрашивалась одна очевидная причина, до которой миссис Денем к этому времени, вероятно, уже додумалась. Манера хозяйки держаться была хоть и грубоватой, но подчеркнуто учтивой. Она завела разговор о красотах Хайгейта, о том, как он застраивался и каково здесь жить сейчас.

— Когда я только вышла замуж, мисс Хилбери, — сказала она, — Хайгейт был почти сельским уголком, и вокруг этого дома, — вы не поверите! — цвели яблоневые сады. Это было еще до того, как Миддлтоны выстроили перед нами свой дом и загородили вид.

— Должно быть, жить на холме — большое преимущество, — сказала Кэтрин.

Миссис Денем охотно закивала, услышав столь разумное замечание.

— Ну конечно, а ведь какая польза здоровью! — сказала она и, как свойственно жителям окраин, принялась доказывать, что ее район намного здоровее, удобнее и чище, чем все остальные пригороды Лондона. Она говорила об этом с таким напором, что можно было не сомневаться: это мнение разделяют не многие, и даже ее дети с ней не согласны.

— А в кладовке опять потолок обвалился, — выпалила вдруг Эстер, девушка лет восемнадцати.

— Скоро весь дом обвалится, — пробурчал Джеймс.

— Не мели ерунды, — сказала миссис Денем. — Это всего лишь кусок штукатурки — не представляю, какой еще дом выдержит такую орду.

На что ей ответили какой-то семейной шуткой, смысла которой Кэтрин не поняла. Даже миссис Денем невольно рассмеялась, но пожурила рассказчика:

— Чего доброго, мисс Хилбери подумает, что мы тут все невоспитанные.

Мисс Хилбери улыбнулась и покачала головой, чувствуя, что в эту минуту все смотрят на нее, будто заранее готовятся перемыть ей косточки, как только она уйдет. Может, именно из-за этих насмешливых взглядов Кэтрин решила, что семья у Ральфа Денема самая заурядная, неинтересная, лишенная какого бы то ни было шарма, — под стать этой кошмарной мебели и безделушкам. Она глянула на каминную полку, уставленную бронзовыми колесницами, серебряными вазами и фарфоровыми фигурками — все они были чудны́е либо смешные.

И хотя к самому Ральфу это не относилось, при взгляде на него она тоже почувствовала разочарование.

Он не дал себе труда представить ее семье и теперь так увлекся спором с братом, что, по-видимому, даже забыл о ее присутствии. Она рассчитывала, что он поможет ей преодолеть неловкость, поэтому его невнимание к ней, которое жалкая обстановка еще более подчеркивала, заставило ее пожалеть о собственной неосмотрительности. За несколько секунд она вспомнила всю цепь событий, приведших ее сюда, и содрогнулась, до того ей стало стыдно. Она поверила ему, когда он говорил о дружбе. Поверила в то, что за кажущейся неупорядоченностью и нелогичностью жизни есть нечто надежное, немеркнущий внутренний, духовный свет. Теперь этот свет померк, как будто его затушили. Остался неубранный стол с остатками еды и тягостный разговор с миссис Денем — это стало сокрушительным ударом для разума, измученного борьбой, и она погрузилась в печальные размышления о своем одиночестве, о бессмысленности жизни, о неприглядной действительности, об Уильяме Родни, о своей матери и недописанной книге.

Она отвечала миссис Денем небрежно, нисколько не боясь показаться неучтивой, и Ральфу, который украдкой за ней наблюдал, казалась странно далекой, хоть они и сидели так близко. Он посмотрел на нее, собираясь сделать следующий шаг, после которого от глупой страсти не останется и следа. Но в следующий миг наступила тишина. Все притихли, и молчание сидевших вокруг неубранного стола было пугающим: казалось, вот-вот случится что-то ужасное, но никто даже не шелохнулся. Секунду спустя отворилась дверь, послышались радостные возгласы: «Привет, Джоан! А мы все уже съели! Тебе не оставили» — и напряженная обстановка за столом сменилась привычным оживлением. Похоже, Джоан каким-то таинственным образом оказывала благотворное влияние на своих домашних. Она сразу направилась к Кэтрин — будто давно о ней слышала и теперь рада наконец увидеться. Джоан навещала заболевшего родственника — дядю, объяснила она, и потому задержалась.

Нет, чаю ей не надо, разве что кусочек хлеба. Кто-то передал ей кусок пирога, который грелся на каминной решетке, Джоан села рядом с матерью, миссис Денем сразу успокоилась, и все принялись есть, будто чаепитие пошло по второму кругу. Эстер рассказала Кэтрин, что готовится к какому-то экзамену, потому что больше всего на свете хочет поехать в Ньюнем*.

— Ну-ка просклоняй мне *ато* — «я люблю», — потребовал Джонни.

— Нет, Джонни, никакого греческого за столом, — одернула его Джоан. — Знаете, мисс Хилбери, она может до утра сидеть над книгами, но я уверена, что так не подготовишься, — пояснила она Кэтрин и улыбнулась доброй и чуть снисходительной улыбкой старшей сестры, для которой младшие братья и сестры все равно что собственные малые дети.

— Надеюсь, Джоан, ты не думаешь, что *ато* — греческое слово? — спросил Ральф.

— Ой, а я разве сказала, что греческое? Ну да ладно. Никаких древних языков за чаем. Нет, милый, не надо для меня жарить тост…

— А если надумаешь — где-то тут была вилка для тостов… — вмешалась миссис Денем, опасаясь, как бы не испортили бутербродный нож. — Может, кто-нибудь позвонит и попросит принести нам еще один? — неуверенно спросила она. — А что Энн, она приедет посидеть с дядей Джозефом? Если да, тогда им лучше прислать к нам Эми… — И, сгорая от нетерпения узнать о гостях, а заодно дать совет, хотя, судя по ее грустно поджатым губам, у нее было мало надежды, что ее послушают, миссис Денем совершенно забыла о нарядной гостье, которой надо рассказать о прелестях жизни в Хайгейте. Как

_____

* Известный женский колледж Кембриджского университета, основанный в 1871 г.

только Джоан села за стол, завязался спор — Кэтрин оказалась меж дискутирующих сторон, — имеют ли право горлопаны Армии спасения в воскресенье с утра распевать на углу свои гимны, потому что из-за этого Джеймс не может выспаться, и не является ли это попранием прав личности.

— Понимаете, Джеймс как завалится, так и спит без задних ног, — пояснил Джонни специально для Кэтрин, после чего Джеймс зарделся как маков цвет и, обращаясь к ней, воскликнул:

— Да потому что только в воскресенье я и могу выспаться! Джонни вечно возится в кладовке со своими вонючими химикатами.

Они охотно поверяли ей свои маленькие тайны, и она, забыв о пироге, стала смеяться и с неожиданным оживлением присоединилась к общему разговору. Это большое и пестрое семейство оказалось таким дружным и дружественным, хотя все они такие разные, что она готова была простить им безвкусицу и аляповатые горшки. Однако к этому времени пикировка между Джеймсом и Джонни переросла в серьезный спор, по-видимому имевший давнюю историю, поскольку присутствующие разделились на группы — во главе, конечно, был Ральф, — и через некоторое время Кэтрин уже возражала ему, защищая Джонни, который, похоже, слишком горячился, чтобы резонно отстаивать свою точку зрения в споре с братом.

— Да-да, именно это я и хотел сказать. Она правильно поняла! — воскликнул он, после того как Кэтрин повторила его мысль, более точно сформулировав ее.

Теперь исход спора зависел почти исключительно от Кэтрин и Денема. Они пристально смотрели друг на друга, как боксеры на ринге, пытающиеся предугадать следующее движение, и, когда говорил Ральф, Кэтрин сидела, нервно закусив губу, готовая, едва он замолкнет, выдвинуть новый аргумент. Эти двое были под стать друг другу и держались противоположных мнений.

Но в разгар спора, непонятно почему, заскрипели стулья, и один за другим все члены семейства Денема начали вставать и покидать комнату, словно им дали сигнал. Кэтрин не привыкла к строгому распорядку жизни в большой семье. Она замолкла на полуслове и тоже поднялась. Миссис Денем и Джоан стояли у камина, приподняв юбки до щиколоток, и с очень серьезным видом обсуждали что-то, без сомнения, очень важное и личное. Похоже, они забыли о том, что у них гостья. Ральф придержал для нее дверь.

— Хотите, поднимемся в мою комнату? — спросил он.

И Кэтрин, оглянувшись на Джоан, которая ответила ей озабоченной улыбкой, стала подниматься вслед за Ральфом по лестнице.

Мысленно она продолжала спор и, когда, одолев крутой и долгий подъем, он открыл наконец свою дверь, начала без предисловия:

— Стало быть, речь о том, что индивид может настаивать на своем праве против воли государства.

Какое-то время они еще обсуждали эту тему, но паузы между репликами становились все длиннее, рассуждения становились более умозрительными и менее полемичными, и наконец оба замолчали. Теперь Кэтрин вспомнила, что во время спора то Джеймс, то Джонни обменивались короткими фразами и не давали уклониться от темы дискуссии.

— Ваши братья очень умные, — сказала она. — Полагаю, вы часто так спорите?

— Джеймс и Джонни могут говорить часами, — ответил Ральф. — И Эстер тоже, только зайдет речь о елизаветинской драме.

— А маленькая девочка — волосы хвостиком?

— Молли? Ей всего десять лет. Но младшие тоже между собой всегда спорят.

Ему было очень приятно, что Кэтрин так хвалит его братьев и сестер. Ему хотелось побольше рассказать о них, но он вовремя сдержался.

— Понимаю, как трудно вам будет расстаться с ними, — заметила Кэтрин.

И в этот момент он понял, что гордится своей семьей, и мысль о сельском уединении показалась ему нелепой. Потому что этот союз братьев и сестер, общее детство, общие воспоминания как раз и означают надежную, верную дружбу и негласное понимание правил семейной жизни в ее лучших проявлениях, и он представил их всех как команду, которую он возглавляет и которой предстоит трудный, пугающий, но славный поход. И ведь именно Кэтрин открыла ему на это глаза!

В углу комнаты раздался странный щелкающий звук — Кэтрин с испугом обернулась.

— Это грач. Он совсем ручной, — поспешил он успокоить ее. — У него нет одной лапы — кошка откусила. — Денем смотрел на грача, а Кэтрин глядела то на одного, то на другого.

— Значит, вы тут сидите и читаете? — спросила она, оглядывая ряды книг: он сказал ей, что обычно работает здесь по вечерам.

— Большое преимущество Хайгейта в том, что весь Лондон как на ладони. По вечерам из моего окна такой восхитительный вид!

Ему очень хотелось, чтобы Кэтрин сама оценила, и она подошла к окну. На улице было уже довольно темно, и сквозь клубящуюся дымку, желтую от электрических фонарей, она попыталась разглядеть кварталы города, раскинувшегося внизу. Как приятно было наблюдать за ней в эту минуту! Когда Кэтрин наконец обернулась, он по-прежнему сидел в кресле.

— Должно быть, уже поздно, — сказала она. — Мне надо идти.

И присела на ручку кресла, поняв вдруг, что возвращаться домой ей совершенно не хочется. Там Уильям, и он наверняка будет ей досаждать и только все испортит: она опять вспомнила их недавнюю ссору.

Ей показалось, что Ральф стал слишком уж холоден, замкнулся в себе. Он смотрел прямо перед собой — наверное, придумывает в продолжение недавнего спора очередной аргумент в пользу свободы личности, решила Кэтрин. Она молчала и ждала и тоже думала о свободе.

— Вы опять победили, — сказал он наконец, но даже не пошевелился.

— Победила? — удивилась она, полагая, что речь идет о споре.

— Как я жалею, что пригласил вас сюда! — произнес он.

— Я не совсем вас поняла.

— Когда вы здесь, все совсем по-другому: я счастлив. Стоите ли вы у окна, говорите ли о свободе. Когда я увидел вас среди всего этого… — Он умолк.

— Вы подумали, какая я заурядная.

— Я пытался так думать. А оказалось, вы еще более необыкновенная.

Приятная волна — и нежелание дать этой волне ходу — боролись в ее сердце.

Она скользнула в кресло.

— Я думала, вы меня не любите, — сказала она.

— Видит Бог, я пытался, — ответил он. — Старался видеть вас такой, какая вы есть, без всей этой романтической чепухи. Вот почему я зазвал вас сюда, но стало только хуже. Весь вечер я лишь о вас и думал. И всю жизнь буду думать, наверное.

Его страстная речь смутила Кэтрин, она нахмурилась и сказала строго и серьезно:

— Этого я и опасалась. Ничего хорошего, как видите, не получилось. Посмотрите на меня, Ральф. — Он повиновался. — Уверяю вас, я самая обыкновенная и ничего особенного во мне нет. Красота не в счет, она ничего не значит. На самом деле самые красивые женщины, как правило, самые глупые. Я обычная, прозаичная, самая заурядная, я забочусь об ужине, оплачиваю счета, ведаю расходами в доме, я завожу часы и даже не смотрю в сторону книг.

— Вы забываете… — начал он, но она перебила его:

— Вы приходите, видите меня среди цветов и картин — и думаете, что я таинственная, романтичная и все такое. Поскольку вы человек не слишком искушенный и весьма эмоциональный, то идете домой и придумываете сказку про меня, а теперь не можете расстаться с этим выдуманным образом. По-вашему, это любовь, а на самом деле — иллюзия. Все романтики одинаковы, — добавила она. — Моя матушка всю жизнь выдумывает истории о тех, кто ей нравится. Но если от меня что-то зависит, я бы просила вас не поступать так со мной.

— От вас это не зависит, — сказал он.

— Предупреждаю, это порочный путь.

— Или счастливый.

— Вы скоро увидите, что я не такая, как вы обо мне думаете.

— Может быть. Но я приобрету больше, чем потеряю.

— Если приобретение стоит того.

Какое-то время оба молчали.

— Наверное, каждый в свое время это понимает, — сказал он. — Что, вероятно, ничего больше и нет. Ничего, кроме мечты — кроме наших фантазий.

— Поэтому мы одиноки, — задумчиво произнесла она.

Молчание длилось долго.

— Так когда свадьба? — спросил вдруг он, совершенно другим тоном.

— Не раньше сентября, полагаю. Ее перенесли.

— Значит, вы не будете одинокой, — сказал он. — Судя по тому, что люди говорят, брак — ужасно странная вещь. Говорят, это ни на что не похоже. Может, правду говорят. Я знаю пару таких случаев.

Он надеялся, что она продолжит разговор. Но она не отвечала. Он постарался взять себя в руки и говорил спокойно, почти равнодушно, но ее молчание настораживало. Она сама ни за что не заговорит с ним о Родни, и ее сдержанность не позволяла ему понять, что у нее на душе.

— Думаю, свадьба еще очень не скоро, — сказала она, словно желая внести ясность. — Кто-то у них в конторе заболел, и Уильяму придется его замещать. На самом деле мы решили отложить ее на неопределенное время.

— Представляю, каково ему сейчас. Он сильно переживает? — спросил Ральф.

— У него есть работа, — ответила она. — И еще куча вещей, которые его интересуют… Ой, мне это место знакомо — ну конечно, это же Оксфорд! А как ваш сельский домик?

— Я туда уже не еду.

— Как вы переменчивы! — улыбнулась она.

— Дело не в этом, — отмахнулся он. — Просто я хочу быть там, где я могу видеть вас.

— Наш договор остается в силе, несмотря на то что я тут наговорила? — спросила она.

— Что касается меня, то он останется в силе навсегда, — ответил Ральф.

— Значит, вы будете мечтать, и выдумывать обо мне разное, и в уличной толпе представлять нас всадниками в лесу или беднягами на необитаемом острове?..

— Нет, я буду представлять, как вы даете распоряжения кухарке, оплачиваете счета, ведете учет, показываете старушкам семейные реликвии…

— Так-то лучше, — сказала она. — Завтра с утра можете представить, как я изучаю даты в Национальном биографическом словаре*.

— И забываете на скамейке сумочку, — добавил Ральф.

Она улыбнулась, но в следующий момент улыбка погасла — то ли ее опечалило это воспоминание, то ли огорчил тон, которым он это сказал. Она бывает рассеянна. И он это видел. Но что еще он видел? Не увидел ли он самого потаенного, так глубоко запрятанного, что даже одна мысль, что кто-то может это увидеть, заставила ее похолодеть? Ее улыбка погасла — в первый миг казалось, она хочет что-то сказать, но она промолчала, лишь посмотрела на него долгим взглядом, вложив в этот взгляд все то, о чем не смела спросить, потом отвернулась и пожелала ему доброй ночи.

* Обновляющееся справочное издание, выходит с 1885 г. по настоящее время. В 1885–1891 гг. редактором издания был Лесли Стивен, отец Вирджинии Вулф.

ГЛАВА XXVIII

Подобно последнему музыкальному аккорду, ощущение присутствия Кэтрин медленно таяло в комнате, где в одиночестве сидел Денем. Музыка отзвучала, оставив лишь затухающий мелодический след. Он напрягся, пытаясь расслышать последние тающие звуки, и какое-то время нежился в волнах воспоминаний, но это убаюкивающее ощущение прошло, и он принялся мерить шагами комнату в такой тоске по исчезнувшей мелодии, словно в его жизни не осталось других желаний. Она ушла, ничего не сказав ему на прощанье, перед ним вдруг развезлась пропасть, в которую канула вся его жизнь, — разбилась о скалы — развеялась прахом. Боль от страдания была почти физической: он побледнел, его колотил озноб, он обессилел, словно после тяжелой физической работы. Наконец Денем бросился в кресло напротив того, в котором сидела она, и стал глядеть на часы, машинально отмечая, как она уходит все дальше и дальше от него, вот она уже дома и сейчас, конечно, снова с Родни. Но он еще не в силах был этого осознать — как не замечал ничего вокруг себя: жажда видеть ее смешала все его эмоции, взбила в пену, в туман из неясных ощущений. В этом тумане он утратил контроль над реальностью и чувствовал себя удивительно далеким от всего, даже от окружающих его материальных объектов вроде стены или

437

окна. Будущее — теперь, когда он наконец постиг всю силу своей страсти, — пугало его.

Свадьба в сентябре, сказала она, значит, впереди у него шесть долгих месяцев душевных терзаний. Шесть месяцев пытки, а затем — покой могилы, клетка безумца, изгнание отверженца, в лучшем случае — жизнь, заведомо навеки лишенная самого ценного, что может в ней быть. Непредвзятый наблюдатель мог бы подсказать ему, что надежду на исцеление следует искать в загадочном складе души, который позволит ему отождествить реальную женщину с тем странным набором черт, которыми никому из нормальных людей не хотелось бы обладать; она исчезнет из его жизни, и мечта о ней пройдет, но образ, что появится ей на смену, даже лишенный всякой связи со своим прообразом, останется с ним надолго. Мысль об этом сулила, возможно, некоторую передышку, и, надеясь, что сможет справиться с растревоженными чувствами, он попытался привести в порядок путаные эмоции. Кэтрин напомнила ему, что семья заслуживает его поддержки и нуждается в нем, и ради них, если не ради самого себя, эту бесплодную страсть следовало уничтожить, вырвать с корнем, показав — и тут Кэтрин права — всю ее иллюзорность и беспочвенность. Для этого проще всего не бежать от нее, а, наоборот, изучить получше, чтобы убедиться в том, что, как она и говорила, он неверно ее представляет. Она практичная женщина, вполне подходящая на роль жены посредственного поэта, наделенная по некоему капризу природы романтической внешностью. Без сомнения, даже ее красоту при ближайшем рассмотрении можно поставить под сомнение. По крайней мере, это нетрудно проверить. У него в шкафу альбом с фотографиями греческих статуй, и голова одной богини, если закрыть нижнюю часть, всегда поражала его сходством с Кэтрин — Кэтрин вставала перед ним как живая. Он достал из шкафа альбом, нашел нужную картинку. К ней он прибавил ее записку с приглашением в зоосад. Еще он сберег цветок, который подобрал в Кью, чтобы рассказать ей о ботанике. Это были его реликвии. Он разложил их перед собой и представил себе Кэтрин так отчетливо, что невозможно было обмануться. Он увидел, как солнце играет складками ее платья, пока она спешит ему навстречу по зеленой дорожке в Кью. Он заставил ее сесть рядом. Он услышал ее голос, сдержанно-спокойный, — даже о пустяках она говорила рассудительно. Он видел ее недостатки и мог трезво оценить достоинства. Сердце его успокоилось, в голове прояснилось. На этот раз ей от него не скрыться. Иллюзия ее присутствия становилась все более и более полной. Казалось, они читают мысли друг друга, спрашивают, отвечают. Между ними наступило полное взаимопонимание. Они слились воедино, и это позволило ему воспарить до таких высот, наполнило таким восторгом победы, которого он никогда не испытывал в одиночестве. Днем еще раз добросовестно перечислил недостатки ее внешности и характера, он прекрасно их знал, но, вместе взятые, они обращались в совершенство. Жизнь открылась перед ним до самого горизонта. Какая в ней глубина, если смотреть с такой высоты! И величие. Самые простые вещи трогали его теперь чуть ли не до слез. И в этом созерцании он забыл о неизбежной преграде — забыл, что ее нет рядом, и для него уже не имело значения, замужем она за ним или за кем-то еще, — все было не важно, кроме одного: она существует и он ее любит. Днем невольно некоторые слова произносил вслух, и так получилось, что среди них было: «Я люблю ее». Впервые он назвал свое чувство любовью, прежде он считал это безумием, романтикой, фантазией, но, запнувшись случайно на слове «любовь», он повторял его снова и снова, как откровение.

— Но я же люблю вас! — воскликнул он почти испуганно.

Он оперся о подоконник и посмотрел на город, как смотрела она. Все будто по волшебству изменилось, обрело ясность. Его чувство было названо и не требовало дальнейших объяснений. Однако ему нужно было с кем-то поделиться. Он захлопнул альбом с фотографиями, спрятал свои реликвии, кинулся вниз по лестнице, схватил пальто и выскочил за дверь.

Уже зажглись фонари, но улицы были достаточно темны и пустынны, что оказалось весьма кстати, потому что он почти бежал и при этом вслух разговаривал сам с собой. Денем ни минуты не сомневался, куда ему идти. Он шел к Мэри Датчет. Желание поделиться своими чувствами с человеком, который их поймет, было так сильно, что он долго не раздумывал. И вскоре уже оказался на ее улице. Взбежал по лестнице, прыгая через ступеньки, и даже не подумал, что ее может не быть дома. Он позвонил в дверь, чувствуя себя носителем некоей восхитительной благой вести, самоценной, но дающей ему власть над всеми остальными людьми. Мэри открыла ему, хотя и не сразу. Он молчал; в полумраке его лицо казалось мертвенно-бледным. Он вошел в комнату следом за ней.

— Вы знакомы? — сказала она, и он удивился, потому что надеялся застать ее одну.

Молодой человек поднялся ему навстречу и сказал, что наслышан о Ральфе и видел издали, но лично не знаком.

— Мы тут просматриваем кое-какие бумаги, — сказала Мэри. — Мистеру Баснетту приходится мне помогать, потому что я еще не очень хорошо знаю эту работу. Это новое общество, — пояснила она. — Я секретарь. С Расселл-сквер я ушла.

Она сообщила об этом очень коротко, почти сердито.

— И что вы намерены делать? — спросил Ральф. Он не смотрел ни на Мэри, ни на Баснетта.

Мистер Баснетт подумал, что ему нечасто доводилось встречать таких неприятных людей, как этот знакомец Мэри, бледный и ироничный мистер Денем, который требует у них отчета, словно имеет на то полное право, и то для того лишь, чтобы раскритиковать все в пух и прах. Однако он вкратце рассказал о своих проектах, надеясь услышать одобрение.

— Понятно, — сказал Ральф, когда тот закончил, и вдруг добавил: — Знаете, Мэри, кажется, я простудился. У вас есть хинин?

Взгляд, который он бросил на Мэри, испугал ее. Она вышла из комнаты. Ее сердце сильно забилось при виде Ральфа, однако на душе были тоска и страх. На мгновение она замерла, прислушиваясь к голосам в соседней комнате.

— Разумеется, я с вами согласен, — произнес Ральф. Его голос звучал странно. — Но можно сделать больше. Встречались вы с Джадсоном, например? Очень советую вам его привлечь.

Вернулась Мэри с хинином.

— Адрес Джадсона? — потребовал мистер Баснетт, доставая записную книжку.

Минут двадцать он записывал фамилии, адреса и все, что диктовал ему Ральф. Затем Ральф замолчал, и мистер Баснетт почувствовал, что его присутствие более нежелательно; он поблагодарил Ральфа за помощь и откланялся.

— Мэри, — сказал Ральф, едва мистер Баснетт закрыл за собой дверь и они остались одни. — Мэри, — повторил он.

Но привычная боязнь откровенного разговора с Мэри помешала ему продолжить. Он по-прежнему очень хотел поведать миру о своей любви к Кэтрин, но едва увидел Мэри, понял, что не может рассказать ей об этом, особенно в присутствии мистера Баснетта. Он все время думал о Кэтрин и изумлялся своей любви к ней. И потому имя Мэри он произнес слишком резко.

— В чем дело, Ральф? — спросила она: ее напугала его интонация.

Она взглянула на него с беспокойством и озабоченно нахмурилась, пытаясь понять, чего он хочет. Он чувствовал, как она мучительно пытается угадать его мысли, — и вдруг понял, что устал от нее, и вспомнил, что она и раньше казалась ему недалекой, чересчур старательной и неуклюжей. А еще он некрасиво поступил с ней, и оттого его раздражение усилилось. Не дожидаясь ответа, она встала — так, словно ответ был ей заранее известен, — и принялась складывать бумаги, забытые на столе мистером Баснеттом. Она убиралась в комнате, что-то напевая вполголоса, казалось, порядок — это единственное, что ее волнует.

— Останетесь на ужин? — спросила она и снова села.

— Нет, — ответил Ральф.

Она не настаивала. Они молча сидели рядом: Мэри потянулась к рабочей корзинке, достала рукоделие, вдела нитку в иголку.

— Смышленый юноша, — заметил Ральф, имея в виду мистера Баснетта.

— Я рада, что вы так думаете. Работа очень интересная. Мне кажется, у нас отлично получается. Но я склонна с вами согласиться: в чем-то следует идти на уступки. Мы слишком непримиримы. Иногда в словах оппонентов тоже есть смысл, хотя это трудно понять, потому что они оппоненты. Гораций Баснетт слишком непреклонный. Я прослежу, чтобы он написал Джадсону. Но, полагаю, вы слишком заняты, чтобы прийти на наше собрание? — Она говорила официальным тоном.

442

— Боюсь, меня не будет в городе, — ответил Ральф так же сухо.

— Разумеется, правление собирается каждую неделю, — заметила она. — Но некоторые приходят только раз в месяц. Хуже всего члены парламента, мне кажется, мы зря их пригласили.

Она замолчала и занялась шитьем.

— Вы не приняли хинин, — наконец сказала она, заметив таблетки на каминной полке.

— Не хочу, — кратко ответил Ральф.

— Что ж, ваше дело, — невозмутимо промолвила она.

— Я негодяй, Мэри! — воскликнул он. — Ввалился к вам, отнимаю время, да еще и спорю.

— Когда простужаешься, обычно чувствуешь себя несчастным, — ответила она.

— Я не простудился. Не знаю, зачем я соврал. Со мной все в порядке. Я, наверное, сумасшедший. Мне следовало обходить ваш дом стороной. Но я хотел вас увидеть, хотел сказать вам: Мэри, я влюблен.

Он проговорил это слово, но, когда он произносил его, оно показалось ему лишенным смысла.

— Влюблен? — тихо сказала она. — Я рада за вас, Ральф.

— Мне кажется, я влюблен. Или обезумел. Не могу думать, не могу работать, мне плевать на весь мир. Вы не представляете, Мэри, какая это мука! Я счастлив — и через секунду в отчаянии. Полчаса я ее ненавижу, а через десять минут готов жизнь отдать, лишь бы она была рядом — и все это время я сам не знаю, чего хочу. Это безумие, но в нем есть последовательность*. Понимаете, что со мной? К чему это все? Знаю, это звучит как бред — не слушайте меня, Мэри, продолжайте работать.

---

* Цитата из пьесы У. Шекспира «Гамлет, принц датский» (акт 2, сцена 2): «Хоть это и безумие, но в нем есть последовательность» (*перевод М. Лозинского*).

Он встал и принялся, по обыкновению, шагать по комнате. Все, что он сказал, было совершенно непохоже на то, что он на самом деле чувствовал, присутствие Мэри действовало на него как сильный магнит, вытягивающий из него совершенно не те слова, которые он говорил сам себе, — и не те, которые рассказали бы о его самых сокровенных чувствах. Он едва ли не презирал себя за эти слова, но почему-то вынужден был их произнести.

— Сядьте, — вдруг сказала Мэри. — Из-за вас я так… — Она говорила непривычно раздраженно, и Ральф, удивившись, сел. — Вы не назвали мне ее имя — специально, я полагаю?

— Имя? Кэтрин Хилбери.

— Но она помолвлена…

— С Родни. Свадьба в сентябре.

— Понятно, — сказала Мэри.

Теперь, когда он снова сидел с ней рядом, от него веяло спокойствием, за которым угадывалась некая таинственная и непостижимая сила, и она не посмела нарушить это ощущение словом или вопросом. Она лишь смотрела на Ральфа в упор, с немым изумлением, не веря своим глазам. Но он, похоже, не обратил на это внимания. Потом, словно больше не в силах видеть это, Мэри откинулась в кресле и закрыла глаза. Его отчужденность пугала ее, в ее голове теснились мысли, ей хотелось расспросить Ральфа, вернуть его доверие, почувствовать, что они близки, как и раньше. Но она поборола это желание, потому что, заговорив, нарушила бы полосу отчуждения, что пролегла между ними и отодвинула их друг от друга, так что теперь он казался ей далеким и недоступным, и она уже не могла бы сказать, что знает этого человека.

— Я могу что-нибудь для вас сделать? — спросила она наконец вежливо, даже участливо.

— Вы можете встретиться с ней?.. Нет, не то… не беспокойтесь обо мне, Мэри. — Он тоже говорил ласково.

— Боюсь, чужой человек вам не поможет, — сказала она.

— Это правда. — Он покачал головой. — Сегодня Кэтрин сказала, что все мы одиноки.

Мэри заметила, с каким усилием он произнес имя Кэтрин, и это расплата за прежнюю скрытность. В любом случае она не сердилась на него, а лишь жалела этого человека, обреченного страдать, как страдала она. Но с Кэтрин все было иначе: Кэтрин сочувствовать она не могла, могла лишь негодовать.

— Но всегда остается работа, — сказала она несколько воинственно.

Ральф привстал в кресле.

— Вы собираетесь работать? — спросил он.

— Нет-нет. Сегодня воскресенье, — ответила она. — Я подумала о Кэтрин. Ей не понять, что значит работа. Ей никогда не приходилось работать. Я и сама поздно об этом узнала. Но именно в труде спасение — я в этом уверена.

— Однако есть и другие вещи, помимо работы? — предположил он.

— С работой ничто не сравнится, — ответила она. — В конце концов, люди… — Она запнулась, но потом продолжила: — Что было бы со мной, если бы не необходимость каждый день ходить на работу? И тысячи людей скажут то же самое — тысячи женщин. Работа, Ральф, — единственное, что меня спасло.

Ральф поджал губы, словно ее слова были для него полной неожиданностью, но он приготовился безропотно выслушать все, что она скажет. И поделом ему! Он вытерпит, и тогда станет легче. Однако она замолчала и встала, словно ей что-то понадобилось в другой комнате. Но у самой двери остановилась, обернулась к нему, гордая и величавая в своем спокойствии.

— Для меня все закончилось очень хорошо, — сказала она. — И у вас будет так же. Уверена. Потому что, в конце концов, Кэтрин этого достойна.

— Мэри!.. — воскликнул он. Но она уже отвернулась, и он забыл, что же хотел сказать. — Мэри, вы замечательная, — произнес он.

Она посмотрела на него и протянула ему руку. Она страдала, надежды не осталось, будущее, сулившее бесконечные возможности, обернулось бесплодной пустыней, но все же, неведомо как и с результатом, который она не могла предугадать, — она победила. И позволила ему поцеловать свою руку.

В этот воскресный вечер на улицах было не слишком людно; и даже если праздничный день и домашние развлечения не смогли удержать людей в четырех стенах, этому, несомненно, помог сильный пронизывающий ветер. Но разбушевавшаяся стихия как нельзя более отвечала чувствам Ральфа Денема. Порывы ветра, проносившиеся по Стрэнду, казалось, расчистили наверху окошко, в которое проглянули звезды и на короткое время вынырнула серебристая луна и помчалась сквозь дымку, рассекая волны. Они захлестывали ее — луна вновь появлялась, они захлестывали ее снова и снова, но она все так же мчалась вперед. За городом в полях буря за ночь унесет прочь весь зимний хлам: опавшие листья, увядший папоротник, выцветшую сухую траву, но не тронет ни одного бутона, не повредит ни одного стебелька, проклюнувшегося из-под земли, и, быть может, уже завтра в узкой щелочке бутона покажется синяя или желтая крохотная полоска. Однако душе Денема была ближе разрушительная стихия бури, и все, что могло показаться звездочкой или нежным цветком, вспыхивало на секунду и тут же исчезало под натиском быстрых и бурных волн.

С Мэри он так и не смог как следует поговорить, хотя в какой-то момент ему показалось, что она его понимает. Но желание поделиться чем-то очень и очень важным было по-прежнему сильно, он все еще хотел передать свой дар другому человеческому существу: он нуждался в собеседнике. Скорее машинально, чем осознанно он направился в сторону дома, где жил Родни. Ральф громко постучал, но никто не ответил. Он позвонил. Что Родни нет дома, он понял не сразу. Наконец он перестал обманывать себя и принимать свист ветра в щелях старого дома за скрип кресла, с которого кто-то встает, и сбежал вниз по лестнице, словно передумал и только что увидел перед собой истинную цель. Ральф зашагал в сторону Челси.

Но в какой-то момент почувствовал, что устал — он уже довольно много прошел, к тому же сегодня не успел поужинать, — и присел передохнуть на скамейку на набережной. Тотчас рядом появился один из завсегдатаев этих мест, старик, вдребезги пьяный, по всей видимости безработный и бездомный, попросил спичку и уселся рядом. Ветрище какой, сказал он, трудные времена настали, и затянул волынку о горе-злосчастье и жестокой несправедливости людской — возможно, от долгого повторения история превратилась в монотонный напев, которым старик словно убаюкивал сам себя, а может, он так давно был один, что уж и не пытался привлечь внимание собеседника. Когда он заговорил, Ральфу пришла в голову мысль: а что, если он поймет? Надо расспросить его, побеседовать с ним. И он действительно в какой-то момент попытался прервать излияния бедолаги, но без толку. Старая история о роковой ошибке, несправедливой судьбе и незаслуженных обидах уносилась вдаль вместе с ветром, бессвязные звуки, то усиливаясь, то затихая, проносились мимо ушей Ральфа, словно воспоминания о давних злоключениях в памяти старика сначала ожили, а затем померкли, сменившись в конце концов смиренным бормотанием, грозившим перейти в безмолвное отчаяние. Это заунывное причитание вызвало у Ральфа смешанное чувство жалости и досады. А когда старик, не желая его слушать, продолжил бубнить свое, странный образ представился ему: он видел маяк, на который летят заплутавшие птицы и, ослепленные бурей и градом, падают, ударившись о стекло. Странно, но он казался себе одновременно и маяком, и птицей — он рассеивал тьму и в то же самое время вместе с остальными птицами, заблудившись, бездумно бился о стекло. Он встал, заплатил дань сребреником и двинулся навстречу ветру. Образ маяка, бури и птиц преследовал его, когда он шел мимо зданий парламента и по Гровенор-роуд, со стороны реки. От усталости все подробности сливались в одну широкую перспективу — струящийся мрак, прерывистая линия фонарей и жилых домов были лишь внешним ориентиром, но при этом он понимал, что идет к дому Кэтрин. Ральф чувствовал: что-то непременно случится, — он шел, и сердце его постепенно наполнялось радостным предчувствием. Чем ближе подходил он к ее дому, тем сильнее чувствовал ее. Каждое здание здесь было ему знакомо, потому что на свой лад отражало неповторимые черты дома, в котором жила она. Когда до парадной Хилбери оставалось не более нескольких ярдов, он был на седьмом небе от счастья, но стоило ему толкнуть калитку, ведущую в крохотный палисадник, как он замер в нерешительности. Он не знал, что делать дальше. Торопиться не было смысла, к тому же сам дом был полон для него очарования и вполне достоин того, чтобы полюбоваться им снаружи. Он перешел улицу и, опершись о балюстраду набережной, стал смотреть на фасад.

В трех высоких окнах гостиной горел свет. Пространство комнаты за ними стало для Ральфа незыблемым центром мрачной пустыни мира, оправданием царящей вокруг неразберихи и путаницы, надежным источником света, что, как маяк, раскинул во все стороны спасительные лучи наперекор злобной стихии. В этом маленьком святилище собрались самые разные люди, но все их индивидуальности слиты, растворены в мощном сиянии чего-то, что можно, наверное, назвать цивилизацией; так или иначе, все то, что надежно, уверенно и достойно, что гордо возвышается над бурными волнами и наделено самодостаточностью, — все это сосредоточилось в гостиной семейства Хилбери. Их цель — благая, слишком высока для него, слишком аскетична — луч, который направлен вовне, никого не затрагивает. И тогда он начал мысленно представлять собравшихся там людей, специально оставляя Кэтрин в стороне. Ральф задержался мыслью на миссис Хилбери и Кассандре, а затем обратился к Родни и мистеру Хилбери. Он словно видел их всех в потоках ровного желтого света, заполняющего длинные овалы окон: их движения были изящны, а речи исполнены глубокого смысла, который не нуждается в словах. И наконец, после всей этой мысленной расстановки действующих лиц, он позволил себе вспомнить о Кэтрин — и сразу вся сцена ожила. При этом Ральф не представлял ее как человека из плоти и крови, странно, скорее он видел ее как сияющий контур, как свет, в то время как себе казался — измученный, с притупившимися чувствами, — одной из тех доверчивых птиц, что летят, словно зачарованные, к маяку и, ослепленные его роскошным сиянием, бьются и бьются о стекло.

С этими мыслями он вернулся к дому Хилбери и стал расхаживать взад-вперед перед калиткой. Он совершенно не думал о том, что будет дальше. Что бы ни произошло, это решит его дальнейшую судьбу в ближайшие годы. Вновь и вновь в своем бдении вглядывался он в свет, льющийся из высоких окон, или смотрел, как золотистый луч выхватывает из тьмы крохотного садика где ветку с первыми листочками, где несколько травинок. Долгое время свет был ровным. И только он в очередной раз отсчитал шаги и повернул обратно, как дверь парадного открылась, и вид дома совершенно переменился. Темная фигура прошествовала до калитки и остановилась. Денем сразу понял, что это Родни. Без колебаний, испытывая лишь дружеские чувства ко всему, что исходит из той залитой светом комнаты, он быстро кинулся к нему, окликнул, попытался остановить. Налетел ветер, Родни покачнулся и ускорил шаг, бормоча что-то себе под нос, может, принял его за уличного попрошайку.

— Боже мой, Денем, это вы! Что вы тут делаете? — воскликнул он, наконец узнав приятеля.

Ральф ответил туманно, что вообще-то идет домой. Они зашагали рядом, хотя Родни шел весьма быстро, ясно давая понять, что не нуждается в попутчиках.

У него случилось горе. Днем Кассандра отказалась выслушать его: он хотел обрисовать ей всю сложность ситуации и намекнуть на свои истинные чувства, не говоря при этом ничего определенного и ничего такого, что могло бы обидеть ее. Но он потерял голову и, сбитый с толку насмешками Кэтрин, сказал слишком много; Кассандра, великолепная в своей горделивой суровости, отказалась его слушать и пригрозила немедленно уехать домой. Проведя вечер в обществе двух женщин, он пребывал в крайнем смятении. К тому же он подозревал, что Ральф бродит возле особняка Хилбери из-за Кэтрин. Наверняка между ними что-то есть... но нельзя сказать, что подобные вещи его сейчас волновали. Ему нет дела ни до кого, кроме Кассандры, а будущее Кэтрин его не касается, подумал он. Вслух же сказал, что устал и хочет взять такси. Однако в воскресный вечер поймать такси на набережной непросто, поэтому, как понял Родни, придется какое-то время терпеть своего невольного попутчика. Но Денем помалкивал, и Родни чуть смягчился. Оказалось, молчание странным образом располагает к проявлению мужественных черт характера, а этого ему так недоставало. После трудного и нелогичного общения с противоположным полом общение с представителем собственного казалось намного приятнее — можно было говорить просто, без всяких уловок. Кроме того, Родни хотелось излить душу: Кэтрин, несмотря на все обещания, не пришла ему на помощь в трудную минуту и удалилась с Денемом — вероятно, чтобы точно так же помучить теперь и того. Однако Денем выглядел важным и серьезным — так решительно шагал, так многозначительно молчал, в то время как Родни ни в чем не чувствовал уверенности и пребывал в полном смятении. Он начал придумывать рассказ о своих отношениях с Кэтрин и Кассандрой, который не уронил бы его в глазах Денема. Затем ему пришло в голову, что и Кэтрин могла довериться Денему — они ведь общались, — возможно, сегодня днем они его обсуждали. Его вдруг охватило желание узнать, что именно они о нем говорили. Он вспомнил смех Кэтрин, вспомнил, как она, смеясь, ушла гулять с Денемом.

— Долго вы гуляли в саду, после того как мы ушли? — вдруг спросил он.

— Нет. Мы поехали ко мне домой.

Это подтверждало догадку Родни. Какое-то время он молча обдумывал эту неприятную мысль.

— Женщины — непостижимые создания, не правда ли? — воскликнул он.

— Угу, — буркнул Денем, которому казалось, что он может понять не только женщин, но и весь мир. И

451

Родни он тоже прекрасно понимал — тот был для него как открытая книга. Он видел, что ему плохо, и жалел его, и хотел ему помочь.

— Скажешь им что-нибудь, а они — в слезы. Или начнут смеяться без причины. Я так понимаю, что нехватка образования...

Остаток фразы унес ветер, но Денем понял, что Родни имел в виду смех Кэтрин, и этот смех все еще задевал его. В отличие от Родни, Денем чувствовал себя уверенно; Родни казался ему птицей, глупо бьющейся о стекло, — одним из тысяч тел, бестолково мечущихся в воздухе. Тогда как они с Кэтрин одни в вышине, недосягаемые, окутанные двойным сиянием. Ему было жаль этого бедолагу, сбившегося с пути, хотелось защитить его, беззащитного без того знания, что делало таким прямым и ясным его собственный путь. Они шли рядом, словно два путешественника, одному из которых суждено достичь цели, а второму — погибнуть в пути.

— Нельзя смеяться над тем, кто тебе небезразличен.

Денем услышал эту фразу, видимо не обращенную ни к кому конкретно. Порыв ветра приглушил слова и тотчас унес их. Неужели Родни действительно это сказал?

— Вы ее любите.

Разве это его собственный голос? Он звучал откуда-то издалека — или то был голос ветра?

— Это была пытка, Денем, настоящая пытка!

— Да, да, я знаю.

— Она смеялась надо мной.

— Надо мной — ни разу.

Ветер разделил слова и унес, словно и не было ничего сказано.

— Как я любил ее!

Человек рядом с Денемом совершенно определенно сказал именно это. Голос принадлежал Родни, но странно — в образе собеседника Денем уловил явное сходство с собой. Денем видел эту фигуру на фоне бесцветных домов и башен на горизонте. Он видел его — гордого, взволнованного и трагического, — наверняка таким же был и он сам, когда в одинокой ночи думал о Кэтрин в своей комнатушке.

— Я тоже люблю Кэтрин. Поэтому сегодня я здесь.

Слова Ральфа прозвучали четко и взвешенно, словно официальный ответ на признание Родни.

Родни что-то невнятно пробормотал.

— О, я всегда это знал, с самого начала! — воскликнул он. — Вы на ней женитесь!

В его возгласе звучало отчаяние. И вновь ветер прервал их разговор. Вскоре они остановились под фонарем.

— Господи, Денем, какие мы с вами идиоты! — воскликнул Родни. Они одновременно обернулись друг к другу в желтом уличном свете. Глупцы! Казалось, обоим открылись вдруг все бездны собственной глупости, и как просто было в этом признаться! Потому что в эту минуту, у фонарного столба, то, что они оба знали, устраняло всякое соперничество между ними и позволяло посочувствовать друг другу — искренне, от всей души. Кивнув на прощание, словно скрепляя немой уговор, они расстались, по-прежнему молча.

ГЛАВА XXIX

В воскресенье после полуночи Кэтрин лежала в постели, но не спала, а находилась в том сумеречном состоянии между сном и явью, когда собственная жизнь, которую видишь как бы со стороны, представляется порой в странном забавном свете — абсолютно несерьезном, потому что любая серьезность в это время уступает дремоте и забытью. Она видела Ральфа, Уильяма, Кассандру и себя рядом с ними, фигуры были в равной степени зыбкими и, лишенные реальных примет, приобретали особый смысл и достоинство — каждая сама по себе. Забавляясь этой картиной и избавляясь понемногу от сковывающего тепла привязанностей или обязательств, она уже засыпала, как вдруг в дверь тихонько постучали.

В следующий миг перед ней предстала Кассандра, со свечкой в руке, и зашептала, поскольку ночью шуметь не полагается:

— Кэтрин, ты не спишь?

— Нет. Что еще случилось?

Она села в постели, поинтересовавшись, с чего это Кассандре вздумалось бродить по дому в столь поздний час.

— Мне не спалось, и я решила с тобой поговорить — я только на минуточку. Завтра я возвращаюсь домой.

— Почему домой? Что случилось?

— Случилось такое, отчего мое дальнейшее пребывание здесь невозможно. — Она произнесла это важным, официальным тоном — видно, заранее готовилась к этому заявлению, а значит, случилось нечто из ряда вон выходящее. И продолжала как по бумажке: — Я должна сказать тебе всю правду, Кэтрин. Уильям своим непозволительным поведением поставил меня сегодня в неловкое положение.

Сон Кэтрин как рукой сняло.

— В зоологическом саду? — спросила она.

— Нет, на обратном пути. Когда мы зашли выпить чаю.

Словно предвидя, что разговор будет долгим, а ночью холодно, Кэтрин предложила Кассандре укутаться в лоскутное одеяло. Кассандра накинула его на плечи, как царскую мантию, и продолжила все так же торжественно:

— В одиннадцать поезд. Я скажу тете Мэгги, что мне срочно пришлось уехать... Сошлюсь на то, что надо повидать Вайолет, которая у нас гостит. Но я подумала и решила, что не могу уехать, не сказав тебе правды.

На Кэтрин она старалась не смотреть. Возникла долгая пауза.

— Однако я решительно не понимаю, почему ты должна уезжать, — сказала наконец Кэтрин. Она произнесла это так рассудительно и спокойно, что Кассандра с удивлением поглядела на нее. В голосе Кэтрин не было ни возмущения, ни удивления — она сидела в постели, обхватив руками колени и задумчиво нахмурившись, будто решала какую-то умозрительную задачу, лично к ней не имеющую никакого отношения.

— Потому что я не позволю ни одному мужчине так себя со мной вести, — ответила Кассандра и добавила: — Особенно если я знаю, что он обручен с другой.

— Но он тебе нравится, не так ли? — спросила Кэтрин.

— Какая разница? — возмутилась Кассандра. — Я считаю его поведение в данных обстоятельствах недостойным и бесчестным.

На этом ее заготовленная речь кончилась, дальше говорить в том же тоне она при всем желании не смогла бы. И когда Кэтрин сказала, что разница есть, Кассандра, похоже, растерялась.

— Я не понимаю тебя, Кэтрин. Как ты можешь так себя вести? С первого дня, как приехала, я смотрю на тебя и удивляюсь!

— Но ты ведь неплохо провела время? — спросила Кэтрин.

— Конечно, — согласилась Кассандра.

— Значит, мое поведение тебе не сильно мешало.

— Нет, — снова вынуждена была признать Кассандра. Она совершенно растерялась. Она ожидала, что Кэтрин сначала не поверит, но потом согласится, что ей следует уехать как можно скорее. Кэтрин же, вопреки ожиданиям, восприняла ее заявление на удивление хладнокровно, не удивилась, не рассердилась, только стала более задумчивой, чем обычно. Кассандре показалось, что из взрослой женщины она вдруг превратилась в неопытного ребенка.

— По-твоему, я вела себя глупо? — спросила она.

Кэтрин ничего не ответила, и ее молчание встревожило Кассандру. Может, услышанное поразило ее куда больше, а она просто не поняла — если вообще возможно понять Кэтрин. Она вдруг с грустью подумала, что играет с огнем.

Наконец, прервав размышления, Кэтрин спросила — медленно, как будто ей стоило большого труда задать этот вопрос:

— Если честно, Уильям тебе не безразличен?

Кассандра отвернулась, смутившись, но Кэтрин заметила, как сверкнули при этом глаза девушки.

— Ты думаешь, я в него влюблена? — спросила Кассандра, ей стало трудно дышать, она беспомощно сжала руки.

— Да, то есть любишь ли ты его? — повторила Кэтрин.

— Но разве можно любить чужого жениха? — вспыхнула Кассандра.

— Возможно, он в тебя влюблен.

— Как ты можешь говорить такое, Кэтрин! — воскликнула Кассандра. — Зачем ты так говоришь? Неужели тебе все равно, как Уильям ведет себя с другими женщинами? Если б я была его невестой, я бы этого не потерпела.

— Я не невеста ему, — помолчав, сказала Кэтрин.

— Кэтрин! — воскликнула Кассандра.

— Мы не помолвлены, — ответила Кэтрин. — Но никто об этом не знает, кроме нас.

— Но как... не понимаю... не помолвлены!— повторила Кассандра. — Ну, тогда это многое объясняет! Ты его не любишь! И не хочешь за него замуж!

— Мы уже не влюбленная пара, — уточнила Кэтрин, словно избавляясь от чего-то навсегда.

— Как это чудно́, как странно — вы не то, что другие, — сказала Кассандра; казалось, она понемногу успокаивается, гнев прошел, осталась лишь тихая задумчивость. — Так?

— Но только я его люблю, — ответила Кэтрин.

Кассандра не смела поднять головы, как будто это откровение придавило ее тяжким грузом. Кэтрин тоже молчала — о, если бы можно было исчезнуть, стать невидимкой. Она тяжко вздохнула и о чем-то задумалась.

— Ты знаешь, который час? — спросила она наконец и встряхнула подушку, давая понять, что пора спать.

Кассандра послушно встала и взяла свечу. В белой ночной сорочке, с распущенными волосами, со странным выражением глаз, она сейчас была похожа на лунатика. По крайней мере, так показалось Кэтрин.

— Значит, мне не обязательно ехать домой? — сказала Кассандра после недолгой паузы. — Конечно, если ты этого не захочешь. Скажи, Кэтрин, что мне делать?

Впервые их взгляды встретились.

— Так, значит, ты хотела, чтобы мы полюбили друг друга! — воскликнула Кассандра, как будто прочла этот ответ во взгляде Кэтрин. Но чем больше она вглядывалась, тем больше удивлялась: глаза Кэтрин блестели от едва сдерживаемых слез — то были слезы какого-то глубокого чувства: радости, горя, отречения, — чувства по природе своей настолько сложного, что его невозможно было описать, и Кассандра бросилась ей на шею, и ощутила на щеке эти слезы, и молча приняла их как знак освящения своей любви.

— Пожалуйста, мисс, — сказала горничная на следующее утро, около одиннадцати. — Миссис Милвейн ждет в кухне.

Из деревни прислали длинную плетеную корзину с цветами, и Кэтрин, стоя на коленях на полу в гостиной, разбирала их — Кассандра наблюдала за ней из кресла, время от времени вяло и безуспешно предлагая свою помощь.

Сообщение горничной произвело на Кэтрин странное действие.

Она встала, подошла к окну и, как только горничная удалилась, сказала взволнованно и грустно:

— Ты знаешь, в чем дело?

Кассандра не знала.

— Тетя Селия в кухне, — повторила Кэтрин.

— Почему в кухне? — спросила Кассандра, она действительно не понимала.

— Вероятно, что-то разузнала, — ответила Кэтрин.

— Про нас? — спросила Кассандра, имея в виду то, что больше всего занимало ее.

— Бог ее знает, — ответила Кэтрин. — Но нечего ей делать в кухне. Я приведу ее сюда.

Строгий тон, которым были произнесены эти слова, наводил на мысль, что привести тетушку Селию наверх было по какой-то причине необходимой воспитательной мерой.

— Ради Бога, Кэтрин, — воскликнула Кассандра, вскочив с кресла и явно разволновавшись, — не торопись! Не дай ей заподозрить. Помни, ничего определенного…

Кэтрин кивнула несколько раз, заверяя, что так и будет, однако настроение, в котором она покидала комнату, заставляло усомниться в ее дипломатическом таланте.

Миссис Милвейн сидела — вернее сказать, балансировала — на краешке стула в комнате для прислуги. Была ли у нее веская причина предпочесть полуподвальное помещение или оно просто по духу соответствовало характеру ее изысканий, но, когда ей требовалось сообщить что-то узкосемейное и с глазу на глаз, она неизменно входила через черный ход и садилась в комнате для прислуги ждать хозяев.

Она это делала под предлогом того, что не хочет беспокоить мистера и миссис Хилбери. Однако на самом деле миссис Милвейн сильнее других дам, своих ровесниц, зависела от восхитительного чувства сопричастности к интимным тайнам и страданиям, а гнетущая обстановка усиливала эти ощущения, вот почему от нее трудно было отказаться. Чуть не плача, она стала отказываться, когда Кэтрин пригласила ее пройти наверх.

— Мне надо кое-что сказать тебе наедине, — предупредила она, чувствуя, что ее выманили из засады.

— В гостиной никого…

— Но мы можем столкнуться с твоей матушкой на лестнице. Или потревожить отца, — возразила миссис Милвейн, на всякий случай переходя на шепот. Но так как для успеха дела требовалось присутствие Кэтрин, а та решительно отказалась беседовать на кухонной лестнице, миссис Милвейн ничего другого не оставалось, кроме как последовать за ней. Поднимаясь по лестнице, она не забывала украдкой поглядывать по сторонам и подбирать юбки и с особой осторожностью, на цыпочках, пробиралась мимо дверей, открытых и закрытых.

— Нас никто не подслушает? — заговорщицки спросила она, добравшись до относительно безопасной гостиной. — Вижу, что отрываю тебя от дела, — добавила она, глядя на разложенные по полу цветы. И тут же спросила: — Кто-то тут сидел с тобой? — показывая на платочек, который Кассандра случайно обронила, скрываясь.

— Кассандра помогала мне ставить цветы в воду, — сказала Кэтрин так отчетливо и громко, что миссис Милвейн нервно поглядела на входную дверь и на портьеры, отделявшие маленькую комнату с реликвиями от гостиной.

— А, так, значит, Кассандра все еще с тобой, — заметила она. — Это от Уильяма такие прекрасные цветочки?

Кэтрин села напротив тетушки и не ответила ни да ни нет. Она смотрела мимо нее, казалось, она внимательно изучает узор на занавесках. Еще одним преимуществом подвала, с точки зрения миссис Милвейн, была возможность сидеть совсем рядом, и освещение там было тусклое по сравнению с гостиной, где щедрые потоки света из трех окон окутывали сиянием и Кэтрин, и цветочную корзину на полу, и даже немного угловатую фигуру миссис Милвейн окружали золотистым коконом.

— Из Стогдон-Хауса, — коротко ответила Кэтрин. Мисс Милвейн чувствовала, что ей гораздо проще было бы выложить племяннице то, ради чего она и пришла, если бы они сидели поближе, потому что духовная дистанция между ними была огромна. Однако Кэтрин даже не пыталась завязать разговор, и миссис Милвейн, дама по-своему отважная, начала без предисловий:

— О тебе много говорят, Кэтрин. Поэтому я и пришла сегодня. Надеюсь, ты простишь меня за то, что я тебе скажу — видит Бог, я бы с удовольствием промолчала. Но не могу. Это для твоего же блага, дитя мое.

— Не за что пока извиняться, тетя Селия, — добродушно сказала Кэтрин.

— Люди говорят, что Уильям всюду появляется с тобой и Кассандрой и оказывает ей всяческие знаки внимания. На балу у Маркемов он пять раз танцевал с ней. И в зоосаде их видели вдвоем. Они вместе выходили оттуда. А домой вернулись только к семи вечера. Но это еще не все. Говорят, он ухаживает за ней, это многие заметили.

Выпалив все это без передышки и завершив свой монолог на мелодраматической ноте, она наконец замолчала и пристально поглядела на Кэтрин, словно проверяя, возымело ли действие ее сообщение. Лицо Кэтрин застыло. Сжав губы, она пристально смотрела на занавеску. Старалась скрыть глубокое отвращение, как от непристойной или омерзительной сцены. И этим отталкивающим зрелищем было ее собственное поведение, впервые увиденное со стороны: тетушкины слова дали ей почувствовать, как бесконечно отвратительно выглядит телесная ткань жизни, если отделить от нее душу.

— Так что же? — произнесла она наконец.

Миссис Милвейн жестом поманила ее к себе, но Кэтрин даже не шелохнулась.

— Мы все знаем, как ты добра и бескорыстна и всегда готова пожертвовать собой ради ближнего. Но ты была слишком щедра, Кэтрин. Ты хотела осчастливить Кассандру, а она воспользовалась твоей добротой.

— Не понимаю, тетя Селия, — сказала Кэтрин. — Что сделала Кассандра?

— Кассандра вела себя совершенно неподобающим образом, — весьма убедительно объяснила миссис Милвейн. — Крайне эгоистично и ужасно бессердечно. Я намерена поговорить с ней перед уходом.

— Все равно не понимаю, — сказала Кэтрин.

Миссис Милвейн посмотрела на нее внимательно. Как можно сомневаться? Или сама миссис Милвейн что-то недопоняла? Она собралась с духом и торжественно произнесла:

— Кассандра украла у тебя любовь Уильяма.

Но даже эти слова почти не возымели действия.

— Не хотите ли вы сказать, — поинтересовалась Кэтрин, — что он полюбил ее?

— Кэтрин, есть много способов заставить мужчину влюбиться.

Молчание Кэтрин встревожило миссис Милвейн, и та начала торопливо:

— Все, что я говорю тебе сейчас, это ради твоей же пользы. Я не хотела вмешиваться, не хотела причинять тебе боль. Я всего лишь старая слабая женщина. Своих детей у меня нет. Все, что мне надо, — видеть тебя счастливой, Кэтрин.

И снова раскрыла объятия, но по-прежнему обнимала пустоту.

— Вам не стоит говорить все это Кассандре, — заметила Кэтрин после недолгой паузы. — Вы поделились со мной, и этого достаточно.

Кэтрин произнесла это очень тихо и так неохотно, что миссис Милвейн наклонилась, чтобы ее услышать, но слова племянницы поразили ее.

— Ты сердишься! — воскликнула она. — Я так и знала, что будешь сердиться. — Миссис Милвейн покачала головой и тихонько всхлипнула: гнев Кэтрин давал ей возможность посочувствовать несчастной жертве.

— Да, — сказала Кэтрин, поднимаясь, — вы меня очень расстроили, но закончим на этом. Думаю, вам лучше уйти, тетя Селия. Мы никогда не поймем друг друга.

Похоже, до миссис Милвейн наконец дошло: она вгляделась в лицо племянницы, в нем не было ни капли сочувствия или жалости, после чего сложила руки на черном бархате сумочки — так складывают ладони, когда молятся. Неизвестно, помогла ли ей молитва, если ей было кому молиться, — но так или иначе ей удалось вернуть себе утраченное достоинство. Она посмотрела на племянницу в упор.

— Супружеская любовь, — медленно произнесла она со значением, подчеркивая каждое слово, — самое священное из всех чувств. Любовь между мужем и женой — это святое. Этому учила нас наша матушка, и мы, ее дети, твердо помним этот урок. Такое невозможно забыть. Я старалась говорить с тобой так, как она бы говорила с тобой. Ты ее внучка.

Казалось, Кэтрин обдумывает слова миссис Милвейн, но они не убедили ее.

— И все же это вас не извиняет, — сказала она.

Миссис Милвейн встала, но уходить не спешила. Никогда с ней так не обращались, и она не видела, каким еще орудием пробить эту стену, воздвигнутую перед ней — и кем? — прелестной юной девушкой, которой полагалось рыдать и молить о защите. Но миссис Милвейн и сама была упрямой; в подобных делах она не допускала ошибок и не признавала поражений. Считая себя поборником супружеской любви во всей ее чистоте и святости, она не могла понять, что пытается противопоставить этому ее племянница, однако заподозрила худшее.

Две женщины — старая и молодая — стояли рядом в полном молчании. Миссис Милвейн не могла удалиться, зная, что ее высокие идеалы поставлены под сомнение, а любопытство не удовлетворено. Она судорожно пыталась придумать вопрос, который заставил бы Кэтрин объясниться, но выбор был невелик, да и выбирать было трудно, и, пока она собиралась с мыслями, распахнулась дверь и вошел Уильям Родни. Он держал огромный роскошный букет белых и лиловых цветов и, то ли не заметив миссис Милвейн, то ли не удостоив ее вниманием, направился прямо к Кэтрин и преподнес ей букет:

— Это тебе, Кэтрин.

Кэтрин взяла цветы и посмотрела на него — но что было в этом взгляде, миссис Милвейн, при всей своей опытности, не сумела распознать. Оставалась надежда, что какой-нибудь жест приблизит ее к разгадке. Уильям поприветствовал Кэтрин на удивление бодро, явно не чувствуя за собой никакой вины, и объяснил, что у него выходной и оба решили, что лучше всего отметить этот праздник здесь, на Чейни-Уок среди цветов. Последовала пауза, и миссис Милвейн почувствовала, что, если еще задержится, ее легко можно будет упрекнуть в эгоизме. Присутствие в гостиной молодого человека странным образом повлияло на ее настроение, и она уже предвкушала, как все благополучно завершится трогательной сценой прощения и примирения. О, с какой радостью она заключила бы племянника и племянницу в свои объятия! Но что-то подсказывало ей, что надеяться на бурные изъявления чувств все же не стоит.

— Так я пойду? — сказала она, как бы между прочим.

Никто ее не остановил. Уильям учтиво предложил проводить ее вниз, миссис Милвейн сначала возражала, потом уступила, и как-то так получилось, что за этими жеманными жестами и объятиями она забыла попрощаться с Кэтрин. Она ушла, бормоча что-то о множестве цветов и о гостиной, которая радует глаз даже в разгар зимы.

Уильям вернулся к Кэтрин.

— Я пришел попросить прощения, — сказал он. — Наша ссора мне самому противна. Я всю ночь не мог сомкнуть глаз. Ты ведь не сердишься на меня, правда, Кэтрин?

Но она не могла ничего ответить ему, пока не избавится от неприятного чувства, оставшегося после тетушкиного визита. Ей казалось, даже на цветах, даже на платке Кассандры осталась эта зараза, поскольку миссис Милвейн в своем расследовании использовала их в качестве улик.

— Она за нами шпионила, — сказала Кэтрин, — ходила по пятам по всему Лондону, подслушивала, что люди говорят.

— Миссис Милвейн? — воскликнул Родни. — А что она тебе рассказала?

Теперь он смотрел недоверчиво.

— Ну, люди говорят, что ты влюблен в Кассандру, а до меня тебе дела нет.

— Они нас видели? — поинтересовался он.

— Все, чем мы занимались в эти две недели, они брали на заметку.

— Говорил я тебе, что так и будет! — вскричал он.

Он подошел к окну, чувства его были в смятении. Кэтрин сама была не в том состоянии, чтобы проявить участие. Внутри у нее все клокотало от гнева. Схватив букет — подарок Родни, — она застыла, как изваяние.

Родни отвернулся от окна.

— Все это было ошибкой, — сказал он. — И я не перестаю ругать себя за это. Я поступил опрометчиво. Я послушался тебя, но то было минутное помешательство. Умоляю тебя, Кэтрин, прости безумца!

— Она хотела даже Кассандру наказать! — выпалила Кэтрин, не слушая его. — Грозилась поговорить с ней. Она на это способна — она на все способна!

— Миссис Милвейн не хватает тактичности, я знаю, но ты преувеличиваешь, Кэтрин. О нас пошли слухи. И она вправе предупредить нас. Это только подтверждает мои собственные ощущения — ситуация отвратительная.

Наконец Кэтрин поняла, о чем он.

— То есть тебе это не безразлично? Или?.. — удивилась она.

— А ты как думаешь? Конечно, не безразлично, — сказал он, густо краснея. — Мне это совершенно не нравится. Не хочу, чтобы о нас сплетничали. И еще эта твоя кузина — Кассандра… — Он смущенно замолчал. — Я пришел к тебе сегодня, Кэтрин, — продолжил он уже совсем другим тоном, — попросить тебя простить мою глупость, мой скверный характер, мое ужасающее поведение. Я пришел к тебе, Кэтрин, спросить: не можем ли мы вернуться к тому положению, какое было до этого… периода помешательства. Примешь меня снова, на этот раз навсегда?

Несомненно, ее волнение и ее красота, еще более неотразимая на фоне цветов с причудливыми яркими лепестками — она все еще прижимала к груди его букет, — так подействовали на Родни, что отчасти поэтому он решил предложить ей начать все сначала. Но помимо восхищения красотой в нем говорила и менее возвышенная страсть: ревность. За день до этого его робкая попытка заговорить о своих чувствах с Кассандрой встретила резкий и, как ему казалось, сокрушительный отпор. Признание Денема все еще звучало у него в ушах. И наконец, Кэтрин имела над ним власть особого рода, от которой не избавиться даже в ночном бреду.

— В том, что случилось вчера, есть и моя вина, — ласково сказала она, не ответив на его вопрос. — Честно признаюсь, Уильям, когда я увидела вас с Кассандрой рядом, я не могла сдержаться — во мне говорила ревность. Я смеялась над тобой, я знаю.

— Ты ревнуешь! — воскликнул Уильям. — Уверяю тебя, Кэтрин, у тебя нет ни малейшего повода ревновать. Кассандра не любит меня, если вообще замечает. Я попытался объяснить ей характер наших отношений, что было глупо. Мне не терпелось рассказать ей о своих чувствах к ней, которые я — так мне казалось — к ней испытываю. Но Кассандра не стала слушать, и правильно сделала. Она дала ясно понять, что презирает меня.

Кэтрин не знала, что на это ответить. Она была смущена, взволнованна, физически измучена, и, хотя успела побороть гадкое, злое чувство, оставшееся после тетушкиного визита, — отголоски его еще не совсем утихли и окрашивали своим мерзким звуком все ее чувства. Она без сил опустилась в кресло и уронила букет на колени.

— Она меня приворожила, — продолжал Родни. — Мне показалось, я люблю ее. Но это все в прошлом. Все кончено, Кэтрин. Это все мечта — иллюзия. Нам обоим есть в чем себя упрекнуть, но, если я скажу, что ты по-прежнему мне дорога, ты можешь мне поверить? Скажи, что веришь мне!

Он возвышался над ней, словно ждал какого-нибудь знака, который даст надежду.

Именно в этот момент — вероятно, все дело в странной переменчивости ее натуры, никакой любви в ней уже не осталось, — словно ясную даль заволокло туманом, поднимающимся от земли. И когда туман рассеялся, от окружающего ее мира остался один бледный скелет — страшное зрелище для живых людей. Он заметил ужас в ее глазах и, не поняв его причины, взял ее за руку. С этим ощущением близости к ней вернулось желание — как у ребенка, ищущего защиты, — принять то, что он готов ей предложить; в этот миг ей казалось, что он предлагает ей единственное, что поможет ей выжить. Он коснулся губами ее щеки, она не отстранилась. Для него наступила минута торжества. Минута, когда она принадлежала ему, полагаясь на его защиту.

— Да, да, да, — лепетал он, — ты принимаешь меня, Кэтрин. Ты любишь меня...

В первую секунду она молчала. Потом он услышал тихое:

— Кассандра любит тебя сильнее.

— Кассандра? — прошептал он.

— Да, она любит тебя, — ответила Кэтрин. Она встала и повторила снова: — Она тебя любит.

Уильям тоже медленно поднялся. Он поверил Кэтрин, но не сразу понял, как должен к этому относиться. Возможно ли, что Кассандра любит его? И как Кэтрин узнала об этом? Ему очень хотелось узнать правду, чем бы это ни грозило. По телу пробежал знакомый трепет, как бывало всегда при мысли о Кассандре. Однако на этот раз это был уже не трепет ожидания или сомнения, но предощущение чего-то большего, чем простая возможность, потому что теперь он знал ее и знал меру их взаимной симпатии. Но кто скажет ему наверняка? Неужели Кэтрин, та самая Кэтрин, которая только что была в его объятиях, Кэтрин, которая ему дороже всех женщин на свете? Он с сомнением и беспокойством поглядел на нее, но промолчал.

— Да-да, — продолжала она, догадавшись, что ему нужна поддержка, — это правда. Я знаю о ее чувствах.

— Она меня любит?

Кэтрин кивнула.

— Да, но мне-то как быть? Я сам не могу в себе разобраться. Десять минут назад я просил тебя стать моей женой. Я и сейчас этого хочу… я сам не знаю, чего хочу.

Кэтрин сжала руки, отвернулась. Уильям наклонился, заглянул ей в глаза и потребовал:

— Скажи, что у тебя с Денемом?

— С Ральфом Денемом? — переспросила она. — Вот оно что! — воскликнула она так, будто нашла наконец ответ на давно мучивший ее вопрос. — Ты ревнуешь меня, Уильям, но не любишь. И я ревную тебя. Значит — я даже уверена, так будет лучше для всех нас, — иди и немедленно поговори с Кассандрой.

Он пытался успокоиться: походил по комнате, помедлил у окна, глядя на разложенные на полу цветы. И все же ему не терпелось убедиться, что Кэтрин права, а значит, не было смысла и далее отрицать, что его чувство к Кассандре оказалось сильнее.

— Ты права! — воскликнул он, стукнув рукой по маленькому столику, на котором красовалась одинокая хрупкая ваза. — Я люблю Кассандру.

И едва он сказал эти слова, портьеры на двери в маленькую комнату распахнулись — и оттуда вышла сама Кассандра.

— Я слышала каждое слово! — воскликнула она.

Наступила пауза. Родни шагнул вперед:

— Тогда вы знаете, о чем я хочу вас спросить. Ответьте мне…

Кассандра закрыла руками лицо — отвернулась, как будто хотела спрятаться, скрыться от обоих.

— Кэтрин все сказала, — пролепетала она. — Однако, — добавила она, испуганно поднимая глаза из-за нежданного поцелуя Родни, которым было встречено это признание, — как все сложно! Наши чувства, я имею в виду, — твои, мои и Кэтрин. Кэтрин, скажи, мы правильно поступаем?

— Правильно, конечно, мы поступаем правильно, — ответил ей Уильям, — если, после всего того, что я тут наговорил, ты готова выйти замуж за такого путаного, такого неисправимо…

— Перестань, Уильям, — вмешалась Кэтрин, — Кассандра нас слышала, и ей лучше знать, какие мы. Пусть сама решает.

Но сердце Кассандры, не выпускавшей руку Уильяма, переполняли вопросы. Может, неправильно было подслушивать? За что тетя Селия на нее рассердилась? Не возражает ли сама Кэтрин? Но главное — правда ли, что Уильям любит ее, отныне и навсегда, больше всех на свете?

— Я должна быть для него на первом месте, Кэтрин! — воскликнула она. — Я не согласна делить его даже с тобой.

— А я об этом и не прошу, — сказала Кэтрин. Но чуть отодвинулась от них, сидевших рядом, и принялась машинально перебирать цветы.

— Но ты ведь делилась со мной, — сказала Кассандра. — Почему же я не могу поделиться с тобой? Почему я такая недобрая? Знаю почему, — добавила она. — Мы с Уильямом понимаем друг друга. А вы друг друга никогда не понимали. Вы слишком разные.

— Но я никем так не восхищался… — возразил Уильям.

— Речь не об этом, — попыталась объяснить Кассандра. — Речь о понимании.

— Разве я никогда не понимал тебя, Кэтрин? Думал только о себе?

— Да, — вмешалась Кассандра. — Ты требовал от нее пылкости, а она сдержанная, ты хотел, чтобы она была практичной, а она не практичная. Ты был слишком самолюбив и чересчур требователен — Кэтрин тоже. Но в этом никто не виноват.

470

Кэтрин очень внимательно отнеслась к этому наивному опыту психоанализа. Слова Кассандры как будто стирали старую размытую картину жизни и чудесным образом наносили на нее краски, так что она выглядела как новая. Она обернулась к Уильяму.

— Верно, — сказала она. — Никто не виноват.

— Есть многое такое, что можешь дать ему только ты, — продолжала Кассандра, будто читая страницы невидимой книги. — Я к этому готова, Кэтрин. И никогда не буду оспаривать. Я хочу быть такой же великодушной, как ты. Но мне это будет непросто, потому что я его люблю.

Наступила долгая пауза. Уильям первым нарушил молчание.

— Об одном только я прошу вас обеих, — сказал он, обеспокоенно глянув на Кэтрин. — Давайте никогда больше не обсуждать подобные вещи. Не то чтобы я стеснялся — я вовсе не такой консервативный, как ты думаешь, Кэтрин. Просто мне кажется, объяснениями можно все испортить, всякие сомнения лезут в голову… А мы теперь так счастливы…

Кассандра горячо согласилась с Уильямом, устремив на него взгляд, полный любви и безграничного доверия, отчего он почувствовал себя наверху блаженства. После чего не без опаски поглядел на Кэтрин.

— Да, я счастлива, — заверила она. — И я согласна. Не будем больше говорить об этом — никогда.

— О Кэтрин!— Кассандра протянула к ней руки, слезы катились по ее щекам.

ГЛАВА XXX

Для троих в доме этот день был настолько непохож на остальные, что обычный ход повседневности — накрывают на стол, миссис Хилбери пишет письмо, тикают часы, открываются и закрываются двери, — все эти и другие признаки устоявшейся цивилизованной жизни оказались вдруг лишенными всякого смысла и, казалось, надобны лишь для того, чтобы мистер и миссис Хилбери не усомнились, что все идет как и положено. Так случилось, что миссис Хилбери пребывала в расстройстве без всякой видимой причины, если не считать таковой излишнюю грубость ее любимых елизаветинцев, граничащую с дурновкусием. Во всяком случае, она со вздохом закрыла «Герцогиню Мальфи» и поинтересовалась — да, именно так она и сказала Родни за ужином, — найдется ли на свете молодой одаренный автор, полагающий, наоборот, что жизнь *прекрасна*? Но, не добившись толку от Родни и в одиночку исполнив реквием по настоящей поэзии, она утешилась мыслью о том, что на свете есть Моцарт, и вновь повеселела. Миссис Хилбери попросила Кассандру сыграть, и, когда они поднялись наверх, Кассандра сразу открыла крышку фортепиано и постаралась воссоздать атмосферу чистой и незамутненной красоты и гармонии. При звуках первых нот Кэтрин и Родни вздохнули с облегчением, поскольку музыка давала им возможность передышки — не нужно было все время думать о том, как себя вести. Оба размышляли каждый о своем. Миссис Хилбери вскоре пришла в соответствующее расположение духа — полумечтательное, полудремотное, нежно-меланхоличное и совершенно счастливое. И только мистер Хилбери слушал внимательно. Он любил музыку, разбирался в ней, и Кассандра знала, что он не пропустит ни единой ноты. Она очень старалась, и наградой за старания было его одобрение. Слегка подавшись вперед и поигрывая зеленым камушком на цепочке, он вдумчиво — и одобрительно — оценивал игру, но вдруг остановил ее и пожаловался на шум. Окно было не закрыто. Он кивнул Родни, и тот молча пошел затворить его. Однако Родни почему-то задержался у окна, а вернувшись, сел поближе к Кэтрин. Вновь полились звуки музыки. Во время особенно громкого пассажа он склонился к Кэтрин и что-то прошептал ей на ухо. Она бросила взгляд на родителей и через мгновение незаметно покинула комнату вместе с Родни.

— В чем дело? — спросила она, когда дверь за ними закрылась.

Родни не ответил и повел ее по лестнице на первый этаж, в столовую. Затворив дверь, молча направился к окну и отдернул штору. Кивком головы подозвал к окну Кэтрин.

— Он снова здесь, — сказал Родни. — Видишь, вон там, под фонарем?

Кэтрин посмотрела в окно. Она совершенно не представляла, о чем Родни говорит. Ею овладело смутное и тревожное предчувствие. На другой стороне дороги, рядом с уличным фонарем, стоял мужчина — стоял и смотрел на их дом. Потом мужчина развернулся, немного прошелся по тротуару, вернулся обратно и снова застыл как изваяние. Кэтрин казалось, он смотрит прямо на нее и знает, что она его видит. Вдруг она поняла, кто это, и рывком задернула штору.

— Это Денем, — сказал Родни. — И вчера вечером он тоже был здесь.

Он говорил строго, будто упрекал Кэтрин в чем-то. Она побледнела, сердце часто забилось.

— Ну если он зайдет… — начала она.

— Не дело, что он ждет на улице. Я приглашу его в дом, — сказал Родни.

Он хотел было отдернуть штору, но Кэтрин перехватила его руку:

— Постой! Я не разрешаю.

— Поздно, — ответил он. — Ты играешь с огнем. — Он все еще придерживал штору. — Кэтрин, почему ты не хочешь признаться себе, что любишь его? — произнес он. — Или тебе нравится мучить его, как мучила меня?

Она растерялась, не понимая, чем навлекла на себя эту бурю эмоций.

— Я запрещаю тебе открывать окно, — сказал она.

Он убрал руку.

— Я не имею права вмешиваться, — ответил он. — Пойду наверх. Или, если хочешь, вернемся в гостиную вместе.

Она покачала головой:

— Нет, я не могу туда идти. — И отвернулась, смутившись.

— Ты любишь его, Кэтрин, — сказал вдруг Родни. В его голосе уже не было суровости: так нашалившего ребенка уговаривают сознаться, что набедокурил.

Она подняла на него глаза.

— Я — люблю его? — повторила она изумленно.

Он кивнул. Кэтрин выжидающе смотрела на него, словно ждала разъяснений, но он молчал — она вновь отвернулась и погрузилась в собственные мысли. Он смотрел на нее в упор, молча, как будто давал ей время самой подумать и понять очевидное. Из комнаты наверху доносились звуки фортепиано.

— Давай же! — вдруг воскликнула она чуть не с отчаянием, подавшись вперед.

Родни понял это как сигнал к действию. Он отдернул штору, она его не остановила. Оба искали глазами фигуру под уличным фонарем.

— Его там нет! — воскликнула она.

Действительно, там никого не было. Уильям распахнул окно и выглянул наружу. Ветер, ворвавшийся в комнату, принес далекий стук колес, звук торопливых шагов по тротуару, протяжные гудки суденышек на реке.

— Денем! — крикнул Уильям.

— Ральф! — позвала Кэтрин; но она произнесла это имя не громче, чем если бы обращалась к кому-то рядом.

Они внимательно смотрели на противоположную сторону улицы и не заметили темного силуэта внизу, у ограды палисадника. Денем успел перейти дорогу и стоял совсем близко — его голос, прозвучавший почти над ухом, их даже испугал.

— Родни!

— А, вот вы где! Входите, Денем.

И Родни пошел открывать.

— Привел тебе гостя, — сказал он, возвращаясь с Денемом в столовую.

Кэтрин стояла спиной к распахнутому окну. На секунду глаза их встретились. Яркий свет ослепил Денема; кутаясь в пальто, с растрепанными от ветра волосами, он был похож на жертву кораблекрушения.

Уильям закрыл окно и задернул шторы. Он двигался с радостной решимостью, словно режиссер этой сцены, точно знающий, что нужно делать.

— Вы первый, кто об этом узнает, Денем, — объявил он. — Мы с Кэтрин не женимся.

— Куда положить?.. — робко спросил Ральф, стоя на пороге с шляпой в руке, потом аккуратно пристроил ее возле серебряной чаши на буфете.

Затем тяжело опустился на стул в торце овального обеденного стола. Родни стоял с одной стороны от него, Кэтрин — с другой. Казалось, Денем председательствует на некоем собрании, на которое почти никто не пришел. Он не поднимал глаз.

— Уильям теперь помолвлен с Кассандрой, — пояснила Кэтрин.

Денем посмотрел на Родни: тот прислушивался к звукам фортепиано, доносившимся с верхнего этажа. Казалось, он забыл, что не один в комнате, и нервно поглядывал на дверь.

— Поздравляю, — сказал Денем.

— Да-да. Мы тут все немного не в себе, все на взводе, — сказал Родни. — Наша помолвка — отчасти это заслуга Кэтрин. — Он с улыбкой огляделся вокруг, словно желая удостовериться, что вся сцена не вымысел, а чистая правда. — Мы все немного на взводе. Даже Кэтрин... — добавил он. — В общем, Кэтрин все объяснит, — и, кивнув на прощанье, вышел.

Кэтрин села за стол, подперев голову руками. Пока рядом был Родни, ей казалось, он отвечает за всю эту фантастическую круговерть. Но он оставил их с Ральфом наедине, и с обоих понемногу спадало оцепенение. Они были одни в нижней части дома, который вздымался над ними этаж за этажом, гулкий и торжественный.

— Почему вы там стояли? — спросила она.

— Надеялся увидеть вас, — ответил он.

— Могли бы прождать до утра, если бы не Уильям. Там ветер и холодно. Вы, наверное, замерзли. Что оттуда видно? Только окна.

— Не важно. Я слышал, вы меня звали.

— Правда? — Ей казалось, это Уильям звал его, а не она. — Они обручились сегодня утром, — сказала она после паузы.

— Вы рады? — спросил он.

Она отвела глаза.

— Ну да. Вы не представляете, какой он хороший... как он мне помог... — Ральф понимающе кивнул. — Вы и вчера вечером приходили?

— Да. Я умею ждать, — ответил он.

От этих слов в комнате повеяло чем-то, что напомнило Кэтрин и дальний стук колес, и звук торопливых шагов по тротуару, и гудки суденышек на реке, и ветер, и летящую мглу. Она снова увидела одинокую фигуру под фонарем.

— Ждать в темноте, — промолвила она, глядя в окно, как будто он все еще стоял там и ждал. — Но не в этом дело... — спохватилась она. — Я не та, за кого вы меня принимаете. Поймите же, это невозможно...

Кэтрин рассеянно теребила кольцо на руке и хмуро разглядывала ряды кожаных переплетов в шкафу напротив. Ральф не сводил с нее глаз. Бледная, погруженная в собственные мысли, прекрасная, но совершенно не думающая о себе и потому еще более загадочная... В ней было нечто странное и неуловимое, и это одновременно и восхищало его, и пугало.

— Вы правы, — сказал он. — Я вас не знаю. И не знал никогда.

— И все же вы знаете меня лучше всех, мне кажется, — задумчиво произнесла она.

В этот момент она поняла, что книга, на которую она смотрит, стоит не на своем месте — вероятно, ее принесли из другой комнаты. Она подошла к шкафу, взяла ее с полки, вернулась и положила на стол между ними. Ральф открыл ее — на фронтисписе был портрет какого-то господина в высоком белом воротнике.

— Но мне кажется, я знаю вас, Кэтрин, — сказал он, закрывая книгу. — Если не считать этого минутного помешательства...

— Растянувшегося на два вечера?

— Клянусь, сейчас, в этот миг, я вижу вас именно такой, какая вы есть. Никто не понимал вас так, как я... Вот вы только что взяли эту книгу — и мне это понятно!

— Да, — ответила она, — но знаете, это так странно: мне легко с вами и вместе с тем неловко. Все это похоже на сон — ночь, и ветер, и вы ждете под фонарем, и смотрите на меня, но не видите, и я вас тоже не вижу... Хотя, — уточнила она, нахмурившись, — я вижу много всего, только не вас...

— Расскажите, что вы видите, — попросил он.

Однако невозможно было описать эту картину словами, потому что там был вовсе не светлый силуэт на темном фоне, а некое волнующее ощущение, атмосфера, которая, когда она пыталась ее представить, обернулась ветром в горах, волнами на золоте полей, бликами на глади озер.

— Не могу, — вздохнула она и усмехнулась. Глупо с ее стороны было даже пытаться передать хоть часть этого словами.

— А вы попробуйте, Кэтрин, — настаивал Ральф.

— Нет, не могу: это бессмыслица — иногда полная ерунда приходит в голову.

Но в его глазах была такая отчаянная мольба, что она уступила.

— Я представила горы в Северной Англии... — начала она. — Ой нет, это так глупо — все, больше ни слова.

— И мы были там... вместе? — настаивал он.

— Нет. Я была одна.

Ральф расстроился, как ребенок. Даже лицо у него вытянулось.

— Вы всегда там одна?

— Не знаю, как объяснить. — И действительно, как объяснить, что она была там, по сути, одна? — Это не настоящая гора в Северной Англии. Просто игра воображения, фантазия, которую придумываешь для себя. Вы и сами, наверно, так делаете.

— В моих мечтах вы всегда рядом со мной. Выходит, я вас выдумал.

— Понимаю, — кивнула Кэтрин. — Поэтому все напрасно. Знаете что, — почти сердито сказала она, — вы должны это прекратить.

— Не могу, — ответил он. — Потому что…

Он понял вдруг, что настало время сказать вслух самое важное, то, о чем он так и не смог поведать ни Мэри, ни Родни — тогда, на набережной, — ни пьяному бродяге. Как же сказать об этом Кэтрин? Он мельком взглянул на нее; она отвернулась и, похоже, отвлеклась на что-то, потому что он был уверен: она его не слушает. Это так возмутило Ральфа, что ему стоило немалого труда сдержаться и не покинуть немедленно этот дом. Ее рука безвольно лежала на столе. Он схватил ее и сжал, словно желая увериться в том, что она — да и он сам — действительно существуют.

— Потому что я люблю вас, Кэтрин, — сказал он.

Но в этом признании не хватало чего-то — тепла, нежности? Она тихо покачала головой и отдернула руку, отвернувшись: ей стало неловко за него. Может, она почувствовала его беспомощность. Догадалась, что в центре его картины — пустота, ничто. Он и в самом деле был куда счастливее на улице, когда мечтал о ней, чем здесь, рядом с ней. Ральф бросил на нее виноватый взгляд, но не заметил в ее глазах ни разочарования, ни упрека. Кэтрин сидела притихшая и задумчиво катала по гладкому темному столу рубиновое кольцо. И Денему — он даже отвлекся на миг от своего несчастья — вдруг стало очень интересно, какие мысли ее сейчас занимают.

— Вы мне не верите? — спросил он так смиренно, что она улыбнулась.

— Насколько я понимаю… но что же мне делать с этим кольцом, скажите на милость! — Она разглядывала кольцо.

— Я бы посоветовал отдать его мне на хранение, — ответил он то ли в шутку, то ли всерьез.

— После всего, что вы тут наговорили, как я могу доверять вам?.. Если вы не возьмете свои слова обратно.

— Хорошо. Тогда — я не люблю вас.

— Но все же я думаю, что любите… Как и я вас, — сказала она будто невзначай. — В конце концов, — добавила она, снова надевая кольцо, — как еще назвать то, что мы чувствуем?

И посмотрела на него так, будто ждала от него подсказки.

— Это только с вами я сомневаюсь, а когда один — нет, — объяснил он.

— Так я и думала, — ответила она.

И Ральф, пытаясь объяснить ей свое состояние, рассказал, что чувствовал, глядя на фотографию, записку и цветок из Кью, — она выслушала его очень серьезно.

— А потом вы бродили по улицам… — задумчиво произнесла она. — Это плохо. Но мое положение еще хуже, поскольку тут вообще нет ничего вещественного — только чистая иллюзия… Опьяняющая. Можно ли влюбиться в идею? Поскольку если вы влюблены в видение, то я — именно в идею.

Объяснение показалось Ральфу очень странным и невразумительным, но после тех невероятных перемен, которые претерпели его собственные чувства за последние полчаса, не ему упрекать Кэтрин в преувеличениях.

— Зато Родни, похоже, превосходно разобрался в своих чувствах, — едко заметил он.

Музыка, ненадолго стихшая, зазвучала вновь — мелодия Моцарта была достойной иллюстрацией к простой и изящной любви тех двоих.

— Кассандра не сомневалась ни минуты. А мы… — она неуверенно взглянула на него, — мы видим друг друга так зыбко — как дрожащие огни…

— Как огни в бурю…

— В центре бури, — закончила она.

Стекла вдруг зазвенели под напором ветра. Они затихли, вслушивались в тишину.

Тут дверь осторожно приоткрылась, и в комнату заглянула миссис Хилбери — сперва с опаской, но, уверившись, что она попала именно в столовую, а не куда-то еще, она зашла и, похоже, ничуть не удивилась тому, что увидела. Как обычно, у нее явно была какая-то своя цель, но она рада была отвлечься и отдать дань одной из тех странных и необязательных традиций, которым, непонятно почему, старательно следуют все остальные.

— Пожалуйста, не позволяйте мне вас прерывать, мистер… — Миссис Хилбери, как обычно, не помнила имен, и Кэтрин решила, что мать не узнала Денема. — Надеюсь, вы нашли что-нибудь интересное почитать, — добавила она, заметив книгу на столе. — Байрон… о, Байрон! Я застала людей, которые знали его при жизни.

Кэтрин поднялась было, смутившись, но не могла сдержать улыбки: для ее матери чтение Байрона в столовой поздним вечером, наедине с незнакомым молодым человеком — самое обычное дело. Как удачно все обернулось, подумала она, чувствуя нежную благодарность матери с ее чудачествами.

Но Ральф заметил, что миссис Хилбери поднесла книгу так близко к глазам, что вряд ли может разобрать хоть слово.

— Мама, отчего вы не спите? — вскликнула Кэтрин, в одно мгновение превращаясь в разумную и строгую блюстительницу порядка. — Расхаживаете по дому…

— Уверена, ваши стихи мне понравятся больше, чем лорда Байрона, — сказала Денему миссис Хилбери.

— Мистер Денем не пишет стихов. Он писал статьи для папиного «Обозрения», — напомнила ей Кэтрин.

— Ох, дорогая, как это глупо, что я перепутала! — воскликнула миссис Хилбери и засмеялась, хотя что тут смешного, Кэтрин совершенно не понимала.

Ральф почувствовал на себе ее взгляд — рассеянный и проницательный одновременно.

— Но я уверена: вы любите поэзию и даже читаете стихи по ночам. По глазам вижу. Глаза — зеркало души! — объявила она. — Я не очень разбираюсь в законах, хотя у меня были знакомые юристы. Некоторым так шли их парики! Но в поэзии, мне кажется, я немного разбираюсь. И во всем таком, что не написано, а... — И взмахнула рукой, словно желая показать, как много вокруг ненаписанной поэзии, стоит только вглядеться. — Звездное небо, стелющийся туман, баржи на реке, закат... Ах, дорогие мои, — вздохнула она, — и закат тоже прекрасен! Иногда я думаю, что поэзия — это не то, что мы пишем, но то, что мы чувствуем, мистер Денем.

Пока мать говорила, Кэтрин демонстративно отвернулась, и Денему показалось, что миссис Хилбери обращается лично к нему, будто хочет увериться в чем-то, пытаясь завуалировать это туманными малопонятными фразами. И не важно, какие слова она произносила, — ее лучистый взор словно говорил ему: дерзай! Как будто с высоты прожитых лет эта женщина подает ему сигнал, приветствуя его, — так корабль, прежде чем скрыться за горизонтом, поднимает трепещущий флаг, приветствуя другое судно, отправляющееся по тому же пути. Он молча кивнул, почему-то уверенный, что она уже получила ответ на свой вопрос и довольна им. Как бы то ни было, миссис Хилбери пустилась в рассуждения о судебной системе, что вылилось в порицание английского правосудия, которое, с ее точки зрения, сводилось к заточению бедняг, которые не в состоянии расплатиться с долгами. «Скажите, неужели мы никогда не сможем обойтись без этого?» — вопросила она, но тут Кэтрин еще раз напомнила матери, что ей пора спать. Поднимаясь по лестнице, Кэтрин оглянулась — Денем смотрел ей вслед долгим, пристальным взглядом, как тогда, на улице, под окнами ее дома.

ГЛАВА XXXI

На подносе с утренним чаем Кэтрин нашла записку от матери, в которой та сообщала, что собирается сегодня же отправиться с первым утренним поездом в Стратфорд-на-Эйвоне.

«Будь добра, узнай, как лучше туда доехать, — говорилось в записке, — и телеграфируй дорогому сэру Джону Бердетту — передай привет и попроси, чтобы он меня встретил на станции. Ах, Кэтрин, милая моя, всю ночь я думала о тебе и о Шекспире».

Это не было случайным капризом. В последние полгода о Шекспире миссис Хилбери думала постоянно, вынашивая планы посещения, по ее словам, «сердца цивилизации». Постоять в шести футах над прахом великого человека, посмотреть на те самые камни, которые попирала нога Шекспира, и представить, что матушка самого старого из местных жителей — почему бы и нет? — могла застать в живых дочь Шекспира, — подобные идеи вызывали в ней сильнейшие эмоции, которые она пыталась выразить в самый неподходящий момент и с такой страстностью, которая сделала бы честь паломнику, направляющемуся к священной гробнице. Единственная странность: она пожелала ехать одна. Однако, как и следовало ожидать, у нее оказалось множество знакомых, живших в тех краях, и они рады будут ее принять, — так что чуть позже она отправилась на станцию в самом прекрасном расположении духа. На улице какой-то мужчина продавал фиалки. Погода была чудесная. Первый же нарцисс, который она увидит, надо будет послать мистеру Хилбери, решила она. И, вспомнив еще одно дело, чуть не бегом вернулась в холл, чтобы сказать Кэтрин: она чувствует и всегда чувствовала, что наказ Шекспира не тревожить его прах* относился только к гнусным торговцам диковинами, а вовсе не к милейшему сэру Джону, а уж к ней тем более. Оставив свою дочь размышлять над теорией о сонетах Энн Хатауэй и о погребенных рукописях — теорией, угрожавшей целостности самого сердца цивилизации, — она проворно захлопнула дверь такси, начав первый переход на своем паломническом пути.

Удивительно, до чего изменился без нее дом. В кабинете миссис Хилбери вовсю хозяйничали горничные, затеяв большую уборку в отсутствие хозяйки. Первые же движения влажных тряпок, как показалось Кэтрин, смахнули сразу лет шестьдесят. Как будто все то, над чем она трудилась в своем углу, смели в одну большую кучу пыли и хлама. Фарфоровые пастушки сияли, приняв горячую ванну. А порядку на письменном столе мог позавидовать теперь самый методичный ученый.

Подхватив несколько газет, необходимых для работы, Кэтрин проследовала в свою комнату, рассчитывая просмотреть их там в утренние часы. Однако на лестнице ей встретилась Кассандра, которая тоже шла наверх, но так медленно, задерживаясь

---

* Под наказом Шекспира имеется в виду эпитафия на могиле поэта в церкви Святой Троицы в Стратфорде-на-Эйвоне. Эта надпись, приписываемая самому Шекспиру, гласит:

Друг, ради Господа, не рой / Останков, взятых сей землей; / Не тронувший блажен в веках, / И проклят — тронувший мой прах (*перевод А. Величанского*).

чуть не на каждой ступеньке, что, еще до того как они достигли двери, Кэтрин догадалась: это неспроста.

Перегнувшись через перила, Кассандра посмотрела вниз, на большой персидский ковер, украшавший пол в холле.

— Все такое странное сегодня, тебе не кажется? — спросила она. — Ты правда собираешься все утро корпеть над скучными старыми письмами? Потому что если так, то…

Наконец скучные старые письма, способные привлечь внимание лишь самых педантичных коллекционеров, были разложены на столе, и после минутного колебания Кассандра неожиданно очень серьезно спросила, не знает ли Кэтрин, где взять «Историю Англии» лорда Маколея*. Книга находилась внизу, в кабинете мистера Хилбери, и кузины вместе пошли на первый этаж — искать ее. Заглянули в гостиную, благо дверь была открыта. Там их внимание привлек портрет Ричарда Алардайса.

— Интересно, какой он был? — Кэтрин почему-то часто задумывалась о нем в последнее время.

— А, мошенник, как и вся их братия — по крайней мере, Генри так говорит, — ответила Кассандра. — Хотя я не всему верю, что Генри скажет, — добавила она, как бы оправдываясь.

И они спустились в кабинет мистера Хилбери. Но где искать книгу, точно не знали и стали перебирать все подряд, так что прошло добрых четверть часа, а нужный том так им и не попался.

— А тебе обязательно читать Маколея? — спросила Кэтрин, потягиваясь.

— Я должна, — кратко ответила Кассандра.

— Тогда, может, поищешь сама, а я пойду?

---

* Томас Бабингтон Маколей (1800–1859) — автор многотомной «Истории Англии», охватывающей события 1685–1702 гг.

— О нет, Кэтрин! Прошу тебя, помоги мне. Видишь ли…. Видишь ли, я пообещала Уильяму каждый день читать понемножку. И я хотела бы, когда он придет, сказать, что уже начала.

— А когда Уильям придет? — поинтересовалась Кэтрин, вновь отворачиваясь к полкам.

— К чаю, если тебе будет угодно.

— Если мне будет угодно убраться куда подальше — полагаю, ты это имела в виду.

— Ой, ну зачем ты так?..

— Как?

— Почему ты не хочешь тоже быть счастливой?

— Я вполне счастлива, — ответила Кэтрин.

— Я имею в виду — как я. Знаешь, Кэтрин, — предложила она с жаром, — давай выйдем замуж в один день!

— За одного и того же?

— О, нет, нет. Но почему бы тебе не выйти… за кого-нибудь другого?

— Держи своего Маколея, — сказала Кэтрин, оборачиваясь и протягивая ей книгу. — И мой совет: начинай читать как можно скорее, иначе к чаю не успеешь набраться знаний.

— К черту лорда Маколея! — воскликнула Кассандра, грохнув книгой о стол. — Почему ты не хочешь поговорить?

— Мы уже достаточно поговорили.

— Я знаю, мне не осилить Маколея, — сказала Кассандра, с тоской глядя на тускло-красный переплет увесистого тома, в котором, возможно, было что-то волшебно-притягательное, поскольку Уильям им восхищался. Он говорил, немного серьезного чтения по утрам и ей не повредит.

— А ты читала Маколея? — спросила Кассандра.

— Нет, конечно. Уильям никогда не пытался меня просвещать. — Кэтрин заметила, как побледнела

Кассандра, словно услышала в этих словах намек на какие-то особые, непонятные ей отношения. Кэтрин стало стыдно: ну можно ли так бесцеремонно вмешиваться в чужую жизнь, как она только что поступила с Кассандрой? — У нас все было несерьезно, — поспешила добавить она.

— А у меня — ужасно серьезно, — сказала Кассандра, голос ее дрогнул.

Судя по всему, она не шутила. Она посмотрела на Кэтрин так, как никогда не смотрела — глазами, полными страха, — и стыдливо потупилась. О, у Кэтрин есть все — красота, ум, характер. Кэтрин во всем ее превосходит, и не будет ей покоя, пока Кэтрин возвышается над ней, подавляет, распоряжается ею. Какая же она все-таки черствая, бездушная, беспринципная, думала Кассандра, однако позволила себе лишь один странный жест: протянула руку и схватила исторический том. В этот момент зазвонил телефон, и Кэтрин вышла. Оставшись одна, Кассандра выронила книгу и крепко стиснула руки. Она по-настоящему страдала: она и сама удивилась, обнаружив, на какие сильные чувства способна. Но к тому времени как вернулась Кэтрин, она уже успокоилась, более того, вся ее фигура, может быть, впервые была исполнена глубокого внутреннего достоинства.

— Это был он? — спросила она.

— Это был Ральф Денем, — ответила Кэтрин.

— Я имела в виду Ральфа Денема.

— Почему ты имела в виду Ральфа Денема? Что Уильям говорил тебе о Ральфе Денеме? — В эту минуту Кэтрин уже нельзя было назвать черствой и бездушной. Она была так возбуждена, что даже не дала Кассандре ответить. — Так когда вы с Уильямом собираетесь пожениться? — спросила она.

Кассандра задумалась. Действительно, вопрос был непростой. Накануне вечером во время разговора Уильям намекнул Кассандре, что, как ему кажется, Кэтрин в столовой договаривается с Ральфом Денемом о помолвке. Кассандра от счастья все видела в розовом свете и полагала, что дело улажено. Однако сегодня утром она получила от Уильяма письмо, в котором тот, как всегда пылко изливая свои самые восторженные чувства, туманно намекал на то, что он бы предпочел, чтобы объявление об их помолвке совпало с объявлением о помолвке Кэтрин. Этот документ и извлекла сейчас Кассандра — и зачитала вслух, робея, некоторые места.

— «...Очень сожалею... м-мм... мне крайне неприятна мысль, что мы поневоле можем стать причиной недоразумений... С другой стороны, если то, на что я не без оснований смею надеяться, произойдет — должно произойти — в обозримом будущем, а нынешнее состояние ни в коей мере тебя не ущемляет, то отсрочка, по моему мнению, лучше послужит нашим общим интересам, нежели преждевременное объявление, которое может быть воспринято с большим удивлением, чем мне бы того хотелось».

— Как это похоже на Уильяма! — воскликнула Кэтрин, тут же разобравшись в этих туманных намеках.

Кассандра немного смутилась:

— Вообще-то я понимаю его чувства. И даже согласна с ним. Думаю, будет гораздо лучше подождать, если ты собираешься за мистера Денема, как говорит Уильям.

— А если я не выйду за него в ближайшие месяцы — или вообще никогда не выйду?

Этого Кассандра никак не ожидала. Кэтрин говорила по телефону с Ральфом Денемом, вела себя чудно́, а стало быть, она уже приняла его предложение — или собирается принять. Но если бы Кассандра случайно услышала беседу этих двоих по телефону, ее уверенности бы поубавилось. Звучал он примерно так.

— Это Ральф Денем говорит. Со мной все в порядке, я успокоился.

— Долго еще вы стояли под окнами?

— Я пошел домой и написал вам письмо. И порвал его.

— И я тоже.

— Так я приду?

— Да, приходите сегодня.

— Мне надо вам объяснить...

— Да, нам надо объясниться...

Последовала долгая пауза. Ральф хотел было еще что-то сказать, но оборвал себя на полуслове смущенным: «А, ничего...» — и оба одновременно попрощались. Но даже если бы телефон волшебным образом соединил ее с высшими слоями эфира, напоенными ароматами чабреца и морских брызг, даже и тогда Кэтрин едва ли приникла бы к трубке с большим наслаждением. С этим ощущением она и вернулась в столовую. Ее очень удивило, что Уильям и Кассандра уже мысленно поженили ее с обладателем этого глухого, ломкого голоса, который она только что слышала в телефоне. Однако она сама так не думала, даже напротив. Достаточно было взглянуть на Кассандру: ее пример ясно показывал, какой должна быть любовь, имеющая своим завершением помолвку и брак. Поэтому она сказала:

— Если не хотите объявлять, я объявлю за вас. Я знаю, Уильям так трепетно к этому относится, ему трудно решиться.

— Потому что он щадит чувства других, — сказала Кассандра. — От одной мысли, что он огорчил тетушку Мэгги или дядю Тревора, Уильям расстроится и долго еще будет переживать.

Такое мнение об Уильяме было для Кэтрин внове: сама она считала, что он просто раб условностей, но, подумав, вынуждена была согласиться с кузиной:

— Да-да, ты права.

— И он так ценит красоту. Он хочет, чтобы жизнь была прекрасной во всех ее проявлениях. Ты когда-нибудь замечала, как он пытается все довести до совершенства? Взять хотя бы адрес на этом конверте. В нем каждая буковка безупречна.

Кэтрин сильно сомневалась, что сказанное относилось и к чувствам, изложенным в письме Уильяма, однако теперь, когда не она сама, а Кассандра стала объектом его забот, это почему-то не раздражало ее и даже казалось естественным следствием, как выразилась Кассандра, его любви к прекрасному.

— Да, — произнесла она, — он любит все прекрасное.

— И я надеюсь, у нас будет много-много детей, — мечтательно произнесла Кассандра. — Он очень любит детей.

Это замечание, как никакие другие слова, позволило Кэтрин почувствовать всю степень их близости, и в первую минуту она ощутила укол ревности и пристыженно отвела глаза. Она так давно знакома с Уильямом и при этом даже не подозревала, что он, оказывается, любит детей. Глаза Кассандры сияли от восторга, когда она рассказывала об Уильяме, и Кэтрин понимала: это настоящее, и готова была слушать и слушать ее до бесконечности. И Кассандра охотно пошла навстречу ее пожеланиям. Она все говорила и говорила об Уильяме. Так они и коротали эти утренние часы. Кэтрин, почти не переменяя позы, сидела на краешке отцовского письменного стола, а Кассандра так ни разу и не заглянула в «Историю Англии».

И все же справедливости ради следует признать, что были моменты, когда Кэтрин забывала следить за восторженными излияниями кузины. Обстановка как-то особенно располагала к размышлениям о собственной судьбе. Временами ее мечтательный взгляд заставлял Кассандру удивленно примолкнуть. О чем еще она может думать сейчас, как не о Ральфе Денеме? И радовалась, когда по случайным скупым репликам можно было предположить, что Кэтрин отвлеклась от темы Уильямовых совершенств. Однако довериться ей Кэтрин не спешила. И всегда заканчивала эти странные паузы каким-нибудь наводящим вопросом, делая это так живо и естественно, что Кассандра поневоле продолжала говорить на приятную для нее тему. Потом наступило время ланча, и единственное, что указывало на некоторую рассеянность Кэтрин, — она забыла о пудинге. И так она была похожа на свою мать, когда сидела за столом, совершенно не замечая тарелки с тапиокой, что Кассандра с удивлением воскликнула:

— Ты сейчас совсем как тетя Мэгги!

— Вот еще! — возмутилась Кэтрин, хотя ничего обидного в замечании кузины не было.

На самом деле после отъезда матери Кэтрин уже не казалась такой благоразумной, как обычно, просто, как она сама себе это объясняла, необходимость в этом отпала. Она даже удивилась, обнаружив в себе в это утро такое множество не связанных между собой и — как бы точнее назвать? — блуждающих мыслей, слишком нелепых, чтобы говорить о них вслух. То ей представлялось, как она идет по дороге где-то в Нортумберленде, в мягких лучах августовского заходящего солнца; оставив в гостинице своего спутника, Ральфа Денема, она оказывалась вдруг — причем без всяких усилий — на вершине горы. И все вокруг — запахи, шорох сухого вереска, упругость травинки под ладонью — было так явственно, что она могла бы пересказать эти ощущения каждое по отдельности. Она то воспаряла в темную высь, откуда можно было созерцать водную гладь, то — неведомо зачем — опускалась на примятый папоротник, залитый светом полуночных звезд, или гуляла по заснеженным лунным долинам. Ничего необычного в этих фантазиях не было — стены нашего внутреннего мира часто бывают расписаны подобными узорами, странно то, что она, всерьез увлекшись этими мыслями, в результате почувствовала неодолимое желание изменить свою нынешнюю жизнь на что-нибудь более соответствующее ее мечтам. Она вздрогнула, очнувшись, — и заметила удивленный взгляд Кассандры.

Кассандре было бы много легче, знай она наверняка, что, когда Кэтрин не отвечает на ее вопросы или говорит невпопад, она обдумывает перспективу скорейшего замужества, однако оброненные ею туманные фразы о будущем не давали Кассандре такой уверенности. Несколько раз Кэтрин упомянула о лете, словно намеревалась провести это время года в одиноких прогулках. Похоже, она уже составила некий план, в котором фигурировал железнодорожный справочник Брэдшоу и несколько названий гостиниц*.

В конце концов Кассандра, не находя себе места от волнения, оделась для прогулки и отправилась бродить по улицам Челси: якобы ей надо кое-что купить. Но, плохо зная дорогу, она забеспокоилась при мысли, что опоздает, и, так и не отыскав нужный магазин, быстро повернула обратно, чтобы успеть домой к приходу Уильяма. Действительно, ей пришлось всего пять минут подождать его за чайным столом — и, к своему огромному облегчению, она смогла принять его наедине. Искренняя радость в его глазах развеяла

---

* В железнодорожном путеводителе английского картографа и издателя Джорджа Брэдшоу (1801–1853) можно было найти расписание поездов, информацию о достопримечательностях и гостиницах.

бы любые сомнения в его чувствах, однако первое, о чем он спросил, было:

— Кэтрин с тобой поговорила?

— Да, но она уверяет, что никакой помолвки нет. Она, похоже, вообще не думает о замужестве.

Уильям нахмурился.

— Они телефонировали друг другу сегодня утром, и она ведет себя странно. Забыла про пудинг, — сказала Кассандра, желая подбодрить его.

— Деточка, после того, что я видел и слышал вчера вечером, думать да гадать уже поздно. Либо они обручились, либо...

Он не договорил, потому что в эту минуту вошла Кэтрин. Но после событий минувшего дня ему было неловко и стыдно — и, лишь когда она сообщила об отъезде матери в Стратфорд-на-Эйвоне, он осмелился посмотреть на нее. После чего сразу заметно повеселел и стал с довольной улыбкой оглядываться по сторонам.

— Думаешь, здесь что-то переменилось? — спросила Кассандра.

— Вы передвинули диван? — предположил он.

— Нет, мы ничего не трогали, — сказала Кэтрин. — Все так, как было.

И только она произнесла эти слова — уверенно и со значением, словно давая понять, что не только обстановка осталась в неизменном виде, но и нечто большее, — как вдруг увидела, что поднимает с блюдца чашку, в которую забыла налить чаю. Когда ей указали на ее рассеянность, она сердито нахмурилась и сказала, что это Кассандра на нее дурно влияет. И, строго поглядев на Уильяма с Кассандрой, поспешила занять их беседой, словно они — не в меру любопытные дети, которых следует поставить на место. Они послушно обменивались фразами, пытаясь поддерживать разговор. Посторонний человек вполне мог бы принять их за недавних знакомых, которые виделись до этого раза два, не более. И еще этот непосвященный наверняка подумал бы, что хозяйка так нервничает, потому что вспомнила вдруг о каком-то неотложном деле. Сначала Кэтрин поглядела на свои часики, потом попросила Уильяма сказать ей, сколько сейчас времени. Услышав, что уже без десяти пять, она быстро поднялась из-за стола:

— Мне пора.

И вышла из комнаты, прихватив с собой кусок хлеба с маслом.

Уильям с Кассандрой переглянулись.

— Я же говорю: что-то с ней не то! — воскликнула Кассандра

Уильям забеспокоился. Он лучше нее знал Кэтрин, но даже и он ничего не понимал.

Через секунду Кэтрин вернулась, одетая для прогулки, все еще держа бутерброд в руке.

— Если задержусь, меня не ждите, — сказала она. — Я где-нибудь поужинаю, — и вышла.

— Но это невозможно, куда она… — воскликнул Уильям, когда за ней захлопнулась дверь, — без перчаток, с бутербродом!

Оба кинулись к окну — Кэтрин быстро шла по улице, по-видимому направляясь в сторону Сити. Наконец она скрылась из виду.

— Наверно, пошла на свидание с мистером Денемом! — воскликнула Кассандра.

— Да кто ее знает, — охладил ее пыл Уильям.

Случившееся выглядело не просто странно — они склонны были видеть в этом некий тайный и зловещий знак.

— Так обычно тетя Мэгги себя ведет, — сказала Кассандра, как будто это что-то объясняло.

Уильям покачал головой и, совершенно потерянный, принялся расхаживать взад-перед по комнате.

— Этого я и боялся, — вырвалось у него. — Стоит лишь раз пренебречь условностями... Хорошо хоть миссис Хилбери уехала. Однако здесь мистер Хилбери. Как мы ему все это объясним? Мне придется сейчас уйти...

— Но дядя Тревор еще не скоро вернется, Уильям! — взмолилась Кассандра.

— Не уверен. Почем знать, может, он уже едет домой. Или, представь, миссис Милвейн — твоя тетя Селия — или миссис Кошем, или кто-нибудь еще из твоих родственников заглянет сюда — и застанет нас наедине. Ты ведь слышала, уже пошли толки...

Кассандра видела, что Уильям не на шутку встревожен, и ее это неприятно поразило: неужели он так напуган, что готов бежать без оглядки?

— А мы спрячемся! — сказала она первое, что пришло в голову, беспомощно оглядевшись по сторонам и заметив спасительные портьеры, отделявшие столовую от кабинета.

— Я категорически отказываюсь лезть под стол, — саркастически заметил Уильям.

Кассандра видела, что он готов сдаться. Чутье подсказывало ей, что в данный момент взывать к его чувствам было бы крайне неосмотрительно. Она постаралась успокоиться, села за стол и, налив себе еще чашку, принялась спокойно пить чай. И этот столь естественный жест, говорящий об умении владеть собой и показывающий именно те женские качества, которые были так приятны Уильяму, подействовал на него лучше любых уговоров. От чая он отказываться не стал. А затем попросил и кусок пирога. К тому времени как пирог был съеден, а чай выпит, прежние заботы отпали сами собой, уступив место мыслям о поэзии. Как-то незаметно от общих мыслей о драматургии они перешли к конкретному образцу, хранившемуся в кармане у Уильяма, и, когда служанка пришла унести чайную посуду, Уильям спросил, не будет ли она против, если он прочитает небольшой фрагмент, «если, конечно, тебе не скучно».

Кассандра молча кивнула, одарив его взглядом, в котором отражалась лишь малая доля переполнявшего ее чувства, — но Уильям, окрыленный, уже знал, что никакая сила, а уж тем более миссис Милвейн, его не остановит. И он принялся декламировать.

Тем временем Кэтрин быстро шла по улице. Если бы ее попросили объяснить, отчего она вдруг выскочила из-за стола и убежала, она не припомнила бы никакого повода, разве что Уильям смотрел на Кассандру, а Кассандра на Уильяма. И все же именно оттого, как они переглядывались, находиться рядом с ними было совершенно невыносимо. Всего-то чаю забыла налить — а они думают: это неспроста, это из-за ее помолвки с Денемом. Она представляла, что еще полчаса — и на пороге появится Ральф Денем. Нет, она не в силах сидеть там и смотреть, как Уильям и Кассандра поглядывают на них в надежде выяснить, насколько они близки, чтобы точнее понять, когда же ждать свадьбы. Она решила упредить Ральфа — у нее еще есть время добраться до Линкольнз-Инн-Филдс, пока он не ушел из присутствия. Она остановила такси и попросила подбросить ее до картографического магазина на Грейт-Куин-стрит, не желая, чтобы ее видели топчущейся возле его дверей. Войдя в магазин, она для порядка купила крупномасштабную карту Норфолка и, прихватив ее, поспешила на Линкольнз-Инн-Филдс искать адвокатскую контору Хопера и Грейтли. В окнах конторы сияли большие газовые люстры. Наверное, под одной из них за огромным, заваленным бумагами столом, в кабинете с тремя высокими окнами сидит сейчас он — решила Кэтрин. И принялась расхаживать взад-вперед по тротуару. Из парадного выходили люди, но все не те. Она с надеждой вглядывалась в каждую появлявшуюся из дверей мужскую фигуру. И каждый из этих людей чем-то напоминал ей Денема: возможно, причиной тому конторская одежда, стремительная походка и быстрые проницательные взгляды, которые мимоходом бросали на нее мужчины, торопясь с работы домой. Эта площадь с огромными строгими зданиями, где кипит деловая жизнь, и даже воробьи и детишки, кажется, тоже зарабатывают себе на прокорм, небо в серых и алеющих облаках, которое словно отражает серьезные намерения города, бурлящего внизу, — все здесь говорило ей о нем. Вот самое подходящее место для встречи, подумала она, тут можно спокойно походить, подумать о Денеме. Не то что на улицах в родном Челси. Чтобы сравнить и окрестности, она чуть удлинила маршрут и свернула на главную улицу. По Кингсуэй проносились фургоны и подводы, бурлили встречные потоки пешеходов. Она застыла на углу, словно зачарованная. В ушах стоял гул, бурлящее движение завораживало — как будто вся многоликая жизнь свелась к этому беспрерывному потоку, стремящемуся к единственной нормальной цели, ради которой и стоит жить; и мысль о том, что этой силе нет дела до людей, которых она подхватывает, поглощает и уносит вперед, наполнила ее сердце восторгом. Дневной свет и сияние уличных фонарей делали ее почти невидимкой, а фигуры прохожих казались призрачными — их лица были как бледные восковые овалы, где темнели только провалы глаз. Их тоже увлекал за собой этот мощный прилив — быстрый, глубокий, бесконечный и неисчерпаемый. Так стояла она, невидимая никому и все видящая, не скрывая восторга, который весь день подспудно искал выхода. И вдруг — совершенно неожиданно — вспомнила, ради чего она сюда пришла. Ей нужно было найти Ральфа Денема. И она поспешила обратно, на Линкольнз-Инн-Филдс, ища глазами примету — три высоких окна. Но напрасно. Почти все фасады зданий теперь были темны, и наконец она с большим трудом обнаружила то, что искала. В окнах Ральфа виднелось лишь слабое отражение зеленовато-серого неба. Она решительно нажала на кнопку под табличкой с надписью фирмы. Через некоторое время дверь открыл сторож, ведро и щетка в его руках говорили о том, что рабочий день окончен и служащие ушли. Никого нет, разве что, может, мистер Грейтли еще на месте, заверил он Кэтрин: все остальные за последние десять минут ушли. Новость застала Кэтрин врасплох. В волнении она поспешила на Кингсуэй, где фигуры прохожих точно по волшебству вновь обрели солидность. Кинулась бегом к станции подземки, вглядываясь по пути в лица клерков и стряпчих, всех подряд. Но никто из них не был похож на Ральфа Денема. Она все яснее его представляла и все больше убеждалась, что он не похож ни на кого другого. У входа на станцию она остановилась — надо было понять, что делать дальше. Он поехал к ней. Если взять такси, еще, наверно, можно его опередить. Но представила, как открывает дверь гостиной, Уильям и Кассандра смотрят на нее, а через минуту появляется Ральф — и опять переглядывания, измышления, догадки. Нет, к этому она не готова. Лучше она напишет ему письмо и сама же отнесет ему домой. Купив в книжном киоске бумагу и карандаш, Кэтрин зашла в кафе ABC*, где заказала чашечку кофе, заняла пустой столик и сразу приступила:

«Я хотела встретиться с вами лично, но не застала вас. Находиться рядом с Уильямом и Кассандрой —

---

* ABC (Aerated Bread Company) — сеть кафе-булочных, существовавшая в Великобритании с 1862 г. до середины XX в. В этих кафе готовили так называемый воздушный хлеб, используя вместо разрыхлителя двуокись углерода.

невыносимо. Они хотят, чтобы мы… — Она остановилась и, подумав, исправила слово: — Они настаивают на том, чтобы мы поженились, а мы никак не можем поговорить и вообще объясниться. И я хотела бы… — Но ее желания сейчас, когда она обращалась к Ральфу, казались такими неясными, что карандаш решительно отказывался переносить их на бумагу, — как будто ревущий поток Кингсуэй норовил подхватить и его тоже. Она внимательно посмотрела на табличку, висевшую на украшенной позолотой противоположной стене зала, — …многое вам рассказать», — добавила она, старательно, как ребенок, выписывая каждую букву. Но когда снова подняла глаза, сочиняя следующую фразу, то увидела перед собой хмурое лицо официантки, явно говорившее о том, что близится время закрытия. Кэтрин огляделась по сторонам — действительно, кроме нее, в кафе почти никого не осталось, так что она забрала письмо, заплатила по счету и снова оказалась на улице. Теперь можно взять кеб и отправляться в Хайгейт. Но тут она сообразила, что не помнит его адреса. Серьезная преграда появилась вдруг на ее пути к задуманному. Она изо всех сил напрягала память: сначала попыталась представить, где находится и как выглядит его дом, затем — вспомнить адрес, который сама же записала однажды на конверте. Но ничего не получалось, слова, как нарочно, ускользали. Как там было? Дом на улице такого-то сада, а название улицы как-то связано с холмом. Но нет, ей пришлось сдаться. Никогда еще, если не считать детских лет, она не чувствовала себя такой потерянной и несчастной. И вдруг — словно все это время бредила наяву и наконец очнулась — представила себе последствия этого пагубного бездействия. Представила, как будет потрясен Ральф, когда ему скажут, что ее нет дома, — и еще, чего доброго, решит, что она не желает видеть его. Она мысленно увидела, как он удаляется от ее дома, причем направиться он мог куда угодно, только не в Хайгейт, почему-то она была в этом уверена.

Может, он еще раз вернется на Чейни-Уок? Она так ясно увидела его, что даже вздрогнула, представив себе такую возможность, и уже подняла было руку, подзывая кеб. Но нет, он слишком горд, чтобы вернуться, он пересилил себя и уходит все дальше и дальше — ах, если бы она могла разглядеть названия улиц, по которым он сейчас, вероятно, идет! Но ее воображение подвело ее и лишь дразнило непонятными, мрачными видами чужих и далеких окрестностей. И действительно, вместо того чтобы решиться на что-нибудь, она только стояла и, обмирая, представляла весь путаный лабиринт лондонских улиц — ну как отыскать в нем кого-то, если он мечется туда-сюда, сворачивает направо-налево и, наконец, выбирает какой-то грязный вонючий проулок, где на мостовой играют дети, и вот… — нет, хватит об этом думать. И она быстро зашагала вперед по Холборну*.

Потом остановилась, повернулась и поспешила в противоположном направлении. И эта нерешительность была не только досадной, но даже вселяла в нее страх, и уже не в первый раз за день она пугалась, чувствуя, что не в силах противиться собственным желаниям. Тому, кто привык подчиняться привычке, унизительно чувствовать беспомощность перед разгулом некой высвободившейся разом мощной и, похоже, неконтролируемой силы. Кэтрин и сама не заметила, что изо всей силы, до боли, сжимает в руке перчатки и карту Норфолка, будто собирается стереть их в порошок. Она чуть разжала пальцы, с беспокойством поглядела по сторонам: не смотрят ли на нее с подозрением — или с любопыт-

---

* Холборн, или Хоборн — старинная лондонская улица, которая проходит по территории Сити, Кэмдена и Вестминстера.

ством? Но, разгладив перчатки и убедившись, что в остальном выглядит как обычно, она перестала обращать внимание на прохожих, и снова ей хотелось лишь одного: найти Ральфа Денема во что бы то ни стало. Ни о чем другом она думать не могла — это было страстное, сильное, необоримое желание, проявляющееся совершенно по-детски. Она корила себя: ну можно ли быть такой беспечной! А обнаружив, что снова стоит возле станции подземки, постаралась еще раз собраться с духом и решить, что же делать дальше. И вдруг ее осенило: надо пойти к Мэри Датчет и спросить у нее адрес Ральфа. И это было такое счастье — у нее появилась цель, и ее действия уже нельзя было назвать бессмысленными. Теперь Кэтрин с полным правом сосредоточила все мысли на Ральфе и, нажимая на кнопку звонка у квартиры Мэри, она даже на миг не задумалась о том, как может быть встречена подобная просьба. Как назло, Мэри не оказалось дома — дверь открыла уборщица. Кэтрин ничего не оставалось делать, как согласиться подождать. Ждать пришлось минут, наверное, пятнадцать, и все это время она не присела и все расхаживала по комнате. Услышав звяканье ключей у входной двери, она застыла перед камином — так ее и застала Мэри. Взгляд у гостьи был выжидательно-решительный, как у человека, пришедшего по неотложному делу, которое в предисловиях не нуждается.

Мэри от удивления вскрикнула.

— Да-да, — кивнула Кэтрин, заранее отметая в сторону еще не высказанные вопросы.

— Вы пили чай?

— О да, — ответила Кэтрин, подумав про себя: бессчетное число раз, сотни лет назад.

Мэри помолчала, сняла перчатки и, взяв спички, принялась разводить огонь.

Кэтрин попыталась остановить ее нетерпеливым жестом:

— Не разжигайте камин для меня… Я, собственно, пришла, чтобы спросить адрес Ральфа Денема.

Взяв карандаш и конверт, она приготовилась записывать, всем своим видом выражая нетерпение.

— Яблоневый Сад, улица Горы Арарат, Хайгейт, — произнесла Мэри медленно странным голосом.

— Ну да, теперь вспомнила! — воскликнула Кэтрин, ругая себя за несообразительность. — Полагаю, туда ехать минут двадцать? — Она взяла сумочку, перчатки и собралась уходить.

— Но вы его не найдете, — сказала Мэри, держа спичку в руке.

Кэтрин, направившаяся было к двери, оглянулась.

— Почему? Где же он? — спросила она.

— Он все еще в конторе.

— Но он ушел оттуда, — ответила Кэтрин. — Вопрос только в том, успел ли он добраться до дома. Он собирался к нам в Челси, я пыталась встретиться с ним по пути, но мы разминулись. Я не оставила ему даже записки. Поэтому я должна его найти — и как можно скорее.

Мэри попыталась спокойно разобраться в ситуации.

— Почему бы не телефонировать? — сказала она.

Кэтрин тотчас положила сумочку и перчатки и, с облегчением вздохнув, воскликнула:

— Ну конечно! Как я сразу не догадалась? — Схватила телефонную трубку и назвала телефонистке номер.

Мэри посмотрела на нее внимательно и вышла из комнаты. Через некоторое время телефон, сквозь непомерную толщу Лондона, донес до Кэтрин таинственный звук шагов, кто-то поднимался к чуланчику, где стоял аппарат, она явственно представила себе картины и книги, жадно вслушивалась в шумы и шорохи — и наконец назвала себя.

— Мистер Денем заходил?

— Да, мисс.

— Спрашивал обо мне?

— Да. Мы сказали, что вы в городе, мисс.

— Он просил передать что-нибудь?

— Нет. Он ушел. Минут двадцать назад, мисс.

Кэтрин повесила трубку и принялась беспокойно ходить по комнате, от волнения не сразу заметив, что Мэри вышла. Потом позвала громко и требовательно:

— Мэри!

Та в это время переодевалась в спальне в домашнее платье. Услышав, что Кэтрин зовет ее, ответила:

— Я сейчас. Выйду через минуту.

Однако минута затянулась: Мэри почему-то хотелось выглядеть не просто опрятно, но прилично и даже нарядно. В последние месяцы завершился некий этап в ее жизни, оставив неизгладимый отпечаток на ее внешности. Цветущий вид юности поблек, четче обозначились скулы, губы почти всегда строго поджаты, глаза уже не загораются радостным восторгом по любому поводу, а словно сосредоточены на какой-то далекой, пока еще недостижимой цели. Теперь она была не просто женщина, а деятельная личность, хозяйка своей собственной судьбы; следовательно, решила она, ее достоинств ничуть не умаляют и даже подчеркивают серебряные цепочки и сверкающие броши. Поэтому она не стала спешить и, лишь как следует приведя себя в порядок, вышла в гостиную:

— Ну так что, вы узнали?

— Он уже ушел из Челси, — сказала Кэтрин.

— Все равно до дома он еще не добрался.

Кэтрин снова раскинула перед мысленным взором воображаемую карту Лондона, прослеживая изгибы и повороты безымянных улиц.

— Попробую по телефону узнать, не вернулся ли он. — Мэри направилась к телефону и, коротко поговорив с кем-то, обернулась к Кэтрин: — Нет. Его сестра говорит, его еще нет. Ага! — И вновь поднесла ухо к трубке. — Они получили записку. Он просил не ждать его к ужину.

— Но тогда где же он?

Бледная, глядя большими глазами на Мэри и сквозь нее, в далекую и безответную пустоту, Кэтрин задала этот вопрос так, как если бы он предназначался не Мэри, но какому-то упрямому духу, который из этого далека будто нарочно дразнит ее.

Помедлив немного, Мэри совершенно безразличным тоном заметила:

— Честно говоря, не знаю. — Поудобнее устроившись в кресле, она смотрела, как среди черных углей появляются и пробивают себе дорогу трепещущие язычки пламени — словно они тоже сами по себе, безразличные ко всему.

Кэтрин, возмущенная столь явным равнодушием к своей беде, встала.

— Возможно, он придет сюда, — продолжила Мэри все так же невозмутимо. — Вам стоит подождать, если вы так хотите его сегодня увидеть. — Наклонившись, она пошевелила полено — алый огонь заструился между углей, не оставляя ни одной пустой щелочки.

Кэтрин задумалась.

— Подожду полчаса, — решила она.

Мэри встала, подошла к столу, разложила бумаги под лампой с зеленым абажуром и, вероятно, по привычке принялась накручивать на палец прядь волос. Лишь однажды она украдкой глянула на посетительницу: та сидела не шевелясь, глядя перед собой — как будто видит перед собой нечто далекое, может, чье-то непреклонное лицо…

Мэри поняла, что не может больше написать ни строчки. Она подняла голову, но только чтобы понять, на что так сосредоточенно смотрит Кэтрин. Да, в комнате действительно теснились бесплотные тени, и среди них, как это ни печально, был дух самой Мэри. Время шло.

— Интересно, который сейчас час? — подала наконец голос Кэтрин. Полчаса, однако, еще не прошло.

Мэри поднялась из-за стола:

— Надо приготовить ужин.

— Тогда я пойду, — сказала Кэтрин.

— Может, останетесь? Ну куда вы пойдете?

Кэтрин пожала плечами:

— Вдруг мне удастся его найти.

— А это так важно? Вы можете в другой день с ним увидеться.

— Зря я сюда пришла, — сказала Кэтрин.

Их взгляды встретились — это был уже открытый поединок, никто не отводил глаз.

— Отчего же? Вы имели полное право прийти сюда, — ответила Мэри.

И в этот момент в дверь постучали. Мэри пошла открывать и вернулась с конвертом в руках — Кэтрин отвела взгляд, чтобы Мэри не увидела, как она разочарована.

— Разумеется, вы имели полное право прийти, — повторила Мэри и положила конверт на стол.

— Нет, — сказала Кэтрин. — Но в отчаянии человек цепляется за любую возможность, по праву или нет. Я в отчаянии. Как мне узнать, где он сейчас и что с ним происходит? Он способен на безумства: вдруг ему вздумается бродить всю ночь по городу. Да с ним что угодно может случиться!

Ее голос был исполнен такой искренней тревоги, что Мэри удивилась: она не думала, что Кэтрин способна думать о ком-то, кроме себя.

— Вы преувеличиваете — и сами это прекрасно знаете: все это глупости, — резко ответила она.

— Мэри, нам надо поговорить — я должна объяснить вам…

— Не надо мне ничего объяснять, — прервала ее Мэри. — Я что, не понимаю?

— Нет-нет! — воскликнула Кэтрин. — Не в этом дело!

Ее взгляд, устремленный не на Мэри, а на что-то за пределами этой комнаты, за пределами любых слов, даже самых невероятных, озадачил Мэри. Она ничего не понимала, разве что попытаться взглянуть на это с высоты своей прежней любви к Ральфу.

Закрыв руками лицо, она тихо произнесла:

— Не забывайте, что и я его любила. Я думала, что знаю его. И я его знала.

Но знала ли? Теперь невозможно вспомнить. Она не в силах вспоминать. Она так крепко зажмурилась, что тьму испещрили звезды и сполохи. Она убедила себя, что ворошит прошлое — как те угли в камине. И ничего не получилось. Открытие ее потрясло. Она больше не любит Ральфа. Она удивленно оглядела комнату, взгляд ее остановился на бумагах, разложенных под настольной лампой. И это ровное сияние на краткий миг вдруг отозвалось в ней таким же светом — она еще раз закрыла глаза, открыла их, посмотрела на лампу снова, и на месте старой любви зажглась новая, — вот о чем она думала с изумлением, пока видение не исчезло. Она молча прислонилась к каминной полке.

— Любовь бывает разная, — сказала Мэри наконец, словно размышляя.

Кэтрин не ответила и даже, похоже, не услышала этих слов.

— А вдруг он опять ждет меня на улице, как раньше? — воскликнула она. — Я пойду. Я найду его.

— Скорее всего, он придет сюда, — сказала Мэри, и Кэтрин, подумав немного, согласилась:

— Подожду еще полчасика.

Она вновь опустилась в кресло и уставилась перед собой — как будто, показалось Мэри, наблюдала за кем-то невидимым. На самом деле она никого конкретно не представляла, просто перед ней проходила вся жизнь: хорошее и плохое, смыслы и значение, прошлое, настоящее и будущее. Все это было так очевидно, что она даже ничуть не стыдилась этой своей блажи, как будто вознеслась на вершину бытия и весь мир лежит у ее ног. Никто, кроме нее самой, не знал, что это значит — нынче вечером разминуться с Ральфом Денемом: это незначительное событие вызвало у нее такую бурю эмоций, какая едва ли бывает даже в решающие моменты жизни. Она не застала его — и изведала горечь поражения; она желала его — и познала муки страсти. И уже не имеет значения, что зажгло этот огонь. Пусть ее сочтут странной — не важно, она уже не стыдилась своих чувств.

Когда ужин был готов, Мэри пригласила ее за стол, и Кэтрин послушно направилась в кухню, как будто теперь Мэри за нее все решала. Ужинали почти в полном молчании, и, когда Мэри просила ее поесть еще, Кэтрин ела, когда Мэри предлагала выпить вина — послушно делала глоток. Однако то была лишь внешняя покорность — Мэри чувствовала, что в душе она совершенно свободна. Она не выглядела рассеянной, скорее — отстраненной, смотрела невидящим взглядом и в то же время видела что-то свое, так что Мэри очень хотелось ее защитить; даже страшно было подумать, какие враждебные силы угрожают Кэтрин там, за порогом ее дома.

Сразу после ужина Кэтрин сказала, что уходит.

— Но куда же вы пойдете? — спросила Мэри, делая слабую попытку ее задержать.

— Куда? Домой — или нет, наверное, в Хайгейт.

Мэри видела, что ее не остановить. Все, что она могла сделать, — настоять на том, что им лучше пойти вместе, и Кэтрин не возражала, поскольку ей, похоже, было все равно. Через несколько минут они уже шагали по Стрэнду. Причем так быстро, что Мэри даже поначалу подумала, что Кэтрин знает, куда они направляются. Было так приятно идти по залитым светом фонарей улицам, на свежем воздухе. Она примеривалась, с болью и страхом, но при этом со странной надеждой, к открытию, которое сделала случайно в этот вечер. Она снова свободна и получила эту свободу, отказавшись от дара, быть может, лучшего из всех даров, но, видит Бог, она уже не влюблена. Большим искушением было — прокутить первые часы обретенной свободы, например, в партере «Колизея»*, поскольку они как раз проходили сейчас мимо его дверей. Почему бы не зайти и не отпраздновать там ее день независимости от тирании любви? Или на крыше омнибуса, который направляется в какой-нибудь Камберуэлл, Сидкап или еще лучше — в Уэлш-Арп**. Впервые за несколько месяцев она заметила эти надписи. Или лучше вернуться домой и посвятить вечер разработке очень прогрессивной и хитроумной программы? Из всех возможностей эта казалась самой приятной, поскольку она сразу представила и камин, и

---

* Оперный театр в Лондоне, открытый в 1904 г., сначала был театром варьете и служил исключительно для эстрадных представлений (первый драматический спектакль был показан на его сцене в 1911 г.). События романа относятся именно к этому периоду времени.

** Игра слов: Камберуэлл — район в южной части Лондона, название буквально означает «колодец бриттов», Сидкап — на юго-востоке города — «плоский холм», Уэлш-Арп — «валлийская арфа» — название водохранилища, возле которого находился одноименный трактир.

зеленый абажур, и ровное сияние, словно заливающее спокойствием место, где когда-то пылало более страстное пламя.

Неожиданно Кэтрин остановилась, и Мэри вдруг поняла, что все это время та брела наугад. Она помедлила на перекрестке, поглядела направо, налево и направилась, кажется, в сторону Хейвсток-Хилл.

— Погодите — куда мы идем? — крикнула Мэри, хватая ее за руку. — Лучше возьмем машину и поедем домой. — Она подозвала такси, усадила туда Кэтрин и велела шоферу везти их на Чейни-Уок.

Кэтрин подчинилась.

— Хорошо, — сказала она. — Можно и туда, раз все равно куда ехать.

Она заметно приуныла. Молча съежилась в углу, бледная, поникшая, измученная. Мэри хоть и занята была собственными переживаниями, но заметила эту перемену.

— Уверена, мы его найдем, — сказала она неожиданно ласково, чуть ли не с нежностью.

— Или будет слишком поздно, — ответила Кэтрин.

Мэри не поняла ее, но жалела бедняжку — видела, как та страдает.

— Ерунда, — сказала она, легонько погладив ее по руке. — Если его там нет, мы найдем его в другом месте.

— Но если он ходит по улицам — и будет бродить так часами? — И, наклонившись, Кэтрин поглядела в окошко. — Или не захочет больше со мной разговаривать, — сказала она едва слышно.

Несуразность этого предположения была очевидной, и Мэри не стала ее разубеждать, лишь крепко взяла Кэтрин за запястье: чего доброго, та откроет дверь и выпрыгнет на мостовую. Возможно, Кэтрин догадалась, почему ее держат за руку.

— Не бойтесь, — со слабой усмешкой произнесла она. — Я не собираюсь выскакивать из такси. Все равно это не поможет.

Услышав это, Мэри резко отпустила ее руку.

— Я должна извиниться, — продолжила Кэтрин, с трудом выговаривая слова, — за то, что вовлекла вас в это дело и о многом не сказала. Я больше не помолвлена с Уильямом Родни. Он женится на Кассандре Отуэй. Там все устроилось — у них все хорошо... А он часами ждал на улице, и Родни привел его. Стоял под фонарем и смотрел на наши окна. Он был бледный как мел, когда вошел. Уильям оставил нас наедине, мы сели и стали разговаривать. Кажется, это было так давно. Или это было вчера? Как давно я ушла из дома? Который час? — Кэтрин наклонилась вперед, чтобы посмотреть на часы, будто ей было очень важно знать точное время. — Всего половина девятого! Тогда он может еще быть там. — Она высунулась из окна и крикнула водителю, чтобы ехал быстрее. — Но если его там нет, что мне делать? Где его искать? На улицах столько народу.

— Мы его найдем, — твердила Мэри.

Мэри не сомневалась, что рано или поздно они его отыщут. Но допустим, они его нашли — и что дальше? Она попыталась посмотреть на Ральфа со стороны — что в нем такого, к чему можно так безоглядно стремиться? Попыталась снова представить его таким, каким видела раньше, и, сделав над собой усилие, вспомнила окутывавший его ореол таинственности и чувство смущения и восторга, каждый раз охватывавшее ее в его присутствии, так что она месяцами не слышала его реального голоса и не видела настоящего лица — во всяком случае, так ей теперь казалось. Мэри пронзила боль утраты. Ее ничем не восполнить — ни успех, ни счастье, ни забвение этого ей не заменят. Но вслед за этой грустной мыслью пришла уверенность, что теперь наконец она знает правду, а Кэтрин, подумала она, украдкой поглядев на нее, правды еще не знает, и конечно же Кэтрин стоит пожалеть.

Такси вырулило из потока и помчалось по Слоун-стрит. Мэри заметила, что Кэтрин внимательно следит за дорогой, словно уже видит конечную цель и каждую секунду отмеряет, насколько они к ней приблизились. Она ничего не говорила, и Мэри сначала молча сочувствовала ей, а потом уже почти не замечала свою спутницу, размышляя о том, что ждет их в конце пути. Она представила себе некую точку во тьме, далекую, как звезда над ночным горизонтом. И у нее тоже там есть цель, общий итог их стремлений, и все их душевные метания закончатся одним; но где и что это будет, и почему сейчас, когда они сидят рядышком и машина мчит их по вечерним лондонским улицам, она так уверена, что они вместе ищут его, — этого она не знала.

— Ну наконец-то, — выдохнула Кэтрин, когда такси остановилось у дверей.

Она выскочила из машины и быстро огляделась по сторонам. Мэри тем временем нажала на кнопку звонка. Дверь открылась именно тогда, когда Кэтрин убедилась, что никого похожего на Ральфа поблизости нет. Увидев ее, горничная сказала:

— Мистер Денем опять пришел, мисс. Он уже некоторое время ждет вас.

Кэтрин бросилась в дом. Дверь за ней захлопнулась, и Мэри, оставшись на тротуаре одна, в задумчивости пошла дальше.

Кэтрин сразу направилась в столовую. Но, взявшись за ручку двери, замерла в нерешительности. Может, она понимала, что этот миг больше никогда не повторится. А может, ей показалось, что никакая реальность не сравнится с тем, что рисовало ей воображение. А может, в ней говорил смутный страх или предчувствие, заставлявшее ее бояться любой перемены. Но если эти сомнения, или страхи, или высшее блаженство удержали ее, то лишь на секунду. Потому что в следующее мгновение она повернула ручку и, закусив от волнения губу, открыла дверь — к Ральфу Денему. Она видела его ясно как никогда. Таким маленьким, таким одиноким, таким потерянным казался этот человек, причина стольких тревог и волнений. Она могла бы рассмеяться ему в лицо. Но наступившая ясность, помимо ее желания и вопреки ее воле, вызвала бурю новых чувств — были там и смущение, и радость, и благодарность, и смирение, и уже не хотелось бороться и подчинять, и, отдавшись этой мощной волне, она бросилась ему в объятия и призналась в любви.

ГЛАВА XXXII

На следующий день никто ни о чем Кэтрин не спрашивал. А если бы и спросили, она ответила бы, что никакого разговора не было. Она немного поработала, ответила на кое-какие письма, заказала ужин, а потом села, подперев голову рукой и задумчиво глядя на исписанную страницу — словно за ней, как за полупрозрачной пленкой, открылись вдруг невиданные глубины. Лишь однажды она встала, взяла с полки отцовский древнегреческий словарь и разложила перед собой испещренные цифрами и значками заветные листы. Она разглаживала их со смешанным чувством удивления и надежды. Неужели однажды кто-то еще посмотрит на них вместе с ней? Раньше ей страшно было об этом подумать, сейчас — почти приятно.

Кэтрин не подозревала, что за ней внимательно наблюдают, что каждый ее жест и малейший оттенок настроения изучаются пристально и с волнением. Кассандра старалась это делать как можно незаметнее, а их разговоры были так просты и невинны, что, если бы не внезапные паузы и заминки между фразами, возникавшие во время беседы и мешавшие ее плавному движению по накатанному пути, даже сама миссис Милвейн, послушав, не нашла бы в них ничего предосудительного.

Уильям, придя ближе к вечеру и застав Кассандру одну, поспешил выложить важную новость. Только что он встретил Кэтрин на улице, и она его не узнала.

— Мне-то что! Но если бы на моем месте был кто-то из знакомых? Что бы он подумал? Глядя на нее, всякое можно подумать. Она была как... — он запнулся, — как лунатик — ничего перед собой не видит.

Для Кассандры важнее было то, что Кэтрин ушла, не сказав ей, из чего следовало, что та спешила на встречу с Ральфом Денемом. Но Уильяма это предположение почему-то не обрадовало.

— Стоит лишь раз нарушить условности, — начал он, — только раз позволить себе нечто такое, чего в обществе делать не принято, — и тот факт, что вы идете на свидание с молодым человеком, уже ничего не доказывает — разумеется, кроме того, что от слухов никуда не денешься.

Кассандра почувствовала укол ревности: Родни беспокоится о том, чтобы Кэтрин выглядела благопристойно, скорее как собственник, а не как друг. Оба они оставались в неведении относительно вчерашнего позднего визита Ральфа, так что у них не было повода поздравить себя с тем, что дело движется к развязке. Более того, в отсутствие Кэтрин они становились беззащитными перед любым посторонним вторжением, и этот постоянный страх портил им все удовольствие от уединения. Шел дождь, о прогулках нечего было и думать, к тому же Уильям, ревнитель благопристойности, полагал, что гораздо хуже, если их увидят вдвоем в городе, нежели застанут в комнате. Таким образом, попав в полную зависимость от распахивающихся дверей и тренькающих звонков, они даже беседу о Маколее толком не могли поддерживать, а что до второго акта трагедии Уильяма, то с этим тем более пришлось повременить.

В этих действительно непростых обстоятельствах Кассандра показала себя с лучшей стороны. Она сочувствовала Уильяму и разделяла его тревоги; но все же быть с ним вдвоем, сознавая себя этакими заговорщиками, ходящими по краю, оказалось так увлекательно, что она часто забывала об осторожности и начинала бурно выражать свои чувства. И Уильям наконец понял, что нынешнее его положение, при всей своей зыбкости, имеет и свои приятные стороны.

Когда дверь открылась, он вздрогнул, но приготовился мужественно встретить возможное разоблачение. Однако это оказалась не миссис Милвейн — в комнату вошла Кэтрин, а следом за ней — Ральф Денем. Кэтрин заметила, какое впечатление произвело ее появление, но сказала лишь: «Мы не будем вам мешать» — и вслед за Денемом скользнула за портьеру, отделявшую комнату с реликвиями. Не лучшее, на ее взгляд, убежище, но если выбирать между мокрыми тротуарами, парой музеев, что еще не закрылись в такой поздний час, или станцией метро, то она вынуждена была мириться с неудобствами собственного дома — ради Ральфа. В свете уличных фонарей он выглядел усталым.

Разделив таким образом пространство дома, обе пары какое-то время были заняты своими делами. Из-за портьеры доносилось только приглушенное бормотанье — как с той, так и с другой стороны. Наконец служанка пришла сообщить, что мистер Хилбери не вернется к ужину. Разумеется, вовсе не обязательно было извещать об этом Кэтрин, но Уильям все же спросил мнение Кассандры, причем сам тон вопроса не оставлял сомнений, что он намерен так или иначе поговорить с Кэтрин. Кассандра, из собственных соображений, принялась его отговаривать.

— Не кажется ли тебе, что мы отгородились от мира? — спросил он. — Думаю, мы могли бы как-нибудь развлечься — сходить в театр, например. Заодно пригласим Кэтрин и Ральфа!

Сердце Кассандры забилось от радости, когда он произнес эти два имени.

— А ты не подумал, что, быть может, они... — начала она, но Уильям перебил ее:

— Нет-нет, ничего такого. Я просто считаю, что нам не грех развлечься, пока твоего дяди нет дома.

И он приступил к выполнению своей дипломатической миссии с воодушевлением, но не без некоторого смущения: уже взявшись за портьеру, сначала пару секунд смотрел на женский портрет, несколько оптимистично причисленный миссис Хилбери к ранним работам сэра Джошуа Рейнолдса*. Еще немного потеребив в руках портьеру, он наконец отодвинул ее, уставившись в пол, сообщил новость о мистере Хилбери и предложил всем вместе провести вечер в театре. Кэтрин неожиданно обрадовалась, правда, так и не смогла назвать пьесу, которую ей хотелось бы посмотреть: все равно, сказала она. Выбор спектакля она доверила Ральфу и Уильяму, и те, с важным видом склонившись над газетой, принялись изучать объявления и сошлись на мюзик-холле. Дальнейшее было лишь делом времени. Кассандра никогда не была в мюзик-холле. Кэтрин рассказала ей немного об этом необычном зрелище, где следом за дамами в вечерних нарядах выходят белые медведи и сцена превращается то в таинственный сад, то в ателье модистки, то в придорожный трактир. Но какой бы ни была сегодняшняя программа, она непременно должна соответствовать высоким идеалам драматического искусства — по крайней мере, четверо зрителей в этом ничуть не сомневались.

Разумеется, и актеры, и постановщики были бы немало удивлены, если б знали, как воспримут их действо эти четверо, но в целом эффект был потрясающим. Зал наполняли звуки духовых и струнных инструментов, соперничавших между собой в грозной внушительности и взрывавших затем до тончайших

---

* Джошуа Рейнолдс (1723–1792) — крупнейший представитель английской школы портретной живописи.

жалобных нот. Алые и сливочно-белые задники, арфы и лиры, надгробные урны и черепа, протуберанцы гипса, алые бархатные кулисы и сияние бесчисленных огней — с древнейших времен и до наших дней бутафоры не создавали ничего столь эффектного.

Публика тоже была эффектна: дамы с обнаженными плечами, с султанами и боа — в партере, веселые и нарядные — на балконе, в обычной будничной одежде — на галерке. Но как бы ни отличались их одежды, все они сливались в шумную и отзывчивую массу, колышущуюся, и бормочущую, и трепещущую все то время, пока артисты перед ними танцевали, жонглировали и разыгрывали любовные сцены; они неохотно смеялись и не скоро потом успокаивались, но при этом охотно и беспорядочно рукоплескали, вплоть до громовых оваций. В какой-то момент Уильям заметил, что Кэтрин, подавшись вперед, тоже аплодирует, радостно и самозабвенно. Ее смех сливался со смехом толпы.

Этот смех его поразил, приоткрыв в характере Кэтрин нечто такое, о чем он раньше не подозревал. Но потом перевел взгляд на Кассандру — та во все глаза смотрела на клоуна и даже не улыбалась, слишком увлеченная зрелищем, чтобы смеяться, — совсем как ребенок, подумал он.

Представление подошло к концу, волшебство развеялось: зрители вставали, надевали пальто, кто-то стоял навытяжку под «Боже, храни короля», музыканты складывали партитуры, убирали инструменты, огни гасли один за другим, и наконец зал опустел, затих, наполнился гигантскими тенями. Но когда Кассандра, уже готовясь вслед за Ральфом шагнуть в проем вращающейся двери, оглянулась напоследок, вся романтика исчезла. И неужели каждый вечер, подумала она, кресла закрывают холстиной?..

Поход в театр оказался таким удачным, что, прежде чем разойтись, они задумали новую вылазку в город. Следующий день был субботний, следовательно, и Уильям, и Ральф будут свободны и могут посвятить все послеполуденное время поездке в Гринвич, где Кассандра никогда не была, а Кэтрин даже спутала его с Далиджем. На этот раз роль провожатого взял на себя Ральф, который и доставил всю компанию в Гринвич без приключений.

Уже не важно, насущные ли нужды или игры фантазии подарили Лондону множество прелестных уголков в его предместьях, — но только они идеально подходят для субботнего отдыха горожан в возрасте двадцати — тридцати лет. И в самом деле, если бы создателям всего этого великолепия было дело до потомков, то их бесплотные души могли бы по праву пожинать плоды успеха, особенно в погожие дни, когда молодые парочки, любители достопримечательностей и просто отдыхающие выгружаются из поездов и омнибусов и устремляются в сады и парки. Как правило, творцов всего этого великолепия редко вспоминают по имени, однако Уильям с лихвой восполнил этот пробел, сыпля историческими фактами и воздавая дань памяти архитекторов и художников в таких лестных выражениях, что те и за год, верно, не собирали стольких похвал. Наши путешественники шли вдоль берега реки, Кэтрин с Ральфом немного отстали, и время от времени до них доносились обрывки лекции Уильяма. Кэтрин с улыбкой прислушивалась к этому голосу — почти незнакомому, хотя она отлично знала его. Новыми и незнакомыми были счастливые и уверенные ноты в его голосе: Уильям был очень счастлив. Кэтрин догадывалась, что рядом с ней он был лишен многих радостей. Она никогда не просила чему-нибудь ее научить, не соглашалась читать Маколея, не уверяла, что его пьеса уступает только творениям Шекспира. Она шла вслед за ними и улыбалась, отмечая восхищенный — но не подобострастный — тон Кассандры.

— Как она может… — пробормотала Кэтрин, однако передумала и закончила фразу по-другому: — Как она может быть настолько слепой?

Однако не было нужды ломать голову над подобными загадками, поскольку присутствие Ральфа давало более интересные темы для размышлений, каким-то образом связанные с лодочкой, плывущей к другому берегу реки, величественным и ветхим старым городом, пароходами, нагруженными добром или только отправляющимися на его поиски, и целой вечности не хватило бы, чтобы распутать этот причудливый клубок. К тому же Ральф, увидев старого перевозчика, вдруг направился к нему и принялся расспрашивать о приливах и лодках. Во время беседы с лодочником он стал совсем другой, и даже на фоне реки, подумала она, и шпилей, и колоколен на другом берегу он совсем другой. Эта его инаковость, романтичность, и то, что он способен вот так вдруг оставить ее и заняться мужским делом, может, например, нанять лодку, чтобы вместе переправиться на другой берег, и дерзость этой выходки, — все это наполняло ее сердце восторгом, жаждой любви и приключений. Кассандра с Уильямом замолчали, и Кассандра воскликнула: «Смотри, какое у нее лицо — жертвенное, будто перед образом! Красиво», — быстро добавила она и из деликатности не стала развивать дальше эту мысль, хотя на ее вкус в сюжете «Ральф Денем, беседующий с лодочником на берегу Темзы» восхищаться было особенно нечем, умиляться тем более.

Они пили чай, осматривали новый тоннель под Темзой*, гуляли по незнакомым улочкам — так незаметно и пролетел день, и конечно же им захотелось продлить его, придумав назавтра новое приключение. Их выбор пал на Хэмптон-Корт, которому отдали

---

* Гринвичский пешеходный тоннель под Темзой в восточной части Лондона, открытый в 1902 г.

предпочтение перед Хампстедом; и хотя Кассандра с детства бредила хампстедскими разбойниками, сейчас же ее помыслами, навеки и безраздельно, завладел Вильгельм III. И ясным воскресным утром компания прибыла в Хэмптон-Корт. Они так дружно восхищались этим краснокирпичным зданием, как будто прибыли сюда с единственной целью — убедиться, что своей величавостью оно превосходит все прочие дворцы мира. Они разгуливали по террасе и представляли себя владельцами этих земель, прикидывая, насколько мир выиграл бы от этого.

— Единственная наша надежда, — сказала Кэтрин, — что Уильям умрет и Кассандру, как вдову известного поэта, поселят в этом дворце.

— Нет, лучше… — И Кассандра прикусила язык, не решившись представить Кэтрин в образе вдовы известного адвоката.

Шел третий день их эскапад, и Кассандре трудно было удерживаться даже от столь невинных шуток. Она не смела спрашивать мнение Уильяма — он был непроницаем, как стена, и, похоже, его ничуть не интересовало, чем занята вторая пара, даже когда они удалялись вместе — а удалялись они довольно часто, — желая получше рассмотреть какое-нибудь растение или полюбоваться какой-нибудь архитектурной деталью. Они шли впереди, и Кассандра наблюдала за ними. Она видела, что иногда Кэтрин взмахом руки указывала Ральфу на что-то вдали и оба спешили туда, а иногда Ральф увлекал ее за собой; они то замедляли шаг, увлеченные серьезным разговором, то дружно устремлялись вперед. А потом возвращались как ни в чем не бывало.

«Мы хотели проверить, можно ли тут ловить рыбу…» или: «Надо оставить время на лабиринт». К тому же, словно чтобы еще сильнее запутать Кассандру, Уильям и Родни и за столиком кафе, и в поезде говорили не умолкая: обсуждали политику, рассказывали забавные истории или вели подсчеты на обороте ненужных конвертов, доказывая что-то друг другу. Кэтрин выглядела озабоченной, но кто же знает наверняка? Были даже минуты, когда Кассандра, не в силах понять эти взрослые светские игры, готова была бросить все и — домой, к шелковичным червям, чтобы никогда больше не встревать в их непонятные интриги.

Впрочем, такие минуты были всего лишь неизбежной — обратной — стороной ее счастья, выгодно подчеркивая его лучшие моменты, и ничуть не мешали всеобщему радостному настроению. Свежий весенний воздух, согретый солнечными лучами, небо без единого облачка — природа словно откликнулась на страстные мольбы своих избранных. Это и олени, молча греющиеся на солнце, и рыбы, зависшие в толще воды, — их всех объединяет блаженное состояние, которое не требует слов. И действительно, думала Кассандра, как описать безмятежность, и ясность, и радостное предчувствие, разлитое в тишине над тропинками и гравийными дорожками, по которым они вчетвером бродили тем воскресным днем? Тени ветвей тихо стелились под ноги, тишина мягко окутывала ее сердце. Трепетная неподвижность бабочки на полураспустившемся цветке, олень, щиплющий траву на опушке, — она видела в них отражение своей души, раскрывшейся навстречу счастью и трепещущей от восторга.

Однако день клонился к вечеру, и пришла пора покинуть парк. По дороге от вокзала Ватерлоо до Челси Кэтрин немного нервничала из-за отца, а еще оттого, что обоим мужчинам с понедельника на службу и едва ли завтра удастся продолжить сегодняшний праздник. Мистер Хилбери пока воспринимал их отлучки с истинно отцовской благожелательностью, но ею не стоило бездумно злоупотреблять. Разумеется, им и в голову не приходило, что их отсутствие его огорчает и он с нетерпением ждет их обратно.

Мистер Хилбери был не из тех, кто боится одиночества, и воскресный день вполне мог посвятить приятных занятиям — написанию писем, визитам к знакомым или походу в клуб. Именно туда он и направился около пяти часов дня, когда в дверях его неожиданно остановила сестра, миссис Милвейн. Ей бы смиренно ретироваться, узнав, что никого нет дома, но вместо этого она приняла его неискреннее приглашение, и мистеру Хилбери пришлось проводить ее в гостиную, предложить чашечку чая и уныло усесться напротив. Миссис Милвейн сразу же дала ему понять, что пришла по важному делу. Это сообщение его ничуть не обрадовало.

— Кэтрин сегодня не будет до вечера, — заметил он. — Может, тебе лучше зайти попозже и обсудить это с ней… то есть с нами обоими?

— Дорогой Тревор, у меня есть серьезные основания для того, чтобы поговорить с тобой с глазу на глаз. А где Кэтрин, кстати?

— Гуляет со своим молодым человеком, естественно. А Кассандра неплохо справляется с ролью компаньонки. Очаровательная девушка, и очень мне нравится.

Он по привычке крутил в пальцах камень-брелок и прикидывал, как бы отвлечь Селию от навязчивой темы, которая наверняка сводилась, по обыкновению, к личной жизни Сирила.

— Значит, она с Кассандрой, — многозначительно повторила миссис Милвейн. — С Кассандрой!

— Да, с Кассандрой, — кивнул мистер Хилбери, радуясь временной передышке. — Кажется, они собирались в Хэмптон-Корт и, надеюсь, захватили моего юного протеже, Ральфа Денема — очень умного юношу, — чтобы Кассандра не скучала. Думаю, получилось удачно.

Он был готов сколько угодно рассуждать на эту безопасную тему и рассчитывал, что Кэтрин придет прежде, чем тема исчерпает себя.

— Хэмптон-Корт всегда казался мне подходящим местом для обрученных парочек. Там есть лабиринт, и чаю можно выпить в приятной обстановке — не помню только, как это место называется, — и потом, молодой человек всегда найдет способ покатать свою даму на лодке. Море возможностей, просто море... Кусочек пирога, Селия? — предложил мистер Хилбери. — Я предпочитаю оставить место для обеда, но, насколько я помню, ты никогда не соблюдала это правило.

Учтивость брата не обманула миссис Милвейн, она даже слегка рассердилась, потому что отлично понимала ее причину. Несчастный слепец! Впрочем, чего еще от него ждать...

— Кто такой этот мистер Денем? — спросила она.

— Ральф Денем? — охотно откликнулся мистер Хилбери, по-прежнему радуясь неожиданному повороту разговора. — Очень любопытный молодой человек. Я возлагаю на него большие надежды. Знаток нашего средневекового права. Если б ему не приходилось зарабатывать на жизнь, он мог бы написать стоящую книгу...

— То есть он небогат? — прервала его миссис Милвейн.

— Беден как церковная мышь, к тому же, подозреваю, вся семья на нем.

— Мать и сестры? А его отец что, умер?

— Да, умер несколько лет назад, — ответил мистер Хилбери, приготовившись напрячь воображение и поведать миссис Милвейн факты из жизни

Ральфа Денема, раз уж та почему-то им заинтересовалась. — После смерти отца сыну пришлось занять его место…

— Семья юристов? — уточнила миссис Милвейн. — Кажется, я где-то уже встречала эту фамилию.

Мистер Хилбери покачал головой:

— Я склонен усомниться в том, что оба избрали одну стезю. Кажется, юный Денем как-то упоминал, что его отец торговал зерном. А может быть, он говорил — биржевой маклер… Во всяком случае, он потерпел неудачу, как это обычно и бывает с маклерами. Я очень уважаю Денема, — добавил он. Судя по всему, больше о Денеме ему сказать было нечего. Он начал пристально разглядывать свои ногти. — Кассандра стала настоящей светской дамой, — начал он заново. — На нее приятно посмотреть, с ней приятно поговорить, хотя ее познания в истории нельзя назвать глубокими. Еще чашечку чая?

Однако миссис Милвейн резко отодвинула свою чашку. Ей больше не хотелось чаю.

— Именно из-за Кассандры я и пришла, — сказала она. — К величайшему моему сожалению, Кассандра вовсе не та, за кого ты ее принимаешь, Тревор. Она злоупотребила твоей добротой — твоей и Мэгги. Ее поведение неслыханно — подобное недопустимо и в этом доме, и в любом другом, особенно в сложившихся обстоятельствах!

Мистер Хилбери опешил и несколько мгновений не знал, что ответить.

— Все это весьма неприятно, — заметил он вежливо, продолжая изучать кончики пальцев. — Но, признаюсь, для меня еще и абсолютно непонятно.

Миссис Милвейн сделала строгое лицо и изложила суть короткими, но чрезвычайно эмоциональными фразами.

— С кем гуляет Кассандра? С Уильямом Родни. С кем гуляет Кэтрин? С Ральфом Денемом. Почему они постоянно встречаются на улице, и ходят по мюзик-холлам, и поздно вечером разъезжают в такси? Почему Кэтрин не говорит правду, когда я ее спрашиваю? Теперь я понимаю почему. Она связалась с каким-то неизвестным адвокатишкой, потому что потворствует недопустимому поведению Кассандры.

Наступила недолгая пауза.

— Что ж, я уверен, что Кэтрин все объяснит, — невозмутимо ответил мистер Хилбери. — Мне немного сложно все это сразу понять, признаюсь... и не хочу показаться грубым, но, пожалуй, я должен все же двигаться в сторону Найтсбриджа.

Миссис Милвейн встала.

— Она потворствовала поведению Кассандры и связалась с Ральфом Денемом, — повторила она, выпрямившись, как человек, бесстрашно свидетельствующий об истине вопреки всему. Она знала, что противостоять лени и равнодушию брата можно лишь одним способом: быстро и коротко рассказать обо всем и выйти. Так она оставляла за собой последнее слово и покидала дом с достоинством человека, хранящего верность высоким идеалам.

Она словно нарочно это придумала, чтобы удержать его от поездки в Найтсбридж. За Кэтрин мистер Хилбери был спокоен, но у него возникло некоторое опасение, что Кассандра по наивности может попасть в неловкую ситуацию во время подобных прогулок. У его жены весьма странные представления о приличиях, сам он ленив, и если Кэтрин так занята собой, то, естественно... И тут он осознал, насколько вообще мог осознать, истинный смысл обвинения. «Потворствовала поведению Кассандры и связалась с Ральфом Денемом», следовательно, Кэтрин проявила заботу о ближнем — и кто из них связался с Ральфом Денемом? Мистер Хилбери не представлял, как разобраться в этом нагромождении абсурда, и решил дождаться Кэтрин, с философским спокойствием обратившись к книге.

Как только молодые люди вернулись и прошли наверх, мистер Хилбери отправил горничную к мисс Кэтрин — передать, что отец ждет ее у себя в кабинете.

Войдя в гостиную, Кэтрин небрежно сбросила меха прямо на пол. Все четверо теснились у очага, расставаться не хотелось. Просьба отца застала ее врасплох, и в душу закралось недоброе предчувствие. Остальные тоже сообразили: что-то неладно.

Ее появление успокоило мистера Хилбери. Он гордился, что его дочь имеет представление об ответственности и рассудительна не по годам. Более того, сегодня она была непохожа на себя: он привык воспринимать ее красоту как должное, теперь же словно впервые заметил, как она хороша. И втайне пожалел, что своей просьбой прервал пылкое свидание с Родни.

— Прости, что потревожил тебя, дорогая. Я слышал, ты вернулась, и решил поскорее покончить с неприятным разговором — к сожалению, отцам положено иногда говорить неприятные вещи. Итак, сегодня ко мне приходила тетя Селия. И твоя тетя Селия вбила себе в голову, что ты и Кассандра… скажем так, проявили неосмотрительность. Все эти прогулки вместе, пикники — тут, должно быть, какое-то недоразумение. Я говорил ей, что не вижу в этом ничего дурного, но мне нужно услышать это от тебя. Не слишком ли много времени Кассандра проводит в компании мистера Денема?

Кэтрин молчала, и мистер Хилбери постучал по углям кочергой. Наконец она заговорила, и в ее голосе не было ни смущения, ни раскаяния:

— Я не понимаю, почему должна отвечать на вопросы тети Селии. Я уже сказала ей, что отвечать не собираюсь.

Мистер Хилбери успокоился и слегка повеселел, представив ее беседу с тетей, хотя и не мог открыто одобрять подобную непочтительность.

— Очень хорошо. То есть я могу сказать ей, что она ошиблась и все это не более чем безобидные прогулки? Надеюсь, ты говоришь правду. Родители доверили нам Кассандру, и я не хотел бы, чтобы о ней сплетничали. Полагаю, в будущем тебе следует вести себя более осмотрительно — и не забудьте позвать меня на следующий пикник.

На это, вопреки его ожиданиям, не последовало ни нежного, ни шутливого ответа. Кэтрин медлила, и он подумал, что даже его дочь, как и все женщины, склонна пускать все на самотек. Или ей есть что сказать?

— А может, у тебя совесть нечиста? — весело поинтересовался он. — Ответь, Кэтрин, — добавил он уже более серьезно, вдруг испугавшись странного выражения в ее глазах.

— Я все равно собиралась тебе когда-нибудь сказать. Я не выйду замуж за Уильяма.

— Как?.. — воскликнул он, выронив от удивления кочергу. — С чего это вдруг? Объяснись, пожалуйста.

— Мы уже давно решили… наверное, неделю назад или больше. — Кэтрин говорила спокойно и небрежно, словно эта тема уже давно не была никому интересна.

— Но позволь спросить, почему меня не поставили в известность… и как это все понимать?

— Мы просто раздумали жениться, вот и все.

— Уильям тоже так считает?

— О да, в этом мы полностью согласны.

Мистер Хилбери, что бывало с ним редко, не знал, что на это сказать. Ему казалось, Кэтрин ведет себя слишком легкомысленно, как будто не понимает, о каких серьезных вещах идет речь, и это было в высшей степени странно. Но его вечная привычка все сглаживать сейчас оказалась весьма кстати. Наверняка они просто поссорились, Уильям вспылил, он хоть и хороший человек, но все же порой бывает слишком придирчив — впрочем, умная женщина сумеет это исправить. И хотя мистер Хилбери обычно старался не обременять себя заботами, на этот раз он не мог оставить все как есть — он слишком волновался за дочь.

— Признаюсь, я не очень тебя понимаю. Надо поговорить с Уильямом, — с легкой тревогой произнес он. — Думаю, ему следовало прежде всего известить меня.

— Я бы ему не разрешила, — ответила Кэтрин. — Знаю, это звучит очень странно, но лучше подождать немного — пока не вернется мама.

В этом мистер Хилбери был вполне согласен с дочерью, но в то же время его мучила совесть. И так уже поползли слухи. Для него непереносима была сама мысль, что поведение его дочери может вызвать пересуды. Так что же лучше: телеграфировать жене, сообщить кому-нибудь из сестер, отказать Уильяму от дома или отправить Кассандру домой — потому что и за Кассандру он тоже так или иначе в ответе? Он все больше мрачнел и хмурился от всех этих проблем, ему мучительно хотелось переложить и этот груз, как обычно, на Кэтрин, но тут дверь открылась и появился Родни.

— А вот и Уильям! — воскликнула Кэтрин и быстро предупредила его: — Я сказала папе, что мы не женимся. И еще — что это я просила ничего ему не говорить.

Уильям держался подчеркнуто официально. Слегка поклонился мистеру Хилбери и выпрямился, держа руку на лацкане пиджака и не сводя глаз с камина, как будто там происходило что-то заслуживающее внимания. Он ждал, чтобы мистер Хилбери заговорил первым.

Мистер Хилбери также напустил на себя солидность. Он встал во весь рост и чуть подался вперед:

— Я бы хотел услышать вашу версию этой истории, Родни, — разумеется, если Кэтрин не запрещает вам говорить.

Прежде чем ответить, Уильям немного помолчал.

— Нашей помолвки более не существует, — сказал он чопорно.

— Таково было ваше обоюдное решение?

Уильям выдержал паузу и кивнул, а Кэтрин добавила:

— Да.

Мистер Хилбери покачался взад-вперед и пошевелил губами, словно про себя комментируя ответ.

— Я могу только посоветовать вам отложить любое решение до тех пор, пока не пройдет ваше недопонимание. Вы достаточно хорошо знаете друг друга... — начал он.

— Здесь нет никакого недопонимания, — прервала его Кэтрин. — Абсолютно никакого.

Она сделала несколько шагов, словно собираясь уйти. Ее непринужденность составляла странный контраст напыщенности отца и военной выправке Уильяма. Последний не поднимал глаз. Кэтрин же, напротив, поглядывала то на мужчин, то по сторонам, но большей частью на дверь кабинета. Как будто все происходящее здесь ее не касается. Отец смотрел на нее с легкой тревогой: его вера в благоразумие дочери сильно пошатнулась. Можно ли ей доверять, видя подобное попустительство! Впервые в жизни он почувствовал, что в ответе за нее.

— Нам следует сейчас же во всем разобраться, — сказал он, оставив прежний обвиняющий тон и обращаясь только к Родни, словно Кэтрин не было в комнате. — Положим, вы повздорили. Но поверьте мне, перед свадьбой такое случается сплошь и рядом. А затянувшаяся помолвка — вообще большая глупость, от этого один только вред. Лучше послушайтесь мудрого совета и выкиньте все это из головы — вы оба. Я бы посоветовал вам впредь воздерживаться от эмоций. И отправиться на какой-нибудь приморский курорт — развеяться.

Мистеру Хилбери казалось, что Уильям в глубине души переживает, только старается не подавать виду. Конечно, думал он, с Кэтрин непросто, и, вероятно, она, сама того не желая, вынудила его сделать опрометчивый шаг, о котором он теперь горько жалеет. Насчет страданий Уильяма мистер Хилбери был абсолютно прав. Это были, пожалуй, самые мучительные минуты в его жизни. Настал час расплаты. Теперь он должен честно признаться, что он вовсе не тот, за кого принимал его мистер Хилбери. Все было против него. И этот воскресный вечер, и камин, и тишь библиотеки, и даже то, что мистер Хилбери обращался с ним как с равным, как с человеком своего круга, — тоже было против него. Потому что он изгой, а мистеру Хилбери не следует с такими знаться. Но что-то заставило его принять удар — в одиночку, не рассчитывая на награду. Он попытался найти нужные слова и наконец выпалил:

— Я люблю Кассандру.

Лицо мистера Хилбери вдруг побагровело. Он кивнул дочери, словно отдавая молчаливый приказ покинуть комнату, но она предпочла сделать вид, что не заметила.

— И вы имеете наглость... — начал мистер Хилбери глухим и грозным голосом, немало удивившим его самого, но в эту минуту в прихожей послышались чьи-то шаги и голоса, и в комнату ворвалась Кассандра, которую, похоже, кто-то безуспешно пытался удержать.

— Дядя Тревор! — воскликнула она. — Я должна рассказать вам всю правду!

Она бросилась между Родни и дядей, как будто желая разнять их. Но поскольку дядя лишь стоял, покачиваясь, и угрожающе молчал, пыл ее сразу угас, и она вопросительно глянула сначала на Кэтрин, потом на Родни. — Вы должны... знать правду, — запинаясь повторила она

— И вы имеете наглость говорить мне это в присутствии Кэтрин? — сказал мистер Хилбери, не обращая на Кассандру никакого внимания.

Родни медлил, не поднимая глаз, но, когда заговорил, слова его прозвучали веско и решительно:

— Я понимаю, отлично понимаю, каким недостойным человеком должен вам казаться, — и впервые взглянул мистеру Хилбери в глаза.

— Свое мнение я лучше выскажу вам наедине, — ответил мистер Хилбери.

— Но только вы забыли обо мне. — Кэтрин подошла поближе к Родни, желая показать тем самым, что уважает его решение и поддерживает его. — Я считаю, что Уильям поступает совершенно правильно. К тому же сейчас речь идет обо мне — обо мне и о Кассандре.

Кассандра тоже подошла к Родни, и все трое предстали перед мистером Хилбери единым фронтом. Интонации Кэтрин и ее взгляд снова сбили с толку мистера Хилбери, и он вдруг подумал, что безнадежно отстал от жизни, но по-прежнему держался сурово.

— Кассандра и Родни имеют полное право улаживать свои дела как им заблагорассудится, но я не понимаю, почему они должны делать это в моем доме. Надеюсь, я выразился ясно. И я разрываю твою помолвку с Родни.

Мистер Хилбери замолчал, и было видно, что он бесконечно рад счастливому избавлению дочери от перспективы замужества.

Кассандра посмотрела на Кэтрин: та хотела что-то сказать, но передумала, Родни тоже, казалось, ждал от нее чего-то, и даже отец смотрел на нее, словно ожидая дальнейших откровений. Но Кэтрин не произнесла больше ни слова. В холле послышались шаги — кто-то спускался по лестнице, — и Кэтрин направилась к двери.

— Задержись, — приказал мистер Хилбери. — Мне нужно поговорить с тобой наедине.

Кэтрин остановилась, придержав створку двери.

— Я сейчас вернусь, — ответила она и вышла. Было слышно, как она с кем-то разговаривает, но разобрать слова было невозможно.

Мистер Хилбери остался один с провинившейся парой: те так и не сдвинулись с места, словно не желая смириться с приговором, — хорошо хоть Кэтрин ушла. Во всяком случае, мистер Хилбери полагал, что это даже к лучшему, потому как не находил ни одного разумного объяснения поведению дочери.

— Дядя Тревор, — вдруг воскликнула Кассандра, — пожалуйста, не сердитесь! Я ничего не могла поделать… и… простите меня.

Но дядя по-прежнему отказывался ее замечать и смотрел поверх головы, словно никакой Кассандры в комнате вообще не было.

— Я полагаю, вы уже сообщили Отуэям? — мрачно поинтересовался он у Родни.

— Дядя Тревор, мы хотели сперва сказать вам, — ответила вместо него Кассандра. — Но мы ждали... — Она умоляюще взглянула на Уильяма, но тот отрицательно покачал головой.

— Да? И чего же вы ждали? — Дядя наконец посмотрел на племянницу, но та уже замолчала и, казалось, прислушивается, как будто надеется получить ответ от кого-то еще. Не дождавшись ответа Кассандры, мистер Хилбери тоже начал невольно прислушиваться.

— Создалось крайне неприятное положение для всех нас, — сказал он, вновь опускаясь в кресло.

Он сидел, поглядывая на огонь, словно беседовал сам с собой. Кассандра и Родни молча смотрели на него.

— Что же вы не сядете? — вдруг спросил он.

Особого радушия в его словах не было, но гнев явно прошел — или же его сейчас занимали более важные проблемы. Кассандра приняла приглашение и села, Родни остался стоять.

— Думаю, Кассандра без меня вам все объяснит, — сказал он.

Мистер Хилбери кивнул, и Родни вышел.

Тем временем в соседней комнате, в столовой, Кэтрин и Денем вновь сидели за полированным столом. Они словно продолжали прерванный разговор, и им нужно было поскорее выговориться. Кэтрин вкратце пересказала беседу с отцом.

— В любом случае это не означает, что мы не сможем видеться, — сказал Денем.

— Или быть вместе. Только о браке не может быть и речи, — ответила Кэтрин.

— Но если я почувствую, что меня тянет к тебе все сильнее и сильнее?

— А вдруг опять повторятся такие… провалы?

Он коротко вздохнул и задумался.

— В конце концов, мы уже разобрались, что мои провалы так или иначе связаны с тобой, а твои, как ни странно, зависят только от тебя, — добавил он, но затем сам же яростно опроверг эти доводы разума. — Мы любим друг друга — во всяком случае, так принято называть то, что мы оба чувствуем. Помнишь ту ночь? Тогда никаких сомнений не было. Пусть полчаса, но мы были абсолютно счастливы. И потом весь день с тобой все было хорошо, а со мной — вплоть до вчерашнего утра. Все шло почти идеально, но, каюсь, я потерял голову и, боюсь, совсем замучил тебя.

— Да нет же! — перебила она нетерпеливо. — Ну как тебе объяснить? Вовсе не замучил. Просто это реальность. Реальность! — воскликнула она и даже пристукнула пальцами по столу, подчеркивая это слово. — Ты опять не видишь меня настоящую. Снова все смешалось, снова все как мираж, неверно и зыбко. Мы то сойдемся, то нас опять разводит в стороны. В этом и моя вина. Я не лучше тебя — даже хуже, наверное.

Уже не в первый раз, судя по усталым жестам, они пытались найти объяснение тому, что называли между собой «провалами». Эти недоразумения преследовали их уже несколько дней и были источником постоянных мучений, только что из-за них Ральф чуть не ушел — хорошо Кэтрин вовремя услышала его шаги и успела остановить его в холле. Почему же случались эти недоразумения? Стоило Кэтрин понаряднее одеться или сказать что-то неожиданное, сердце его замирало от восторга, и он умолкал в почтительном восхищении, но это возвышенное романтическое состояние души Кэтрин почему-то всегда ухитрялась прервать каким-нибудь грубым прозаическим замечанием. Прекрасное видение исчезало, и Ральф с беспощадной ясностью осознавал, что любит лишь образ, а не настоящую Кэтрин. Ее же провалы заключались в том, что она постепенно все более душой отдалялась от него, замыкаясь в кольце собственных мыслей, и любая попытка собеседника вновь привлечь ее внимание встречала резкий отпор. Стоит ли говорить, что причиной ее провалов был сам Ральф, хотя в конце концов она о нем уже не думала? В такие моменты он казался лишним, даже вспоминать о нем было противно. И где же здесь любовь? Как все странно и непонятно!

Так они сидели за обеденным столом в тягостном молчании, пока Родни возбужденно расхаживал по гостиной, а Кассандра оставалась в дядюшкином кабинете. Наконец Ральф встал, подошел к окну, прижался лбом к холодному стеклу. Там, снаружи, была истина и свобода без границ, которую можно познать лишь в одиночестве, никому другому этого не понять. И любая попытка воплотить это видение — не является ли она сама по себе кощунством? Уловив легкое движение за спиной, подумал: Кэтрин могла бы стать идеальным воплощением его мечты, если бы захотела. Он резко обернулся, готовый умолять ее о помощи, но вновь наткнулся на холодный, мечтательный взгляд, устремленный в пустоту. Словно в ответ на его молчаливую просьбу, она подошла к окну и встала рядом, глядя в синие сумерки. Они сейчас так близки — и так бесконечно далеки друг от друга, с грустью подумал он. Но, пусть и далекая, Кэтрин одним своим присутствием преображала все вокруг. В мыслях он проявлял чудеса храбрости: спасал утопающих, заступался за несправедливо обиженных. И не мог избавиться от ощущения, что жизнь — прекрасна, романтична и достойна рыцарского служения, пока Кэтрин рядом. И не нужно было ни слов, ни взглядов, ни прикосновений — лишь бы она стояла рядом, недоступная, погруженная в свои мысли.

Неслышно отворилась дверь. Мистер Хилбери оглядел комнату и не сразу заметил двоих, стоявших у окна. Какое-то время он внимательно смотрел на них, прежде чем решился обнаружить свое присутствие. Они обернулись. Он подозвал Кэтрин кивком головы и, не удостоив Денема взглядом, вернулся вместе с ней в кабинет. Там он плотно прикрыл дверь, как будто это могло как-то обезопасить его от неприятностей.

— Итак, Кэтрин, — произнес он, встав у камина, — не соблаговолишь ли ты объяснить мне... — Она молчала, но он не отступал: — Как это прикажешь понимать? Ты говоришь, что не помолвлена с Родни. Я вижу, ты находишься в очень близких отношениях с другим — с Ральфом Денемом. Какие выводы из этого я должен сделать? — добавил он, поскольку она по-прежнему молчала. — Ты помолвлена с Ральфом Денемом?

— Нет, — ответила она.

Мистер Хилбери вздохнул с облегчением: он был почти уверен, что ее ответ подтвердит его худшие подозрения. Но хоть главная опасность и миновала, все равно поведение дочери внушало ему опасения.

— Тогда должен сказать, у тебя очень странные представления о приличии... Я не удивлен, что некоторые уже сделали выводы... Нет, я решительно не понимаю! — Он возвысил голос. — Почему меня держат в неведении относительно того, что творится в моем собственном доме? Почему я обо всем узнаю от собственной сестры? Это неприятно — нет, это ужасно. А теперь еще придется объясняться с твоим дядей Френсисом — но все, я умываю руки. Кассандра завтра уезжает. Родни отказано от дома. Что касается второго молодого человека, то чем скорее он уйдет, тем лучше. А ведь я так тебе доверял... — Он прервал гневный поток, встревоженный зловещим молчанием, которым были встречены его слова, и вопросительно взглянул на дочь, как будто вновь, как давеча, усомнился в ее способности здраво воспринимать происходящее. И опять, как тогда, ему показалось, что она оставляет все сказанное им без внимания, но вслушивается в звуки, доносящиеся снаружи. Он тоже прислушался. Теперь он почти не сомневался, что между нею и Денемом что-то есть, но еще неприятнее была мысль, что это что-то недозволенное, — впрочем, недозволенными ему казались любые отношения между молодыми людьми.

— Я поговорю с Денемом, — сказал он, сраженный внезапной догадкой, и обернулся к двери.

— Я пойду с тобой, — сказала Кэтрин, делая шаг вперед.

— Ты останешься здесь, — ответил отец.

— Что ты собираешься ему сказать? — спросила она.

— Полагаю, в моем доме я могу говорить все, что захочу, — ответил он.

— Тогда я иду тоже, — ответила она.

Ее «иду» прозвучало как «уйду навсегда». Мистер Хилбери вернулся к камину и какое-то время стоял молча, покачиваясь взад-вперед.

— Правильно ли я понял, что ты не помолвлена с ним? — спросил он наконец и в упор посмотрел на дочь.

— Мы не помолвлены, — ответила она.

— Следовательно, тебе должно быть все равно, здесь он или нет. Изволь слушать, когда с тобой говорят! — сердито воскликнул он, заметив ее легкое движение. — Ответь честно, что за отношения у тебя с этим молодым человеком?

— Я не желаю ни с кем обсуждать это, — упрямо повторила она.

— Хватит с меня этих уверток, — сказал мистер Хилбери.

— Я не буду ничего объяснять, — ответила она, и в этот момент хлопнула входная дверь. — Ну вот, — воскликнула она, — он ушел! — Она бросила на отца взгляд, полный такого негодования, что он на мгновение опешил.

— Господи, Кэтрин, держи себя в руках! — вскричал он.

Она замерла, словно дикий зверек, пойманный в клетку. Окинула беглым взглядом заставленные книгами стены, словно вдруг забыла, где дверь. И хотела уйти, но рука отца опустилась на ее плечо. Он усадил ее в кресло.

— Разумеется, ты расстроилась, — сказал он. К нему вернулась привычная обходительность, в голосе вновь звучали покровительственные интонации. — Ты оказалась в очень непростом положении, насколько я понял со слов Кассандры. Давай договоримся в ближайшее время не возвращаться к этой неприятной теме. И вообще, попробуем вести себя как цивилизованные люди. Почитаем Вальтера Скотта. Как насчет «Антиквара»? Или «Ламмермурской невесты»?*

Но в результате сам сделал выбор, и Кэтрин опомниться не успела, как оказалась объектом облагораживающего воздействия сэра Вальтера Скотта.

Однако мистер Хилбери сильно сомневался, что процесс превращения в цивилизованного человека окажется действенным. Увы, этим вечером цивилизованность была совершенно не в чести, и непонятно, насколько пагубны окажутся последствия: он, например, сегодня вспылил и чуть не потерял лицо, чего с ним не случалось уже лет десять, — это ему настоятельно требовалось сейчас восстановиться и успокоиться в объятиях классиков литературы. В его доме произошел переворот, того и гляди, потянутся непрошеные визитеры, он чувствовал себя так, словно в чашу жизни ему подмешали отраву. Может ли литература дать спасение от этих невзгод? Мистер Хилбери читал вслух, но в его голосе не было прежней живости.

---

* «Ламмермурская невеста» (1819) — на основе этого романа написано либретто оперы Дж. Доницетти «Лючия ди Ламмермур». По сюжету книги героиня, разлученная со своим избранником, убивает нелюбимого жениха.

ГЛАВА XXXIII

Мистер Хилбери проживал в доме с определенным порядковым номером, выделявшим его среди других домов на той же улице, вовремя заполнял квитанции и оплачивал аренду, оформленную на семь лет вперед, а потому считал себя вправе устанавливать нормы поведения для всех остальных в его доме. Этим правом — а что еще оставалось делать? — он и решил воспользоваться, столкнувшись с вопиющим беззаконием и падением нравов. Родни подчинился и исчез. Кассандру отправили на поезд, уходивший из Лондона в понедельник в половине двенадцатого утра. От Денема не было ни слуху ни духу. В доме осталась только Кэтрин, законопослушная обитательница собственных комнат на верхнем этаже, и мистер Хилбери надеялся, что своим присутствием сумеет удержать ее от дальнейших опрометчивых поступков. На следующий день они пожелали друг другу доброго утра, и, хотя ход мыслей дочери по-прежнему оставался для мистера Хилбери загадкой, даже обычное приветствие он воспринял как добрый знак: в последние дни она его вообще не замечала. Он отправился в свой кабинет и сел писать письмо жене, то и дело зачеркивая и начиная заново. Он просил ее как можно скорее вернуться домой, чтобы разобраться с некими непредвиденными семейными обстоятельствами, — в первых черновиках он даже описывал эти обстоятельства в деталях, но в окончательной редакции письма осторожно обошелся общими словами и умолчаниями. Даже если она соберется домой немедленно, думал он, то ждать ее следует не раньше вечера вторника, — и мрачно прикинул, сколько часов еще ему предстоит коротать наедине с дочерью, в роли домашнего тирана.

Интересно, чем она сейчас занята? — думал он, надписывая адрес на конверте. Присматривать за телефоном он не мог — и вообще не желал за ней шпионить. Дочь вправе распоряжаться собой, и ждать можно было чего угодно. Но куда больше мистера Хилбери тревожила даже не эта шаткость нынешнего положения, а воспоминание о странной, неприятной и даже непристойной сцене, участником которой он стал накануне вечером. Воспоминания о ней причиняли ему почти физическое неудобство.

Однако Кэтрин была далека от телефона — и в прямом и в переносном смысле. Она сидела у себя в комнате за столом, а перед ней лежали справочники, раскрыв бледное нутро и выпустив на свет Божий потаенные листы, которые уже образовали приличную стопку. Она ожесточенно и сосредоточенно работала, и работа замечательным образом глушила все неприятные воспоминания. Избавившись от непрошеных мыслей, ее разум почерпнул в этой победе новые силы — ряды значков и цифр, выведенные мелким уверенным почерком на белой бумаге, показывали последовательные стадии этого процесса. Был день, шарканье метлы и звук шагов говорили о том, что там, по ту сторону двери, люди заняты делом, — эта дверь, которую могли распахнуть в любую секунду, оставалась ее единственной защитой от внешнего мира. Но в своем маленьком царстве она была полновластной хозяйкой.

Кто-то неслышно подошел к ее комнате. Мечтательные, неспешные, задумчивые шаги — так и должны ходить те, кому за шестьдесят и чьи руки полны цветов и листьев, — эти шаги приблизились, и в дверь тихонько постучали лавровой ветвью; Кэтрин замерла, не отрывая карандаша от бумаги. Она сидела, глядя прямо перед собой и надеясь, что непрошеный гость уйдет. Но вместо этого дверь открылась. Сперва Кэтрин увидела, как в комнату сам собой вплыл огромный букет, а затем узнала мать, чье лицо было почти полностью скрыто за желтыми цветами и пушистыми веточками вербы.

— С могилы Шекспира! — провозгласила миссис Хилбери, бросая на пол охапку цветов, как трофей, и раскрывая объятия дочери. — Слава Богу, Кэтрин! — воскликнула она, — Слава Богу!

— Ты вернулась? — невпопад спросила Кэтрин, поднимаясь ей навстречу.

Ее мысли еще были заняты работой, но все равно было отрадно сознавать, что мать дома, и благодарит Бога неведомо за что, и усыпает пол цветами и листьями с могилы Шекспира.

— Чувства — это самое важное! Все остальное — чепуха, — продолжила миссис Хилбери. — Имя — это еще не все, хотя мы придаем ему до смешного много значения. Кому нужны эти нелепые, бессвязные и назойливые письма? И я не хотела, чтобы твой отец рассказывал мне всякие глупости, ведь я еще раньше все знала. И я молила Бога, чтобы так случилось.

— Ты знала? — тихо и нерешительно повторила Кэтрин, глядя куда-то в пространство. — Но откуда? — И она начала, как ребенок, дергать кисточку на материнском пальто.

— Ты все мне рассказала в первый же вечер, Кэтрин. Да, ты говорила о нем на тысячу ладов — и при гостях за ужином, и когда речь шла о книгах, — все было понятно, стоило тебе войти в комнату и произнести его имя.

Казалось, Кэтрин обдумывает слова матери. Затем она мрачно заметила:

— Я не собираюсь замуж за Уильяма. И еще Кассандра…

— Ну да, и еще Кассандра, — ответила миссис Хилбери. — Признаюсь, сперва мне было немного обидно… Но в конце концов, она так чудесно играет на фортепиано! Расскажи, Кэтрин, — вдруг попросила она, — куда ты ездила в тот вечер, когда она играла Моцарта, а ты думала, что я сплю?

Кэтрин с трудом припомнила события того дня.

— К Мэри Датчет, — ответила она.

— Ах вот как… — произнесла миссис Хилбери несколько разочарованно. — А я представляла такую чудесную романтическую историю…

Она взглянула на дочь. Кэтрин вздрогнула под этим взглядом, невинным и проницательным одновременно; она покраснела, отвернулась, потом снова взглянула на мать.

— Я не люблю Ральфа Денема, — сказала она.

— Не стоит выходить замуж без любви, — ответила миссис Хилбери. — Но может быть, тут что-то другое?

— Мы хотим видеться время от времени, может, даже часто, но оставаться при этом свободными, — продолжала Кэтрин.

— Видеться здесь, или у него дома, или на улице. — Миссис Хилбери прикидывала вслух варианты, и ни один из них ей не нравился. Ясно было, что у нее есть свои источники информации и, разумеется, множество «нелепых писем» от сестры мужа.

— Да. Или уехать в деревню, — закончила Кэтрин.

Миссис Хилбери вдруг расстроилась и, по своему обыкновению, отвернулась в поисках утешения к окну.

— Тогда в магазине он был так заботлив… А как он сразу же отыскал руины! Мне с ним было так спокойно…

— Спокойно? Нет, он страшно безрассудный! Он хочет бросить работу и поселиться в домике в деревне и писать книги, но у него нет ни копейки денег, зато есть множество братьев и сестер, и он их содержит.

— А мать у него есть? — поинтересовалась миссис Хилбери.

— Да. Почтенная пожилая дама, седая. — Кэтрин рассказала, как ездила к Денему, и миссис Хилбери узнала, что его дом ужасно некрасивый, но Ральф безропотно все терпит, и все там держится на нем, и у него комнатка под самой крышей с потрясающим видом на Лондон и еще ручной грач.

— Несчастная старая птица, живет в углу, облезлая, — сказала Кэтрин так нежно, словно говорила не о граче, но о человечестве, ждущем, чтобы Ральф Денем пришел и утолил его страдания.

Миссис Хилбери, не удержавшись, воскликнула:

— Кэтрин, да ты и впрямь влюблена!

На что Кэтрин залилась краской и испуганно покачала головой, словно сказала или сделала что-то недозволенное.

Миссис Хилбери продолжала расспрашивать дочь об удивительном доме, попутно рассказав о том, как однажды Кольридж с Китсом столкнулись посреди улицы*, и это помогло преодолеть минутную неловкость, подвигнув Кэтрин на новые откровения. На самом деле она даже рада была возможности излить душу перед кем-то добрым и мудрым, как в детстве, когда само молчание матери было лучшим ответом на любые, даже не заданные вопросы. Миссис Хилбери внимательно слушала ее, не прерывая, хотя из путаного рассказа Кэтрин узнать о Ральфе Денеме ей удалось совсем немного, разве только что у него нет

* Имеется в виду история о том, как в 1819 г. Китс, встретив Кольриджа на улице, радостно поприветствовал его, но не представился.

отца, он беден и живет в Хайгейте — все это говорило скорее в его пользу. Настроение дочери и радовало ее, и в то же время внушало тревогу. Наконец она не выдержала:

— Знаешь, в наши дни все это делается за пять минут в бюро записей, если венчание кажется тебе слишком пафосным. И это действительно так, хотя в венчании есть что-то благородное.

— Но мы не хотим жениться, — настойчиво повторила Кэтрин. — В конце концов, разве нельзя жить вместе без брака?

Миссис Хилбери снова расстроилась и в волнении принялась вертеть в руках лежащие на столе бумажки, бормоча под нос:

— А плюс В минус С равно икс, игрек, зет. Нет, Кэтрин, так не годится. По-моему, все это ужасно некрасиво.

Кэтрин взяла у матери свои записи и принялась их складывать.

— Ну, не знаю, может, и некрасиво… — сказала она наконец.

— Но он же не просил тебя об этом? — воскликнула миссис Хилбери. — Этот суровый юноша со спокойными карими глазами?

— Он вообще ни о чем не просил. Мы оба ни о чем друг друга не просили.

— Хочешь, расскажу, как все было у меня — вдруг пригодится? — предложила миссис Хилбери.

— Да, расскажи, — кивнула Кэтрин.

Миссис Хилбери устремила затуманенный взор в долгий коридор прожитых дней, где в конце две крохотные фигурки в причудливых старомодных одеяниях брели по пляжу, взявшись за руки, в лунном сиянии, а в синих сумерках покачивались бутоны роз.

— Мы плыли по ночному морю, — начала она. — На лодке, к кораблю. Солнце уже зашло, высоко над нами сияла луна. Помню серебряные блики, а вдали, посреди залива, мигал зелеными огнями пароход. А твой отец возле мачты был как отважный капитан. Все стало таким значительным — как жизнь и смерть. И бескрайнее море. И бесконечное — вечное — путешествие.

Эта старая сказка показалась Кэтрин такой заманчивой! Там были бескрайние морские просторы, и зеленые огни парохода, и герои, закутавшись в плащи, взбирались на палубу, и плыли по зеленым волнам, мимо скал и солнечных лагун, мимо гавани с лесом мачт, мимо церковных шпилей. Река несла их к цели, принесла сюда, в настоящее, и отхлынула. Кэтрин с обожанием посмотрела на очарованного странника — на свою мать.

— Кто знает, — мечтательно продолжала миссис Хилбери, — куда мы идем и зачем, и кто направил нас, и что мы отыщем, — но твердо знаем лишь одно: любовь и есть вера. Любовь... — промолвила она, и ее дочь услышала одно это слово среди множества пустых слов, и оно прозвучало для нее как грохот волн, величественно накатывающих на далекий берег, о котором она так долго мечтала.

Ей хотелось, чтобы ее мать произнесла это слово еще раз, — в ее устах оно звучало успокаивающе, собирало мир из разрозненных кусков в единое целое. Но вместо этого миссис Хилбери жалобно попросила:

— Ты же не будешь больше думать о всяких некрасивых вещах, правда, Кэтрин?

С этими словами корабль, который вообразила себе Кэтрин, вошел в гавань и закончил свое путешествие. И все же ей очень хотелось услышать совет — или на худой конец просто рассказать о своих трудностях, чтобы взглянуть на них другими глазами.

— Но ведь тогда, — сказала она, уходя от разговора о «некрасивом», — ты знала, что влюблена. А у нас все по-другому. Как будто, — она слегка нахмурилась, пытаясь описать свои чувства, — вдруг что-то кончилось, исчезло, как мираж, — мы решили, что влюблены, и поэтому влюбились, а на самом деле вообразили то, чего вовсе не было. Поэтому наш брак невозможен. Когда ты постоянно видишь, что другой человек — лишь плод твоего воображения, и потом об этом забываешь, и не понять, любит ли он тебя или ту, которую себе вообразил... и эти ужасные метания — только скажешь: я счастлива — и в следующий миг несчастна… Поэтому мы не можем пожениться. Но мы не можем жить друг без друга, потому что...

Миссис Хилбери терпеливо ждала продолжения, но Кэтрин молчала и только теребила в руках свои записи.

— Надо верить в мечты, — сказала миссис Хилбери, глядя на цифры: они ее ужасно раздражали и, как ей казалось, имели какое-то отношение к происходящему в доме. — Иначе, как ты говоришь... — Надо было пролить луч света в пучины разочарования, которые, похоже, и ей знакомы. — Поверь, Кэтрин, так бывает со всеми: с тобой, со мной, даже с твоим отцом, — доверительно сказала она и вздохнула.

Они вместе заглянули в открывшуюся бездну, и миссис Хилбери, будучи старше и опытнее, первой стряхнула с себя оцепенение:

— Но где же Ральф? Почему он не пришел со мной повидаться?

Кэтрин насупилась.

— Потому что ему запретили приходить в этот дом, — ответила она.

Миссис Хилбери легко решила проблему.

— Мы еще успеем пригласить его к обеду? — спросила она.

Кэтрин взглянула на нее, словно увидела чудо. Вместо взрослой женщины, привыкшей распоряжаться и повелевать, она вновь стала маленькой девочкой, едва выглядывающей из-за трав и цветов, и кто-то огромный, высотой до небес, кому она всецело доверяла, взял ее за руку и повел за собой.

— Когда его нет, я несчастна, — просто сказала она.

Миссис Хилбери сочувственно кивнула и, похоже, тут же начала строить планы на будущее. Затем подобрала цветы и, тихонько напевая себе под нос о дочери мельника, вышла из комнаты.

Вопрос, которым занимался в тот день Ральф Денем, разумеется, не мог увлечь его полностью, однако запутанные дела покойного Джона Лейка из Дублина требовали от стряпчего посильного участия, иначе вдова и пятеро маленьких детей Джона Лейка останутся без всякого содержания. Однако взывать к человечности Ральфа было практически бесполезно: в тот день его никак нельзя было назвать образцовым служащим. Барьеры, которыми он так старательно разделил разные сферы своей жизни, рухнули — он сидел, уставившись в завещание, и видел вместо него гостиную на Чейни-Уок.

Ральф испробовал уже все способы, которые прежде помогали ему отделять работу от жизни, — надо же продержаться хотя бы до конца рабочего дня. Но, как он ни старался, Кэтрин все время была где-то рядом, он не мог не думать о ней и в конце концов сдался. Ее образ заслонил собой шкаф судебных протоколов, а стены и углы кабинета приобрели странные размытые очертания — так бывает в первые минуты после пробуждения, когда смотришь вокруг и не сразу понимаешь, где ты. Постепенно мысли, пульсируя, сбивались в волны, и к ним прибивались слова; он почти машинально схватил карандаш и принялся записывать нечто вроде стихотворения, где на месте пробелов в каждой строчке недоставало нескольких слов. Но набросал лишь несколько строчек — и в досаде бросил ручку, как будто в ней была причина его неудач, и порвал листок на клочки. Это означало, что Кэтрин, невидимая, сделала ему совсем не вяжущееся с поэзией замечание. Оно было даже губительно для поэзии, суть его заключалась в том, что поэзия вообще не имеет к ней отношения: все ее знакомые только и делают, что ломают голову над тем, как бы поизящнее выразиться, а его чувство — иллюзия, и в следующий миг, словно в насмешку над его беспомощностью, она замкнулась, отгородилась от него, как часто с ней бывало. Ральф тщетно пытался указать ей на тот факт, что он вообще-то стоит сейчас в тесном кабинете на Линкольнз-Инн-Филдс, довольно далеко от Челси. Но эта физическая преграда лишь усугубила отчаяние, и, покружив некоторое время по комнате, он схватил новый лист, чтобы написать ей письмо, которое и поклялся сегодня же отправить.

Все это трудно было выразить словами, стихи подошли бы лучше, но от поэзии следовало воздержаться. В бесчисленных черновиках, нещадно вымарывая фразы и переправляя по десять раз, он пытался объяснить ей, что, хоть люди, как правило, не умеют понимать друг друга, все же это лучшее из всего, что мы знаем, более того, каждый имеет возможность соприкоснуться с иным миром, не зависящим от личных дел, — миром юриспруденции, философии или — что еще важнее — с таким, проблеск которого явился ему намедни, когда казалось, их обоих объединяет одно стремление — созидание идеала, отвергаемого банальными житейскими обстоятельствами. Но если лишить жизнь этой золоченой оправы, этой иллюзии (ведь что такое иллюзия, в конце концов?), не будем ли мы тогда обречены влачить жалкое существование, — так примерно писал он, с внезапной уверенностью, дававшей простор мыслям и позволившей, по крайней мере, одну фразу сформулировать начисто без исправлений. Ему показалось, что в целом это умозаключение, с учетом и других желаний, довольно хорошо объясняет природу их взаимоотношений. Но все равно было в нем что-то мистическое — он задумался. Судя по тому, каких трудов ему стоило написать даже эту скромную часть послания, зачеркивая одни слова и вписывая над и под ними другие, ничуть не лучше прежних, продолжать не стоило — и он, недовольный своим произведением и втайне подозревая, что Кэтрин подобные экзерсисы уж точно не одобрила бы, отложил перо. Ральф чувствовал себя далеким от нее — еще дальше, чем прежде. Потерпев неудачу в словесной игре, он принялся от нечего делать рисовать на полях: одна за другой появлялись на белой бумаге крохотные женские головки — обозначавшие, судя по всему, ее профиль, и черные точки с острыми, как языки пламени, обводами — означавшими, вероятно, состояние мира. За этим занятием его и застигло сообщение о том, что с ним желает поговорить какая-то леди. Он едва успел пригладить волосы, чтобы хоть немного походить на стряпчего, и запихнул в карман свои почеркушки, сгорая от стыда при мысли, что их может кто-то увидеть.

Неизвестная леди вошла, и он понял, что приготовления были излишни: это была миссис Хилбери.

— Надеюсь, вы не отчуждаете в срочном порядке чье-то имущество, — произнесла она, глядя на бумаги на его столе, — и не оспариваете майорат или что-то в этом роде, потому что я хочу попросить вас об услуге, а мой кучер Андерсон не привык ждать. Андерсон настоящий тиран, но что же делать, я вынуждена с ним считаться, ведь он отвозил дорогого папу в Вестминстер в день похорон. Я решила обратиться к вам не за юридической помощью — впрочем, я понятия не имею, к кому следует обращаться в таком случае, — но за помощью в некоторых домашних проблемах, которые возникли в мое отсутствие. В Стратфорде-на-Эйвоне — я потом вам про него расскажу — я получила письмо от сестры мужа, милой несносной дамы, которая вечно сует нос в дела чужих детей, потому что своих у нее нет. И кстати, мы ужасно боимся, как бы она не ослепла на один глаз, — а я всегда замечала, что наши физические недуги удивительным образом соответствуют недугам душевным. Думаю, что-то подобное Мэтью Арнольд говорил о лорде Байроне. Впрочем, это к делу не относится.

Лирическое отступление, допущенное сознательно или вызванное естественным желанием миссис Хилбери приукрасить и оживить любой разговор, дало Ральфу время сообразить, что она в курсе всего, что произошло за время ее отсутствия, и прибыла к нему в качестве посла.

— Я приехала не для того, чтобы рассказывать о Байроне, — улыбнулась миссис Хилбери, — хотя знаю, что вы оба — и вы, и Кэтрин, в отличие от своих сверстников, считаете его заслуживающим внимания. — Она помолчала. — Я так рада, что вы научили Кэтрин читать стихи! — воскликнула она. — Она чувствует поэзию и выглядит так поэтично! Правда, еще не умеет говорить о поэзии, но со временем и это придет.

Ральф, нервно стиснув руки, пробормотал, что иногда ему казалось это безнадежным делом, совершенно безнадежным, хотя почему — не объяснил.

— Но вы питаете к ней нежные чувства? — спросила миссис Хилбери.

— О да!.. — воскликнул Ральф с пылом, не требующим более никаких вопросов.

— И вы оба возражаете против обрядов англиканской церкви? — безмятежно поинтересовалась миссис Хилбери.

— Да мне плевать, что там будут за обряды, — ответил Ральф.

— Готовы ли вы в крайнем случае венчаться с ней в Вестминстерском аббатстве?

— Я готов венчаться хоть в соборе Святого Павла, — ответил Ральф.

Рядом с Кэтрин он постоянно сомневался, но теперь все сомнения исчезли, и он больше всего на свете хотел быть рядом с ней, не теряя ни секунды, — словно каждый миг промедления уносил ее от него все дальше в океан фантазий, в которых ему не было места. Он страстно желал обладать ею, повелевать ею.

— Слава Богу! — воскликнула миссис Хилбери. Она благодарила Господа за многое: и за уверенность в голосе молодого человека, и за свою уверенность в том, что в день свадьбы дочери старинные, величавые слова брачной церемонии вознесутся над головами избранных в том самом месте, где среди английских поэтов упокоился и ее родной отец. На глаза навернулись слезы. Экипаж ждал внизу, и она в сопровождении Ральфа Денема направилась к выходу.

Это была странная поездка. Для Денема, несомненно, худшая в его жизни. Его единственным желанием было как можно скорее попасть на Чейни-Уок; но вскоре выяснилось, что считаться с его желаниями никто не собирается. Миссис Хилбери останавливала экипаж у почтамтов, кафе, неведомых магазинчиков, здоровалась с пожилыми приказчиками — своими давними знакомыми; а завидев над корявыми шпилями Лудгейт-Хилла купол собора Святого Павла, внезапно дернула за шнурок и приказала кучеру ехать к нему. Впрочем, у Андерсона было предвзятое отношение к дневной службе, и он упрямо направлял морду лошади на запад. Через несколько минут миссис Хилбери заметила это, но отнеслась к ситуации с юмором и извинилась перед Ральфом.

— Ничего страшного, — сказала она, — съездим в собор Святого Павла в другой раз, и кто знает, вдруг так случится, хотя не могу обещать, что мы проедем мимо Вестминстерского аббатства — и это даже еще лучше.

Ральф едва ли понимал смысл слов миссис Хилбери. Его разум и тело словно воспарили в высший мир, где наплывающие друг на друга облака обволакивают все вокруг бледной дымкой. Вместе с тем в нем билось сейчас одно-единственное желание, которое он пока не в силах был осуществить и потому все сильнее мучился от собственной беспомощности.

Вдруг миссис Хилбери дернула за шнурок так решительно, что даже Андерсон был вынужден послушаться. Экипаж остановился посередине Уайтхолла, напротив одного из высоких зданий, в котором располагались правительственные учреждения. В следующую минуту миссис Хилбери поднималась по ступенькам, а Ральф остался сидеть в карете, настолько возмущенный новой задержкой, что даже не стал гадать, что же понадобилось миссис Хилбери в Министерстве образования. Он уже хотел выйти из кареты и поймать такси, когда миссис Хилбери вернулась, беседуя с кем-то, кто держался позади нее и кого Ральф пока не мог рассмотреть.

— Там найдется место для всех нас, — говорила она. — Для всех! Там хватит места для всех четверых, Уильям, — добавила она, открывая дверцу, и Ральф обнаружил, что к их компании присоединился Уильям Родни.

Двое мужчин посмотрели друг на друга. Физиономия незадачливого попутчика Ральфа выражала мучительную неловкость и крайнюю степень уныния. Но миссис Хилбери ничего этого не видела — или не желала видеть. Она все говорила и говорила, обращаясь, как показалось молодым людям, к некоему собеседнику, витающему где-то над крышей кареты. Она рассказывала о Шекспире и о судьбах человечества, превозносила достоинства поэзии и принималась декламировать стихи, бросая их на середине. Главным достоинством этого занятия была самодостаточность, и миссис Хилбери продолжала беседовать сама с собой всю дорогу до Чейни-Уок.

— Вот мы и приехали! — воскликнула миссис Хилбери, выпархивая из экипажа у дверей дома.

И когда она, уже стоя на лестнице, обернулась к Родни и Денему, ее видимая беспечность и иронично-веселые нотки в голосе внушили обоим внезапные опасения: можно ли доверять судьбу подобному дипломату?

Родни замешкался на пороге и шепнул Денему:

— Вы входите, а я... — И он уже хотел сбежать, но тут дверь открылась, привычная обстановка дома успокоила его, и он поплелся внутрь вслед за остальными, а захлопнувшаяся за спиной дверь отрезала путь к отступлению.

Миссис Хилбери повела их в гостиную на втором этаже. В камине, как обычно, горел огонь, столики ломились от фарфора и серебра. В комнате никого не было.

— О, Кэтрин здесь нет, — сказала миссис Хилбери. — Наверное, она у себя в комнате. Думаю, у вас есть что сказать ей, мистер Денем. Вы найдете дорогу? — И широким жестом указала на потолок.

Она внезапно стала серьезной и собранной, истинной хозяйкой дома. Жест, которым она отпустила Ральфа, был исполнен достоинства, и он понял, что никогда его не забудет. Словно легким мановением руки она отдавала в его полное распоряжение все, чем владела. Он вышел из комнаты.

В доме Хилбери оказалось так много этажей, коридоров, закоулков и закрытых дверей, и все они были незнакомы Ральфу, который прежде бывал лишь в гостиной. Он поднялся на самый верх — дальше лестница кончалась — и постучался в первую попавшуюся дверь.

— Можно войти? — спросил он.

— Да, — послышалось из глубины комнаты.

Он увидел большое светлое окно, пустой стол и высокое зеркало. Кэтрин поднялась и замерла, держа в руке какие-то бумаги, которые медленно посыпались на пол, когда она разглядела своего гостя. Их объяснение было коротким. Слов почти не было, да и не нужны были они, слова. И словно наперекор всем бурным стихиям мира, упрямо пытающимся их разделить, они сидели, взявшись за руки, так близко, что даже Время, глянув на них с высоты, могло бы принять их за единое целое.

— Не двигайся! Не уходи, — попросила она, когда он потянулся поднять бумаги, выпавшие из ее руки.

Но он все же поднял их — и, повинуясь внезапному порыву, протянул ей вместо них собственный незаконченный трактат. Оба принялись молча читать сочинения друг друга.

Кэтрин вникала в его туманные образы, Ральф в меру своего разумения пытался разобраться в математических записях. Оба закончили читать тексты почти одновременно. Какое-то время они не знали, что сказать. Ральф первым нарушил молчание:

— Ты эти листы забыла в сумке на скамейке в Кью. И так быстро сложила их, что я не заметил, что там написано.

Она залилась краской, однако не пыталась отвернуться или спрятать лицо и выглядела при этом беззащитной, словно лесная птичка, опустившаяся на руку Ральфа и складывающая крылья. Миг их объяснения был почти болезненным — настолько ярок оказался открывшийся свет истины. Теперь ей предстояло привыкнуть к тому, что кто-то еще разделит с ней ее одиночество. Ее смятение было вызвано отчасти стыдом, отчасти предчувствием величайшей радости. Она понимала, конечно, что со стороны все это выглядит крайне нелепо. Она подняла глаза — Ральф вполне мог отнестись к ее занятиям с улыбкой, но он смотрел на нее торжественно и серьезно, и она поняла, что не совершает ничего дурного, а, наоборот, обретает что-то — возможно, бесконечно много и, возможно даже, навсегда. Ее окутали мягкие волны блаженства. Но его взгляд просил дать ответ на еще один важный вопрос — сказать, нашла ли она что-то полезное для себя в его сумбурных записях. Она кивком головы указала на бумаги в своей руке.

— Мне нравятся твои точечки — как одуванчик, — задумчиво произнесла она.

Ральф в отчаянии чуть было не выхватил у нее записи, но увидел, что она с неподдельным интересом рассматривает дурацкие значки, которыми он отмечал самые бессвязные и трогательные моменты.

Он был уверен, что они никому ровно ничего не скажут, хотя для него в них была — сама Кэтрин, и все его мысли о ней, которые преследовали его с момента их первой встречи, когда в далекий воскресный день она разливала гостям чай в гостиной. Для него эта череда неровных окружностей с черной точкой посередине означала невидимое сияние, которое непостижимым образом окружает многое из того, что мы видим, смягчая шероховатости, так что некоторые улицы, книги и даже ситуации для него были словно окружены сияющим коконом, почти реальным и ощутимым. Улыбнется ли она? Или небрежно отложит этот крик его души в сторону, сочтя слишком нелепым и, может быть, даже неискренним? Или опять скажет с упреком, что он влюблен не в нее, а в ее вымышленный образ? Однако ей даже не пришло в голову, что этот корявый символ на полях как-то связан с ней. Она просто сказала, все так же задумчиво:

— Да, и я весь мир так же вижу.

Как обрадовался он, услышав это признание! Медленно и верно вставала на горизонте, над всей картиной жизни, эта нежная пламенеющая полоска, окрашивая воздух в пурпурные тона и сгущая тени, такие темные, что казалось — их можно раздвинуть и так и идти ощупью до бесконечности. И даже если открывшиеся каждому перспективы имели мало общего, обоих сближало предчувствие — будущее сулило им бескрайние просторы, таящие бесконечное разнообразие образов, чувств и всего, что им только предстоит открыть друг для друга, и в данный момент этого было достаточно, чтобы наполнить их сердца тихим счастьем. Однако их первые попытки объясниться довольно грубо прервали — послышался стук в дверь, и вошла служанка, которая загадочным шепотом сообщила, что мисс Хилбери хочет видеть некая леди, не пожелавшая назвать своего имени.

Кэтрин со вздохом поднялась, чтобы вернуться к своим обязанностям, Ральф последовал за ней. По пути вниз они оба молча гадали, кто эта неведомая леди. Ральф представил крохотную горбунью с кинжалом, который та готовится вонзить в сердце Кэтрин — такая фантастическая картина сейчас казалась ему реальнее любой другой, — и потому открыл дверь и вошел в столовую первым, чтобы принять удар на себя. Но тут же радостно воскликнул: «Кассандра!» Действительно, возле стола стояла Кассандра Отуэй, прижимая палец к губам и умоляя его говорить тише.

— Никто не должен знать, что я здесь, — загробным шепотом пояснила она. — Я опоздала на поезд и целый день бродила по Лондону — ужасно устала. Кэтрин, что мне делать?

Кэтрин подвинула ей кресло, а Ральф торопливо отыскал бутылку вина и налил бокал. Кассандра была страшно бледна и, похоже, на грани обморока.

— Уильям наверху, — сказал Ральф, как только Кассандра немного пришла в себя. — Сейчас приведу его.

Ральф был счастлив и хотел, чтобы и все вокруг тоже были счастливы. Однако в памяти Кассандры были еще свежи воспоминания о гневной дядюшкиной отповеди: разволновавшись, она сказала, что хочет оставить дом как можно скорее. Но была не в состоянии это сделать — даже если бы Ральф с Кэтрин знали, куда ее отвести. Здравомыслие, покинувшее Кэтрин недели две назад, по-прежнему отказывалось прийти ей на помощь, она лишь спросила: «А где твой багаж?» — ей смутно помнилось, что возможность аренды жилья как-то связана с достаточным количеством багажа.

— Я его потеряла, — ответила Кассандра.

Этот ответ подсказал Кэтрин выход.

— Потеряла?.. — повторила она и устремила на Ральфа взгляд, которым обычно сопровождаются клятвы верности до гроба, а не беседы о столь незначительных вещах. В ее взгляде читалось: как хорошо, что ты есть на свете!

Кассандра заметила этот взгляд и ответный — Ральфа, и ее глаза наполнились слезами. Она запнулась на полуслове и хотела было вновь вернуться к разговору об аренде жилья, но в этот момент Кэтрин, многозначительно переглянувшись с Ральфом, сняла с пальца кольцо с рубином и протянула его Кассандре:

— Думаю, оно тебе будет впору.

Но окончательно убедил Кассандру в том, что она не ослышалась, Ральф, который взял руку Кэтрин — теперь без кольца — и сказал:

— Скажи, что ты рада за нас!

Кассандра расплакалась от счастья. Помолвка Кэтрин с Ральфом избавила ее от множества страхов, теперь ее совесть была чиста, а пошатнувшаяся было вера в Кэтрин теперь оказалась полностью восстановлена. В ее глазах Кэтрин теперь даже больше, чем прежде, заслуживала восхищения, как некое существо, стоящее выше всего земного и одним своим присутствием придающее нашему бытию — да и всему миру вокруг — новый, возвышенный смысл. А в следующую минуту она сравнила собственную судьбу с их — и вернула кольцо.

— Я не возьму его, пока Уильям сам мне его не предложит, — сказала она. — Пусть оно пока останется у тебя, Кэтрин.

— Уверяю тебя, все хорошо, — сказал Ральф. — Дай только рассказать Уильяму…

И, несмотря на протесты Кассандры, уже направился к двери, когда та распахнулась и в комнату с улыбкой вошла миссис Хилбери. Возможно, ее предупредила прислуга, а может, подсказало чутье, позволявшее угадывать, когда и где именно требуется ее помощь.

— Кассандра, дорогая! — воскликнула она. — Как я рада, что ты к нам вернулась! Удивительное совпадение. Уильям пришел, чайник выкипает, а я думаю: «Где же Кэтрин?» — иду ее искать — и нахожу Кассандру!

Она была довольна, словно доказала наконец что-то важное, хотя остальные явно недоумевали.

— Я нашла Кассандру! — повторила миссис Хилбери.

— Она опоздала на поезд, — пояснила Кэтрин, заметив, что Кассандра не в силах произнести ни слова.

— Так всегда бывает в жизни, — задумчиво проговорила миссис Хилбери, рассматривая портреты, развешанные на противоположной стене, — один поезд упустишь, другой поймаешь…

Но тут она прервала свою речь и заметила, что чайник, вероятно, уже безнадежно выкипел.

Воображение Кэтрин нарисовало ей гигантский чайник, затапливающий дом потоками пара и кипятка, чайник — квинтэссенцию всех домашних обязанностей, которыми она легкомысленно пренебрегла. Она торопливо взбежала по лестнице в гостиную, Ральф пошел за ней, а миссис Хилбери обняла Кассандру и повела следом. Там они увидели Родни, созерцающего чайник с легкой обеспокоенностью, но в то же время с таким отсутствующим видом, как будто катастрофа, нарисованная воображением Кэтрин, уже свершилась. Никто не стал ничего объяснять, никто никого не стал поздравлять, Кассандра и Родни сели как можно дальше друг от друга, всем своим видом показывая, что они здесь ненадолго. Но миссис Хилбери не заметила их смущения или решила не обращать на него внимания, а может, подумала, что еще не время вмешиваться, — и начала рассказ о поездке на могилу Шекспира.

— Бескрайние земли, бескрайние воды, и над всем этим витает возвышенный дух, — мечтательно произнесла она и начала бессвязное лиричное повествование о закатах и рассветах, о великих поэтах, и о том, что дух возвышенной любви, о которой они писали, жив и по сей день, и ничего не меняется, и век грядущий наследует веку прошедшему, и смерти нет, и всем суждено встретиться в сиянии вечности... Казалось, миссис Хилбери забыла о присутствующих. Но внезапно она легко и естественно спустилась с заоблачных вершин и перешла к тому, что занимало всех в настоящем.

— Кэтрин и Ральф, — проговорила она, как бы проверяя созвучие имен, — Уильям и Кассандра.

— Но я в крайне неловкой ситуации, — встревоженно начал Уильям. — Я не должен здесь находиться. Вчера мистер Хилбери велел мне покинуть этот дом, и я не собирался возвращаться. Мне следует...

— Мне тоже неловко, — быстро добавила Кассандра. — После всего, что дядя Тревор наговорил вчера вечером…

— Из-за меня вы оказались в ужасном положении, — торжественно произнес Родни, поднимаясь, и Кассандра тоже встала. — Не получив согласия вашего отца, я не должен был даже говорить с вами, тем более в доме, где мое положение... — Тут он взглянул на Кэтрин и на миг смутился: — Где мое поведение было чрезвычайно предосудительным и недопустимым. Я все объяснил вашей матушке, Кэтрин, и она попыталась великодушно убедить меня, что своим поступком я никому не причинил вреда… Вы убедили ее, что мое поведение, такое эгоистичное и самолюбивое... эгоистичное и самолюбивое, — повторил он, словно оратор, забывший текст.

В Кэтрин в это время боролись два сильных чувства. Она старалась не смеяться над Уильямом, который произносил столь официальную речь, стоя по другую сторону стола, и одновременно пыталась не заплакать при виде такого детского, наивного и честного отношения, бесконечно трогательного. Ко всеобщему удивлению она встала, протянула ему руку и сказала:

— Тебе не в чем себя упрекнуть. Ты всегда, всегда был так… — И тут слезы навернулись ей на глаза и побежали по щекам, а Уильям, необычайно тронутый, схватил ее руку и поднес к губам.

Никто не заметил, что именно в этот момент дверь приоткрылась и в гостиную заглянул мистер Хилбери. Он окинул представившуюся ему сцену взглядом, полным раздражения и укоризны, и исчез прежде, чем кто-либо успел его заметить. Отступив в коридор, мистер Хилбери попытался собраться с мыслями и решить, что делать дальше. Было совершенно очевидно, что жена перепутала все его назидания и вовлекла участников скандала в пренеприятнейшую ситуацию. Мистер Хилбери помедлил еще немного, а затем распахнул дверь во второй раз, стараясь произвести как можно больше шума. Все присутствующие успели вернуться на свои места; они смеялись над чем-то и заглядывали под стол, так что его появления никто не заметил.

Раскрасневшаяся Кэтрин выпрямилась и воскликнула:

— Все, хватит, это был мой последний театральный жест!

— Оно могло куда-нибудь укатиться, — заметил Ральф, наклоняясь, чтобы заглянуть под каминный коврик.

— Не важно, не волнуйтесь. Мы его обязательно найдем… — начала миссис Хилбери, но, увидев мужа, воскликнула: — Ой, Тревор! А мы ищем обручальное кольцо Кассандры.

Мистер Хилбери посмотрел на пол. Кольцо лежало на ковре прямо у его ног. Он наклонился и почти машинально поднял его, радуясь, что нашел то, что не смогли найти остальные, а потом с изысканным поклоном преподнес Кассандре. Возможно, именно поклон вернул ему привычную любезность и обходительность, поскольку — после секундного смущения — раздражение мистера Хилбери исчезло. Он обнял Кассандру, которая робко подставила ему щеку для поцелуя. Затем несколько чопорно кивнул Денему и Родни — молодые люди поднялись при виде его, затем снова сели. А миссис Хилбери, казалось, только и дожидалась прихода мужа, чтобы задать вопрос первостепенной важности, который, по-видимому, давно ее мучил:

— О Тревор, будь добр, скажи, когда была первая постановка «Гамлета»?

Чтобы ответить на этот вопрос, мистеру Хилбери пришлось обратиться к исследованию Уильяма Родни. И прежде чем он высказал свое высочайшее одобрение его гипотезам, Родни почувствовал, что вновь принят в цивилизованное общество под поручительство самого Шекспира. Сила литературы, временно покинувшая мистера Хилбери, вновь вернулась к нему и излилась живительным бальзамом на вульгарные человеческие связи и подсказала, как болезненные эмоции, подобные тем, что испытал мистер Хилбери накануне вечером, можно отлить в безопасные, округлые и приятные уху цветистые фразы. Теперь он был уверен, что полностью контролирует себя и свои слова, — по крайней мере, достаточно, чтобы спокойно смотреть на Кэтрин и Денема. Разговор о Шекспире, похоже, подействовал на Кэтрин расслабляюще: она сидела во главе стола и рассеянно разглядывала портреты, желтоватые стены, вишневые бархатные шторы. Денем, как заметил мистер Хилбери, тоже замер в неподвижности. Но под его сдержанностью и спокойствием угадывались воля и упорство, делавшее бессмысленными все риторические обороты, которые были в запасе у мистера Хилбери. Впрочем, тот молчал. Он уважал этого молодого человека, чрезвычайно способного и самостоятельного. Мистер Хилбери отметил горделивую посадку его головы и подумал: вот кто способен оценить Кэтрин по достоинству, — и эта мысль вызвала у него приступ неожиданной и мучительной ревности. Если б Кэтрин выбрала Родни, он бы даже бровью не повел. Но она любит этого человека. Или же их связывают иные отношения?.. Волна невероятно сильных и запутанных чувств грозила захлестнуть мистера Хилбери, когда миссис Хилбери обратила внимание на паузу в разговоре, взглянула на дочь и сказала:

— Если хочешь уйти, Кэтрин, — иди. Думаю, вы с Ральфом…

— Мы обручились, — сказала Кэтрин, поднимаясь.

Это откровенное заявление застало мистера Хилбери врасплох, он отшатнулся. Для того ли он так любил ее, чтобы теперь покорно смотреть, как ее уносит от него бурный поток, как увлекает ее прочь непреодолимая сила, перед которой он лишь беспомощный ненужный наблюдатель? Нет, он слишком любил ее. И он коротко кивнул Денему.

— Вчера вечером я предполагал нечто подобное, — сказал он. — Надеюсь, вы ее достойны.

Не глядя на дочь, мистер Хилбери быстро вышел из комнаты под удивленно-почтительные вздохи дам — образец мужественности и экстравагантности, свирепости и безрассудства, царь природы, удаляющийся в свое логово с грозным рыком, который и в наши дни слышится порой даже в самых изысканных гостиных. Кэтрин посмотрела ему вслед и опустила глаза, чтобы никто не заметил ее слез.

ГЛАВА XXXIV

Зажгли лампы, блестело полированное дерево, отражая их свет, по кругу ходили бутылки с дорогим вином — таким образом, цивилизация восторжествовала, и мистеру Хилбери, который председательствовал на этом пиру, ситуация казалась все более радостной и обнадеживающей. Во всяком случае, если судить по сияющим глазам Кэтрин, — но тут мистер Хилбери решительно пресекал в себе всякую сентиментальность. У него и так много дела: наполнить бокалы, подбадривать Денема и следить, чтобы его тарелка не оставалась пустой.

Потом все поднялись наверх — и Кэтрин с Денемом сразу же уединились, как только Кассандра вызвалась сыграть что-нибудь — Моцарта? Бетховена? — и подошла к фортепиано. Она открыла крышку, и за ними тотчас мягко закрылась дверь. Какое-то время мистер Хилбери недоуменно смотрел на закрытую дверь, потом успокоился и, вздохнув, стал слушать музыку.

Кэтрин и Ральф поняли друг друга с полуслова, и вскоре она уже сбежала к нему в холл, накинув пальто. Была ясная лунная ночь — идеальная для прогулок, как и всякая ночь теперь для этих двоих, поскольку им больше всего на свете хотелось движения, свободы, тишины.

— Наконец-то! — выдохнула она, когда за ними закрылась парадная дверь.

И принялась рассказывать ему, как ждала, и тосковала, и думала, что он никогда больше не придет, прислушивалась к каждому хлопку двери, и каждый раз надеялась, что он стоит там, под фонарем, на улице, и смотрит на ее дом. Они оглянулись на тихий дом с горящими окнами — его дражайшую святыню. И хотя она, смеясь, шутливо дергала его за рукав, он бы не отрекся от прежней веры, однако прикосновение ее руки и волшебные переливы ее голоса не оставляли ему времени на раздумья — да и не очень-то хотелось, — было нечто другое, требовавшее его внимания.

Каким-то образом они оказались на ярко освещенной улице с множеством фонарей, сияющими перекрестками, снующими в два ряда омнибусами — и, выбрав наугад один из них, взобрались наверх и устроились на переднем сиденье. Покружив немного по относительно темным улицам, таким узким, что тени от жалюзи едва не касались их лиц, они выехали на оживленную развязку, куда стекаются желтые огни, чтобы потом, редея, разбежаться в разные стороны. Так они парили между небом и землей, пока впереди не замаячили бледные и плоские на фоне ночного неба церковные шпили лондонского Сити.

— Замерзла? — спросил он, когда они вышли у Темпл-Бар.

— Да, немного, — ответила она.

Роскошная гонка огней вокруг блуждающего и кружащего городского омнибуса подошла к концу, подумала она. В мыслях они повторяли этот маршрут, парили над толпой, как победители на колеснице, наслаждаясь пышным зрелищем по праву хозяев жизни. Теперь они стояли на тротуаре, и восторги поутихли, но им было так хорошо вместе! Ральф остановился под газовым фонарем зажечь трубку.

Желтоватое пламя высветило на миг его лицо.

— Домик! — сказала Кэтрин. — Мы снимем домик и поселимся там.

— И все здесь бросим? — спросил он.

— Если хочешь, — ответила она и, глядя в небо над Чансери-Лейн, подумала: этот кров над головой всюду одинаков, и теперь у нее есть все, что сулила эта высокая синева, ее ровный негасимый свет, — реальность ли, цифры или любовь, истина?

— Я тут вспомнил, — задумчиво сказал Ральф, — о Мэри Датчет. Ее дом совсем рядом. Ты не против, если мы зайдем к ней?

Кэтрин отвернулась и не сразу ответила ему. В этот вечер ей не хотелось никого видеть. Она только что узнала ответ на величайшую загадку Вселенной, разрешила важнейшую задачу: на один краткий миг в ее ладонях очутился весь мир — крохотный шарик, который каждый из нас всю жизнь пытается создать для себя из первозданного хаоса. А встреча с Мэри могла бы повредить его целостности.

— Ты нехорошо обошелся с ней? — спросила она, думая о чем-то своем.

— У меня есть оправдание, — ответил он почти вызывающе. — Но какая разница, если речь идет о человеческих чувствах. Я загляну к ней буквально на минуту, — добавил он, — только чтобы сказать…

— Разумеется, ты должен ей все рассказать, — ответила Кэтрин и внезапно испугалась за него из-за того, что он собирался сделать, за его крохотный новый мир, созданный из хаоса, — если, конечно, он у него был.

— Я бы хотела… хотела… — начала она, но тут печаль нахлынула и затуманила ее взор. Мир затрепетал у нее перед глазами, словно его вдруг затопили непролитые слезы.

— Я ни о чем не жалею, — твердо сказал Ральф.

Она прильнула к нему, словно надеялась увидеть то же, что и он. Она все еще с трудом понимала его, но за этой замкнутостью, как за дымовой завесой, все чаще виделся ей жаркий огонь, источник жизни.

— Продолжай, — сказала она. — Итак, ты ни о чем не жалеешь?..

— Ни о чем, — повторил он.

«Это он! Он и есть мой огонь», — подумала она. Она представляла его как костер, пылающий в ночи, но при этом он все еще был непостижим — настолько, что, даже держа его за руку, как сейчас, она касалась лишь некой субстанции, окружающей невидимое для нее ревущее пламя.

— Почему — ни о чем? — быстро спросила она, чтобы спросить хоть что-то, чтобы он продолжал говорить, чтобы ярче сиял, отчетливее проступал сквозь дым этот рвущийся к небесам неукротимый огонь.

— О чем ты думаешь, Кэтрин? — насторожился он, заметив, что тон ее переменился: стал мечтательным, она говорила словно в полусне.

— Я думала о тебе — правда-правда. Я всегда думаю о тебе, только ты представляешься мне в таких странных образах. Ты разрушил мое одиночество. Сказать, как я тебя вижу? Нет, лучше ты расскажи. Расскажи мне все с самого начала.

Он начал рассказ. Речь его вначале была сбивчивой, но по мере повествования становилась все более оживленной, все более страстной — а она слушала, склонив голову ему на плечо, с восторгом ребенка и с благодарностью взрослой женщины. И лишь изредка перебивала:

— Но ведь это глупо — стоять на улице и глядеть на окна! А если бы Уильям тебя не заметил? Так и простоял бы всю ночь?

На это он ответил, что тоже не понимает, как в ее возрасте можно забыть обо всем, заглядевшись на уличное движение на Кингсуэй.

— Но ведь именно тогда я впервые поняла, что люблю тебя! — воскликнула она.

— Расскажи теперь ты все с самого начала.

— Нет, я не умею рассказывать, — отнекивалась она. — Я буду говорить глупости — про огни, костры. Нет, лучше не стоит.

Но он настаивал и услышал взволнованный рассказ, показавшийся ему чудесным — о багровом пламени в клубах дыма, — как будто ступил на порог сумеречного неведомого мира, наполненного смутными тенями, огромными, неясными; выхваченные внезапной вспышкой, они проступали из мрака и вновь отступали, поглощенные тьмой. Тем временем они добрались до переулка, где жила Мэри Датчет и, увлеченные беседой, прошли мимо ее подъезда, даже не поглядев наверх. В такой поздний час улицы были почти пустынны — ни транспорта, ни пешеходов, и как приятно было идти не спеша, взявшись за руки, лишь время от времени указывая друг другу что-нибудь интересное на широком темно-синем пологе небес.

И в этом состоянии счастливой безмятежности наступил момент такой полной ясности, что любые жесты и слова казались излишними. Они погрузились в молчание, вместе, рука об руку, углубившись в темные лабиринты мысли — к чему-то смутно маячившему вдали, что приближалось, нарастало и постепенно овладевало обоими. Они были победители, хозяева жизни, и вместе с тем жертвы — ибо добровольно принесли себя на алтарь этого всепоглощающего чувства, что пылало, подобно священному огню. Так они, наверное, раза два или три доходили до конца переулка и поворачивали обратно, пока что-то не заставило их остановиться, они и сами не поняли сначала почему. Повторяющаяся картина — ровный свет за тонкой желтой шторой — напомнила о себе.

— У Мэри свет в окне, — сказал Ральф. — Значит, она дома.

Он указал на другую сторону улицы, и Кэтрин тоже взглянула туда.

«Интересно, она одна? Работает? Чем она занята сейчас?» — задумалась Кэтрин, а вслух сказала:

— Зачем ее отвлекать? Что мы ей скажем? — И добавила: — Она тоже счастлива, у нее есть работа… — Голос Кэтрин пресекся, и уличные огни дрогнули и расплылись золотым морем, затуманенные слезами.

— Значит, ты не хочешь, чтобы я зашел к ней? — спросил Ральф.

— Иди, конечно. Поговори с ней, — ответила Кэтрин.

Он перебежал дорогу и вошел в дом. Кэтрин осталась стоять там, где он ее оставил, и смотрела на освещенное окно, надеясь увидеть за ним движущиеся тени. Но ничего не увидела. По-прежнему непроницаемо желтели шторы, из окна лился ровный безмятежный свет. Он словно подавал ей знак — свет победы, который теперь будет сиять там всегда, и в этой жизни его уже не погасить. Это было счастье, она приветствовала его и почтительно склонялась перед ним. «Как же ярко они горят!» — подумала она, когда вся лондонская темень вдруг расцветилась трепещущими, рвущимися ввысь огнями, но снова взглянула на окошко Мэри и больше уже ничего не замечала. Через некоторое время от темного дверного проема отделилась фигура — Ральф пересек улицу и медленно подошел к ней.

— Я не решился зайти. Не смог, — сказал он.

Ральф все это время простоял у двери, не смея постучать, и, даже если бы Мэри вышла из квартиры, он не смог бы ничего ей сказать: душили слезы.

Несколько минут они молча смотрели вдвоем на освещенные изнутри шторы, и отчужденность и безмятежность этой картины красноречивее всего говорили о женщине, которая сидит сейчас за этим окном, трудится допоздна, чтобы сделать мир лучше, — и это будет неведомый, новый мир. А за этим образом потянулись и другие, и первой из них Ральфу припомнилась Салли Сил.

— Ты помнишь Салли Сил? — спросил он.

Кэтрин кивнула.

— Твоя мама и Мэри? Родни и Кассандра? Джоан там, в Хайгейте? — Он замолчал, не в силах объяснить, что заставило его объединить всех этих людей. Они были для него не просто отдельными личностями, но частью единого целого; через них он представил себе упорядоченный мир.

— «Это же очень просто», — вспомнила Кэтрин любимую фразу Салли Сил, давая Ральфу понять, что уловила ход его мыслей.

Она чувствовала, что он заново, кропотливо и тщательно пытается собрать воедино разрозненные обрывки представлений, не связанных друг с другом фраз, стертых от употребления прежними ревнителями веры. Они вместе ступили в неведомую область, где странным образом все незавершенное, недосказанное, недописанное и оставленное без ответа, соединясь, обретает смысл и цельность. Из такого настоящего будущее видится просто великолепным. Нужно будет написать книги, а поскольку книги пишутся в комнатах, а у комнат бывают гардины, а за окнами — поля и горизонт вдали и, допустим, еще деревья и холм, — они набрасывали свое будущее пристанище на огромных фасадах Стрэнда и продолжали строить планы в омнибусе, который вез их к Челси, — и все это было окутано волшебным золотистым светом одинокой, ровно горящей лампы.

Ближе к полуночи на верхней площадке омнибуса оказалось полно свободных мест, выбирай любое, а улицы были пустынны, если не считать случайных парочек, ищущих укромности в такой поздний час. В окнах уже не виднелись силуэты людей за фортепиано. Правда, кое-где еще теплились огоньки в окнах спален, да и те, пока омнибус проезжал мимо, гасли один за другим.

Они вышли из омнибуса и направились к реке. Она вдруг почувствовала, как каменеет его рука — то был знак, что они ступили в зачарованное царство. С ним еще можно было разговаривать, но эта дрожь в голосе, слепое обожание во взоре — кому он ответит? Что за женщину он видит сейчас перед собой? И куда сама она направляется и кто ее спутник? Обрывки, зыбкие образы, мгновенно возникающие и тающие видения — и вихревые летящие струи, разделяющие, растворяющие; но затем все опять соберется из хаоса, обретет твердую почву и засияет на солнце, прекраснее прежнего. Из сердца этой тьмы он возносил благодарность, и она из своего неразличимого далека отвечала ему. Так июньской ночью поют соловьи, перекликаясь в долине, в каждом саду слышны их трели. Они остановились и стали глядеть на реку, катившую мимо темные воды, без устали, бесконечно. А обернувшись, увидели, что уже подошли к дому. В окнах горел свет — их ждали, а может, Родни никак не мог расстаться с Кассандрой. Кэтрин приоткрыла дверь и встала на пороге. Сонный мрак слегка развеяли бледно-золотистые лучи. Они постояли так с минуту, потом расцепили руки.

— Спокойной ночи, — прошептал он.

— Спокойной ночи, — так же тихо сказала она в ответ.

ОГЛАВЛЕНИЕ

Глава I 7
Глава II 25
Глава III 39
Глава IV 52
Глава V 70
Глава VI 84
Глава VII 108
Глава VIII 117
Глава IX 126
Глава X 141
Глава XI 153
Глава XII 164
Глава XIII 181
Глава XIV 187
Глава XV 202
Глава XVI 220
Глава XVII 236
Глава XVIII 249
Глава XIX 282
Глава XX 290
Глава XXI 304
Глава XXII 319
Глава XXIII 333
Глава XXIV 347
Глава XXV 374

Глава XXVI 388
Глава XXVII 414
Глава XXVIII 437
Глава XXIX 454
Глава XXX 472
Глава XXXI 484
Глава XXXII 514
Глава XXXIII.. 540
Глава XXXIV.. 565

Вулф В.

В88   Ночь и день : роман / Вирджиния Вулф; пер. с англ.
Н. Усовой. — Москва: Текст, 2013. — 574[2]с. — (Классика).

ISBN 978-5-7516-1185-9

«Ночь и день» (1919) — второй по времени создания роман знаменитой английской писательницы Вирджинии Вулф (1882–1941), одной из основоположниц литературы модернизма. Этот роман во многом автобиографичен, хотя автор уверяла, что прообразом главной героини Кэтрин стала ее сестра Ванесса, имя которой значится в посвящении. «Ночь и день» похож на классический английский роман: здесь есть любовный треугольник, окрашенные юмором лирические зарисовки, пространные диалоги, подробные описания природы и быта. Однако традиционную форму автор наполняет новым содержанием: это отношение главных героев к любви и браку. Кэтрин и Ральф — мечтатели, их попытки сблизиться обременены мучительными размышлениями, сомнениями в том, насколько их чувства истинны. И все же, несмотря на неудачи, они уверенно движутся от мечты к реальности, из ночи — в день.

УДК 821.111
ББК 84(4Вел)

Вирджиния Вулф
НОЧЬ И ДЕНЬ
Роман

Редактор Ю.И. Зварич
Оформление серии Т.О. Семеновой

Подписано в печать 26.10.13. Формат 84 x 108/$_{32}$.
Усл. печ. л. 30,24. Уч.-изд. л. 25,1.
Тираж 3000 экз. Изд. № 1185.
Заказ № 9198

Издательство «Текст»
127299 Москва, ул. Космонавта Волкова, д. 7
Тел./факс: (499) 150-04-82
E-mail: text@textpubl.ru
http://www.textpubl.ru

Отпечатано с готовых файлов заказчика
в ОАО «Первая Образцовая типография»,
филиал «УЛЬЯНОВСКИЙ ДОМ ПЕЧАТИ»
432980, г. Ульяновск, ул. Гончарова, 14

9/14 Senorum